D0542213

ullstein

Das Buch

Sommer in Los Angeles. Detective Robert Hunter und sein Partner Carlos Garcia sind auf der Suche nach einem Mörder, der ihnen mit jedem Mord ein Rätsel aufgibt.

Das erste Opfer, der 50-jährige Staatsanwalt Derek Nicholson, lag nach einer Tumordiagnose bereits im Sterben. Nun wurde seinem Leiden auf bestialische Weise ein Ende bereitet. Jemand wollte ihn nicht so einfach sterben lassen und hat ihn grausam zu Tode gefoltert. Warum? Hunter und Garcia finden einen blutigen Tatort vor und eine »Skulptur« aus menschlichen Gliedmaßen, die Schattenfiguren an die Wand wirft: einen Hund und einen Raben. In der Mythologie symbolisieren diese Tiere »Lüge«.

Kurz darauf wird ein weiteres Opfer gefunden: der 51-jährige Polizist Andrew Dupek. Auch hier hinterlässt der Täter rätselhafte Hinweise: Hunter und Garcia finden einen Kopf mit Hörnern und acht abgetrennte Finger. Und dann gibt es ein drittes Opfer. Hunters Ermittlungsansatz ist klar: Er muss wissen, was die drei Männer miteinander verband. Bislang weiß er nur eines: Er jagt einen unberechenbaren Täter. Einen kranken Geist. Ein Phantom.

Als Hunter schon die Waffen strecken und den Fall dem FBI übergeben will, überschlagen sich plötzlich die Ereignisse.

Der Autor

Chris Carter wurde 1965 in Brasilien als Sohn italienischer Einwanderer geboren. Er studierte in Michigan forensische Psychologie und arbeitete sechs Jahre lang im Psychologenteam der Staatsanwaltschaft. Dann zog er nach Los Angeles, wo er als Musiker Karriere machte. Gegenwärtig lebt Chris Carter in London. Die ersten drei Fälle mit Profiler Robert Hunter standen wochenlang auf der Bestsellerliste; *Totenkünstler* ist der vierte Fall.

Von Chris Carter sind in unserem Hause bereits erschienen:
One Dead (E-Book) · *Der Kruzifix-Killer* · *Der Vollstrecker* · *Der Knochenbrecher* · *Totenkünstler* · *Der Totschläger* · *Die stille Bestie* · *I Am Death. Der Totmacher* · *Death Call. Er bringt den Tod* · *Blutrausch. Er muss töten* · *Jagd auf die Bestie* · *Bluthölle*

Chris Carter

TOTEN KÜNSTLER

THRILLER

Aus dem Englischen
von
Sybille Uplegger

Ullstein

Besuchen Sie uns im Internet:
www.ullstein.de

Wir verpflichten uns zu Nachhaltigkeit

- Klimaneutrales Produkt
- Papiere aus nachhaltiger Waldwirtschaft und anderen kontrollierten Quellen
- ullstein.de/nachhaltigkeit

Deutsche Erstausgabe im Ullstein Taschenbuch
1. Auflage März 2013
11. Auflage 2021

Titel der englischen Originalausgabe:
The Death Sculptor (Simon & Schuster Inc.)
Umschlaggestaltung: ZERO Werbeagentur, München
Titelabbildung: © FinePic®, München
Satz: LVD GmbH, Berlin
Gesetzt aus der Scala
Druck und Bindearbeiten: CPI books GmbH, Leck
ISBN 978-3-548-28539-9

1

»Ach du lieber Gott, ich komme zu spät!«, rief Melinda Wallis und sprang aus dem Bett. Mit müden Augen warf sie einen Blick zum Wecker auf ihrem Nachttisch. Sie war letzte Nacht bis halb vier auf gewesen und hatte für eine Prüfung in Klinischer Pharmakologie gelernt, die sie in drei Tagen schreiben musste.

Schlaftrunken stolperte sie durchs Zimmer, während ihr Gehirn sich darüber klarzuwerden versuchte, was als Erstes zu tun war. Sie lief ins Bad, wo sie einen Blick auf ihr Spiegelbild erhaschte.

»Mist, Mist, Mist!«

Sie griff nach ihrem Schminktäschchen und begann sich das Gesicht zu pudern.

Melinda war dreiundzwanzig Jahre alt und einem Artikel in einem Hochglanzmagazin zufolge, den sie vor einigen Tagen gelesen hatte, für ihre Körpergröße von einem Meter zweiundsechzig ein wenig zu dick. Ihre langen braunen Haare trug sie grundsätzlich zum Pferdeschwanz gebunden, selbst wenn sie abends ins Bett ging, und sie verließ das Haus nie ohne mindestens eine Schicht Abdeckcreme im Gesicht, die die hässliche Akne auf ihren Wangen kaschieren sollte. Statt sich die Zähne zu putzen, quetschte sie sich nur rasch einen Klecks Zahnpasta in den Mund, um den Geschmack der Nacht loszuwerden.

Zurück im Schlafzimmer, fand sie ihre Kleider – weiße Bluse, Strümpfe, knielanger weißer Rock und weiße Schuhe mit flachen Sohlen – ordentlich zusammengelegt auf dem

Stuhl neben ihrem Schreibtisch. Sie zog sich in Rekordzeit an und stürzte aus der kleinen Gästewohnung in Richtung Haupthaus.

Melinda war Pflegeschülerin im dritten Jahr an der UCLA, der University of California, und um die erforderlichen Praxisstunden abzuleisten, arbeitete sie jedes Wochenende als Krankenschwester in der ambulanten Pflege. Seit mittlerweile dreieinhalb Monaten betreute sie Mr Derek Nicholson in Cheviot Hills, West Los Angeles.

Keine zwei Wochen vor ihrem Jobantritt hatte man bei Mr Nicholson ein Lungenkarzinom im fortgeschrittenen Stadium festgestellt. Der Tumor war bereits so groß wie ein Pflaumenstein und hatte Metastasen gebildet. Inzwischen hatte Mr Nicholson große Schwierigkeiten beim Gehen, benötigte immer öfter die Hilfe eines Sauerstoffgeräts und konnte kaum noch sprechen. Trotz des Drängens seiner Töchter hatte er eine Chemotherapie abgelehnt. Er sah nicht ein, weshalb er die letzten Tage seines Lebens in einem Krankenzimmer liegen sollte. Lieber wollte er die Zeit, die ihm noch blieb, in seinem eigenen Zuhause verbringen.

Melinda sperrte die Haustür auf und eilte durch die geräumige Eingangshalle, bevor sie das große, aber sparsam möblierte Wohnzimmer betrat. Mr Nicholsons Schlafzimmer lag im ersten Stock. Wie jeden Morgen herrschte im Haus eine fast unheimliche Stille.

Derek Nicholson lebte allein. Seine Frau war zwei Jahre zuvor gestorben. Seine Töchter kamen ihn zwar jeden Tag besuchen, hatten aber ansonsten ihr eigenes Leben.

»Entschuldigung, dass ich mich verspätet habe!«, rief Melinda von unten. Erneut warf sie einen Blick auf die Uhr. Sie war exakt dreiundvierzig Minuten zu spät. »Mist!«, knurrte sie noch einmal. »Derek, sind Sie wach?« Sie hatte die Treppe erreicht und hastete mit großen Schritten die Treppe hinauf.

Gleich an ihrem ersten Wochenende hatte Derek Nicholson sie gebeten, ihn mit seinem Vornamen anzusprechen. Er mochte den förmlichen Klang von »Mr Nicholson« nicht.

Als Melinda sich der Tür zu seinem Schlafzimmer näherte, wehte ihr ein strenger, Übelkeit erregender Geruch entgegen.

Oje, dachte sie. Ganz offensichtlich war es für den ersten Gang zur Toilette bereits zu spät.

»Also, ich mache Sie jetzt erst mal sauber ...«, begann sie, während sie gleichzeitig die Tür öffnete, »... und dann bringe ich Ihnen Ihr Frühst...«

Ihr ganzer Körper versteifte sich, ihre Augen wurden weit vor Entsetzen, und alle Luft wich aus ihren Lungen, als hätte man sie ins Weltall geschossen. Sie merkte, wie ihr der Mageninhalt hochkam, und erbrach sich gleich neben der Tür.

»Gott im Himmel!«, wollte Melinda hervorstoßen, doch kein Laut kam über ihre bebenden Lippen. Die Knie gaben unter ihr nach, alles um sie herum begann sich zu drehen, und sie musste sich mit beiden Händen am Türrahmen festklammern, um aufrecht stehen zu bleiben. In diesem Moment fiel der Blick ihrer schreckensgeweiteten grünen Augen auf die Wand gegenüber. Zuerst konnte ihr Verstand das, was sie dort sah, gar nicht verarbeiten, doch dann brach eine entsetzliche, rasende Angst über sie herein wie ein Gewittersturm.

2

In der Stadt der Engel hatte kaum der Sommer begonnen, und schon jetzt lagen die Temperaturen bei annähernd dreißig Grad. Detective Robert Hunter vom Raub- und Morddezernat des Los Angeles Police Department hielt seine Stoppuhr an, als er vor seinem Apartmentgebäude in Huntingdon Park, südöstlich von Downtown L. A., zum Stehen kam. Sieben Meilen in achtunddreißig Minuten. *Nicht übel,* dachte er, allerdings schwitzte er wie ein Truthahn an Thanksgiving und spürte ein höllisches Ziehen in Beinen und Knien. Vielleicht hätte er sich vorher aufwärmen sollen. Selbstverständlich wusste er, dass man sich vor und nach dem Laufen dehnen sollte, erst recht bei längeren Strecken, aber irgendwie war ihm das immer zu umständlich.

Hunter stieg die Treppe in den dritten Stock hinauf. Er mochte keine Fahrstühle, und der in seinem Haus wurde nicht umsonst von den Bewohnern scherzhaft »Sardinenfalle« genannt.

Er schloss die Tür zu seiner Zweizimmerwohnung auf und trat ein. Die Wohnung war klein, aber sauber und gemütlich, auch wenn man keinem Außenstehenden einen Vorwurf hätte machen können, falls dieser Hunters Möbel für eine Spende der Heilsarmee gehalten hätte: ein schwarzes Kunstledersofa, mehrere Stühle, von denen keiner zum anderen passte, ein zerkratzter Esstisch, der gleichzeitig als Computertisch herhalten musste, sowie ein alter Bücherschrank, der aussah, als würde er jeden Moment unter dem Gewicht, das auf seinen überquellenden Regalbrettern lastete, zusammenbrechen.

Hunter zog sich das T-Shirt aus und wischte sich damit den Schweiß von Stirn, Nacken und muskulösem Oberkörper. Seine Atmung hatte sich bereits wieder normalisiert. In der Küche nahm er einen Krug mit Eistee aus dem Kühlschrank und goss sich ein großes Glas ein. Hunter freute sich auf einen geruhsamen Tag fernab des Police Administration Building, in dem seit kurzem das Raub- und Morddezernat untergebracht war. Er hatte nicht oft frei. Vielleicht würde er nach Venice Beach rausfahren und ein bisschen Volleyball spielen. Er hatte seit Ewigkeiten kein Volleyball mehr gespielt. Oder er könnte ins Stadion gehen, bestimmt spielten die Dodgers an diesem Abend. Doch zuerst musste er duschen und dem Waschsalon einen kurzen Besuch abstatten.

Hunter trank seinen Eistee aus, ging ins Bad und warf einen prüfenden Blick in den Spiegel. Eine Rasur wäre auch nicht das Schlechteste. Er wollte gerade nach Rasiergel und Rasierer greifen, als im Schlafzimmer sein Handy klingelte.

Hunter ging hin, nahm es vom Nachttisch und warf einen Blick aufs Display – Carlos Garcia, sein Partner. Erst jetzt sah er den kleinen roten Pfeil am oberen Rand des Displays, der ihn auf mehrere Anrufe in Abwesenheit hinwies. Zehn waren es insgesamt.

»Na toll«, brummte er und nahm das Gespräch an. Er wusste genau, was zehn verpasste Anrufe und sein Partner in der Leitung frühmorgens an einem freien Tag zu bedeuten hatten.

»Carlos«, sagte Hunter, nachdem er das Handy ans Ohr gehoben hatte. »Was gibt's?«

»Meine Güte, wo warst du denn? Ich versuche seit einer halben Stunde, dich zu erreichen!«

Ein Anruf alle drei Minuten, dachte Hunter. Das verhieß nichts Gutes.

»Ich war laufen«, erwiderte er ruhig. »Und hab danach nicht gleich aufs Handy geschaut. Die verpassten Anrufe sind mir eben erst aufgefallen. Also, was ist los?«

»Die reinste Hölle. Sieh zu, dass du herkommst, Robert. So was wie das hier habe ich noch nie gesehen.« Ein kurzes Zögern. »Ich glaube nicht, dass irgendein Mensch auf der Welt so was schon mal gesehen hat.«

3

Selbst an einem Sonntagmorgen brauchte Hunter für die fünfzehn Meilen zwischen Huntingdon Park und Cheviot Hills annähernd eine Stunde.

Garcia war am Telefon nicht weiter ins Detail gegangen, aber sein offenkundiges Entsetzen und das leichte Stocken in seiner Stimme waren definitiv untypisch.

Hunter und Garcia gehörten innerhalb des Raub- und Morddezernats einer kleinen Sondereinheit an – dem Morddezernat I. Das war dafür eingerichtet worden, um sich ausschließlich mit Serienverbrechen und solchen Morden zu befassen, die stark im Fokus der Öffentlichkeit standen, viel Ermittlungszeit in Anspruch nahmen und spezielles Fachwissen erforderten. Durch Hunters Hintergrund in Kriminalpsychologie kam ihm innerhalb des Dezernats eine ganz besonders wichtige Aufgabe zu. Ungewöhnlich brutale Morde wurden als UV – *ultra violent* – klassifiziert, dazu gehörten auch solche, bei denen sadistische Gewalt im Spiel war. Robert Hunter und Carlos Garcia bildeten zusammen die UV-Einheit. Entsprechend waren sie nicht leicht zu erschüttern. Sie hatten Dinge gesehen, die sich die meisten Menschen nicht einmal vorstellen konnten.

Hunter hielt neben einem der zahlreichen schwarzweißen Streifenwagen, die vor dem zweigeschossigen Haus in West L. A. parkten. Die Presse war bereits vor Ort und verstopfte die schmale Straße, doch das überraschte ihn nicht weiter. Es war ganz normal, dass die Journalisten vor den Ermittlern am Tatort eintrafen.

Ein Stoß warmer Luft traf ihn, als er aus seinem alten Buick Lesabre stieg. Während er sich die Jacke aufknöpfte und die Dienstmarke an den Gürtel klemmte, ließ er den Blick langsam in die Runde schweifen. Das Haus lag an einem privaten Zufahrtsweg in einer ruhigen Wohngegend, dennoch war die Schar an Zaungästen, die sich hinter der Polizeiabsperrung versammelt hatte, bereits beträchtlich und wuchs stetig weiter.

Hunter wandte sich dem Haus zu. Es war ein hübscher, zweigeschossiger Backsteinbau mit dunkelblau lackierten Fensterrahmen und Walmdach. Der Vorgarten war groß und gepflegt. Rechts neben dem Haus befand sich eine Doppelgarage, jedoch stand – mit Ausnahme weiterer Streifenwagen – kein Fahrzeug in der Einfahrt. Ein Van der Spurensicherung parkte wenige Meter entfernt. Hunter erspähte Garcia, als dieser durch den Vordereingang aus dem Haus trat. Er trug den klassischen weißen Tyvek-Overall. Mit seinen eins achtundachtzig war er gut fünf Zentimeter größer als Hunter.

Vor den Steinstufen, die von der Veranda in den Garten führten, blieb Garcia stehen und schob sich die Kapuze vom Kopf. Seine langen dunklen Haare waren zu einem glatten Pferdeschwanz zurückgebunden. Auch er hatte seinen Partner schnell entdeckt.

Hunter ignorierte die aufgeregte Pressemeute, zeigte dem uniformierten Officer, der am Rand der Absperrung Wache hielt, seine Marke und duckte sich unter das gelbe Flatterband.

In einer Stadt wie Los Angeles galt folgende Regel: Je abscheulicher und blutrünstiger ein Verbrechen, desto glücklicher die Reporter. Die meisten von ihnen kannten Hunter und wussten, in was für Fällen er ermittelte. Ihre Fragen prasselten wie Sperrfeuer auf ihn ein.

»Schlechte Nachrichten verbreiten sich schnell«, sagte Garcia und deutete mit dem Kopf auf die Pressemeute, als Hunter zu ihm trat. »Und eine gute Story noch schneller.« Er reichte seinem Partner einen nagelneuen, in Plastik eingeschweißten Overall.

»Wie ist das zu verstehen?« Hunter nahm den Plastikbeutel, riss ihn auf und begann sich einzukleiden.

»Das Opfer war Jurist«, erklärte Garcia. »Ein Mr Derek Nicholson, Staatsanwalt bei der kalifornischen Bezirksstaatsanwaltschaft.«

»Na großartig.«

»Er hat allerdings nicht mehr gearbeitet.«

Hunter zog den Reißverschluss seines Overalls zu.

»Man hatte bei ihm Lungenkrebs im Endstadium diagnostiziert«, fuhr Garcia fort.

Hunter sah ihn neugierig an.

»Er hatte nicht mehr lange zu leben. Sauerstoffgerät, die Beine wollten nicht mehr ... Die Ärzte hatten ihm höchstens noch ein halbes Jahr gegeben. Das war vor vier Monaten.«

»Wie alt war er?«

»Fünfzig. Es war kein Geheimnis, dass er im Sterben lag. Warum ihn dann noch auf diese Art und Weise ermorden?«

Hunter überlegte. »Und es besteht kein Zweifel, dass es Mord war?«

»O nein, da besteht absolut kein Zweifel.«

Garcia führte Hunter ins Haus und quer durch die Eingangshalle. An der Wand direkt neben der Haustür befand sich das Bedienfeld einer Alarmanlage. Hunter warf seinem Partner einen fragenden Blick zu.

»Der Alarm war nicht aktiviert«, erklärte dieser. »Wie's aussieht, haben sie die Anlage nur selten benutzt.«

Hunter verzog das Gesicht.

»Ich weiß«, sagte Garcia. »Wozu hat man dann überhaupt eine?«

Sie gingen weiter.

Im Wohnzimmer waren zwei Leute von der Kriminaltechnik damit beschäftigt, die Treppe im hinteren Bereich des Raums auf Fingerabdrücke zu untersuchen.

»Wer hat die Leiche gefunden?«, wollte Hunter wissen.

»Die Krankenschwester des Toten«, antwortete Garcia und lenkte Hunters Aufmerksamkeit auf eine geöffnete Tür an der östlichen Zimmerseite, durch die man in ein geräumiges Büro gelangte. Darin saß, auf einem alten Ledersofa von Chesterfield, eine junge, ganz in Weiß gekleidete Frau mit Pferdeschwanz. Ihre Augen waren vom Weinen verquollen und rot wie Himbeeren. Sie hatte eine Tasse Kaffee auf den Knien stehen, die sie mit beiden Händen festhielt. Ihr Blick wirkte verloren und starr. Hunter fiel die leichte Schaukelbewegung ihres Oberkörpers auf. Sie stand ganz eindeutig unter Schock. Ein uniformierter Polizist leistete ihr Gesellschaft.

»Hat schon jemand mit ihr gesprochen?«

»Ja, ich.« Garcia nickte. »Ein paar grundlegende Informationen konnte ich ihr entlocken, aber sie macht dicht, man kommt nicht an sie ran – was mich nicht weiter überrascht. Vielleicht kannst du es später noch mal versuchen. Du bist in solchen Dingen besser als ich.«

»Sie war an einem Sonntag hier?«, fragte Hunter.

»Sie ist jedes Wochenende hier«, klärte Garcia ihn auf. »Sie heißt Melinda Wallis. Pflegeschülerin an der UCLA. Steht kurz vor dem Abschluss. Der Job war Teil ihrer Praxisstunden. Eine Woche nachdem die Krankheit bei Mr Nicholson diagnostiziert wurde, hat sie hier angefangen.«

»Und die übrige Zeit?«

»Mr Nicholson hatte noch eine andere Pflegekraft.« Garcia zog den Reißverschluss seines Overalls auf und fischte ein Notizbuch aus der Brusttasche seines Hemds. »Amy Dawson«, las er vor. »Im Gegensatz zu Melinda ist Amy keine Pflegeschülerin, sondern examinierte Krankenschwester. Sie hat Mr Nicholson unter der Woche betreut. Außerdem hat er jeden Tag Besuch von seinen zwei Töchtern bekommen.«

Hunter hob die Brauen.

»Sie wissen noch nicht Bescheid.«

»Das Opfer hat also allein hier gewohnt?«

»Richtig. Der Mann war achtundzwanzig Jahre lang verheiratet, aber seine Frau ist vor zwei Jahren bei einem Autounfall ums Leben gekommen.« Garcia steckte das Notizbuch wieder weg. »Die Leiche ist oben.« Er deutete zur Treppe.

Auf dem Weg nach oben achtete Hunter darauf, nicht den Kriminaltechnikern in die Quere zu kommen. Der Treppenabsatz im ersten Stock sah aus wie ein Wartezimmer – zwei Stühle, zwei Ledersessel, ein kleines Bücherregal, ein Zeitschriftenständer und eine Anrichte, auf der mehrere Bilder in geschmackvollen Rahmen standen. Ein schwach beleuchteter Flur führte sie tiefer ins Haus hinein, zu den insgesamt vier Schlafzimmern und zwei Bädern. Garcia ging mit Hunter bis zur letzten Tür rechts. Davor blieb er stehen.

»Ich weiß, dass du schon viel Abartiges gesehen hast, Robert. Da geht es dir wie mir.« Seine latexbehandschuhte Hand lag auf dem Türknauf. »Aber das hier ... so was hätte ich mir nicht mal in meinen schlimmsten Träumen vorstellen können.« Er stieß die Tür auf.

4

Hunter stand im Türrahmen des geräumigen Schlafzimmers. Seine Augen nahmen alles wahr, doch sein Verstand hatte Mühe, das Gesehene zu begreifen.

Mittig an der nördlichen Wand des Zimmers stand ein höhenverstellbares Doppelbett. Rechts davon auf dem Nachttisch war ein kleiner Sauerstofftank mit Maske zu sehen. Am Fuß des Betts stand ein Rollstuhl. Weitere Möbel waren eine antik aussehende Kommode, ein Schreibtisch aus Mahagoni sowie eine große Schrankwand gegenüber vom Bett. In der Mitte der Schrankwand stand ein Flachbildfernseher.

Hunter stieß langsam den Atem aus. Er bewegte sich nicht, blinzelte nicht, sagte kein Wort.

»Wo sollen wir hier bloß anfangen?«, flüsterte Garcia neben ihm.

Alles war voller Blut – Bett, Fußboden, Teppich, Wände, Zimmerdecke, Vorhänge sowie fast alle Möbel. Der tote Mr Nicholson lag auf dem Bett. Oder vielmehr: das, was noch von ihm übrig war. Sein Körper war zerstückelt worden. Jemand hatte ihm Arme und Beine abgeschnitten. Einer der Arme war an den Gelenken in kleinere Stücke zerlegt worden. Und beide Füße waren von den Beinen getrennt.

Das Rätselhafteste jedoch war die Skulptur.

Auf einem kleinen Couchtisch am Fenster hatte jemand die abgeschnittenen Gliedmaßen des Opfers zu einem blutigen, bizarren Gebilde zusammengeschnürt.

»Das ist doch nicht euer Ernst«, wisperte Hunter zu sich selbst.

»Ich erspare mir die Frage, weil ich ganz genau *weiß*, dass Sie so was noch nie gesehen haben, Robert«, meldete sich Dr. Carolyn Hove aus der hinteren Ecke des Zimmers. »Das ist für uns alle Neuland.«

Dr. Hove war die Leiterin des Rechtsmedizinischen Instituts von Los Angeles. Sie war groß und schlank und hatte durchdringende tiefgrüne Augen. Ihre langen kastanienbraunen Haare waren unter der Kapuze ihres weißen Overalls verborgen, ihre vollen Lippen und die zierliche Nase hinter einem Mundschutz.

Hunter sah flüchtig zu ihr hin, dann betrachtete er nachdenklich die großen Blutlachen am Boden. Er zögerte kurz. Es war unmöglich, sich im Raum zu bewegen, ohne hineinzutreten.

»Ist schon gut.« Dr. Hove winkte ihn und Garcia heran. »Der Fußboden wurde bereits fotografiert.«

Trotzdem gab Hunter sich allergrößte Mühe, dem Blut auszuweichen. Vorsichtig näherte er sich dem Bett und der verstümmelten Leiche von Derek Nicholson.

Nicholsons Gesicht war blutverschmiert. Er hatte Augen und Mund weit aufgerissen, als wäre er unmittelbar vor seinem letzten Schrei gestorben. Bettlaken, Kopfkissen und Matratze waren an mehreren Stellen zerrissen.

»Er wurde hier im Bett getötet«, verkündete Dr. Hove und stellte sich neben Hunter.

Dieser betrachtete weiterhin die Leiche.

»Den Spritzspuren und der Blutmenge nach zu urteilen«,

fuhr sie fort, »hat der Mörder seinem Opfer so viele Schmerzen wie nur irgend möglich zugefügt und ihm erst dann erlaubt zu sterben.«

»Der Mörder hat ihn bei lebendigem Leib zerstückelt?«

Die Rechtsmedizinerin nickte. »Und er hat mit den kleinen, nicht lebensbedrohlichen Amputationen angefangen.«

Hunter zog die Brauen zusammen.

»Ihm wurden sämtliche Zehen abgeschnitten. Und die Zunge.« Hoves Blick glitt zu der abstoßenden Skulptur aus Nicholsons Gliedmaßen. »Ich würde sagen, das ist zuerst passiert, bevor er zerstückelt wurde.«

»Er war allein im Haus?«

»Ja«, antwortete Garcia. »Melinda, die Pflegeschülerin, die du unten gesehen hast, wohnt zwar übers Wochenende hier, aber sie schläft drüben in der Gästewohnung über der Garage. Ihrer Aussage nach sind Mr Nicholsons Töchter jeden Tag vorbeigekommen und haben mindestens zwei Stunden mit ihrem Vater verbracht. Gestern Abend waren sie bis circa einundzwanzig Uhr hier. Danach hat Melinda Mr Nicholson bettfertig gemacht und noch ein bisschen im Haus aufgeräumt. Gegen dreiundzwanzig Uhr ist sie zurück in ihre Gästewohnung gegangen. Sie war bis halb vier wach, weil sie für eine Prüfung lernen musste.«

Hunter fiel es nicht weiter schwer, nachzuvollziehen, weshalb die Pflegerin nichts gehört hatte. Die Garage lag vorn und war etwa zwanzig Meter vom Haus entfernt. Nicholsons Schlafzimmer wiederum befand sich im rückwärtigen Teil des Hauses, es war das letzte im Flur. Die Fenster gingen zum hinteren Garten hinaus. Man hätte in dem Raum eine Party feiern können, ohne dass Melinda etwas davon mitbekommen hätte.

»Kein Panikknopf?«, wollte Hunter wissen.

Garcia deutete auf eine der Asservatentüten in der Ecke. Sie enthielt ein Stück Kabel, an dessen Ende ein Druckknopf hing. »Der Draht wurde gekappt.«

Hunters Aufmerksamkeit richtete sich auf die Blutspritzer auf Bett, Möbeln und Wänden. »Hat man die Tatwaffe gefunden?«

»Bis jetzt noch nicht«, antwortete Garcia.

»Das sprühnebelartige Blutverteilungsmuster und die ausgefransten Wundränder deuten darauf hin, dass der Täter eine Art elektrische Säge verwendet hat«, warf Dr. Hove ein.

»Eine Kettensäge?«, fragte Garcia.

»Möglich.«

Hunter schüttelte den Kopf. »Eine Kettensäge wäre zu laut. Zu riskant. Das Letzte, was der Täter gewollt hätte, wäre, jemanden auf sich aufmerksam zu machen, bevor er fertig war. Eine Kettensäge ist außerdem schwer zu handhaben, erst recht wenn man auf Präzision aus ist.« Er studierte die Leiche noch eine Zeitlang, bevor er sich vom Bett entfernte und dem Couchtisch mitsamt seiner grotesken Skulptur zuwandte.

Mr Nicholsons Arme waren an den Handgelenken seltsam verdreht und abgewinkelt. Sie bildeten zwei separate, in ihrer Gestalt nicht näher erkennbare Figuren. Noch seltsamer war, dass die abgetrennten Füße an den Armen befestigt worden waren. Zusammengehalten wurde das Ganze von einem dünnen, aber stabilen Metalldraht – derselbe Draht, mit dem der Täter auch mehrere abgetrennte Zehen am Rand der zwei Figuren angebracht hatte. Nicholsons parallel zueinander liegende Beinstümpfe bildeten den Sockel der Skulptur. Alles war über und über mit Blut bedeckt.

Hunter ging langsam einmal um die Skulptur herum. Er bemühte sich, jede Einzelheit zu erfassen.

»Was auch immer das darstellen soll«, sagte Dr. Hove, »so was baut man nicht in ein paar Minuten zusammen. Das hat gedauert.«

»Und wenn der Täter sich so viel Zeit dafür genommen hat«, führte Garcia den Gedanken fort, während er gleichzeitig einen Schritt näher trat, »muss es was zu bedeuten haben.«

Hunter ging auf Abstand und betrachtete das makabre Werk aus der Entfernung. Es sagte ihm rein gar nichts.

»Glauben Sie, Ihr Labor könnte davon eine Nachbildung in Originalgröße anfertigen?«, wandte er sich an Dr. Hove.

Diese schürzte unter ihrem Mundschutz nachdenklich die Lippen. »Warum nicht? Es wurde schon fotografiert, aber ich kann den Fotografen noch mal reinrufen und ihn bitten, Bilder von allen Seiten zu machen. Bestimmt kriegt unser Labor das hin.«

»Dann machen wir es so«, beschloss Hunter. »Hier und jetzt werden wir nämlich nicht dahinterkommen, was es damit auf sich hat.« Er drehte sich zur gegenüberliegenden Wand und erstarrte. Sie war so voller Blut, dass er es beinahe nicht gesehen hätte. »Was um alles in der Welt ist das denn?«

Garcias Blick ging erst zu Hunter, dann zur Wand. Er stieß einen tiefen Seufzer aus.

»Das ... ist eines jeden Menschen schlimmster Alptraum.«

5

Dr. Hove zog sich den Mundschutz herunter und drehte sich zu Garcia um. »Er weiß es noch gar nicht?«

Hunter hob fragend die Brauen.

Erneut öffnete Garcia seinen Overall und holte das Notizbuch aus der Brusttasche. »Ich erzähle dir, was wir bis jetzt wissen, aber damit du dir ein klares Bild machen kannst, muss ich bis gestern Nachmittag zurückgehen.«

»Okay.« Hunter war ganz Ohr.

Garcia las vor. »Gestern gegen siebzehn Uhr ist Nicholsons ältere Tochter Olivia gekommen. Ihre jüngere Schwester Allison kam eine halbe Stunde später. Sie haben zusammen mit ihrem Vater zu Abend gegessen und ihm bis circa einundzwanzig Uhr Gesellschaft geleistet. Dann sind beide nach Hause gefahren. Danach ist Melinda, die Pflegerin, mit Mr Nicholson ins Bad gegangen und hat ihn zu Bett gebracht, genau wie jedes Wochenende. Er brauchte etwa eine halbe Stunde zum Einschlafen. Sie ist die ganze Zeit bei ihm geblieben.« Garcia deutete zum Stuhl auf der anderen Seite des Bettes. »Da drüben hat sie gesessen. Sie hatte sich ein paar Bücher zum Lernen mitgebracht.« Er blätterte eine Seite um. »Als er schlief, hat Melinda das Licht ausgemacht, unten noch die Geschirrspülmaschine ausgeräumt und ist so gegen dreiundzwanzig Uhr zurück in ihre Gästewohnung gegangen.«

Hunter nickte und sah erneut zur Wand.

»Dazu kommen wir gleich«, sagte Garcia. »Melinda weiß noch, dass sie alle Türen abgeschlossen hat, einschließlich der Hintertür in der Küche. Was die Fenster angeht, war sie sich aber nicht ganz sicher. Als ich heute früh hier ankam, waren zwei der Fenster im Erdgeschoss nicht verriegelt, das im Arbeitszimmer und das in der Küche. Die Polizisten, die als Erste am Tatort waren, haben versichert, sie hätten nichts verändert.«

»Mit anderen Worten, die Fenster waren wahrscheinlich die ganze Nacht lang offen«, sagte Hunter.

»Höchstwahrscheinlich, ja.«

Hunters Blick wanderte zu der gläsernen Schiebetür, die auf den Balkon hinausführte.

»Die war angelehnt«, klärte Garcia ihn auf. »Anscheinend ist es hier im Zimmer manchmal ein bisschen stickig, vor allem im Sommer. Mr Nicholson mochte keine Klimaanlagen. Der Balkon geht zum Garten und zum Swimmingpool raus. Das Problem ist, die Wand draußen ist praktisch vollständig mit Zaunwinde bewachsen – die am weitesten verbreitete Kletterpflanze Kaliforniens, wie dir ja bekannt sein dürfte. Das hölzerne Rankgerüst ist stabil genug, dass ein Mensch daran hochklettern kann. Es wäre also nicht weiter schwierig, sich vom Garten aus Zutritt zum Zimmer zu verschaffen.«

»Die Spurensicherung wird sich den Garten und den Balkon vornehmen, sobald sie mit dem Haus fertig ist«, warf Dr. Hove dazwischen.

»Ungefähr um Mitternacht«, fuhr Garcia fort, wobei er immer noch aus seinem Notizbuch ablas, »ist Melinda dann eingefallen, dass sie eins ihrer Bücher in Nicholsons Schlafzimmer vergessen hatte. Sie ist zurück zum Haus, hat die Haustür aufgeschlossen und ist die Treppe hoch.« Garcia ahnte bereits, wie Hunters nächste Fragen lauten würden, und beantwortete sie, noch ehe sein Partner sie stellen konnte. »Ja, die Haustür war abgesperrt. Sie erinnert sich noch daran, dass sie sie aufschließen musste. Und nein, ihr ist nichts Ungewöhnliches aufgefallen, als sie ins Haus gekommen ist. Auch keine Geräusche.«

Hunter nickte.

»Melinda ist also noch mal hier hochgekommen«, berichtete Garcia weiter, »und weil sie Mr Nicholson nicht stören wollte und genau wusste, wo sie ihr Buch liegen gelassen hatte ...«, er zeigte auf den Mahagoni-Schreibtisch an der Wand, »... nämlich auf dem Tisch da, hat sie kein Licht gemacht. Sie ist auf Zehenspitzen ins Zimmer geschlichen, hat sich ihr Buch geschnappt und ist wieder raus.«

Hunters Blick ging zurück zur blutigen Wand neben dem Bett, und sein Herz setzte einen Schlag aus, als er begriff, worauf Garcias Schilderung von der Abfolge der Ereignisse hinauslief.

»Heute Morgen hat Melinda den Wecker nicht gehört. Nach dem Aufwachen ist sie so schnell sie konnte zum Haus gelaufen. Sie hat gesagt, sie hat die Haustür um acht Uhr dreiundvierzig aufgeschlossen. Sie hat auf die Uhr gesehen, weil sie wissen wollte, wie spät sie genau dran war.« Garcia klappte sein Notizbuch zu und steckte es zurück in die Tasche. »Sie ist schnurstracks nach oben, und als sie ins Schlafzimmer gekommen ist, hat sie nicht nur die Leiche gesehen, sondern auch noch diese Botschaft da, die der Täter für sie hinterlassen hat.« Er deutete auf die Wand.

Dort stand zwischen Blutspritzern und Abrinnspuren und in großen blutroten Buchstaben geschrieben:

SEI FROH, DASS DU KEIN LICHT GEMACHT HAST.

6

Ein drückendes Schweigen breitete sich aus. Hunter machte ein paar Schritte auf die Wand zu und betrachtete sehr ausgiebig die Buchstaben.

»Was hat der Täter zum Schreiben benutzt, einen mit Blut getränkten Lappen?«, fragte er.

»Das wäre auch meine Vermutung«, stimmte Dr. Hove ihm zu. »In ein, zwei Tagen wird das kriminaltechnische Labor Genaueres sagen können.« Sie drehte sich von der Wand weg und wandte sich abermals zum Bett. Ihre Stimme zitterte vor Bestürzung. »Das da ist jenseits von Gut und Böse, Robert. Schlimmer als jeder Mord, mit dem ich bis jetzt zu tun hatte. Der Täter muss stundenlang hier im Zimmer gewesen sein. Er hat sein Opfer zuerst gefoltert und dann in Stücke geschnitten. Und als wäre das nicht genug, hat er uns auch noch das da hinterlassen.« Sie wies auf die blutige Skulptur. »*Und* er hat noch Zeit gefunden, eine Botschaft an die Wand zu schreiben.« Sie sah zu Garcia. »Wie alt ist die junge Frau noch gleich? Die Pflegerin?«

»Dreiundzwanzig.«

»Sie wissen besser als jeder andere, Robert, dass sie Monate, vielleicht sogar Jahre in psychotherapeutischer Behandlung verbringen wird, wenn sie das hier irgendwie verarbeiten will. Falls man so etwas überhaupt verarbeiten kann. Der Täter war im Zimmer, als sie zurückgekommen ist, um ihr Buch zu holen. Wenn sie Licht gemacht hätte, dann hätten wir jetzt zwei Leichen, und sie wäre auch Teil dieses widerwärtigen Dings da.« Wieder deutete sie auf die Skulptur. »Ihre Laufbahn als Krankenschwester ist vorbei, bevor sie überhaupt angefangen hat, und wahrscheinlich wird sie ihr Leben lang psychisch labil bleiben. Von den Alpträumen und schlaflosen Nächten will ich gar nicht reden. Sie wissen ja aus eigener Erfahrung, wie zermürbend so etwas sein kann.«

Es war kein großes Geheimnis, dass Hunter unter chronischer Hyposomnie litt. Angefangen hatte sie kurz nach dem Krebstod seiner Mutter. Er war damals sieben Jahre alt gewesen.

Hunter war als einziges Kind armer Eltern in Compton, einem sozialen Brennpunktbezirk im Süden von Los Angeles, aufgewachsen. Da er außer seinem Vater keine Familie hatte, war er in seiner Trauer um seine Mutter ganz allein gewesen. Sie fehlte ihm so sehr, dass es ihm körperliche Schmerzen bereitete.

Es fing nach der Beerdigung an. Immer öfter fürchtete er sich vor seinen Träumen, denn jedes Mal, wenn er die Augen schloss, sah er das Gesicht seiner Mutter vor sich. Er sah sie weinen, sah, wie sie ihn mit schmerzverzerrten Zügen um Hilfe anflehte und für ihren Tod betete. Er sah ihren einst gesunden, starken Körper, nun so schwach und aufgezehrt, dass sie nicht einmal mehr aus eigener Kraft sitzen konnte. Er sah ihr Gesicht, das früher so wunderschön gewesen war, mit dem strahlendsten Lächeln, das man sich überhaupt vorstellen konnte, und das sich in ihren letzten Lebensmonaten bis zur Unkenntlichkeit verändert hatte. Und trotzdem hatte er auch dieses Gesicht über alles geliebt.

Der Schlaf wurde für ihn zu einem Gefängnis, dem er um jeden Preis entfliehen wollte. Nicht mehr zu schlafen war die logische Antwort seines Körpers, um die Angst und die schrecklichen Alpträume, die ihn nachts quälten, abzustellen. Ein simpler Abwehrmechanismus.

Hunter wusste nicht, was er auf Dr. Hoves Bemerkung erwidern sollte.

»Wer um alles in der Welt ist zu so was fähig?« Angewidert schüttelte sie den Kopf.

»Jemand mit einer Menge Hass«, sagte Hunter leise.

Plötzlich wurden sie durch lautes Rufen aufgeschreckt, das aus dem Erdgeschoss zu ihnen nach oben drang. Es war eine Frauenstimme, die sich rasch bis zur Hysterie steigerte. Hunter warf Garcia einen besorgten Blick zu.

»Eine der Töchter«, sagte er und strebte dem Ausgang zu. »Sorgt dafür, dass die Tür hier zubleibt.« Er verließ das Zimmer, durchquerte rasch den Flur und erreichte die Treppe. Am unteren Treppenabsatz, halb von zwei uniformierten Polizisten verdeckt, stand eine Frau. Sie war vielleicht um die dreißig und hatte langes blondes Haar, das ihr in sanften Wellen über die Schultern fiel. Ihr Gesicht war herzförmig mit blassgrünen Augen, markanten Wangenknochen und einer zierlichen Stupsnase. In ihrer Miene lag ein Ausdruck blanker Verzweiflung. Hunter war bei ihr, bevor sie sich von den Polizisten losreißen konnte.

»Ist schon gut«, sagte er und hob die rechte Hand. »Ich kümmere mich darum.«

Die Polizisten rückten von der Frau ab.

»Was ist hier los? Wo ist mein Vater?« Ihre Stimme war heiser vor Angst und Sorge.

»Ich bin Detective Robert Hunter vom LAPD«, sagte Hunter mit größtmöglicher Ruhe.

»Es ist mir völlig egal, wer Sie sind. Wo ist mein Vater?«, fragte die Frau erneut und versuchte sich an Hunter vorbeizudrängen.

Dieser machte einen kleinen Schritt rückwärts und versperrte ihr den Weg. Ihre Blicke trafen sich für einen kurzen

Augenblick, und er schüttelte sachte den Kopf. »Es tut mir leid.«

Sie schloss die tränenfeuchten Augen und fuhr sich mit der Hand zum Mund. »O Gott, Daddy ...«

Hunter ließ ihr einen Moment Zeit.

Sie erstarrte, dann schaute sie Hunter an, als sei ihr soeben etwas eingefallen. »Was machen Sie hier? Wieso ist die Polizei im Haus? Warum ist draußen alles abgesperrt?«

Seit die Ärzte vier Monate zuvor die Krankheit bei Derek Nicholson diagnostiziert hatten, war seine Familie auf das Unvermeidliche vorbereitet. Das Ende war absehbar gewesen, insofern kam der Tod des Vaters für seine Tochter nicht wirklich überraschend. Die näheren Umstände hingegen schon.

»Tut mir leid, ich weiß Ihren Namen gar nicht«, sagte Hunter.

»Olivia. Olivia Nicholson.«

Hunter hatte bereits die weiße Stelle an der Haut ihres Ringfingers bemerkt. Entweder war sie kürzlich Witwe geworden oder geschieden. Die meisten Witwen in Amerika haben es nicht eilig, ihren Ehering und den Namen ihres verstorbenen Mannes abzulegen, außerdem sah Olivia noch zu jung aus, um Witwe zu sein, es sei denn, ein tragischer Unfall war der Grund. Hunter tippte auf geschieden.

»Könnten wir uns vielleicht irgendwo unterhalten, wo wir ungestört sind, Ms Nicholson?«, schlug Hunter vor, während er gleichzeitig in Richtung Wohnzimmer deutete.

»Wir können uns hier unterhalten«, gab sie herausfordernd zurück. »Was geht hier vor? Was hat das alles zu bedeuten?«

Hunters Blick schweifte zu den beiden Polizisten, die noch immer in der Nähe der Treppe standen und die Szene neugierig verfolgten. Beide verstanden den Wink sofort und zogen sich in Richtung Haustür zurück. Hunter richtete seine Aufmerksamkeit wieder auf Olivia.

»Ihr Vater ist nicht an seiner Krankheit gestorben.« Er wartete, bis Olivia seine Worte vollständig erfasst hatte, erst dann fuhr er fort. »Er wurde ermordet.«

»Was? Das ... das ist doch absurd.«

»Bitte, setzen wir uns doch irgendwo hin«, bat Hunter noch einmal.

Olivia atmete aus. Wieder traten ihr Tränen in die Augen. Endlich gab sie nach und folgte Hunter ins große Wohnzimmer. Hunter wollte nicht, dass sie sich im selben Raum aufhielt wie die Pflegerin.

Olivia nahm in einem hellbraunen Sessel am Fenster Platz. Hunter wählte das Sofa gegenüber.

»Möchten Sie vielleicht ein Glas Wasser?«, fragte er.

»Ja, bitte.«

Hunter wartete an der Tür, während ein Uniformierter zwei Gläser mit Wasser holte. Eins davon reichte er Olivia, die es in einem Zug austrank.

Hunter setzte sich wieder und erklärte mit ruhiger, fester Stimme, dass sich in den frühen Morgenstunden jemand Zutritt zum Haus und zu Mr Nicholsons Schlafzimmer verschafft habe.

Olivia zitterte und schluchzte die ganze Zeit und wollte – verständlicherweise – kein Wort glauben.

»Wir wissen noch nicht, warum Ihr Vater ermordet wurde. Wir wissen auch nicht, wie der Täter ins Haus gelangt ist. Im Augenblick gibt es eine ganze Wagenladung voller Fragen und keine Antworten. Aber wir werden alles daransetzen, sie zu finden.«

»Mit anderen Worten, Sie haben keinen blassen Schimmer, was passiert ist«, gab sie aufgebracht zurück.

Hunter schwieg.

Olivia erhob sich und begann im Zimmer auf und ab zu gehen. »Ich verstehe das nicht. Wer sollte meinen Vater umbringen wollen? Er hatte Krebs. Er war doch ... schon so gut wie tot.« Zum dritten Mal füllten sich ihre Augen mit Tränen.

Noch immer sagte Hunter nichts.

»Wie?«, fragte sie.

Hunter sah sie an.

»Wie wurde er ermordet?«

»Für die genaue Todesursache müssen wir die Autopsie abwarten.«

Olivia runzelte die Stirn. »Woher wissen Sie dann, dass es Mord war? Wurde er erschossen? Erstochen? Erwürgt?«

»Nein.«

Sie machte ein verwirrtes Gesicht. »Woher wissen Sie es dann?«

Hunter stand auf und ging zu ihr. »Wir wissen es.«

Ihr Blick glitt zurück zur Treppe. »Ich will hoch in sein Zimmer.«

Hunter legte ihr sanft die Hand auf die linke Schulter. »Bitte, vertrauen Sie mir, Ms Nicholson. Wenn Sie in sein Zimmer gehen, wird das keine Ihrer Fragen beantworten. Und es wird Ihnen auch nicht in Ihrem Kummer helfen.«

»Wieso nicht? Ich will wissen, was mit ihm passiert ist. Was verheimlichen Sie mir?«

Hunter zögerte kurz, aber er wusste, dass sie ein Recht hatte, es zu erfahren. »Er wurde verstümmelt.«

»O Gott!« Ihre Hände flogen an ihren Mund.

»Ich weiß, dass Sie und Ihre Schwester gestern Abend hier waren. Sie haben mit Ihrem Vater zu Abend gegessen, ist das richtig?«

Olivia zitterte so heftig, dass sie es kaum fertigbrachte zu nicken.

»Bitte«, sagte Hunter. »Behalten Sie Ihren Vater so in Erinnerung, wie Sie ihn bei diesem Abendessen erlebt haben.«

Daraufhin brach Olivia in hemmungsloses Schluchzen aus.

7

Es war bereits Nachmittag, als Hunter und Garcia in ihrem Büro im fünften Stock des Police Administration Building in der West First Street ankamen. Das PAB hatte nach fast sechzig Jahren das Parker Center als Hauptquartier des LAPD abgelöst.

Nachdem sie die Neuigkeiten vernommen hatte, war Captain Barbara Blake ebenfalls an ihrem freien Tag ins Büro gekommen, wo sie die beiden Detectives mit jeder Menge Fragen erwartete.

»Stimmt es, was ich gehört habe?«, fragte sie, kaum dass sie die Tür hinter sich geschlossen hatte. »Jemand hat das Opfer zerstückelt?«

Hunter nickte, und Garcia reichte ihr einen Stapel Fotos.

Barbara Blake war seit drei Jahren Leiterin des Raub- und Morddezernats. Ihr Vorgänger, Captain William Bolter, hatte sie selbst für den Posten vorgeschlagen, und der Bürgermeister der Stadt hatte die Wahl abgesegnet. Blake hatte sich innerhalb kürzester Zeit einen Ruf als energische, durchsetzungsstarke Chefin erarbeitet, die in ihrer Abteilung ein straffes Regiment führte. Blake war eine aparte Person – elegant, attraktiv, mit langen schwarzen Haaren und kühlen dunklen Augen, von denen ein Blick ausreichte, um die meisten Menschen erzittern zu lassen. Sie fürchtete weder Tod noch Teufel, ließ sich von niemandem dumm kommen und hatte keinerlei Hemmungen, selbst hochgestellte Politiker oder Behördenvertreter vor den Kopf zu stoßen, wenn es darum ging, ihre Arbeit zu machen.

Captain Blake sah die Fotos durch, und mit jedem Bild wurde ihre Bestürzung größer. Beim letzten Bild angekommen, hielt sie inne und holte tief Luft.

»Was ist das, in Gottes Namen?«

»Eine ... Art Skulptur«, antwortete Garcia.

»Aus den ... Gliedmaßen des Opfers?«

»Genau.«

Einige Sekunden lang herrschte Schweigen.

»Hat sie irgendeine tiefere Bedeutung?«, wollte Captain Blake als Nächstes wissen.

»Ja, das hat sie«, sagte Hunter. »Wir wissen nur noch nicht, welche.«

»Wieso sind Sie sich dann so sicher?«

»Weil man, wenn man jemanden einfach nur tot sehen möchte, zu ihm hingeht und ihn erschießt. Man setzt sich nicht dem Risiko aus, entdeckt zu werden, indem man stundenlang am Tatort bleibt, um so ein Ding zusammenzubauen – es sei denn, es ist in irgendeiner Weise wichtig. Und wenn ein Täter etwas so Wichtiges am Tatort zurücklässt, dann tut er das normalerweise, weil er kommunizieren will.«

»Mit uns?«

Hunter zuckte die Achseln. »Mit wem auch immer. Bevor wir die Frage beantworten können, müssen wir erst mal rausfinden, was das Gebilde zu bedeuten hat.«

Captain Blake richtete ihre Aufmerksamkeit wieder auf das Foto. »Das würde also heißen, dass es keine willkürliche Tat war. Der Täter hat dieses Ding nicht aus seinem plötzlich übersprudelnden sadistischen Schaffenstrieb heraus gebastelt.«

Hunter schüttelte den Kopf. »Höchstwahrscheinlich nicht. Ich würde sagen, er hatte eine sehr genaue Vorstellung davon, was er mit Derek Nicholsons Gliedmaßen machen wollte, und zwar schon bevor er ihn getötet hat. Er wusste genau, welche Gliedmaßen er brauchte. Und er wusste, wie sein schauerliches Werk im fertigen Zustand aussehen würde.«

»Wie reizend.« Blake stutzte. »Und was hat das hier zu bedeuten?« Sie hielt ein Foto der in Blut geschriebenen Botschaft hoch.

Garcia erläuterte ihr die Zusammenhänge. Als er geendet hatte, war Captain Blake – ganz untypisch für sie – erst einmal sprachlos.

»Womit zum Henker haben wir es hier zu tun, Robert?«, fragte sie schließlich und gab Garcia den Stoß Fotos zurück.

»Ich weiß es nicht genau, Captain.« Hunter lehnte sich gegen seinen Schreibtisch. »Derek Nicholson war sechsundzwanzig Jahre lang für die kalifornische Staatsanwaltschaft tätig. Er hat viele Leute hinter Gitter gebracht.«

»Sie glauben, es könnte ein Racheakt gewesen sein? Wen hat er denn eingebuchtet, Luzifer und die Texas-Kettensägen-Massaker-Bande?«

»Ich weiß es nicht, aber das ist der Punkt, an dem wir ansetzen werden.« Hunter warf Garcia einen Blick zu. »Wir brauchen eine Liste von allen, die Nicholson ins Gefängnis gebracht hat – Mörder, Totschläger, Vergewaltiger, jeden Einzelnen. Priorität haben alle, die innerhalb der letzten ...«, er überlegte kurz, »... fünfzehn Jahre entlassen wurden oder auf Bewährung beziehungsweise Kaution freigekommen sind ... Und wir ordnen nach der Schwere des Verbrechens. Diejenigen, die wegen wie auch immer gearteter sadistischer Gewaltdelikte verurteilt wurden, sind am wichtigsten.«

»Ich gebe dem Recherche-Team Bescheid«, sagte Garcia. »Aber es ist Sonntag. Vor morgen Abend haben wir sicherlich keine Ergebnisse.«

»Das macht nichts. Außerdem brauchen wir eine zweite Liste mit unmittelbaren Angehörigen, Verwandten, Gangmitgliedern und so weiter – alle, die sich stellvertretend für jemand anderen an Derek Nicholson gerächt haben könnten. Es besteht durchaus die Möglichkeit, dass es sich um einen indirekten Racheakt handelt. Vielleicht sitzt die Person, der Nicholson den Prozess gemacht hat, noch im Gefängnis, und jemand draußen wollte es ihm heimzahlen.«

Garcia nickte.

Hunter griff nach dem Stapel Fotos und breitete sie auf seinem Schreibtisch aus. Sein Blick blieb an der Aufnahme der Skulptur hängen.

»Wie hat der Täter das Ding gebaut?«, wollte Captain Blake

wissen, die sich zu Hunter an dessen Schreibtisch gesellt hatte.

»Er hat Draht benutzt, um die einzelnen Teile zusammenzuhalten.«

»Draht?«

»Genau.«

Sie beugte sich vor und studierte das Foto gründlicher. Ein plötzlicher kalter Schauer durchlief ihren Körper. »Und wie sollen wir rausfinden, was dieses Ding bedeutet? Je länger ich es mir ansehe, desto abartiger und sinnloser kommt es mir vor.«

»Das kriminaltechnische Labor wird eine maßstabsgetreue Nachbildung für uns anfertigen. Vielleicht ziehen wir den einen oder anderen Kunstexperten hinzu. Mal sehen, was denen dazu einfällt.«

In ihren langen Jahren bei der Polizei hatte Captain Blake im Zusammenhang mit Mordfällen schon die unvorstellbarsten Dinge erlebt – aber noch nie so etwas wie das. »Haben Sie jemals einen ähnlichen Tatort gesehen oder davon gehört?«, wollte sie wissen.

»Ich weiß von einem Fall, wo der Täter mit dem Blut des Opfers ein Bild auf Leinwand gemalt hat«, sagte Garcia. »Aber das hier ist in einer ganz anderen Liga.«

»Ich habe noch nie von etwas Vergleichbarem gehört oder gelesen«, musste Hunter gestehen.

»Könnte er das Opfer zufällig gewählt haben?«, fragte Captain Blake, während sie die Notizen überflog, die Garcia gemacht hatte. »Ich meine, für mich sieht es so aus, als hätten bei der Tat der Sadismus und die Anfertigung dieses monströsen ... Werks im Mittelpunkt gestanden. Er könnte doch Nicholson ausgewählt haben, weil der ein leichtes Opfer war.« Sie blätterte eine Seite in Garcias Notizbuch um. »Derek Nicholson hatte Krebs im Endstadium. Er war geschwächt und praktisch bettlägerig. Vollkommen wehrlos. Er hätte nicht um Hilfe rufen können, selbst wenn der Killer ihm ein Megafon in die Hand gedrückt hätte. Und er war allein im Haus.«

»Captain Blake hat nicht ganz unrecht«, meinte Garcia und wiegte nachdenklich den Kopf hin und her.

»Für mich klingt das nicht plausibel«, widersprach Hunter. Er stieß sich von seinem Schreibtisch ab und trat ans geöffnete Fenster. »Derek Nicholson war ein leichtes Opfer, das stimmt, aber in einer Stadt wie Los Angeles gibt es viele *noch* leichtere Opfer – Obdachlose, Streuner, Drogenabhängige, Prostituierte ... Wenn dem Täter egal war, wen er umbringt, warum hat er dann das Risiko auf sich genommen, in das Haus eines Staatsanwalts einzubrechen und sich dort stundenlang aufzuhalten? Und so allein war Nicholson ja gar nicht. Die Krankenschwester befand sich in der Gästewohnung über der Garage, vergessen wir das nicht. Und wie wir wissen ...«, er tippte auf die Aufnahme der blutigen Botschaft an der Wand, »... hat sie den Täter gestört. Gott sei Dank hat sie kein Licht gemacht.« Hunter wandte sich vom Fenster ab und in den Raum hinein. »Glauben Sie mir, Captain, der Täter wollte genau dieses Opfer. Er wollte Derek Nicholson töten. Und er wollte ihn vor seinem Tod leiden lassen.«

8

Statt in Venice Beach Volleyball zu spielen oder sich die Dodgers anzusehen, verbrachte Hunter den restlichen Tag mit der Sichtung der Tatortfotos. Es war eine zeitraubende Angelegenheit, und die ganze Zeit hindurch quälte ihn dabei eine Frage:

Was um alles in der Welt ist der Sinn hinter dieser Skulptur?

Er beschloss, noch einmal zu Derek Nicholsons Haus zu fahren.

Die Leiche, ebenso wie das makabre Kunstwerk, war ins Rechtsmedizinische Institut gebracht worden. Alles, was blieb, war ein leeres Haus voller Trauer, Schmerz und Angst. Derek Nicholsons letzte Stunden waren in Blut an die Wände seines Schlafzimmers geschrieben, und Hunter las darin nur eins: unvorstellbare Qualen.

Er starrte auf die Botschaft, die der Täter hinterlassen hatte, und in seinem Innern tat sich ein gähnendes Loch auf. Der Täter hatte Derek Nicholson getötet und dabei noch drei weitere Leben zerstört: die von Nicholsons Töchtern und das der jungen Pflegeschülerin.

Die Spurensicherung hatte Fingerabdrücke von mindestens vier verschiedenen Personen im Haus gefunden, deren Analyse noch ein bis zwei Tage dauern würde. Darüber hinaus waren im Schlafzimmer im ersten Stock diverse Haare und Faserproben sichergestellt worden. Die mehrstündige Untersuchung des Gartens sowie des Rankgerüsts an der Wand unterhalb von Derek Nicholsons Schlafzimmer hatte keine Ergebnisse geliefert. Es gab keine Spuren gewaltsamen Eindringens. Kein Fenster war eingeschlagen, keine Tür, kein Fensterrahmen oder Schloss beschädigt worden. Allerdings waren zwei der Fenster im Erdgeschoss über Nacht nicht verriegelt gewesen, und die Balkontür zu Mr Nicholsons Schlafzimmer hatte einen Spaltbreit offen gestanden.

Hunter hatte versucht, mit Melinda Wallis zu reden, aber was Garcia bereits vermutet hatte, war eingetroffen: Sie hatte dichtgemacht. Sie war die Unglückliche, die Derek Nicholsons Leiche in seinem blutgetränkten Schlafzimmer aufgefunden hatte. Ihr Verstand tat sich schwer, diesen Schock zu verarbeiten. Und noch mehr Mühe hatte er, die Gewissheit zu verdrängen, dass sie selbst nur um Haaresbreite dem Tod entkommen war.

Bei seinem zweiten Besuch am Tatort konzentrierte sich Hunter ganz auf das Schlafzimmer, wo er nach Hinweisen suchte, die er beim ersten Mal womöglich übersehen hatte. Er fand nichts, was die Spurensicherung nicht schon vor ihm gefunden hätte, aber die Brutalität der Szene erschütterte ihn aufs Neue. Es war, als hätte der Täter sich absichtlich bemüht, das Blut im ganzen Raum zu verteilen.

Die Botschaft an der Wand war nicht Teil seines ursprünglichen Plans gewesen, sondern ein spontaner Akt dreister Provokation. Der gesamte Tatort schien wie ein Schaufenster, durch das man die rasende, sinnlose Wut des Mörders betrachten konnte, und das machte Hunter zu schaffen.

Es war bereits dunkel, als er wieder in seine Wohnung kam. Er schloss die Tür hinter sich und lehnte sich erschöpft dagegen. Sein Blick glitt durchs dunkle, verlassen daliegende Wohnzimmer, und er fragte sich, ob es wirklich eine gute Idee war, diese Nacht zu Hause zu verbringen.

Hunter lebte allein, hatte weder Frau noch Freundin. Er war nie verheiratet gewesen, und keine seiner Beziehungen hatte sonderlich lange gehalten. Auf Dauer kamen die meisten Frauen nicht damit klar, dass sein Beruf ihm so viel abverlangte. Es machte ihm nichts aus, Single zu sein, und allein zu leben störte ihn auch nicht. Aber nach einem Tag, den er zum Großteil umgeben von Tod und bluttriefenden Wänden verbracht hatte, war die Einsamkeit seines kleinen Apartments mehr, als er ertragen konnte.

Das Nachtleben von Los Angeles gehört zu den lebendigsten und aufregendsten der Welt, und die Bandbreite der Vergnügungen ist groß. Sie reicht von luxuriösen, trendigen Clubs, in denen sich die A-Liga der Hollywood-Prominenz tummelt, bis hin zu kleinen Bars, zwielichtigen Untergrund-Kneipen und den Oasen der Ausgeflippten. Ganz gleich in welcher Stimmung man gerade ist, in L. A. findet man garantiert die dazu passende Lokalität.

Hunter machte sich auf den Weg zu Jay's Rock Bar, die nur zwei Blocks von seiner Wohnung entfernt lag. Es war eine seiner Lieblingskneipen mit einer erstklassigen Auswahl an

Scotch, einer Jukebox voller Rockmusik und freundlichen, quirligen Kellnerinnen.

Hunter setzte sich an die Theke und bestellte einen doppelten zwölf Jahre alten Glendronach mit zwei Eiswürfeln. Single Malt Scotch Whisky war seine größte Leidenschaft, und obwohl er das eine oder andere Mal über den Durst getrunken hatte, verstand er es, den Geschmack und die Qualität eines Whiskys zu würdigen, statt sich lediglich damit zu betrinken.

Hunter nippte an seinem Whisky und wartete, bis sich das weiche Aroma von Haselnuss und Eiche in seinem Mund entfaltet hatte. Es herrschte reger Betrieb in der Bar, und nach allem, was er an diesem Tag gesehen hatte, war er froh, unter Menschen zu sein, die lachten und das Leben genossen.

Unweit von Hunter saßen vier Frauen an einem Tisch und tauschten sich gerade über die schlechtesten Anmachsprüche aus, die sie je von Männern zu hören bekommen hatten.

»Ich war mal in einer Bar in Santa Monica«, sagte eine der vier, eine Frau mit kurzen blonden Haaren. »Da ist dieser Glatzkopf auf mich zugekommen und meinte ...«, das Folgende sagte sie in einem tiefen Bariton, »›Baby, für dich lasse ich mich in Fred umtaufen, denn du machst mich heiß wie Feuer und hart wie Stein.‹«

Zwei Sekunden geschocktes Schweigen, dann schallendes Gelächter.

»Das ist so was von lahm«, sagte die Jüngste der Runde. »Aber ich habe noch einen besseren. Letztes Wochenende war ich am Sunset Boulevard unterwegs, und jemand hat mich am helllichten Tag auf offener Straße angehalten und gesagt: ›Ist dein Name zufällig Gilette? Du siehst nämlich so aus, als wärst du für das Beste im Mann.‹«

Erneut lachte die Gruppe.

»Okay, okay«, meldete sich eine langhaarige Brünette zu

Wort. »Der kriegt definitiv den Preis für den dümmsten Anmachspruch aller Zeiten. So was Schlechtes habe ich meinen ganzen Lebtag noch nicht gehört.«

Hunter, der ihre Meinung teilte, lächelte vor sich hin. Es war das erste Mal an diesem Tag.

»Nachschub?«, fragte Emilio, der junge puerto-ricanische Barkeeper, wobei er mit dem Kinn auf Hunters leeres Glas deutete.

Hunter riss sich von der Unterhaltung der vier Frauen los, warf einen kurzen Blick auf Emilio und dann in sein Glas. Er war müde, wusste aber, dass er, wenn er jetzt nach Hause ginge, keinen Schlaf finden würde. Er schlief ohnehin kaum. Dafür sorgte seine Hyposomnie.

»Sicher, warum nicht.«

Emilio schenkte ihm noch einen doppelten Whisky ein und ließ einen frischen Eiswürfel ins Glas fallen. Hunter sah zu, wie er knackend zersprang, sobald er mit der goldenen Flüssigkeit in Berührung kam. Ein Mann im zerbeulten grauen Anzug, der am Ende des Tresens saß, hustete einen heiseren Raucherhusten, und Hunters Gedanken wanderten zurück zu Derek Nicholson und dem Mordfall. Warum tötete man jemanden, der schon bald an Lungenkrebs sterben würde? Jemanden, der so oder so zu einem qualvollen Tod verdammt war? Ein Monat, vielleicht zwei, und der Krebs hätte dem Mörder die Arbeit abgenommen. Doch das hatte der Täter offenbar nicht zulassen können ... oder wollen. Er selbst wollte die Entscheidung über Nicholsons Tod in der Hand haben. Wollte ihm beim Sterben in die Augen schauen. Gott spielen.

Hunter trank einen Schluck und schloss die Augen. Er hatte ein mieses Gefühl, was diesen Fall anging. Ein ganz mieses.

9

In einer Stadt wie Los Angeles sind Gewaltverbrechen nichts Ungewöhnliches. Im Gegenteil, sie sind mehr oder weniger an der Tagesordnung. Daher verwundert es auch nicht, dass die Leichenbeschauer im Durchschnitt genauso viel zu tun haben wie die Unfallchirurgen. Die Arbeit sammelt sich schneller an, als sie bewältigt werden kann, und alles ist genauestens durchorganisiert. So verstrich trotz des Eilantrags ein ganzer Tag, ehe Dr. Hove mit der Autopsie von Derek Nicholsons Leiche beginnen konnte.

Hunter hatte nur vier Stunden geschlafen. Am Morgen fühlten sich seine Augen sandig an, und der Kopfschmerz, der sich in seinem Nacken eingenistet hatte, war ein typisches Symptom akuten Schlafmangels. Die Erfahrung hatte ihn gelehrt, dass es nichts gab, was er hätte tun oder schlucken können, um ihn loszuwerden. Kopfschmerzen wie diese waren seit mittlerweile gut dreißig Jahren fester Bestandteil seines Lebens.

Hunter wollte sich gerade auf die Fahrt ins PAB machen, als Dr. Hove anrief und meldete, dass die Obduktion von Derek Nicholson nun abgeschlossen war.

Um halb acht Uhr früh brauchte Hunter für die sieben Meilen zwischen seiner Wohnung und dem Rechtsmedizinischen Institut in der North Mission Road nur siebzehn Minuten. Garcia war eine Minute vor ihm angekommen und wartete auf dem Parkplatz. Er war rasiert, und seine Haare waren noch feucht von der Dusche, doch die Ringe unter seinen Augen straften seine frische Erscheinung Lügen.

»Freuen tue ich mich nicht gerade darauf, das kann ich dir mal sagen«, verkündete er anstelle einer Begrüßung, als er aus dem Wagen stieg.

Hunter sah ihn fragend an. »Freust du dich jemals auf irgendwas, wenn wir hier reingehen?«

Garcia warf einen Blick auf das ehemalige Krankenhaus, in dem nun das Rechtsmedizinische Institut untergebracht war. Architektonisch war das Gebäude durchaus beeindruckend. Die Fassade war eine stilvolle Kombination aus rotem Backstein und sandfarbenen Zierelementen. Die imposante Treppe, die zum Haupteingang hinaufführte, ließ das Gebäude, das man sich gut auf dem Campus einer altehrwürdigen Universität hätte vorstellen können, noch eleganter erscheinen. Eine wunderschöne Hülle für ein Haus voller Tod.

»Hast ja recht«, räumte Garcia ein.

Dr. Hove erwartete sie beim Mitarbeitereingang an der rechten Seite des Gebäudes. Ihr seidiges dunkles Haar war zu einem altmodischen Dutt gebunden. Sie trug kein Make-up, und im Weiß ihrer Augen zeigten sich vereinzelte rote Äderchen, die verrieten, dass auch sie in der Nacht nicht viel Schlaf bekommen hatte.

Nachdem sie einander mit einem knappen Nicken begrüßt hatten, folgten Hunter und Garcia ihr schweigend durch einen langen, hell erleuchteten Gang. Zu so früher Stunde war noch niemand auf den Fluren unterwegs, wodurch das Gebäude mit seinen kahlen weißen Wänden und dem vor Sauberkeit quietschenden Linoleumboden nur noch beklemmender wirkte.

Am Ende des Ganges nahmen sie die Treppe ins Untergeschoss und gelangten dort in einen weiteren Flur. Dieser war kürzer und nicht ganz so hell erleuchtet.

»Ich habe den speziellen Sektionssaal benutzt«, erklärte die Rechtsmedizinerin, als sie die letzte Tür auf der rechten Seite erreicht hatten.

Im speziellen Sektionssaal Nummer 1 wurden in der Regel nur solche Leichen obduziert, von denen – etwa aufgrund hochansteckender Viruskrankheiten, Kontamination mit radioaktiver Strahlung, Verseuchung durch chemische Kampfstoffe und Ähnliches – ein erhöhtes Gesundheitsrisiko ausging. Der Raum verfügte über ein unabhängiges

Datenbanksystem und eigene Kühlzellen. Seine massive Tür war durch ein elektronisches Schloss mit sechsstelligem Zahlencode gesichert. Hin und wieder wurde der Saal aber auch für Autopsien in besonders brisanten Mordfällen benutzt – eine Sicherheitsmaßnahme, um zu verhindern, dass sensible Informationen nach außen drangen. Hunter hatte den Saal schon oft von innen gesehen.

Dr. Hove tippte eine Ziffernfolge in das metallene Eingabefeld an der Wand, und die schwere Tür öffnete sich summend.

Sie kamen in einen großen, winterkalten Raum. Zwei Reihen von Leuchtröhren, die über die ganze Breite der Decke gingen, spendeten Licht. In der Mitte des Raums standen zwei Sektionstische aus Edelstahl, einer auf Rollen, der andere fest mit dem Boden verschraubt. Neben einer Wand aus Kühlzellen mit ihren kleinen quadratischen, spiegelblank polierten Türen stand ein blauer hydraulischer Flaschenzug. Beide Sektionstische waren mit weißen Laken zugedeckt.

Dr. Hove streifte sich ein frisches Paar Latexhandschuhe über und ging auf den Tisch zu, der am weitesten von der Tür entfernt stand.

»Also, dann zeige ich Ihnen mal, was ich rausgefunden habe.«

Garcia trat unruhig von einem Fuß auf den anderen. Hunter angelte sich einen Mundschutz. Er hatte keine Angst vor Ansteckung, aber er hasste den typischen Sektionssaal-Geruch – als hätte man versucht, etwas Verwesendes mit starkem Desinfektionsmittel wegzuschrubben. Ein schaler Geruch, der sie von jenseits des Grabes anzuwehen schien.

»Die offizielle Todesursache war Herzversagen«, verkündete Dr. Hove, während sie gleichzeitig das weiße Laken wegzog. Darunter kam Derek Nicholsons verstümmelter Torso zum Vorschein, »aufgrund von Blutverlust und wahrscheinlich auch wegen der starken Schmerzen. Aber er hat eine ganze Weile durchgehalten.«

»Wie ist das zu verstehen?«, wollte Garcia wissen.

»Die Verletzungen an Haut und Muskelgewebe deuten darauf hin, dass er sämtliche Finger und Zehen, seine Zunge sowie mindestens einen Arm verloren hat, bevor sein Herz aufhörte zu schlagen.«

Garcia holte tief Luft und schüttelte sich, um das unangenehme Gefühl loszuwerden, das ihm den Nacken hinaufkroch.

»Wir lagen übrigens richtig mit unserer Annahme, dass für die Amputationen eine Art Säge verwendet wurde«, fuhr die Rechtsmedizinerin fort. »Auf alle Fälle etwas sehr Scharfes mit einer gezahnten Klinge. Allerdings war die Zahnung nicht so fein, wie man es vielleicht vermuten würde. Der Abstand zwischen den Zähnen ist auf jeden Fall größer als bei den chirurgischen Instrumenten, die üblicherweise bei Amputationen zum Einsatz kommen.«

»Vielleicht war es ein ganz gewöhnlicher Fuchsschwanz«, sagte Garcia.

»Das glaube ich eher nicht.« Hove schüttelte den Kopf. »Dafür sind die Schnittflächen zu ebenmäßig. Es gibt zwar Ansatzspuren, aber hauptsächlich an den Stellen, wo das Instrument zum ersten Mal in Kontakt mit dem Knochen gekommen ist. Das ist ganz normal, vor allem, wenn man bedenkt, dass das Opfer vermutlich nicht betäubt war. Die Toxikologie muss das Blut noch auf Medikamentenrückstände untersuchen, das wird einen oder zwei Tage dauern, aber ohne Anästhesie müssen die Schmerzen schier unerträglich gewesen sein. Selbst wenn der Täter das Opfer festgehalten hat, muss es geschrien und sich gewehrt haben, was die Amputation natürlich erheblich erschwert hat.«

Garcia sog durch zusammengebissene Zähne die eisige Luft ein.

»Aber es hätte ihn doch gar nicht weiter kümmern müssen, wie lange sein Opfer lebt. Er hätte Nicholson die Arme und Beine einfach irgendwie abhacken können.«

»Hat er aber nicht«, sagte Hunter.

»Nein, das hat er nicht«, pflichtete Dr. Hove ihm bei. »Der Täter wollte, dass sein Opfer so lange wie möglich am Leben bleibt. Er wollte es quälen. Die Amputationen wurden sauber und akkurat ausgeführt.«

»Medizinisches Fachwissen?«, fragte Hunter.

»Selbst unter dem Vorbehalt, dass sich heutzutage jeder, der ein paar Stunden im Internet surft, detaillierte Anleitungen und Diagramme herunterladen kann, in denen erklärt wird, wie man eine ordnungsgemäße Amputation durchführt, würde ich sagen, dass der Täter zumindest ein Grundlagenwissen über chirurgische Eingriffe und menschliche Anatomie hat, ja.« Ihr Blick richtete sich auf den zweiten Sektionstisch. »Er versteht sein Handwerk. Schauen Sie sich das hier mal an.«

10

Da war etwas in Dr. Hoves Verhalten und Tonfall, das die Detectives zutiefst beunruhigte. Sie folgten ihr zum zweiten Sektionstisch.

»Ich habe absolut keinen Zweifel, dass alles, was in dem Zimmer passiert ist, geplant war, und zwar bis ins letzte Detail.« Sie zog das weiße Laken beiseite. Die widerliche Skulptur, die der Mörder am Tatort zurückgelassen hatte, war in ihre Einzelteile zerlegt worden. Derek Nicholsons abgetrennte Gliedmaßen lagen nun fein säuberlich in einer Reihe auf dem kalten Metalltisch. Auch das Blut war abgewaschen worden.

»Keine Sorge«, wandte sich Hove an Hunter, da sie seine Unruhe bemerkt hatte. »Das Labor hat genügend Fotos gemacht und alles ausgemessen, um die Nachbildung anzufertigen, die Sie haben wollten. Sie müsste morgen oder übermorgen fertig sein.«

Hunter und Garcia starrten auf die Gliedmaßen.

»Sind Sie aus der Skulptur irgendwie schlau geworden, Doc?«, wollte Garcia wissen.

»Kein bisschen. Und ich musste sie eigenhändig auseinandernehmen.« Sie hatte einen Frosch im Hals und hustete, um ihn loszuwerden. »Ich habe unter den Fingernägeln geschabt. Keine Haare oder Hautfetzen, nur Schmutz und Exkremente.«

»Exkremente?« Garcia verzog das Gesicht.

»Seine eigenen«, sagte Hove. »Bei starken Schmerzen, wie zum Beispiel während einer Amputation ohne Betäubung, verliert der Mensch die Kontrolle über Blase und Darm. Und genau das ist hier das Sonderbare.«

»Was?«, fragte Garcia.

»Er war sauber«, antwortete Hunter an Hoves Stelle. »Als wir an den Tatort kamen, hätte das Bettlaken mit Urin und Kot verschmutzt sein müssen. War es aber nicht.«

»Aufgrund der Krankheit und seiner eingeschränkten Mobilität war der Gang zur Toilette für Nicholson eine recht aufwendige Prozedur.« Jetzt sprach wieder Dr. Hove. »Seine Pflegerinnen haben ihm dabei geholfen. Wenn sie nicht da waren, trug er Windeln für Erwachsene.«

»Die Spurensicherung hat eine in eine Plastiktüte gewickelte schmutzige Windel im Mülleimer im Erdgeschoss gefunden.«

Garcia machte große Augen. »Der Täter hat ihn saubergemacht?«

»Nicht direkt saubergemacht, aber irgendjemand hat seine schmutzige Windel entsorgt.«

Mehrere Sekunden lang sagte keiner ein Wort. Dann fuhr Dr. Hove mit ihrem Bericht fort. »Ich glaube deshalb, dass der Mörder sich mit Chirurgie auskennt, weil ich die hier gefunden habe.« Sie deutete auf eine Stelle nahe der Schnittkante an einem der abgetrennten Arme. »Sie sind mir erst aufgefallen, nachdem ich das Blut abgewaschen hatte.«

Hunter und Garcia traten einen Schritt näher. Auf der gummiartigen Haut war ganz schwach eine schwarze Filzstiftlinie zu erkennen. Sie verlief in einem unvollständigen Kreis um den Arm herum, und zwar ziemlich genau an der Stelle, wo die Amputation vorgenommen worden war.

»Bei komplizierten chirurgischen Eingriffen wie Amputationen, wo der Schnitt sehr präzise gesetzt werden muss, ist es nicht ungewöhnlich, dass der Chirurg, oder wer auch immer den Eingriff vornimmt, die Stelle vorher mit einem Stift anzeichnet.«

»Aber das würde jemand, der die Informationen aus einem Buch oder aus dem Internet hat, doch genauso machen, Doc«, gab Garcia zu bedenken.

»Stimmt«, räumte sie ein. »Aber jetzt schauen Sie sich mal das hier an.« Sie ging zurück zum ersten Sektionstisch mit Derek Nicholsons Torso. Hunter und Garcia folgten ihr. »Während einer Amputation ist es lebenswichtig, dass alle größeren Blutgefäße, wie die Arteria brachialis im Arm oder die Arteria femoralis im Oberschenkel, ordnungsgemäß abgebunden werden, da sonst der Patient innerhalb kürzester Zeit verblutet.«

»Sie waren aber nicht abgebunden«, sagte Hunter und beugte sich vor, um besser sehen zu können. »Das habe ich am Tatort überprüft. Keine Fäden, keine Knoten.«

»Das liegt daran, dass der Täter die Blutung nicht durch Ligieren gestoppt hat, so wie es die meisten Ärzte machen würden. Die rechte Oberarmarterie wurde abgeklemmt. Er hat eine Arterienklemme benutzt. Die Abdrücke sind unter dem Mikroskop zu sehen.«

Hunter richtete sich auf. »Nur beim rechten Arm?«

Dr. Hove rückte ihre Operationshaube zurecht. »Ja, allerdings. Das liegt wahrscheinlich daran, dass das Herz des Opfers schon aufgehört hatte zu schlagen, bevor der Mörder eine weitere Extremität abnehmen konnte. Tatsache ist, Robert, dass der Mörder das Leiden seines Opfers so sehr in die Länge gezogen hat, wie er nur irgendwie konnte. Um das zu erreichen, musste er – wohlgemerkt ohne die Hilfe eines OP-Teams – die Amputationen rasch und sauber durchführen und danach schnellstmöglich den Blutfluss stoppen.«

»Und Sie sind sicher, dass er keine chirurgische Säge benutzt hat? So eine ähnliche wie die, die Sie hier im Institut verwenden?«, hakte Garcia nach.

»Ganz sicher«, lautete Hoves Antwort. Gleichzeitig griff sie nach einer Mopec-Autopsiesäge, die hinter ihr auf dem Tresen lag. »Tragbare Autopsiesägen haben kleine, runde Sägeblätter mit extrem feiner Zahnung.« Sie zeigte ihnen das Gerät. »Je feiner die Zahnung, desto akkurater der Schnitt und desto einfacher ist es, auch Härteres zu schneiden, zum Beispiel Knochen und Muskeln bei voll ausgebildeter Totenstarre.«

Beide Detectives inspizierten flüchtig die Säge samt Sägeblatt.

»Aber für eine Amputation ist eine Autopsiesäge nicht groß genug. Man braucht eine Säge, die mindestens so breit ist wie der Körperteil, den man amputieren will. Außerdem hinterlassen kreisförmige Sägeblätter sehr charakteristische Formspuren, glatter als die der meisten anderen Sägen.«

»Und in unserem Fall gibt es solche Formspuren nicht«, mutmaßte Hunter.

»Richtig. Was wir hier haben, ist eine Riefung, verursacht durch zwei sehr scharfe parallele Klingen, die sich entgegengesetzt zueinander vor- und zurückbewegen.«

Hunter gab ihr die Autopsiesäge zurück. »Sie meinen ... so wie bei einem elektrischen Tranchiermesser.«

»Schneiden die denn durch Knochen?«, fragte Garcia.

»Die leistungsstärksten Elektromesser können durch eine gefrorene Rinderkeule schneiden«, erklärte die Medizinerin. »Erst recht wenn die Klingen neu sind.«

»Wissen wir, ob das Opfer ein solches Messer im Haus hatte?«, wollte Garcia wissen.

»Wenn der Täter wirklich so ein Messer benutzt hat«, sagte Hunter, »dann kam es nicht aus der Küche des Opfers. Er hat es mitgebracht.«

»Woher willst du das denn wissen?«

»Wenn er das Amputationsinstrument nicht mitgebracht hätte, würde das doch darauf hindeuten, dass die Amputationen nicht geplant waren und der Täter unvorbereitet in Nicholsons Haus eingedrungen ist.«

»Und wenn unser Täter eins nicht war, dann unvorbereitet«, bekräftigte Dr. Hove. »Wo wir gerade davon sprechen: Um die Einzelteile seiner Skulptur zusammenzuhalten, hat der Täter nicht nur Draht benutzt, sondern auch ein superschnelles Haftmittel, wie Sekundenkleber.«

»Sekundenkleber?« Fast hätte Garcia gelacht.

Hove nickte. »Ideal für den Zweck – leicht aufzutragen, trocknet blitzschnell, klebt auch an der Haut und hat eine extrem starke Haftkraft. Aber eins will mir bei der ganzen Sache nicht in den Kopf: Dieser Mord war vollkommen sinnlos.«

»Sind nicht alle Morde sinnlos?«, konterte Hunter.

»Mag sein. Was ich damit sagen will, ist, dass es absolut überflüssig war, diesen Menschen zu töten.« Hove ging zu einer Tabelle an der Wand, auf der das Gewicht von Gehirn, Herz, Lunge, Leber, Nieren und Galle des Toten verzeichnet waren. Auf dem Tresen daneben lag ein Plastikbeutel, der mehrere Organe des Opfers enthielt. Sie griff danach und hob ihn hoch. »Der Krebs hatte seine Lunge so gut wie zerfressen. Er hätte vielleicht noch eine Woche gelebt, maximal zwei. Und eine solch umfassende Schädigung der Lunge bedeutet Schmerzen, starke Schmerzen. Er lag doch ohnehin schon im Sterben und musste enorm leiden. Warum ihn dann noch auf so eine bestialische Weise töten?«

Hunter und Garcia schwiegen.

Darauf hatten auch sie keine Antwort.

11

Der Bezirksstaatsanwalt von Los Angeles County, Dwayne Bradley, war ein knallharter Mann, der keinerlei Nachsicht gegenüber Menschen zeigte, die auch nur mit dem Gedanken liebäugelten, das Gesetz zu übertreten. Er war einundsechzig Jahre alt, arbeitete seit dreißig Jahren für die Staatsanwaltschaft und war im Jahr 2000 zum Obersten Bezirksstaatsanwalt von Los Angeles gewählt worden. Nach seiner Vereidigung hatte er seinen Mitarbeitern gesagt, sie sollten furchtlos gegen das Verbrechen vorgehen und stets dafür sorgen, dass der Gerechtigkeit Genüge getan werde, koste es, was es wolle. Dwayne Bradley selbst lebte nach diesen Maximen.

Bradley war klein und bullig, und seine wenigen weißen Haare reichten gerade noch aus, um die Schläfen zu bedecken. Seine dicken Backen wurden feuerrot und fingen an zu beben, wann immer er sich über etwas ereiferte. Er hatte einen aufbrausenden Charakter, und wenn es Weltmeisterschaften im Gestikulieren gegeben hätte, wäre Dwayne Bradley definitiv ein Titelanwärter gewesen. Kurzum, er sah aus wie ein überspannter Mafiaboss, der beschlossen hatte, den Pfad der Tugend einzuschlagen.

An diesem Morgen fuhr er nicht wie sonst zu seinem Arbeitsplatz in der West Temple Street, sondern fand seinen Weg ins PAB und ins Büro von Captain Blake. Er war gerade fünf Minuten dort, als Hunter an die Tür klopfte.

»Herein«, rief Captain Blake von ihrem Schreibtisch.

Hunter trat ein und schloss die Tür hinter sich. »Sie wollten mich sprechen?«

»Ich wollte Sie sprechen«, ließ Bradley aus einer Ecke vernehmen.

Falls Hunter sich über die Anwesenheit des Bezirksstaatsanwalts wunderte, wusste er dies gut zu verbergen. »Staatsanwalt Bradley.« Er grüßte den Mann mit einem höflichen Nicken, jedoch ohne Händedruck.

»Detective.« Bradley erwiderte die Geste.

Hunters Blick ging flüchtig zu Captain Blake, bevor er seine Aufmerksamkeit wieder dem Staatsanwalt widmete.

»Gut. Ich bin nicht gekommen, um Ihre oder meine Zeit mit irgendwelchen Kinkerlitzchen zu vergeuden.« Bradley kam gleich zur Sache. »Wir haben alle viel zu tun, das respektiere ich.« Er machte – aus reiner Gewohnheit – eine effektheischende Pause. »Derek Nicholson. Sie wurden in der Mordermittlung zum leitenden Detective ernannt. Eine Ermittlung, auf die ich im Übrigen höchstpersönlich ein Auge haben werde.« Er deutete mit einem Nicken zu einer Akte auf Captain Blakes Schreibtisch. »Ich habe Ihren ersten Bericht gelesen, Detective. Und ich habe die Bilder vom Tatort gesehen.« Bradley begann im Raum auf und ab zu marschieren. »In meinen dreißig Jahren als Staatsanwalt ist mir noch nie etwas Vergleichbares untergekommen – und mir ist schon einiges untergekommen, das können Sie mir glauben. Das war kein Mord, das war eine Gräueltat ohne Beispiel. Ein feiger, verabscheuungswürdiger Akt des Wahnsinns, begangen von einem Stück Abschaum, das nicht das Recht hat, sich als menschliches Wesen zu bezeichnen. Ich für meinen Teil will die Todesstrafe für diesen Dreckskerl. Verdammt, für so jemanden würde ich sogar eigens die Guillotine wieder einführen. Und lächelnd zusehen, wie sein Kopf rollt.« Bradleys Wangen hatten bereits ein wenig Farbe angenommen. »Und was zum Henker war dieses abartige Ding, das er am Tatort zurückgelassen hat?«

Niemand antwortete.

»Nun gut. Die Fotos zeigen mir einen vollkommen verwüsteten Tatort, und ich deute das als Folge eines Gewaltausbruchs unvorstellbaren Ausmaßes. Totaler Kontrollverlust. Nun behaupten Sie aber in Ihrem Bericht, das Ganze sei präzise geplant gewesen. Wollen Sie damit etwa sagen, der Killer hat *geplant*, die Kontrolle zu verlieren?«

»Das hat er nicht«, sagte Hunter.

Bradley zog die Brauen zusammen. »Was hat er nicht?«

»Die Kontrolle verloren.«

Bradley wartete, aber Hunter fügte nichts mehr hinzu. »Haben Sie eine Sprachstörung? Sind Sie in der Lage, vollständige Sätze zu bilden?«

»Ja.«

»Was, ja?« Bradley warf einen Blick zu Captain Blake, wie um zu fragen: *Und das ist allen Ernstes der Mann, dem Sie die Ermittlungen anvertraut haben?*

»Ja, ich bin in der Lage, vollständige Sätze zu bilden.«

»Na, dann mal frisch drauflos. Bilden Sie so viele, wie Sie möchten, und führen Sie bitte Ihre Behauptung von eben weiter aus.«

»Welche Behauptung meinen Sie?«

»Hier will mich ja wohl jemand verschaukeln!« In den Mundwinkeln des Bezirksstaatsanwalts sammelte sich Geifer. »Ihre Behauptung, der Killer habe nicht die Kontrolle verloren!«

Hunter zuckte mit den Schultern. »Der Täter hat ein ungewöhnliches Werkzeug benutzt, um sein Opfer zu zerstückeln, möglicherweise ein haushaltsübliches elektrisches Tranchiermesser. Vorher hat er mit einem Filzstift die Schnittlinien an Armen und Beinen des Opfers vorgezeichnet. Bei mindestens einer Amputation hat er die Arterien mit Gefäßklemmen abgeklemmt, um ein zu rasches Verbluten des Opfers zu verhindern. Um seine Skulptur zu konstruieren, brauchte er mehrere Stücke Draht sowie ein ultrastarkes Haftmittel – Sekundenkleber. Und: Außer im Schlafzimmer wurde nirgends im Haus Blut gefunden.« Hunter überließ es Bradley, die entsprechenden Schlüsse zu ziehen.

Dieser sah ihn mit verständnislosem Blick an.

»Der Täter hat alles, was er brauchte, mitgebracht«, half

Captain Blake ihm auf die Sprünge. »Er war bestens ausgerüstet. Außerdem war so viel Blut am Tatort, dass er hinterher über und über mit Blut verschmiert gewesen sein muss. Das Fehlen jeglicher Blutspuren im restlichen Haus weist darauf hin, dass er sich vor Verlassen des Schlafzimmers umgezogen hat. Wahrscheinlich hat er seine blutgetränkte Kleidung in eine Plastiktüte gesteckt.« Sie schob sich eine lose Haarsträhne hinters Ohr. »Trotz des scheinbar chaotischen Tatorts hat unser Killer absolut nichts Chaotisches an sich, Dwayne. Die Tat war bis ins letzte Detail durchdacht.«

Bradley holte tief Luft und fuhr sich dann mit der Hand über den Mund. »Derek war nicht nur ein Kollege, sondern auch ein Freund.« Sein Tonfall hatte sich schlagartig verändert. Auf einmal klang er, als richte er sein Eröffnungsplädoyer an die Geschworenen. »Wir kannten uns seit über zwanzig Jahren. Ich war oft zum Abendessen oder auf einen Drink bei ihm zu Hause, und er bei mir. Ich kannte seine Frau. Ich kenne seine Töchter. Ich bin der, der sie für die offizielle Identifikation ins Leichenschauhaus begleiten wird.« Ein Muskel in seinem Kiefer spannte sich an. »Sie wissen noch nicht über die sadistischen Einzelheiten des Mordes an ihrem Vater Bescheid. Sie wissen nichts von der Skulptur. Und ich bin mir nicht sicher, ob sie es je erfahren sollten. Das würde sie seelisch zugrunde richten.« Sein Blick glitt durch den Raum, bevor er erneut Hunter fixierte. »Derek war ein herausragender Staatsanwalt und hingebungsvoller Familienvater. Als man bei ihm vor ein paar Monaten Lungenkrebs im fortgeschrittenen Stadium festgestellt hat, waren wir alle sehr betroffen, weil wir wussten, dass wir einen außergewöhnlichen Menschen verlieren würden. Aber das hier ...« Sein Blick zuckte kurz zur Akte und den Fotos auf Captain Blakes Schreibtisch. »Das übersteigt alles Vorstellbare.«

Falls Bezirksstaatsanwalt Bradley sich eine Reaktion von Blake oder Hunter erhoffte, wurde er enttäuscht.

»Barbara hat mir gesagt, dass Sie als Erstes sämtliche

Straftäter überprüfen wollen, die Derek im Laufe der Jahre hinter Gitter gebracht hat«, sagte er nach einem kurzen Schweigen.

»Ja, so was in der Art«, bestätigte Hunter.

»Genau das wäre auch mein Ansatzpunkt. Vielleicht haben Sie ja doch kein Erbsenhirn.« Bradley öffnete die Knöpfe seines Sakkos, langte in die Innentasche, um eine Visitenkarte herauszuholen, und hielt sie Hunter entgegen. »Das ist meine beste Rechercheurin.«

Hunter las den Namen auf der Karte: *Alice Beaumont, Rechercheabteilung, Bezirksstaatsanwaltschaft von Los Angeles.*

»Wenn es darum geht, Details über andere Leute auszugraben, ist sie unschlagbar. Ein Computergenie. Sie hat Zugang zu sämtlichen unserer Archive – und diversen anderen Ressourcen. Alice findet jede Akte, die Sie im Zusammenhang mit Dereks alten Fällen brauchen könnten.«

Hunter ließ die Karte in seiner Jackentasche verschwinden.

»Ich hoffe, Sie sind nicht einer von den Männern, die Schiss vor Frauen haben, die schlauer sind als sie.« Bradley lächelte.

Hunter lächelte zurück.

»Also, was mir am meisten Magenschmerzen bereitet«, fuhr Bradley, nunmehr wieder todernst, fort, »ist Folgendes: Derek hat im Laufe der Jahre jede Menge Gesindel hinter Gitter gebracht. Verbrecher, die zum Großteil von Ihnen überführt wurden, Barbara.« Sein Blick schwenkte von Hunter zu Captain Blake. »Beziehungsweise von den Detectives Ihrer Abteilung. Der Vorgang ist simpel: Ihr schnappt sie. Wir bereiten die Anklage vor und machen ihnen den Prozess. Ein Richter hat den Vorsitz, und eine Jury aus zwölf Geschworenen fällt den Schuldspruch. Verstehen Sie, worauf ich hinauswill?«

Captain Blake schwieg.

Hunter nickte. »Wenn der Mord an Derek Nicholson eine

Tat aus Rache war, dann ist er womöglich nur ein Glied in einer langen Kette.«

»Korrekt.« Schweißperlen hatten sich auf Bradleys Stirn gebildet und brachten sie zum Glänzen. »Falls wir es hier wirklich mit einem Akt der Vergeltung wegen irgendeines alten Strafprozesses zu tun haben, dann sehen Sie bloß zu, dass Sie diesen Irren schnellstmöglich schnappen. Andernfalls ... können wir uns auf weitere Leichen gefasst machen.«

12

Während die Sonne heiß vom wolkenlos blauen Himmel schien, pustete die Klimaanlage kalte Luft in den Innenraum des silbernen Honda Civic, der soeben in westlicher Richtung auf die Interstate 105 eingebogen war. Eigentlich hätte die Fahrt nicht länger als fünfundzwanzig Minuten dauern dürfen, allerdings hatten Hunter und Garcia schon über eine halbe Stunde im Stop-and-go-Verkehr festgesteckt, und sie waren noch immer gut zwanzig Meilen von ihrem Zielort entfernt.

Amy Dawson, die Krankenschwester, die Derek Nicholson wochentags betreut hatte, lebte mit ihrem Ehemann, zwei jugendlichen Töchtern und einem kleinen Kläffer namens Screamer in einem anderthalbgeschossigen Haus mit vier Zimmern. Das Haus lag in Lennox im Südwesten von Los Angeles in einer ruhigen Straße hinter einer Ladenzeile.

Amy hatte ihre Stelle als Nicholsons Pflegerin wenige Tage nach dessen Krebsdiagnose angetreten.

Als Garcia endlich in Amys Straße einbog, zeigte das Thermometer am Armaturenbrett eine Außentemperatur von einunddreißig Grad an. Er parkte am gegenüberliegenden Straßenrand, und sie wagten sich hinaus aus dem Wagen, hinein in die schwüle Hitze. Die Sonne brannte auf ihren Gesichtern.

Das Haus sah alt aus. Regen und Sonne hatten die Farbe an Fensterrahmen und Tür verwittern lassen. Der Maschendrahtzaun, der das Grundstück umgab, war rostig und an mehreren Stellen verbogen. Dem kleinen Vorgarten hätte ein wenig Pflege gutgetan.

Hunter klopfte dreimal, woraufhin aus den Tiefen des Hauses sofort aufgeregtes Hundegebell ertönte. Nicht das laute, tiefe Bellen, das einen Einbrecher in die Flucht geschlagen hätte, sondern ein hohes, nervtötendes Kläffen, von dem man innerhalb kürzester Zeit Kopfschmerzen bekam. Und Hunter hatte bereits Kopfschmerzen.

»Sei still, Screamer«, rief eine Frauenstimme, und nach einer Weile verstummte der Hund. Eine Afroamerikanerin mit rundem Gesicht, katzenhaften Augen und Cornrows im Haar öffnete ihnen die Tür. Sie war etwa eins fünfundsechzig groß, und der dünne Stoff ihres Sommerkleids spannte sich über ihren üppigen Rundungen. Amy Dawson war zweiundfünfzig Jahre alt, doch ihr freundliches Gesicht sah aus wie das eines Menschen, der länger gelebt und mehr als seinen Anteil an Kummer gesehen hatte.

»Mrs Dawson?«, fragte Hunter.

»Ja?« Sie blinzelte hinter ihrer schmalen Lesebrille hervor. »Ach, Sie müssen der Mann von der Polizei sein, der vorhin angerufen hat?« Ihre Stimme war rauchig, aber sanft.

»Ich bin Detective Hunter, und das ist Detective Garcia.«

Sie ließ sich ihre Dienstmarken zeigen, bevor sie mit einem höflichen Lächeln die Haustür vollständig aufzog. »Bitte, kommen Sie doch rein.«

Als sie eintraten, fing Screamer von seinem Platz unter einem Tisch aus erneut an zu bellen. »Ich sage es dir nicht noch mal, Screamer. Sei still, und ab mit dir.« Amy zeigte zu einer Tür auf der anderen Seite des Wohnzimmers. Der kleine Hund flitzte hindurch und verschwand in einem schmalen

Flur. Aus der Küche kam ihnen der Duft frisch gebackenen Kuchens entgegen und erfüllte das ganze Haus. »Bitte, machen Sie es sich bequem.« Sie wies in Richtung des kleinen düsteren Wohnzimmers. Hunter und Garcia nahmen auf dem mintgrünen abgesteppten Sofa Platz, während Amy sich ihnen gegenüber in einen Sessel setzte.

»Möchten Sie vielleicht einen Eistee?«, fragte sie. »Es ist ganz schön heiß da draußen.«

»Das wäre großartig«, antwortete Hunter. »Haben Sie vielen Dank.«

Amy ging in die Küche und kehrte wenig später mit einem Tablett zurück, auf dem eine Aluminiumkanne und drei Gläser standen.

»Ich kann gar nicht glauben, dass irgendjemand Mr Nicholson nach dem Leben trachten würde«, sagte sie, als sie die Getränke herumreichte. In ihren Worten lag Trauer.

»Was passiert ist, tut uns sehr leid, Mrs Dawson.«

»Bitte nennen Sie mich Amy.« Sie schenkte den beiden Detectives ein mattes Lächeln.

Hunter erwiderte es. »Wir sind Ihnen sehr dankbar, dass Sie sich die Zeit nehmen, mit uns zu sprechen, Amy.«

Sie starrte in ihr Glas. »Wer würde einem sterbenden Krebspatienten so was antun? Das ist doch unbegreiflich.« Ihr Blick traf den Hunters. »Mir wurde gesagt, dass es kein Einbrecher gewesen ist.«

»Das stimmt«, bestätigte er.

»Er war so ein netter, freundlicher Mann, und jetzt ist er in besseren Händen, das weiß ich.« Ihr Blick ging zur Decke. »Möge er in Frieden ruhen.«

Dass Amy so gefasst schien, überraschte Hunter kaum. Sie kannte die abscheulichen Einzelheiten der Tat nicht. Außerdem hatte Hunter ihren Hintergrund überprüft: Amy arbeitete seit siebenundzwanzig Jahren als Krankenschwester, achtzehn davon in der häuslichen Pflege schwer krebskranker Patienten. Sie erfüllte ihre Aufgabe gewissenhaft und gründlich, und trotzdem starben all ihre Patienten unweigerlich. Sie war den Tod gewohnt und hatte schon vor langer Zeit gelernt, ihre Gefühle zu beherrschen.

»Sie haben sich unter der Woche um Mr Nicholson gekümmert, ist das richtig?«, fragte Garcia.

»Montags bis freitags, ja.«

»Haben Sie in demselben Zimmer gewohnt wie Melinda Wallis, die Pflegeschülerin, die am Wochenende da war?«

Amy schüttelte den Kopf. »Nein, nein. Mel hat die Gästewohnung über der Garage genutzt. Ich hatte ein Zimmer direkt im Haus. Von Mr Nicholsons Schlafzimmer aus gesehen das übernächste.«

»Wir haben uns sagen lassen, dass Mr Nicholsons Töchter ihn jeden Tag besucht haben?«

»Das stimmt, immer wenigstens für ein paar Stunden. Manchmal vormittags, manchmal auch nachmittags oder abends, je nachdem.«

»Hatte Mr Nicholson in der letzten Zeit noch andere Besucher?«

»In der letzten Zeit nicht, nein.«

»Irgendwann früher?«, hakte Garcia nach.

Amy dachte einen Augenblick lang nach. »Kurz nachdem ich bei ihm angefangen hatte, ja. Ich kann mich nur noch an zwei Leute erinnern. Das war gleich in den ersten Wochen. Sobald sich dann die ersten Symptome bemerkbar gemacht haben, sind keine Besucher mehr gekommen. Hauptsächlich deshalb, weil er selbst niemanden mehr sehen wollte. Er war sehr stolz.«

»Diese Besucher, können Sie uns mehr über sie verraten?«, fragte Garcia. »Wissen Sie, wer sie waren?«

»Nein. Aber sie haben ausgesehen wie Anwälte. Sie wissen schon, schicke Anzüge und so weiter. Arbeitskollegen, vermute ich mal.«

»Wissen Sie noch, worüber sie geredet haben?«

Diese Frage brachte Garcia einen empörten Blick ein. »Ich

war nicht mit im Zimmer, und ich belausche auch nicht die Gespräche anderer Leute.«

»Ich bitte um Entschuldigung, so war das nicht gemeint«, beeilte sich Garcia zu sagen. »Ich wollte bloß wissen, ob Mr Nicholson Ihnen gegenüber etwas erwähnt hat.«

Amy schenkte Garcia ein dünnes Lächeln zum Zeichen, dass sie seine Entschuldigung annahm. »Wollen Sie die Wahrheit wissen? Es wird nie viel geredet, wenn Krebskranke Besuch bekommen. Egal wie gesprächig die Leute sind, sobald sie sehen, was die Krankheit aus ihren Freunden oder Verwandten gemacht hat, wissen sie nicht mehr, was sie sagen sollen. Die meisten stehen einfach nur da und schweigen und versuchen, nicht die Fassung zu verlieren. Wenn man weiß, dass jemand bald sterben wird, fällt es schwer, die richtigen Worte zu finden.«

Hunter schwieg. Er wusste genau, wovon Amy Dawson sprach. Er war erst sieben gewesen, als bei seiner Mutter Glioblastoma multiforme, eine besonders aggressive Form des Gehirntumors, diagnostiziert worden war. Als die Ärzte den Tumor entdeckten, war er bereits so groß, dass eine Operation nicht mehr in Betracht kam. Innerhalb weniger Wochen verwandelte sich seine Mutter von einem lachenden, lebensfrohen Menschen in ein ausgezehrtes Gerippe, das man kaum noch wiedererkannte. Nie würde Hunter vergessen, wie sein Vater mit Tränen in den Augen neben ihrem Bett gestanden hatte, unfähig, auch nur ein Wort über die Lippen zu bringen. Er hatte einfach nicht gewusst, was er sagen sollte.

»Können Sie sich noch an ihre Namen erinnern?«, bohrte Garcia weiter.

Amy überlegte lange und gründlich. »Tja, mein Gedächtnis ist nicht mehr so gut wie früher. Aber ich weiß noch, wie ich bei dem Ersten, der zu Besuch kam, gedacht habe, dass es jemand Wichtiges sein muss. Er hatte einen großen Mercedes mit Chauffeur und allem.«

»Könnten Sie ihn beschreiben?«

Sie wiegte den Kopf hin und her. »Ein älterer, stämmiger Typ mit Pausbacken. Nicht besonders groß, aber sehr gut angezogen. Hat viel die Arme bewegt.«

»Bezirksstaatsanwalt Bradley?«, mutmaßte Garcia und sah Hunter an, der zustimmend nickte.

»Ja«, sagte Amy mit dem Anflug eines Lächelns. »Ich glaube, so hieß er.«

»Was ist mit dem zweiten Besucher, wissen Sie noch was über den?«

Amy durchforstete ihr Gedächtnis. »Der war schlanker und größer.« Sie musterte Hunter. »Ungefähr so groß wie Sie, würde ich sagen, vielleicht auch in Ihrem Alter. Er war sehr attraktiv. Schöne dunkle Augen.«

Garcia machte sich zu allem Notizen. »Sonst noch was, woran Sie sich erinnern können?«

»Ich glaube, er hatte einen kurzen Namen. Ben oder Dan oder Tom oder so ähnlich.« Sie zögerte und schöpfte Atem. »Irgend so was in der Art, aber ich weiß es nicht mehr genau.«

»Amy.« Hunter beugte sich vor und stellte sein leeres Eistee-Glas auf den Couchtisch zwischen ihnen. »Sie haben sich doch bestimmt öfter mit Mr Nicholson unterhalten. Sie haben schließlich viel Zeit mit ihm verbracht.«

»Hin und wieder mal, ganz zu Anfang«, räumte Amy ein. »Aber dann wurde seine Atmung schlechter. Das Sprechen hat ihn sehr angestrengt. Wir haben dann nicht mehr so viel geredet.«

Hunter nickte. »Hat er Ihnen irgendwas gesagt, von dem Sie denken, dass es uns vielleicht weiterhelfen könnte? Über sein Leben? Über einen seiner Fälle? Über eine bestimmte Person?«

Amy schüttelte mit gerunzelter Stirn den Kopf. »Ich war doch bloß seine Krankenschwester. Warum hätte er sich ausgerechnet mir anvertrauen sollen?«

»In den letzten Wochen haben Sie mehr Zeit mit ihm verbracht als irgendjemand sonst. Sogar mehr als seine eigenen Töchter. Können Sie sich wirklich an nichts erinnern?«

Hunter wusste, dass der Wunsch nach Kommunikation tief im Innern eines jeden Menschen verwurzelt war. Reden hat eine heilende Wirkung und wird umso wichtiger, je näher jemand dem Tod ist. Da Amy so viel Zeit mit Nicholson verbracht und sich um ihn gekümmert hatte, war es nur natürlich, dass sie für ihn irgendwann die Rolle eines engen Vertrauten angenommen hatte. Jemand, mit dem er reden, dem er sich offenbaren konnte.

Amys Blick schweifte zum Fenster rechts neben Hunter. »Einmal hat er was gesagt, worüber ich mich gewundert habe.«

»Und was war das?«

Sie schaute nach wie vor aus dem Fenster. »Er hat gesagt, wie seltsam doch das Leben ist. Egal wie viel Gutes man getan oder wie vielen Menschen man geholfen hat, am Ende sind es die Fehler, die einen bis in den Tod verfolgen.«

Weder Hunter noch Garcia sagten ein Wort.

»Ich habe ihm geantwortet, dass kein Mensch frei von Fehlern ist. Er hat gelächelt und gesagt, dass er das weiß. Und dann hat er noch davon gesprochen, dass er sich mit jemandem aussprechen und endlich die Wahrheit sagen wollte.«

»Die Wahrheit worüber?«, fragte Garcia und rutschte bis an die Kante des Sofas vor.

»Das hat er nicht gesagt. Ich habe ihn auch nicht gefragt. Das stand mir nicht zu. Aber es muss ihn auf jeden Fall sehr gequält haben. Er wollte sein Gewissen erleichtern, bevor es zu spät war.«

13

Hunter hatte noch für denselben Nachmittag ein Treffen mit den beiden Töchtern von Derek Nicholson vereinbart. Olivia, die Ältere, der er bereits in Nicholsons Haus begegnet war, hatte ihn gebeten, zu ihr nach Westwood zu kommen. Ihre Schwester Allison würde auch dort sein.

Hunter und Garcia hielten um vier Uhr fünfunddreißig vor Olivias Haus an. Der zweigeschossige Bau war nach Westwood-Maßstäben bescheiden, aber trotzdem größer und teurer als alles, was sich die Mehrheit der Angelinos auch nur erträumen durfte. Sie stiegen die wenigen Backsteinstufen zum Grundstück hinauf und gingen den kurzen Weg durch den gepflegten Vorgarten, in dem bereits die Sommerblumen blühten. Vor der Doppelgarage parkten zwei Autos, ein roter 3er BMW und ein fabrikneu aussehender Ford Edge in Tuxedo-Schwarz.

Hunter drückte auf die Klingel. Sie mussten fast eine Minute warten, bis Olivia ihnen die Tür aufmachte. Sie trug ein schwarzes knielanges Kleid ohne Ärmel und schwarze Schuhe. Die Haare hatte sie zu einem schlichten, konservativen Pferdeschwanz frisiert. Sie verbarg ihr Gesicht hinter einer dicken Schicht Make-up, doch die Zeichen einer schlaflosen und durchweinten Nacht waren deutlich zu erkennen.

Beim Anblick von Hunter und Garcia füllten sich ihre Augen sofort wieder mit Tränen, allerdings ließ sie es nicht so weit kommen, dass sie überquollen.

»Vielen Dank, dass Sie mit dem Gespräch einverstanden waren, Ms Nicholson«, sagte Hunter.

»Ich habe Ihnen doch gesagt«, antwortete sie und setzte ein tapferes Lächeln auf, »dass Sie mich Olivia nennen sollen. Bitte, kommen Sie herein.«

Sie ging ihnen voran in einen elegant und geschmackvoll eingerichteten Empfangsbereich. Die schönen Möbel zusammen mit Vasen voller Blumen schufen eine angenehme Atmosphäre. Olivia führte sie weiter bis ins erste Zimmer auf der rechten Seite – ihr Arbeitszimmer. Es war groß, und die Südseite wurde vollständig von einer riesigen Bücherwand eingenommen. Die Einrichtung war nicht weniger stilvoll als in der Halle, doch die Stimmung – im denkbar krassen Gegensatz zu draußen, wo der wolkenlose Himmel und die Sonne jedem ein Lächeln ins Gesicht zauberten – war ernst. Das Zimmer wirkte dunkel und beklemmend, ein Eindruck, der durch die geschlossenen Fenster und zugezogenen Vorhänge noch verstärkt wurde. Das einzige Licht kam von einer Stehlampe in der Ecke.

Neben einem wuchtigen Partnerschreibtisch stand eine Frau von etwa Ende zwanzig. Auch sie war ganz in Schwarz gekleidet. Beim Eintreten der beiden Detectives drehte sie sich um.

Allison Nicholson war außergewöhnlich schön, aber sehr dünn. Sie hatte glatte, schulterlange schwarze Haare und tiefdunkle, seelenvolle Augen, deren Blick viel wissender war, als man bei einer Frau ihres Alters vermutet hätte. Auch ihre Augen waren vom Weinen gerötet.

»Das ist meine Schwester Allison«, stellte Olivia sie vor.

Allisons Blick geisterte zwischen Hunter und Garcia hin und her, doch sie kam ihnen nicht entgegen. Kein Angebot zum Händeschütteln.

»Ally, das hier sind die Detectives Hunter und Garcia«, sagte Olivia und ging zu ihrer Schwester.

»Wir bedauern Ihren Verlust sehr«, erklärte Hunter. »Uns ist klar, wie schwer es für Sie beide sein muss, und wir sind Ihnen dankbar dafür, dass Sie sich die Zeit nehmen. Wir werden Sie auch nicht lange aufhalten.« Er holte sein schwarzes Notizbuch aus der Tasche. »Wenn wir Ihnen nur ein paar kurze Fragen stellen dürften?«

Das Schweigen der beiden war Anlass für Hunter, fortzufahren.

»Sie beide haben Ihren Vater vergangenen Samstag besucht, ist das richtig?«

»Ja«, antwortete Olivia.

»Können Sie sich noch daran erinnern, um wie viel Uhr Sie angekommen sind und wann Sie ihn wieder verlassen haben?«

»Ich war vor Ally da«, sagte Olivia. »Ich hatte am Nachmittag noch ein paar Sachen zu erledigen. Wir eröffnen gerade einen neuen Laden.«

Hunter wusste, dass Olivia die Eigentümerin von Healthy Eats war, einer Kette von Naturkostläden mit mehreren Filialen in der Stadt und im näheren Umkreis von Los Angeles. Allison hingegen war in die Fußstapfen ihres Vaters getreten. Sie war Staatsanwältin.

»Ich war so gegen halb fünf oder fünf da«, fuhr Olivia fort. »Ally ...«

»Ich bin gegen Viertel nach fünf gekommen«, kam Allison ihrer Schwester zu Hilfe.

Hunter wartete.

»Wir haben mit Dad zusammengesessen, so wie meistens, und uns unterhalten. Oder es zumindest versucht«, fuhr Allison fort. »Am Wochenende kocht Levy normalerweise immer für uns.« Sie deutete mit einem Nicken auf ihre Schwester. »Manchmal helfe ich ihr.« Sie schüttelte den Kopf. »Ich bin nicht gerade ein Meister am Herd.«

»Haben Sie vergangenen Samstag auch gekocht?«, wollte Hunter von Olivia wissen.

»Ja. Und dann haben wir alle gemeinsam zu Abend gegessen.«

»Was war mit Melinda Wallis, der Pflegerin?«, fragte Garcia.

»Mel hat immer mit uns zusammen gegessen. Sie ist so nett. Sehr fürsorglich.«

»Um wie viel Uhr sind Sie aufgebrochen?«

»Levy ist ein paar Minuten vor mir gefahren«, sagte Allison. »Ich habe mich so gegen neun auf den Weg gemacht.«

Olivia nickte.

»Hat eine von Ihnen dabei zufällig jemanden draußen in der Nähe des Hauses gesehen? Ist Ihnen irgendjemand oder irgendetwas aufgefallen?«

»Mir nicht«, gab Allison zur Antwort.

»Mir auch nicht«, fügte Olivia hinzu.

»Wir haben heute Nachmittag mit Amy Dawson gesprochen. Sie erwähnte zwei Besucher, die vor ungefähr dreieinhalb Monaten bei Ihrem Vater gewesen sein sollen. Hat Ihr Vater Ihnen davon erzählt? Wissen Sie, wer diese Besucher waren?«

Olivia und Allison schauten sich einen Moment lang an.

»Ich weiß, dass Staatsanwalt Bradley bei Dad zu Besuch war, das war kurz nach der Diagnose«, sagte Allison.

»Genau, das haben wir auch schon ermittelt«, sagte Garcia. »Aber anscheinend gab es noch eine weitere Person.« Er warf rasch einen Blick in seine Notizen. »Schlank, etwas über eins achtzig groß, jünger als Ihr Vater, braune Augen. Sagt Ihnen das was?«

Olivia schüttelte den Kopf.

»Die Hälfte aller männlichen Kollegen bei der Bezirksstaatsanwaltschaft würde auf die Beschreibung passen«, stellte Allison fest.

»Ihr Vater hat nichts von einem Besucher erwähnt, der vor einigen Wochen bei ihm war?«

»Mir gegenüber nicht«, sagte Allison.

»Nein«, setzte Olivia hinzu. »Was schon irgendwie merkwürdig ist. Dass Bradley zu Besuch war, hat Dad uns nämlich erzählt.«

Hunter steckte sein Notizbuch wieder ein. »Mrs Dawson hat außerdem noch zu Protokoll gegeben, dass Ihr Vater gesagt habe, er wolle sich mit jemandem aussprechen und über irgendetwas die Wahrheit sagen.«

Beide Frauen runzelten die Stirn.

»Wissen Sie etwas dazu?«

»Die Wahrheit worüber?«, fragte Allison.

Garcia zuckte die Achseln. »Das wüssten wir auch gern.«

»Über einen Prozess, den er geführt hat?«

»Wir wissen von nichts. Das ist alles, was wir an Informationen haben.«

Mehrere Sekunden verstrichen.

»Ich kann mich nicht daran erinnern, dass Vater irgendwas über eine Aussprache gesagt hätte«, meinte Olivia schließlich. »Ist Amy sich ganz sicher, dass das seine Formulierung war?«

Hunter und Garcia nickten.

Olivia warf Allison einen Blick zu.

»Mir hat Dad auch nie was darüber gesagt.«

Es gab noch eine Frage, die Hunter den beiden Frauen stellen wollte, aber dafür musste er seine Worte sorgfältig wählen. Er bemühte sich, möglichst beiläufig zu klingen. »Hat Ihr Vater sich für moderne Kunst interessiert?«

Dem Gesichtsausdruck der zwei Frauen nach zu urteilen, hätte Hunter ihnen keine seltsamere Frage stellen können.

»Bildhauerei zum Beispiel?«, schob er hinterher.

Das vergrößerte ihre Verwirrung nur.

»Nein«, antwortete Olivia. Dann warf sie Allison einen Blick zu, und beide sagten wie aus einem Mund:

»Aber Mom.«

14

Es stimmte, dass Hunters Frage Allison und Olivia überrascht hatte. Aber ihre Antwort hatte auf ihn genau dieselbe Wirkung.

»Wieso fragen Sie?«, erkundigte sich Olivia und kniff dabei leicht die Augen zusammen.

Hunter stellte sich ihrem Blick. Er musste sich etwas Gutes einfallen lassen. Keine der beiden wusste von der Skulptur, die der Mörder am Tatort zurückgelassen hatte, und sollten sie davon erfahren, wäre ein seelisches Trauma die Folge, und das würden sie vermutlich für den Rest ihres Lebens mit sich herumtragen.

»Wir haben etwas im Zimmer Ihres Vaters gefunden«, gab er betont gelassen zurück. »Wir glauben, es könnte sich um ein Bruchstück von einer Skulptur oder Ähnlichem handeln.«

»In Dads Schlafzimmer?«

Hunter nickte. »Möglicherweise wurde es mit Absicht dort hingelegt.«

Seine Worte schienen den Sauerstoff aus dem Raum zu saugen. Beide Frauen versteiften sich.

»Sie meinen, vom Mörder?«, fragte Allison.

»Ja.«

Prompt stiegen Olivia wieder Tränen in die Augen.

»Wie sieht es denn aus?«, wollte Allison wissen. »Können wir es uns mal ansehen?«

»Momentan befindet es sich im kriminaltechnischen Labor. Es müssen noch einige Tests gemacht werden«, gab Hunter ruhig, aber bestimmt zurück. »Sie sagten eben, Ihre Mutter habe sich für Bildhauerei interessiert. Auch für moderne Plastik?« Rasch lenkte er das Gespräch dorthin zurück, wo er es haben wollte.

»Ja«, sagte Olivia und wischte sich eine Träne von der Wange. »Das kann man wohl so sagen. Mom hat leidenschaftlich gern getöpfert. Ein Hobby, das sie erst ziemlich spät für sich entdeckt hat.« Sie deutete auf eine mittelgroße Vase auf dem Couchtisch, in der ein Strauß gelber und weißer Blumen stand. »Die da ist von ihr, genau wie die Vase in der Halle.«

Beide Detectives nickten.

»Aber Mom hat auch Plastiken gemacht.« Die Antwort kam von Allison. Sie wandte sich um und zeigte auf eine

Skulptur, die in einem der Bücherregale stand. Sie war etwa fünfundzwanzig Zentimeter hoch und bestand aus zwei geschlechtslosen Figuren. Die erste stand breitbeinig da, die Arme vor dem Körper ausgestreckt. Die zweite Figur, von ähnlicher Gestalt, stand der ersten zugewandt, sah aber so aus, als ließe sie sich gerade rückwärts fallen. Ihr Körper neigte sich im 45-Grad-Winkel nach hinten. Auch sie hatte die Arme ausgestreckt, so dass sich beide Figuren an den Händen hielten.

»Haben Sie was dagegen, wenn wir einen Blick darauf werfen?«, fragte Hunter.

»Natürlich nicht.«

Hunter nahm die Plastik in die Hand und betrachtete sie eine Zeitlang. Sie war aus Ton und hatte einen Sockel aus Holz.

»Vertrauen«, murmelte er.

»Was?« Garcias Blick glitt von der Skulptur zu Hunter.

»Vertrauen«, wiederholte dieser. »Wenn du fällst, fange ich dich auf.«

Olivia und Allison sahen ihn verblüfft an. »Stimmt genau«, sagte Allison. »Mir hat Mom die gleiche geschenkt, und Dad hat auch eine. Sie bedeuten, dass wir uns immer auf den anderen verlassen können. Dass wir immer füreinander da sind, was auch geschieht.«

»Das ist eine sehr schöne Skulptur.« Hunter stellte sie an ihren Platz zurück.

»Dieses Bruchstück, das Sie in Dads Schlafzimmer gefunden haben«, sagte Olivia. »Aus was für einem Material war es?«

»Irgendeine Metalllegierung«, log Hunter. »Der Hauptbestandteil ist vermutlich Bronze.«

Garcia biss sich auf die Lippe.

»Dann stammt es nicht von einer von Moms Skulpturen. Sie hat nur mit Ton gearbeitet.«

»Hat sie viele Plastiken gemacht?«

»In erster Linie Vasen. Plastiken ... nur sechs, wenn ich mich recht erinnere.« Olivia sah Allison um Bestätigung heischend an. Diese nickte. »Wie Ally vorhin sagte, sie hat dieselbe Skulptur bei sich zu Hause. Die restlichen vier stehen in Dads Arbeitszimmer.«

15

Hunter sah keinen Sinn darin, Olivia und Allison noch länger in ihrer Trauer zu stören. Allerdings hatten sie mit ihrer Aussage seine Neugier geweckt, weshalb er vor Feierabend unbedingt noch einmal zu Derek Nicholsons Haus zurückkehren und im Arbeitszimmer einen Blick auf die vier anderen Skulpturen werfen wollte, die Lindsay Nicholson, Dereks verstorbene Frau, angefertigt hatte.

»Kompliment für dein Pokerface eben«, meinte Garcia, als sie wieder ins Auto stiegen. »Ein kleines Stück Metall, das der Täter zurückgelassen hat und das möglicherweise von einer Skulptur stammt? Wie einfallsreich. Ich hätte dir selber fast geglaubt. Aber eins möchte ich doch zu gerne wissen: Was, wenn ihre Mutter auch Skulpturen aus Metall gemacht hätte?«

»Eher unwahrscheinlich«, gab Hunter zurück, während er den Sicherheitsgurt anlegte.

»Wieso?«

»Die meisten Bildhauer, erst recht solche, die es nur als Hobby betreiben, arbeiten immer mit demselben Material, weil sie sich damit auskennen. Die wenigen, die unterschiedliche Materialien verwenden, wechseln nur selten von einem weichen, formbaren Material wie Ton zu einem harten Material wie Metall. Das erfordert eine ganz andere Bearbeitungstechnik.«

Garcia betrachtete seinen Partner mit verdutztem Gesicht. »Ich habe dich nie für einen Kunstkenner gehalten.«

»Bin ich auch nicht. Ich lese bloß viel.«

Hunter war bisher nur einmal kurz in Derek Nicholsons Arbeitszimmer gewesen. Dort hatte Melinda Wallis gesessen, als er am Morgen des Vortages an den Tatort gekommen war. Am Abend, bei seinem zweiten Besuch, hatte seine Aufmerksamkeit ausschließlich dem Schlafzimmer im ersten Stock gegolten.

Die Fahrt nach Cheviot Hills dauerte nur zehn Minuten. Sie sperrten die Eingangstür auf und betraten ein Haus, in dem früher einmal eine glückliche Familie gelebt hatte. Nun war es auf ewig durch einen brutalen Mord vergiftet. Jede freudige Erinnerung, die diese Wände bargen, war durch einen einzigen Akt des Bösen für immer ausgelöscht.

Die Luft im Haus war warm und muffig, und es schwebte eine charakteristische Mischung von Gerüchen darin. Garcia rieb sich die Nase, räusperte sich mehrmals und ließ seinem Partner den Vortritt.

Hunter öffnete die Tür zu einem langgestreckten, holzgetäfelten Zimmer, in dem an zwei Wänden Bücherregale standen. Vom Aussehen her erinnerte der Raum mit seinem wuchtigen Schreibtisch, den bequemen Sesseln und dem stockigen Geruch alter, in Leder gebundener Bücher an ein Richterzimmer.

Die vier von Olivia erwähnten Skulpturen fielen ihnen sofort ins Auge. Zwei standen in den Bücherregalen, eine auf Derek Nicholsons Schreibtisch, die vierte auf einem Tischchen neben einem whiskyfarbenen Ledersessel. Obwohl sie ungewöhnlich aussahen, hatte keine von ihnen auch nur die entfernteste Ähnlichkeit mit dem monströsen Kunstwerk, das der Mörder ihnen hinterlassen hatte.

»Na ja, wenigstens wissen wir jetzt, dass der Täter nicht die Absicht hatte, eine von denen hier nachzubilden«, sagte Garcia und stellte die Skulptur, die er in der Hand gehabt hatte, zurück auf den Beistelltisch. »Der Himmel weiß, *was* seine Absicht war.«

Hunter hatte sich alle Skulpturen angesehen und studierte nun einige der Bücher im Regal. Die überwiegende Mehrheit waren Abhandlungen über Strafrecht, allerdings gab es auch eine Handvoll Bände zum Thema Töpferei und Keramik. Zwei von ihnen beschäftigten sich mit zeitgenössischer Bildhauerei. Hunter zog eins der Bücher aus dem Regal und blätterte die ersten Seiten um.

»Meinst du, der Mord könnte tatsächlich mit dem zu tun haben, was er zu seiner Pflegerin gesagt hat?«, wollte Garcia wissen. »Dass er sich mit jemandem aussprechen und über irgendwas die Wahrheit sagen wollte?«

»Ich weiß es nicht genau. Alles, was ich weiß, ist, dass jeder Geheimnisse hat, von denen einige mehr, andere weniger wichtig sind. Derek Nicholsons Geheimnis war ihm offenbar so wichtig und hat ihm so schwer auf der Seele gelegen, dass er nicht sterben wollte, ohne sich zuvor davon zu befreien. Ohne ›seinen Frieden zu machen‹.« Hunter zeichnete mit den Fingern Anführungsstriche in die Luft.

»Und das muss was zu bedeuten haben, stimmt's?«, sagte Garcia.

»Das muss was zu bedeuten haben«, pflichtete Hunter ihm bei. »Leider wissen wir nicht, ob er es auch tatsächlich getan hat. Sich ausgesprochen, meine ich.«

»Amy zufolge hat er irgendwann zwischen der ersten und zweiten Woche mit ihr darüber gesprochen. Und es sieht ja so aus, als hätte er, wenn man die Pflegeschülerin und seine zwei Töchter einmal ausklammert, danach lediglich noch zu zwei weiteren Personen Kontakt gehabt.«

Hunter nickte. »Zu Bezirksstaatsanwalt Bradley und zu unserem mysteriösen, eins achtzig großen braunäugigen Fremden.« Er stellte das Buch ins Regal zurück und nahm sich das zweite vor. »Vielleicht kennt der Bezirksstaatsanwalt ihn ja. Ich werde morgen mal versuchen, mit ihm zu sprechen.«

»Amy Dawson hatte ein Zimmer im ersten Stock«, sagte Garcia. »Aber Melinda hat in der Gästewohnung über der Garage gewohnt, weiter weg vom Haus. Es ist kein Zufall, dass der Täter sich für den Mord eine Nacht am Wochenende ausgesucht hat, oder?«

»Nein.« Ohne bestimmten Grund glitt Hunters Blick zur Decke und dann zu den Wänden. »Irgendwie muss sich der Täter mit den Abläufen hier im Haus ausgekannt haben. Er wusste, wer wann kam und ging. Er wusste, dass Derek Nicholsons Töchter ihren Vater jeden Tag für ein paar Stunden besucht haben, aber jedes Mal wieder nach Hause gefahren sind. Er wusste, wann Nicholson allein war und wann er am besten zuschlagen konnte. Vielleicht wusste er sogar, dass die Alarmanlage meistens ausgeschaltet war oder dass Derek Nicholson eine Abneigung gegen Klimaanlagen hatte und deshalb die Balkontür zu seinem Zimmer zu dieser Jahreszeit höchstwahrscheinlich offen stehen würde.«

»Was bedeuten muss, dass der Täter das Haus beobachtet hat«, konstatierte Garcia. »Und nicht nur einen Tag lang.«

Hunter wiegte den Kopf hin und her, als sei er mit Garcias Schlussfolgerung nicht ganz einverstanden.

»Du glaubst, da steckt noch mehr dahinter, oder?«, sagte Garcia.

Hunter nickte. »Ich glaube, der Killer war schon mal hier. Ich glaube, der Killer kannte die Familie.«

16

»Und? Können Sie schon sagen, woran es liegt?«, fragte Andrew Dupek den Mechaniker, der sich in der Kajüte seines mittelgroßen Segelboots über die Luke mit dem Innenbord-Motor beugte.

Dupek war einundfünfzig Jahre alt. Er hatte volles dunkelblondes Haar, eine breite Brust, starke Arme und einen wiegenden Gang, der jedem signalisierte, dass er sich in einem Faustkampf noch immer zu verteidigen wusste. Die Narbe über seiner linken Augenbraue und die schiefe Nase waren Andenken einer lange zurückliegenden Boxkarriere.

Dupek fieberte das ganze Jahr dem Start des Sommers entgegen. Zwar stimmt es, dass in Los Angeles, wie überhaupt in weiten Teilen Südkaliforniens, fast immer Sommer herrscht, allerdings gelten unter Bootsbesitzern die ersten Wochen nach dem offiziellen Sommerbeginn als die besten zum Segeln. Die Winde sind dann sanfter und besonders zuverlässig. Das Meer ist ruhiger als sonst, das Wasser klarer, und in diesen wenigen Wochen präsentiert sich der Himmel in seiner gänzlich wolkenlosen Pracht.

Dupek reichte alljährlich gleich zu Jahresbeginn seinen Urlaubsantrag ein. Die Zeit war seit zwanzig Jahren dieselbe: die ersten zwei Sommerwochen. Und seit zwanzig Jahren sah auch sein Urlaub immer gleich aus: Er packte ein paar Kleidungsstücke, Proviant und seine Angelausrüstung ein und verschwand für vierzehn Tage in den Weiten des Pazifiks.

Dupek aß keinen Fisch; er mochte den Geschmack nicht. Er angelte rein zum Zeitvertreib und weil es ihn entspannte. Er warf seinen Fang ins Wasser zurück, kaum dass er ihn vom Haken losgemacht hatte, und verwendete ausschließlich Kreisbogenhaken, weil die für den Fisch weniger schmerzhaft waren.

Obwohl er zahlreiche Freunde hatte, segelte Dupek grundsätzlich allein. Er war einmal verheiratet gewesen, vor über zwanzig Jahren. Eines Nachmittags, während er auf der Arbeit war, hatte seine Frau Jane in der Küche einen Herzinfarkt erlitten. Es war alles so schnell gegangen, dass sie es nicht mal mehr bis zum Telefon geschafft hatte. Sie waren erst drei Jahre verheiratet gewesen. Dupek hatte nie gewusst, dass sie einen Herzfehler hatte.

Janes Tod hatte ihn in eine tiefe Krise gestürzt. Für Dupek war sie die Einzige gewesen. Von dem Tage an, als sie sich zum ersten Mal begegnet waren, hatte er gewusst, dass er mit ihr alt werden wollte. Die ersten zwei Jahre nach ihrem Tod waren die reinste Qual gewesen. Mehr als einmal hatte Dupek mit dem Gedanken gespielt, seinem Leben ein Ende zu setzen, damit er wieder mit Jane vereint sein konnte. Er hatte sogar eigens eine Kugel, ein 38er Hohlspitzgeschoss, dafür zurückgelegt. Doch er hatte den letzten Schritt nie getan. Stück um Stück war es ihm gelungen, sich aus seiner Depression zu befreien. Aber er hatte nie wieder geheiratet, und es verging kein Tag, an dem er nicht an Jane dachte.

Tags zuvor hatte offiziell der Sommer begonnen, und Dupek hatte geplant, noch an diesem Nachmittag Segel zu setzen. Doch als er seinen 29-PS-Dieselmotor hatte anwerfen wollen, hatte dieser lediglich ein paar Mal gehustet und gerasselt und war dann abgesoffen. Dupek hatte es erneut versucht, aber der Motor wollte einfach nicht anspringen. Andere Segler hätten vielleicht beschlossen, auch mit defektem Motor in See zu stechen – schließlich war es ein Segelboot –, aber das wäre purer Leichtsinn gewesen, und wenn Dupek eins nicht war, dann leichtsinnig.

Aber er hatte Glück im Unglück gehabt. Er hatte schon seinen Stamm-Mechaniker Warren Donnelly anrufen wollen, als ein fremder Mechaniker, der gerade mit dem Boot nebenan fertig geworden war, seinen Motor wie einen sterbenden Hund röcheln hörte und fragte, ob er Dupek helfen könne. Der Mann sah ein bisschen jung aus, aber Dupek sollte es recht sein. So würde er mindestens zwei Stunden sparen, wenn nicht sogar mehr.

Nun schraubte der Mechaniker schon seit fünf Minuten an seinem kleinen Innenborder herum.

»Und?«, sagte Dupek erneut. »Wie schlimm ist es? Lässt sich das heute noch reparieren?«

Ohne aufzusehen, hob der Mechaniker einen Finger, um

Dupek zu verstehen zu geben, dass er noch etwas mehr Zeit brauche.

Dupek trat näher und versuchte, dem Mechaniker über die Schulter zu sehen.

»Sie haben einen Riss in der Schmierölpumpe«, verkündete dieser schließlich. »Ihnen läuft seit einem, vielleicht schon seit zwei Tagen das Öl aus. Ein Teil ist auf die Einspritzdüse getropft und hat zu einer Verstopfung geführt.«

Dupek sah den Mechaniker ratlos an. Er verstand nicht viel von Motoren. »Kriegen Sie das denn wieder hin?«

»Die Ölpumpe kann man nicht reparieren, der Riss ist zu groß. Die muss ausgetauscht werden.«

»Das ist nicht Ihr Ernst.«

Der Mechaniker lächelte. »Glücklicherweise haben Sie eins der gängigsten Fabrikate am Markt. Die gehen nicht so leicht kaputt, aber es kommt vor. Ich glaube, ich habe noch ein Ersatzgerät irgendwo in meiner Tasche.«

»Ach, das wäre wirklich großartig.« Dupeks Lippen verzogen sich zu einem zaghaften Lächeln. »Könnten Sie nachschauen?«

»Klar doch.« Der Mechaniker erhob sich, trat von der Luke zurück und begann seinen großen Werkzeugkoffer zu durchsuchen, der bei der Treppe stand. »Tja, wie's aussieht, ist heute Ihr Glückstag. Ich habe tatsächlich noch eine da. Sie ist nicht mehr nagelneu, aber in gutem Zustand und reicht mit Sicherheit aus.«

Dupeks Lächeln wurde breiter.

»Aber bevor ich die Pumpe austausche, muss ich das Öl wegmachen und die Einspritzdüse säubern. Das dürfte nicht länger als zehn Minuten dauern, maximal fünfzehn.«

Dupek sah auf die Uhr. »Das wäre fantastisch. Dann komme ich noch vor Sonnenuntergang los.«

Der Mechaniker kehrte zum Innenborder zurück und begann mit einem bereits fleckigen Lappen das Öl wegzuwischen, das auf den Treibstoffschlauch getropft war.

»Und? Segeln Sie weit?«

Dupek ging zum Kühlschrank und nahm zwei Flaschen Bier heraus. »Das weiß ich noch nicht. Ich mache eigentlich nie Pläne. Ich versuche einfach mit dem Wind zu segeln. Bier?«

»Nein, danke. Habe am Wochenende schon zu viel getrunken.«

Dupek drehte von einer Flasche den Kronkorken ab, nahm einen Schluck und stellte die andere Flasche wieder in den Kühlschrank. »Das ist mein einziger Urlaub im Jahr. Zwei Wochen weit weg von allem.«

»Sie können es bestimmt gar nicht abwarten, endlich loszukommen, was? Ich weiß genau, wie das ist. Ich persönlich hatte keinen Urlaub mehr seit ...« Der Mechaniker überlegte kurz, dann lachte er traurig. »Mann, ich kann mich nicht mal mehr dran *erinnern*, wann ich zuletzt Urlaub hatte.«

»Sehen Sie? Das könnte ich nicht. Ich würde wahnsinnig werden. Ich brauche diese zwei Wochen Erholung.«

»Ach du Scheiße!«, rief der Mechaniker plötzlich und wich zurück. Eine Flüssigkeit spritzte vom Motor auf den Boden.

»Was ist passiert?« Mit besorgter Miene machte Dupek einen Schritt nach vorn.

»Einer der Hochdruck-Einspritzschläuche ist abgegangen.«

»Das klingt aber nicht gut.«

Der Mechaniker sah sich suchend um. »Ich brauche eine Klemme, um ihn wieder anzubringen. Könnten Sie mir einen Gefallen tun und den Schlauch genau so halten, während ich nach einem Quetschhahn suche?«

»Klar.« Dupek stellte sein Bier ab und hielt den Schlauch so fest, wie der Mechaniker es ihm zeigte.

»Nicht loslassen. Bin gleich wieder da.«

Dupeks Finger und Aufmerksamkeit waren ganz bei dem dünnen Gummischlauch. Er hörte, wie hinter ihm der Mechaniker in seinem Werkzeugkasten wühlte. »Deswegen brauchen Sie aber jetzt nicht länger für die Reparatur, oder?«

Keine Antwort.

»Ich würde wirklich gerne ablegen, bevor es dunkel wird.«

Schweigen. Die Geräusche hatten aufgehört.

»Hallo ...?« Dupek drehte unbeholfen den Oberkörper, um hinter sich zu blicken.

Genau in dem Moment schwang der Mechaniker einen eisernen Schraubenschlüssel wie einen Baseballschläger. Für Dupek war es, als geschähe alles in Zeitlupe. Der Schlüssel traf ihn mit einem furchterregenden Knirschen seitlich im Gesicht. Sein Kieferknochen brach an ein, zwei, drei Stellen. Vom Kiefergelenk bis zum Kinn platzte die Haut auf, darunter kamen Fleisch und Knochen zum Vorschein. Blut spritzte aus der Wunde. Drei Zähne wurden herausgeschlagen, flogen in hohem Bogen durch den Raum und prallten gegen eine Wand. Ein großer Splitter löste sich aus dem gebrochenen Kieferknochen und durchbohrte sein Zahnfleisch genau unterhalb des nun fehlenden ersten Backenzahns. Die Spitze des Knochens berührte den freiliegenden Nerv. Dupek schwanden vor Schmerz die Sinne. Der Schlag war so heftig und wohlplatziert, dass sein Körper nach hinten geschleudert wurde; er prallte mit dem Rücken gegen den Motor und dann mit dem Kopf gegen die hölzerne Abdeckung der Luke.

Vor seinen Augen verschwamm alles. Sein Mund war voller Blut, das ihm die Luftröhre hinablief und seine Atemwege blockierte, so dass er verzweifelt nach Luft schnappte. Er versuchte zu sprechen, aber das einzige Geräusch, das er hervorbrachte, war ein klägliches Gurgeln. Unmittelbar bevor er das Bewusstsein verlor, sah er den Mechaniker über sich stehen, den Schraubenschlüssel noch in der Hand.

»Mit dir ...«, sagte der Mechaniker und lächelte boshaft, »lasse ich mir Zeit.«

17

Hunter erreichte das PAB um acht Uhr dreiunddreißig, wenige Minuten nach Garcia.

»Verdammt, haben sie dir auch aufgelauert?«, fragte Garcia.

»Du meinst die Reporter draußen?«

Garcia nickte. »Haben die sich da ein Zeltlager eingerichtet, oder was soll das? Ich bin aus dem Auto gestiegen, und sofort sind drei von ihnen auf mich los und haben angefangen, mich mit Fragen zu bombardieren.«

»Das Mordopfer war ein Staatsanwalt, der vor zwei Tagen in seinem eigenen Haus auf dem Sterbebett bei lebendigem Leib zerstückelt wurde. Das ist der Stoff, aus dem Fernseh-Mehrteiler gemacht werden, Carlos. Um der Erste zu sein, der von einem Insider Informationen über den Fall bekommt, würden sie sich gegenseitig umbringen. Es wird noch schlimmer werden.«

»Ja, ich weiß.« Garcia schenkte Hunter und sich selbst aus der Kaffeemaschine in der Ecke jeweils eine große Tasse ein. »Irgendwas gefunden?«, fragte er, als er seinem Partner die Tasse reichte, und deutete mit dem Kinn auf die Bücher, die dieser unter dem Arm trug.

Hunter hatte am vorigen Abend sämtliche Bücher über moderne Kunst und Bildhauerei, die in Derek Nicholsons Arbeitszimmer zu finden gewesen waren, mit nach Hause genommen.

»Nichts.« Hunter ließ die Bücher auf seinen Schreibtisch fallen und nahm die Tasse entgegen. »Außerdem habe ich noch die halbe Nacht lang im Internet gesurft und mich über jeden Bildhauer schlaugemacht, den es in L. A. gibt. Ebenfalls Fehlanzeige. Ich glaube nicht, dass unser Täter versucht hat, ein real existierendes Kunstwerk zu kopieren.«

Garcia kehrte an seinen Schreibtisch zurück. »Ich auch nicht.«

»Ich schaue heute noch mal bei Bezirksstaatsanwalt Bradley vorbei«, fuhr Hunter fort. »Ich will ihn fragen, ob er irgendwas darüber weiß, dass Nicholson sich vor seinem Tod mit jemandem aussprechen wollte. Und ob er eine Idee hat, wer der zweite Besucher gewesen sein könnte.«

»Wäre anrufen nicht einfacher?«

Hunter schnitt eine Grimasse, die so viel wie »Kann schon sein, aber ...« bedeutete. Er hasste es, Befragungen am Telefon durchzuführen, egal wen er am anderen Ende der Leitung hatte. Wenn er jemandem von Angesicht zu Angesicht gegenübersaß, hatte er die Möglichkeit, Gestik und Mimik der betreffenden Person zu studieren, und für einen Mordermittler war das von unschätzbarem Wert.

Das Telefon auf Hunters Schreibtisch begann zu klingeln. Er warf einen Blick zur Uhr, ehe er den Hörer abnahm.

»Detective Hunter.«

»Robert, ich habe gerade die ersten Ergebnisse aus dem Labor zurückbekommen.« Es war Dr. Hove. Ihre Stimme klang ein wenig schleppender als sonst.

Hunter schaltete seinen Computer ein. »Ich bin ganz Ohr, Doc.«

»Lassen Sie mich vorausschicken, dass das Labor bei der Nachbildung, die Sie in Auftrag gegeben haben, ganz ausgezeichnete Arbeit geleistet hat.«

»Ist sie schon fertig?«

»Ja, sie haben die ganze Nacht daran gearbeitet. Sie ist auf dem Weg zu Ihnen.«

»Großartig.«

»Also«, begann Dr. Hove. »Die Spurensicherung hat am Tatort sowie an anderen Stellen im Haus – Küche, Badezimmer, Treppengeländer ... Sie kennen ja die Prozedur – Fingerabdrücke von fünf verschiedenen Personen sichergestellt. Wie erwartet eine Sackgasse. Die Abdrücke stammen nachweislich von den zwei Pflegerinnen, den beiden Töchtern des Opfers sowie vom Opfer selbst.«

Hunter schwieg. Er hatte nicht ernsthaft damit gerechnet, dass die Fingerabdrücke sie weiterbringen würden.

»Die Haare, die an den gleichen Stellen gefunden wurden, konnten denselben Personen zugeordnet werden«, fuhr Dr. Hove fort. »DNA-Tests können wir uns wohl schenken. Die Untersuchung der gefundenen Fasern ist noch nicht abgeschlossen. Bei denen, die bereits analysiert wurden, handelt es sich um Baumwolle, Polyester, Acryl ... Materialien, wie sie in fast allen Kleidungsstücken vorkommen. Nichts, was Ihnen einen Anhaltspunkt liefern könnte.«

Hunter stützte einen Ellbogen auf die Tischplatte. »Schon irgendwelche Tox-Ergebnisse, Doc?«

»Ja, aber nur weil ich Dampf gemacht habe. Das Labor ist überlastet.« Dr. Hove zögerte kurz. »Jetzt wird es erst richtig interessant. Und richtig abscheulich.«

Hunter winkte Garcia zu, um dessen Aufmerksamkeit zu erregen, und machte ihm ein Zeichen, bei seinem eigenen Apparat den Hörer abzuheben.

Erst dann fragte er: »Was haben die Tests ergeben?«

»Also, wir wissen ja, dass der Täter, um das Leiden seines Opfers zu verlängern, die Oberarmarterie des rechten Arms mit Hilfe einer Arterienklemme abgeklemmt und damit ein zu rasches Verbluten verhindert hat. Trotzdem gab es da eine Sache, die mir von Anfang an Rätsel aufgegeben hat.«

Hunter zog seinen Schreibtischstuhl heran und setzte sich. »Nicholsons labiler Gesundheitszustand.« Es war nicht als Frage formuliert.

»Eben. Das Opfer befand sich bereits im Endstadium einer tödlichen Lungenkrebserkrankung. Sein Körper war so schwach wie der eines Neunzigjährigen. Seine Schmerztoleranz, seine Kondition, all das war auf einen Bruchteil des Normalwerts gesunken. Jemand in seiner Verfassung hätte eigentlich schon nach dem Verlust eines einzigen Fingers tot sein müssen. Aber er hat fünf Finger verloren, alle zehn Zehen, seine Zunge und einen Arm, bevor er gestorben ist.«

Hunter und Garcia tauschten einen langen, unbehaglichen Blick.

»Wie ich erwartet hatte«, fuhr die Rechtsmedizinerin fort, »wurde er nicht betäubt, aber er war trotzdem mit Medikamenten vollgepumpt. Die Toxikologie hat hohe Dosen diverser Präparate in seinem Blut nachgewiesen, was in Anbetracht seines Gesundheitszustands zunächst mal nicht weiter verwundert. Einige dieser hochdosierten Präparate allerdings wollen so gar nicht ins Bild passen.«

»Zum Beispiel?«

»Es wurden hohe Dosen Propafenon, Felodipin und Carvedilol nachgewiesen.«

Garcia sah Hunter an und schüttelte den Kopf. »Langsam, Doc. Werfen Sie nicht mit Chemiker-Jargon um sich. Chemie war in der Schule nicht gerade mein stärkstes Fach, und überhaupt ist die Schule Jahre her. Was sind das für Mittel?«

»Propafenon ist ein Natriumkanalblocker. Verlangsamt die Aufnahme von Natrium-Ionen in den Herzmuskel. Felodipin ist ein Calciumantagonist und regelt zu hohen Blutdruck. Carvedilol ist ein Betablocker. Er verhindert, dass sich Norepinephrin und Epinephrin an die Beta-Andrenozeptoren binden. Eine Kombination dieser drei Präparate hemmt außerdem mit ziemlicher Wahrscheinlichkeit die körpereigene Adrenalinproduktion.«

Garcia zog so heftig die Brauen zusammen, dass seine Stirn aussah wie eine Dörrpflaume. »Sie haben mich vorhin gehört, als ich gesagt habe, dass Chemie nicht mein stärkstes Fach war, oder, Doc? Okay, dasselbe gilt für Biologie. Tun Sie doch einfach so, als wäre ich ein siebenjähriges Kind, und erklären Sie mir alles noch mal von vorn.«

»Kurz zusammengefasst, handelt es sich um einen sehr starken Medikamentencocktail, der die Herzfrequenz herabsetzt, den Blutdruck senkt und die Produktion von Adrenalin in den Nebennieren hemmt. Wie Sie wissen, wird Adrenalin in Gefahrensituationen ausgeschüttet. Es ist das

Angst-und-Schmerz-Hormon. Es lässt die Herzfrequenz ansteigen und erweitert die Luftgefäße, damit der Betreffende in die Lage versetzt wird, zu kämpfen oder zu fliehen.«

Garcia wirkte nach wie vor ratlos.

»Das heißt, der Täter hat den Blutdruck seines Opfers gesenkt«, warf Hunter ein, »und die Adrenalinausschüttung unterbunden.«

»Stimmt genau«, antwortete Dr. Hove. »Bei Gefahr oder Schmerzen, etwa wenn einem ein Finger, Zeh oder die Zunge abgeschnitten wird, schüttet der Körper automatisch Adrenalin aus. Der Herzschlag beschleunigt sich, und es wird mehr Blut in Gehirn und Muskeln, aber eben auch in den Wundbereich gepumpt. Die Präparate, von denen wir hier sprechen, blockieren diesen Prozess. Sie halten den Herzschlag auf Ruhefrequenz, wenn nicht sogar niedriger. Auf diese Weise wird weniger Blut durch die Gefäße gepumpt, das Opfer blutet also deutlich weniger stark als unter normalen Umständen. Allerdings hat keines der drei Mittel eine betäubende Wirkung.«

»Soll heißen, Nicholson hat die Schmerzen in vollem Umfang gespürt«, meldete sich Garcia zu Wort, der endlich verstanden hatte, »ist dabei aber gleichzeitig länger am Leben geblieben.«

»Richtig«, sagte Hove. »Wenn jemand eine schwere Verletzung erleidet, bei der keine lebenswichtigen Organe betroffen sind, gibt es im Wesentlichen zwei Arten, wie der Tod eintreten kann. Entweder man verblutet, oder das Herz gerät unter derart großen Stress, dass es irgendwann versagt. Mit seinem Medikamentencocktail hat der Täter auf unorthodoxe Weise beide Probleme gelöst. Er wollte nicht, dass sein Opfer zu schnell stirbt, aber es sollte so viele Schmerzen empfinden wie nur irgend möglich. Weil er natürlich kein OP-Team zur Verfügung hatte, musste er sehr viel schneller arbeiten, um die Amputationen durchzuführen und die Blutung zu kontrollieren. Sein Cocktail hat ihm dabei geholfen.« Sie hielt inne und dachte über die Tragweite ihrer Worte nach. »Ich denke, das alles spricht für unseren Verdacht, dass der Mörder sich mit Medizin auskennt, Robert. Ich würde sogar sagen, er kennt sich hervorragend damit aus.«

18

Hunter und Garcia legten gleichzeitig ihre Hörer auf. Hunter faltete die Hände, stützte beide Ellbogen auf die Armlehnen seines Schreibtischstuhls und lehnte sich zurück.

»Also gut«, sagte er und drehte sich zu seinem Partner um. »Ich weiß, es ist ein Schuss ins Blaue, aber da alle drei Medikamente, die die Toxikologie nachgewiesen hat, verschreibungspflichtig sind, fangen wir am besten damit an, dass wir in Drogerien und Apotheken nachfragen, ob irgendwo alle drei Medikamente auf einmal ausgegeben wurden. Soll heißen, auf ein und dasselbe Rezept für ein und dieselbe Person. Wer weiß, vielleicht haben wir ja Glück.«

Garcia war bereits in die E-Mail vertieft, die sie soeben von Dr. Hove erhalten hatten, und schrieb sich die Namen aller drei Arzneimittel auf.

»Wie steht es mit der Liste von Verbrechern, denen Nicholson den Prozess gemacht hat?«, erkundigte sich Hunter.

»Liegt noch nicht vor, aber das Team arbeitet dran.«

»Sag ihnen, wir müssen die Liste nach neuen Kriterien ordnen. Sie sollen prüfen, ob irgendjemand auf der Liste über eine medizinische Ausbildung verfügt oder in einem Krankenhaus, Pflegeheim oder Fitnessstudio gearbeitet hat.«

Garcia wackelte fragend mit den Brauen.

»Fitnessstudio-Mitarbeiter und Personal Trainer müssen in Erster Hilfe geschult sein«, erklärte Hunter. »Wenn einer von denen auch nur weiß, wie man ein Pflaster richtig aufklebt, dann will ich darüber Bescheid wissen.«

Es klopfte.

»Herein«, rief Hunter vom Schreibtisch.

Die Tür öffnete sich, und eine zierliche, ausnehmend hübsche Frau in einem dunklen Kostüm trat ein. Sie hatte lange, glatte blondierte Haare und tiefbraune Augen. In der rechten Hand trug sie einen Aktenkoffer aus schwarzem Leder. Ihr Erscheinungsbild ließ keinen Zweifel daran, dass sie entweder Anwältin war oder für einen Anwalt arbeitete.

»Detective Hunter?«, fragte sie, wobei sie sofort Blickkontakt aufnahm.

»Ja. Kann ich Ihnen irgendwie weiterhelfen?« Hunter erhob sich.

Die Frau machte einen Schritt auf ihn zu und streckte ihm die Hand hin.

»Ich bin Alice Beaumont. Ich arbeite für das Büro des Bezirksstaatsanwalts. Also, für Bezirksstaatsanwalt Bradley persönlich. Er sagte, Sie könnten im Fall Nicholson meine Hilfe brauchen.« Sie schüttelte Hunters Hand mit festem, selbstsicherem Griff.

Garcia runzelte die Stirn.

Hunter nahm sich einen Augenblick Zeit, die Frau zu mustern. Aus ihren Augen sprach Intelligenz – sowohl die Art, wie man sie an Universitäten lernt, als auch die, die man sich auf der Straße aneignet. Ihm entging nicht, dass sie den Blick aufmerksam, aber unauffällig durch den Raum schweifen ließ. Nach nicht einmal zwei Sekunden hatte sie alles gesehen. Sie kam ihm vage bekannt vor.

»Bezirksstaatsanwalt Bradley hat mir Ihre Karte gegeben«, sagte er. »Aber vielleicht habe ich ihn falsch verstanden. Ich dachte, er hätte gesagt, ich soll Sie anrufen, *falls* wir Ihre Hilfe brauchen.«

»Glauben Sie mir, Detective, Sie brauchen meine Hilfe.« Ihr Tonfall drückte ebenso viel Selbstbewusstsein aus wie ihre Körperhaltung. Als Nächstes wandte sie sich an Garcia. »Sie müssen Detective Carlos Garcia sein.«

»Die Legende höchstpersönlich«, witzelte dieser und schüttelte ihr die Hand.

Alice lächelte nicht; stattdessen ging sie zu Hunters Schreibtisch, legte ihren Aktenkoffer darauf ab, ließ den Deckel aufschnappen und holte mehrere zusammengeheftete Blätter heraus.

»Das hier ist eine Liste sämtlicher Straftäter, die direkt oder indirekt durch Derek Nicholsons Zutun ins Gefängnis gekommen sind.« Sie reichte die Blätter an Hunter weiter. »Da stehen einige ziemlich unangenehme Zeitgenossen drauf. Sie ist nach Schwere der Verbrechen geordnet – extrem brutale und sadistische Gewalttaten stehen ganz oben –, außerdem nach Personen, die entlassen wurden oder auf Bewährung beziehungsweise Kaution draußen sind.« Ihr Blick pendelte zwischen Hunter und Garcia hin und her. »Ich habe es bereits überprüft: Kein Gewaltverbrecher, dem Nicholson den Prozess gemacht hat, wurde kürzlich freigelassen – weder auf Bewährung noch nach verbüßter Haftstrafe. Geflohen ist auch keiner. Denjenigen, die minderschwere Straftaten begangen und ihre Zeit abgesessen haben oder, aus welchen Gründen auch immer, frühzeitig entlassen wurden, traue ich nicht zu, dass sie zu einem Verbrechen wie dem hier fähig sind.«

»Sie würden sich wundern, wozu die Leute fähig sind«, meinte Garcia und gesellte sich zu Hunter, um ebenfalls einen Blick auf die Liste zu werfen. »Gerade die, denen man es nicht zutraut.«

»Sie haben die dazugehörigen Akten gelesen?«, wollte Hunter wissen.

»Die wichtigsten, ja.«

»Und wer hat über ihre Wichtigkeit entschieden, Sie?«

Darauf gab Alice keine Antwort.

Hunter fixierte sie einen Moment lang, ehe er in der Liste

zu blättern begann. Sie enthielt mehr als neunhundert Namen. »Sie sagten eben, keiner der Gewaltverbrecher auf dieser Liste sei kürzlich freigekommen. Was meinen Sie mit ›kürzlich‹?«

»Innerhalb des letzten Jahres.«

»Wir müssen weiter zurückgehen«, sagte Hunter.

»Kein Problem. Wie weit hätten Sie's denn gern?«

»Fürs Erste fünf Jahre, vielleicht auch zehn.«

»Geben Sie mir einen Computer mit schnellem Internetzugang und ein paar Minuten Zeit, und Sie kriegen, was Sie wollen.«

»Ich muss wissen, wofür jede einzelne Person auf dieser Liste vor Gericht stand.«

»Das steht doch drauf, direkt neben Name und Alter«, sagte Alice leicht kratzbürstig und deutete mit dem Kinn zur Liste.

Hunters Blick ruhte auf ihrem Gesicht. »Da steht ›Mord‹, ›Mord im besonders schweren Fall‹, ›bewaffneter Raubüberfall‹ und so weiter. Wir müssen genau wissen, um welche Verbrechen es sich handelt und wie sie begangen wurden. Welche Waffen wurden benutzt? War der Tatort ungewöhnlich blutig? Hat der Täter im Affekt gehandelt, oder hat ihm die Ausübung von Gewalt Vergnügen bereitet? Wir brauchen exakte Angaben.«

»Wie gesagt, kein Problem. Geben Sie mir einfach einen Rechner.«

»Außerdem müssen wir zu den Namen auf der Liste sämtliche Familienangehörigen, Verwandten oder Mitglieder derselben Gang finden, die auf freiem Fuß sind und irre genug sein könnten, stellvertretend für jemand anderen Rache zu nehmen.«

»Kein Problem.«

Hunter sah auf die Liste, dann zu Garcia und dann wieder zu Alice. »Sie sind sich Ihrer Fähigkeiten ja sehr sicher. Halten Sie sich für so gut?«

Einen Moment lang erhellte ein Lächeln ihr Gesicht. »Sogar für noch besser«, gab sie seelenruhig zurück. »Besorgen Sie mir einen Rechner, und ich mache mich sofort an die Arbeit.« Sie zeigte auf die Liste in Hunters Händen. »Bis dahin haben wir immerhin schon mal einen Anfang.«

Eine Weile sagte niemand etwas.

Bis Garcia schließlich fragte: »Wir ...?«

»Bezirksstaatsanwalt Bradley wünscht, dass ich Ihnen, so gut ich kann, unter die Arme greife. Das heißt doch, wir sind ein Team, oder nicht?« Ihr Blick kehrte zu Hunter zurück.

»Ms Beaumont«, sagte dieser und legte die Liste auf seinen Schreibtisch. »Dies hier ist das Morddezernat, nicht der Club Med. Wir sind uns bewusst, dass Bezirksstaatsanwalt Bradley so schnell wie möglich Ergebnisse sehen möchte, und uns geht es genauso. Wir wissen Ihre Hilfe sehr zu schätzen, und diese Liste ist ein guter Ansatzpunkt für uns, da gebe ich Ihnen zu hundert Prozent recht. Aber ich habe gar nicht die Befugnis, irgendjemanden in diese Ermittlung mit einzubeziehen, ohne das vorher mit meinem Captain abzuklären. Und mein Captain ist in der Regel alles andere als begeistert, wenn Zivilisten in den Angelegenheiten des Dezernats mitmischen.«

Alice lächelte und trat zur Pinnwand, an der die Tatortfotos aufgehängt waren. Sie hatte einen sinnlichen Gang. Langsam und geschmeidig, als wüsste sie genau, dass Männer sie gerne beim Gehen beobachteten.

»Nur nicht so bescheiden, Detective. Sie haben absolut die Befugnis, jemanden in Ihr Team zu holen, wenn Sie das wollen«, gab sie ohne jede Spur von Aggression zurück. »Ich habe mich erkundigt. Hier tanzen alle nach Ihrer Pfeife. Aber wie dem auch sei, Bezirksstaatsanwalt Bradley hat mit Polizeichef Martin Collins gesprochen, und der wiederum hat mit Ihrem ›alles andere als begeisterten‹ Captain gesprochen. Ihr blieb gar keine Wahl. Und ich fürchte, für Sie gilt dasselbe. Bezirksstaatsanwalt Bradley kriegt immer seinen Willen.«

Hunter war erfahren genug, um einzusehen, dass weiterer Protest nicht das Geringste an der Situation ändern würde. Er hasste es, wenn sich andere Leute in seine Ermittlungen einmischten und ihm vorschrieben, was er zu tun und zu lassen hatte – daher auch sein Ruf als jemand, der sich nicht immer sklavisch an die Dienstvorschrift hielt. Aber das LAPD hatte eine klare Hierarchie, und in der rangierte er ziemlich weit unten. In manchen Situationen musste der Klügere eben nachgeben, und das hier sah verdammt noch mal nach genau so einer Situation aus. Er seufzte schicksalsergeben.

Alices Blick streifte die Fotos an der Pinnwand. »O mein Gott«, entfuhr es ihr. Hastig wandte sie sich ab.

Hunter fixierte sie erneut.

»Ich habe Derek gut gekannt«, sagte sie in weicherem Tonfall. »Ich habe bei Dutzenden von Fällen für ihn recherchiert und ihm dabei geholfen, viele der Leute auf der Liste da hinter Gitter zu bringen. Er war ein anständiger Mensch, und so einen Tod hat er nicht verdient. Ich will für Sie arbeiten. Und ich weiß, dass ich es kann, weil ich nämlich auf meinem Gebiet die Beste bin. Bitte geben Sie mir die Chance, Ihnen dabei zu helfen, das Schwein zu kriegen, das Derek auf dem Gewissen hat.«

19

Noch ehe Hunter etwas erwidern konnte, klopfte es erneut an der Tür.

»Ganz schön viel Verkehr hier heute Morgen«, scherzte Garcia, bevor er »Herein!« rief.

»Tut mir leid, Sir«, kam die Stimme eines Mannes von draußen. »Hände voll.«

Alle im Raum runzelten die Stirn. Garcia ging zur Tür und öffnete.

Draußen stand ein blutjunger Officer. Seine Uniform sah aus, als werde sie zum ersten Mal getragen. Er hatte ein großes, in schwarze Plastikfolie eingepacktes und mit Klebeband umwickeltes Paket auf dem Arm.

»Das hat das kriminaltechnische Labor für Sie abgegeben, Detective.«

»Ah, danke. Warten Sie, ich nehme es Ihnen ab.« Garcia befreite den Officer von seiner Last. Das Paket war leichter, als es aussah, und dank der flachen Unterseite gut zu tragen. »Drüben bei der Pinnwand?«, fragte Garcia, an Hunter gewandt, nachdem er die Tür hinter sich hatte zufallen lassen.

»Ja, ich glaube, das ist gut.« Hunter räumte Platz auf einem kleinen Tisch frei und rückte ihn näher an die Pinnwand heran. Vorsichtig stellte Garcia das Paket darauf ab.

»Was ist das?«, wollte Alice wissen. Sie ging um den Tisch herum.

»Eine Nachbildung von dem da«, antwortete Garcia und deutete auf eins der Fotos an der Pinnwand.

Hunter beobachtete, wie Alice kurz der Atem stockte. »Haben Sie jemals in einem Mordfall eng mit einem Ermittlerteam zusammengearbeitet?«, fragte er.

»Nein«, sagte Alice fest und ohne jede Spur von Scham.

Hunter zückte ein Taschenmesser und klappte es auf. »Tja, wie ich vorhin sagte: Das hier ist nicht der Club Med.« Geschickt durchtrennte er das Klebeband. »Sie können bleiben, wenn Sie wollen. Aber es wird kein Picknick.«

»Ich hasse Picknicks.« Alice ließ sich nicht erschüttern.

Hunter und Garcia zogen die schwarze Plastikfolie ab und ließen sie zu Boden fallen. Lange Zeit war das einzige Geräusch im Raum das Surren des Ventilators auf Garcias Schreibtisch. Dr. Hove hatte recht gehabt: Dem Labor war in der kurzen Zeit eine hervorragende Kopie des makabren Kunstwerks gelungen. Die Nachbildung bestand aus weißem

Gips und war auf einem leichten Holzsockel montiert. Sie war nicht angemalt, trotzdem stellten sich Garcia sämtliche Nackenhaare auf, und Alices Kehle war einen Moment lang wie zugeschnürt.

Hunters hatte nur Augen für die Nachbildung. Wie explodierende Feuerwerkskörper leuchteten im Sekundentakt Bilder der echten Skulptur vor seinem inneren Auge auf, und diese Bilder brachten auch die Gefühle zurück, die er beim Anblick des Tatorts empfunden hatte. Er sah die blutverschmierten Wände und die Blutlachen am Boden, sah die Schlieren von Blut auf der Skulptur aus menschlichem Fleisch. Eine Sekunde lang sah er sogar die rote Schrift an der Wand. SEI FROH, DASS DU KEIN LICHT GEMACHT HAST.

»Haben Sie was dagegen, wenn ich mir ein Glas Wasser nehme?«, fragte Alice irgendwann in das Schweigen hinein. Es war, als hätte sie mit ihren Worten eine Trance gebrochen. Beinahe zeitgleich blinzelten Hunter und Garcia.

»Nur zu«, antwortete Hunter und verschränkte die Arme vor der Brust. Er war nach wie vor ganz auf die Skulptur konzentriert. Er ging um sie herum, um sie von allen Seiten zu betrachten.

Garcia wiederum trat ein paar Schritte zurück, als hoffe er, sich aus der Entfernung eher einen Reim darauf machen zu können.

Fehlanzeige. Nichts an der Skulptur kam ihnen irgendwie bekannt vor. Sie löste keinerlei Assoziationen aus.

»Das ist das Abartigste, was ich je gesehen habe«, verkündete Alice, nachdem sie ihr Wasser hinuntergestürzt hatte, als müsste sie in ihrem Magen ein Feuer löschen. »Und so, wie Sie beide das Ding anstarren, haben Sie nicht die leiseste Ahnung, was es zu bedeuten hat, stimmt's?«

»Wir arbeiten noch daran«, gab Hunter zurück.

Alice füllte ihr Glas auf. »Vielleicht kenne ich jemanden, der uns helfen kann.«

20

Silver Lake ist ein hügeliger Bezirk östlich von Hollywood und nordwestlich der Innenstadt. Hier lebt eine bunte Mischung von Menschen jeder nur erdenklichen Herkunft und Einkommensklasse. Am bekanntesten allerdings ist der Bezirk als Tummelplatz der Hipster und Kreativen sowie für seine relativ große LGBT-Gemeinschaft – Lesben, Schwule, Bisexuelle, Transgender. Darüber hinaus findet man in Silver Lake auch einige der beeindruckendsten Beispiele modernistischer Architektur in ganz Nordamerika.

Genau dorthin waren Hunter und Alice nun unterwegs.

Alice besaß eine rote Corvette, und sie fuhr wie ein junger Rennfahrer, der es allen beweisen will. Sie wechselte, ohne zu blinken, die Spur, schnitt andere Autofahrer und beschleunigte, kaum dass die Ampel auf Gelb sprang, als säße ihr ein Tsunami im Nacken. Hunter neben ihr auf dem Beifahrersitz war heilfroh, dass er den Sicherheitsgurt angelegt hatte.

»Ms Beaumont, wenn wir noch schneller fahren, reisen wir in der Zeit zurück«, mahnte er, als sie auf den West Sunset Boulevard einbogen.

Sie lächelte. »Haben Sie Angst?«

»Bei Ihrer Fahrweise würde selbst Michael Schumacher Angst kriegen.«

Ein weiteres Lächeln. »Ich sage Ihnen was. Wenn Sie aufhören, ›Ms Beaumont‹ zu mir zu sagen, und mich stattdessen Alice nennen, fahre ich langsamer.«

»Abgemacht, *Alice*. Und jetzt nehmen Sie bitte den Fuß vom Gas, bevor wir im Jahr 1842 landen.« Sie erreichten Silver Lake in weniger als einer Viertelstunde.

»Nicht erschrecken«, sagte Alice, als sie vor der Jalmar Art Gallery parkten. »Miguel ist ein bisschen exzentrisch.«

Hunter nahm die Nachbildung vom Rücksitz und folgte Alice ins Gebäude.

Miguel Jalmar war Kunstsammler, Galeriebesitzer und einer der namhaftesten Experten für zeitgenössische Plastik. Er hatte bereits als Kind seine Leidenschaft für Kunst entdeckt und als Jugendlicher mit dem Sammeln begonnen.

»Alice, mein Täubchen«, rief Miguel mit Falsettstimme, kaum dass Alice und Hunter seine Galerie betreten hatten. Er legte das Buch hin, in dem er gerade las, und sprang von seinem Stuhl auf.

Miguel war Mitte vierzig, groß, schlank und hatte glatte mitternachtsschwarze Haare, die ihm bis auf die Brust reichten. Er trug einen Anzug von Dolce & Gabbana, hatte einen modischen Dreitagebart und teures Eau de Toilette aufgelegt. Er umarmte Alice, als hätte er in ihr seine lang verschollene Schwester wiedergefunden, und tupfte ihr Küsschen auf beide Wangen.

»Danke, dass du so kurzfristig Zeit für uns hattest, Miguel«, sagte Alice und befreite sich aus seinen Armen. »Das wissen wir wirklich zu schätzen.«

»Für dich tue ich alles, meine Liebe, das weißt du doch.« Seine Tonlage war jetzt deutlich tiefer, das Feminine in seiner Stimme aber war geblieben. Sein Blick glitt zu Hunter, und er hob neugierig die Brauen. »Wer ist das? Und noch wichtiger: Wo hast du ihn so lange versteckt gehalten?«

»Das ist Robert Hunter, ein Bekannter von mir.«

Hunter nickte Miguel freundlich lächelnd zu.

»Robert Hunter ...? Was für ein starker, männlicher Name. Gefällt mir. Und Allmächtiger, seht euch nur diese breiten Schultern und den Bizeps an! Ich wette, Sie machen Kraftübungen wie ein Bodybuilder.«

Das meinte Alice also mit »exzentrisch«, schoss es Hunter durch den Kopf.

»Oh.« Erst jetzt richtete sich Miguels Aufmerksamkeit auf das Paket, das Hunter unter dem Arm trug. »Ist das das Objekt, das ich mir ansehen soll?«

»Genau.«

»Dann kommt mit in mein Büro.«

In Miguels Büro prallten alle möglichen Epochen und Stilrichtungen aufeinander. Die wilde Mischung aus Modernem und Antikem hätte eigentlich schauderhaft aussehen müssen, wirkte aber trotzdem irgendwie stimmig. Skulpturen jeder nur erdenklichen Art und Größe standen überall im Raum verteilt. An den Wänden hingen Masken, auf dem Boden lagen Teppiche im Zebramuster, und die schwarze Ledercouch hatte einen Überwurf mit Tigerstreifen und Kissen aus Leopardenfellimitat.

»Am besten stellen wir sie dorthin.« Miguel deutete auf einen Couchtisch und räumte die beiden Statuetten beiseite, die darauf standen. Hunter stellte das Paket ab und zog die schwarze Plastikumhüllung herunter.

»Ach du liebe Zeit!« Miguel griff in seine Sakkotasche und fischte seine Brille hervor. »Wow. Das ist ...« Er hielt inne und sah Hunter fragend an. »Haben Sie das gemacht, mein Lieber?«

»Nein.«

»Gut. In dem Fall kann ich es ja sagen: Es ist absolut grotesk.« Miguel ging um die Skulptur herum und betrachtete sie von allen Seiten. Dann blieb er stehen und verzog das Gesicht. »Sollen das menschliche Gliedmaßen sein?«

Alice nickte. »Sieht ganz so aus.«

»So was Krankes und Widerwärtiges habe ich in meinem ganzen Leben noch nicht gesehen. Aber kreativ ist es, das muss man dem Künstler lassen. Eine dieser verrückten Arbeiten, bei denen sich alle fragen, was zum Kuckuck sie überhaupt darstellen sollen, und die dann in London den Turner Prize gewinnen. Mir ist schleierhaft, worauf die Juroren da drüben abfahren.«

»Haben Sie so was Ähnliches schon mal gesehen?«, wollte Hunter wissen.

»Nur in meinen Alpträumen, Darling.« Miguel war in die Hocke gegangen und betrachtete mit schiefgelegtem Kopf einen der Füße am Rand der Skulptur. »Wer ist der Künstler?«

»Ich weiß nicht, ob man ihn so nennen sollte«, entschlüpfte es Alice. Sie bereute es sofort.

Miguel sah zu ihr auf.

»Wir wissen es nicht«, beeilte sich Hunter zu sagen. »Aber ich würde es zu gerne erfahren.«

»Sammeln Sie?«

»Könnte man so sagen«, antwortete Hunter vage. »Allerdings noch nicht lange.«

»Dann sollten wir uns vielleicht mal abends zusammensetzen und ein wenig über Kunst und ... andere Dinge plaudern.« Miguel strahlte. »Das wäre doch großartig. Ich könnte Ihnen ein paar Tipps geben.«

»Es ist eine sehr faszinierende Arbeit«, sagte Hunter, um das Gespräch wieder auf das eigentliche Thema zu lenken. »Sie haben Erfahrung, Miguel. Was, denken Sie, will der Künstler damit ausdrücken?«

Miguel richtete seine Aufmerksamkeit wieder auf die Skulptur. »Ehrlich gesagt bin ich ein wenig verwirrt. Einerseits neige ich zu der Vermutung, dass dies nicht das erste Werk des Künstlers ist.«

»Wieso nicht?«

»Die Komposition, die kreative Kraft, das Kompromisslose – all das verrät jemanden mit viel Erfahrung im Bereich Bildhauerei. Jemanden, dem es vollkommen gleichgültig ist, was andere denken. Der seine Kunst ohne Scheu zur Schau stellt, ganz egal, wen er damit vor den Kopf stößt. Aber andererseits ist die Skulptur in Gips ausgeführt, und das ist unsäglich amateurhaft. Niemand arbeitet heutzutage noch in Gips. Und falls er vorhat, das Objekt zu verkaufen, sollte er sich wirklich überlegen, ob er nicht noch ein bisschen Farbe ins Spiel bringen will. Vielleicht einige Akzente in Blutrot, passend zum Thema.« Miguel erhob sich aus der Hocke, trat ein paar Schritte zurück und stemmte die Hände in die Hüften. »Aber er ist ein kühner, provokanter Geist, der keine Angst hat, Konventionen zu sprengen. Und das gefällt mir. Er hat ganz ohne Zweifel eine Botschaft.«

»Und was für eine?«, fragte Alice.

Miguel steckte seine Brille zurück in die Sakkotasche. »So, wie der Künstler mit dem menschlichen Körper spielt, wie er ihn nach seinem Gutdünken neu zusammensetzt – damit verhöhnt er gewissermaßen die Schöpfung.« Er hob die Schultern. »Was sage ich? Das Ganze ist dermaßen schamlos, dass er vielleicht sogar die Absicht hat, den Schöpfer selbst zu verhöhnen.«

Alice spürte, wie ihr ein Schauer über den Rücken lief. »Willst du behaupten, der Künstler hält sich für Gott?«

Miguel nickte, ohne den Blick von dem bizarren Kunstwerk abzuwenden. »Genau das scheint mir die Aussage des Werks zu sein, mein Täubchen. Ich bin Gott, und ich kann tun und lassen, was ich will.«

21

Auf der Rückfahrt ins PAB machte Hunter noch einen Abstecher zum Büro des Bezirksstaatsanwalts in der West Temple Street. Er hatte Glück: Bezirksstaatsanwalt Bradley kam gerade aus einer dreistündigen Sitzung mit einigen seiner Staatsanwälte.

Bradleys Büro war so groß wie eine kleine Wohnung. Lange, penibel aufgeräumte Bücherregale säumten zwei der vier Wände. Die anderen beiden schmückten Urkunden, Ehrungen, Zertifikate und gerahmte Fotos, die den Bezirksstaatsanwalt bei diversen wichtigen Aktivitäten zeigten: beim Händeschütteln mit Politikern und Prominenten, beim Posieren mit Kollegen auf Zusammenkünften der Anwaltskammer, an Podien beim Redenhalten und dergleichen mehr.

Bradleys Assistentin, eine blutjunge und attraktive dunkelhaarige Frau in einem eleganten, eng sitzenden Kostüm, führte Hunter in Bradleys Büro. Dieser saß hinter seinem imposanten Kanzleischreibtisch aus Mahagoni und wickelte gerade ein Sandwich aus, von dem drei Leute satt geworden wären.

»Detective«, grüßte Bradley und bedeutete Hunter, in einem der drei edlen Ledersessel Platz zu nehmen, die vor dem Schreibtisch arrangiert waren. »Macht es Ihnen was aus, wenn ich esse, während wir reden? Ich hatte heute noch nichts zum Mittag.«

»Kein Problem.« Hunter schüttelte den Kopf und wählte den Sessel ganz links.

Bradley nahm einen Riesenbissen von seinem Sandwich. Mayonnaise, Ketchup und Senf tropften aufs Einwickelpapier.

»Sie ist nicht schlecht, oder?«, fragte Bradley mit vollen Backen kauend.

»Wie bitte?«

»Alice«, sagte Bradley. »Die Frau, die ich Ihnen geschickt habe. Hat eine Hammerfigur. Und Köpfchen. Die Kombination findet man heutzutage selten. Aber kommen Sie bloß nicht auf dumme Gedanken. Die spielt in einer ganz anderen Liga als Sie.«

Hunter erwiderte nichts, sondern sah schweigend zu, wie der Bezirksstaatsanwalt sich mit einer Papierserviette einen Klecks Senf aus dem Mundwinkel wischte.

»So«, sagte Bradley, sobald das erledigt war. »Was gibt's, Detective? Und, wenn ich bitten darf, in ganzen Sätzen.«

»Ich werde mir Mühe geben. Wir haben ein paar Fragen an Sie.«

Der Bezirksstaatsanwalt blickte auf. Das war zweifellos nicht die Antwort, mit der er gerechnet hatte.

»Wir sind gerade dabei, einige Abläufe zu rekonstruieren.«

»Also schön, schießen Sie los, Detective.« Bradley biss erneut von seinem Sandwich ab und kaute mit offenem Mund.

»Mir wurde gesagt, dass Sie Mr Nicholson vor ein paar Monaten zu Hause besucht haben, kurz nachdem die Krankheit bei ihm diagnostiziert wurde.«

»Das ist richtig. Ich bin nach der Arbeit zu ihm gefahren. Ich wollte ihm sagen, dass ich für ihn da bin, falls er irgendwas braucht. Er hat zwanzig Jahre hier gearbeitet. Das war das Mindeste, was ich tun konnte.«

»Erinnern Sie sich noch genau, wann das war?«

Bradley schraubte den Verschluss von einer Flasche Dr. Pepper ab und trank sie in tiefen Zügen halb leer. »Das lässt sich leicht rausfinden.« Er sah Hunter argwöhnisch an.

»Wären Sie so gut?«

Bradley drückte den Knopf für die Gegensprechanlage an seinem Telefon. »Grace, ich war vor ein paar Wochen bei Derek Nicholson zu Hause. Gibt es dafür einen Eintrag in meinem Kalender? Könnten Sie nachsehen und mir sagen, welches Datum das war?«

»Aber sicher, Bezirksstaatsanwalt Bradley.« Eine kurze Pause folgte, untermalt vom Klackern einer Tastatur. »Sie haben Mr Nicholson am 7. März besucht. Nach Büroschluss.«

»Danke, Grace.« Bradley nickte Hunter zu.

Hunter schrieb das Datum in sein Notizbuch. »Ungefähr zur selben Zeit hatte Mr Nicholson noch einen anderen Besucher. Wissen Sie was darüber? Wissen Sie, ob es einer der hier Angestellten war, vielleicht ein befreundeter Kollege?«

Bezirksstaatsanwalt Bradley lachte leise. »Detective, dieses Büro beschäftigt mehr als dreihundert Staatsanwälte und noch mal dieselbe Anzahl Mitarbeiter in diversen anderen Funktionen.«

»Etwa eins achtzig groß, vielleicht so alt wie ich, braune

Augen ... Ich dachte, falls es jemand aus Ihrem Büro war, hat er mit Ihnen womöglich über seinen Besuch gesprochen.«

»Zu mir hat niemand was darüber gesagt, dass er Derek besuchen wollte, aber ich kann nachfragen und es rausfinden.« Bradley griff nach einem Stift und notierte sich etwas auf einen Zettel. »Derek war ein netter und freundlicher Mensch, Detective. Alle sind gut mit ihm ausgekommen. Die Richter haben ihm aus der Hand gefressen. Und sein Freundeskreis beschränkte sich nicht nur auf Kollegen hier aus dem Büro.«

»Das ist mir klar. Aber für den Fall, dass der Besucher einer Ihrer Mitarbeiter war, würde ich ihm gerne ein paar Fragen stellen.«

Bradley musterte Hunter längere Zeit schweigend, dann lachte er abfällig. »Wollen Sie damit etwa andeuten, einer meiner Mitarbeiter könnte ein Verdächtiger sein, Detective?«

»Ohne Informationen ist jeder verdächtig«, lautete Hunters Antwort. »So steht es im Handbuch für Ermittler. Wir sammeln Informationen und schließen mit ihrer Hilfe Personen aus der Gruppe der Verdächtigen aus. Das ist die übliche Vorgehensweise.«

»Spielen Sie hier bloß nicht den Klugscheißer. Der Mist zieht vielleicht bei den Affenhirnen, mit denen Sie sonst zu tun haben, aber nicht bei mir. Ich leite diese gottverdammte Ermittlung, und ich kann Ihnen nur raten, mir gegenüber ein bisschen mehr Respekt an den Tag zu legen. Wenn nicht, wird Ihr nächster Job nämlich darin bestehen, dass Sie die Tiere der Hundestaffel zum Kacken ausführen, haben Sie mich verstanden?«

»Laut und deutlich. Nichtsdestotrotz wüsste ich gern, ob der zweite Besucher an Mr Nicholsons Krankenbett jemand aus diesem Büro war.«

»Also schön«, brummte Bradley nach einer weiteren Pause. »Ich prüfe das und gebe Ihnen dann Bescheid. Sonst noch was, Detective?« Er sah auf seine Uhr.

»Eins noch. Hat Mr Nicholson jemals davon gesprochen, dass er mit jemandem reinen Tisch machen wollte? Dass er vorhatte, jemandem über irgendetwas die Wahrheit zu sagen?«

Ein Muskel zuckte in Bradleys Kiefer, und er hörte einen kurzen Augenblick auf zu kauen. »Reinen Tisch machen? Was genau ist damit gemeint?«

Hunter berichtete dem Bezirksstaatsanwalt, was Amy Dawson gesagt hatte.

»Und Sie glauben, dass dieser Unbekannte, der ihn vor ein paar Wochen besucht hat, derjenige welcher ist?«

»Es besteht die Möglichkeit.«

Bradley wischte sich Mund und Hände an einer frischen Papierserviette ab, ließ sich dann gegen die Lehne seines Drehsessels sinken und sah Hunter forschend an. »Derek hat mir gegenüber nichts dergleichen erwähnt. Dass er sich mit jemandem aussprechen oder über irgendwas die Wahrheit sagen wollte.«

»Haben Sie denn eine Vorstellung, worauf er sich damit bezogen haben könnte?«

Bradleys Blick ging zur Uhr an der Wand, dann zurück zu Hunter. »Wir leben in einer verkorksten Welt, Detective. Sie wissen das besser als jeder andere. Wir Staatsanwälte versuchen unser Bestes, die gesellschaftliche Ordnung aufrechtzuerhalten, indem wir all jene Individuen, die es nicht wert sind, darin zu leben, aus dem Verkehr ziehen. Wir wägen die Beweise ab, die wir von Detectives wie Ihnen, von Forensikern, Technikern, von unseren eigenen Ermittlern, von Zeugen et cetera vorgelegt bekommen. Aber wir sind auch nur Menschen, und als solche machen wir Fehler. Das Problem ist, wenn solche Fehler passieren, haben sie, aufgrund der Natur unserer Arbeit, oft dramatische Konsequenzen.«

Hunter rutschte auf seinem Stuhl hin und her. »Sie meinen, entweder ein Unschuldiger wandert ins Gefängnis, oder ein Schuldiger kommt davon.«

»So einfach ist es nie, Detective.«

»Und ist Mr Nicholson jemals ein solcher ›Fehler‹ unterlaufen?«

»Die Frage kann ich nicht beantworten.«

Hunter beugte sich vor. »Sie können oder Sie wollen nicht?«

Bradleys Blick wurde hart. »Ich kann es nicht, weil ich die Antwort nicht weiß.«

Vergeblich versuchte Hunter in Bradleys Miene zu lesen. Sie gab nichts preis.

»Aber eins *kann* ich Ihnen sagen, und zwar dass jeder, der lange genug bei der Staatsanwaltschaft gearbeitet hat, wenigstens einmal in so einer Lage gewesen ist. Ich habe längst den Überblick darüber verloren, wie oft ich einem Angeklagten begegnet bin, dessen Schuld völlig außer Frage stand, und wegen irgendeiner Formalität oder weil ein unerfahrener Cop die Verhaftung vermasselt oder den Tatort verunreinigt hat, kam der Mistkerl frei.«

Hunter hatte schon oft ähnliche Situationen erlebt, wusste aber auch, dass das Gegenteil ebenso häufig vorkam. Es gab immer wieder Fälle, bei denen ein Unschuldiger im Gefängnis landete oder – noch schlimmer – zum Tode verurteilt wurde.

»So was haben wir alle schon erlebt, Detective. Derek Nicholson war da keine Ausnahme.«

22

Den Rest des Tages verbrachte Hunter im Büro. Ihm spukten tausend Fragen im Kopf herum, und doch konnte er nicht aufhören, über das nachzugrübeln, was Miguel Jalmar gesagt hatte.

Ist das wirklich der springende Punkt?, dachte er. War dies die Kernaussage der Skulptur? Konnte der Täter allen Ernstes so vermessen, so verblendet sein, dass er sich für Gott hielt? Dass er dachte, tun zu können, was immer ihm beliebte, ohne dass ihm jemand Einhalt gebot?

Hunter wusste, dass die Antwort auf diese Frage ein klares, deutliches Ja war. So etwas kam häufiger vor, als sich Kriminalpsychologen eingestehen wollten. Manche bezeichnen das Phänomen als »mörderischen Gott-Komplex«. In den meisten Fällen wird er in dem Moment ausgelöst, in dem ein Mörder erkennt, dass er oder sie eine Macht hat, die sonst nur Gott zukommt – die Macht, darüber zu bestimmen, wer lebt oder stirbt. Die Macht, zum uneingeschränkten Herrscher über den Tod zu werden. Diese Macht kann tausendmal süchtiger machen als jede Droge. Durch sie schwingt sich das ohnehin schon gestörte Ego des Täters in ungeahnte Höhen auf. Für einen Moment scheint er mit Gott auf einer Stufe zu stehen. Und ist er erst auf den Geschmack gekommen, dauert es meistens nicht lange, bis er erneut davon kosten will.

Die Skulptur stand wieder an ihrem Platz vor der Pinnwand. Hunter war nach wie vor nicht in der Lage, sich länger als eine Minute von ihrem Anblick loszureißen. Langsam, aber sicher machte sie ihn ganz wirr im Kopf.

Alice saß in einer Ecke über einen Laptop gebeugt. Ihre Aufgabe war es, die Liste der Straftäter, die Derek Nicholson ins Gefängnis gebracht hatte, in verschiedene Kategorien zu ordnen. Nach seinem Gespräch mit Bezirksstaatsanwalt Bradley hatte Hunter sie außerdem gebeten, noch eine zweite Liste anzufertigen, und zwar von allen Prozessen, die Derek Nicholson eigentlich hätte gewinnen müssen, bei denen es aber aufgrund eines Formfehlers, einer Panne bei der Verhaftung oder Beweissicherung nicht zu einer Verurteilung gekommen war. Er musste herausfinden, wer die Opfer waren, ob sie Nicholson eventuell für den verlorenen Prozess verantwortlich machten und ob sie zu irgendeiner Art von Vergeltung fähig wären.

Garcia wiederum hatte den ganzen Tag damit verbracht, Drogerien und Apotheken abzuklappern. Bislang hatte er keine gefunden, in der ein Rezept für alle drei vom Täter verwendeten Medikamente, Propafenon, Felodipin und Carvedilol, eingelöst worden war. Viel nutzte ihnen diese Erkenntnis nicht. Garcia hatte feststellen müssen, dass es ein Leichtes war, die Präparate über illegale Kanäle im Internet zu beschaffen.

Hunter warf einen Blick auf die Uhr. Es wurde allmählich spät. Er stand auf und trat zum gefühlten hundertsten Mal vor die Skulptur. »Carlos, hast du noch deine Digitalkamera hier?«

»M-hm.« Carlos zog die oberste Schreibtischschublade auf und holte eine ultradünne Kamera von der Größe eines Handys heraus. »Wieso?«

»Ich weiß auch nicht. Ich will dieses Ding von verschiedenen Seiten fotografieren.« Hunter deutete mit einem Nicken auf die Skulptur. »Mal sehen, was dabei rauskommt.«

»Das, was der Experte gesagt hat, überzeugt dich nicht so richtig?«

»Kann schon sein, dass er recht hat. Vielleicht ist der Täter wirklich wahnsinnig genug, um sich für Gott zu halten. Schließlich hat er, nicht Gott, die Entscheidung darüber getroffen, Derek Nicholsons Leben ein Ende zu setzen. Mit so viel Macht muss man erst mal umgehen können. Trotzdem bin ich nach wie vor überzeugt, dass wir irgendwas übersehen. Das Problem ist nur, je öfter ich das Ding anschaue, desto weniger erkenne ich. Vielleicht kann die Kamera helfen.«

»Einen Versuch ist es wohl wert«, meinte Garcia und ging zur Pinnwand.

»Okay. Lass uns hier anfangen.« Hunter zeigte auf eine Stelle unmittelbar vor der Skulptur. »Mach drei Bilder – eins im Stehen, also leicht von oben, eins auf gleicher Höhe und eins von unten aus der Hocke. Dann geh einen Schritt nach links und mach dasselbe noch mal. Und immer so weiter, bis wir einmal rundherum sind.«

»Okay.« Garcia machte sich ans Werk. Alle paar Sekunden flammte der Blitz seiner Kamera auf.

Alice an ihrem Schreibtisch fuhr ein wenig zu heftig zusammen.

Hunter merkte es. »Alles in Ordnung mit Ihnen?«

Alice gab keine Antwort.

»Alice, ist alles in Ordnung?«, wiederholte Hunter die Frage.

»Ja, alles klar. Ich mag grelles Licht nur nicht so gern.«

Hunter konnte sehen, dass mehr dahintersteckte. Sie wirkte richtiggehend verängstigt, aber er verkniff sich weitere Fragen.

Garcia hatte ungefähr siebzehn Fotos gemacht, als Hunter etwas sah, bei dem es ihm den Atem verschlug. Unwillkürlich erschauerte er.

»Stopp!«, rief er und hob die Hand.

Alice sah von ihrem Laptop auf.

Garcia hielt inne.

»Nicht bewegen«, befahl Hunter. »Mach noch ein Foto aus genau derselben Position. Beweg dich keinen Zentimeter.«

»Was ...? Wieso ...?«

»Mach's einfach, Carlos. Vertrau mir.«

»Also gut.« Carlos tat wie geheißen.

Hunters Herz setzte einen Schlag aus. Adrenalin flutete seine Adern. »Unmöglich«, flüsterte er.

Alice stand auf und trat zu ihnen.

»Noch eins, Carlos.«

Erneut richtete Garcia die Kamera auf die Skulptur und betätigte den Auslöser.

»Mein Gott!«

»Robert, was ist denn los?«

Hunter sah seinen Partner an. »Ich glaube, ich weiß jetzt, was uns der Täter mit seiner Skulptur sagen will.«

23

Andrew Dupeks Lider hoben sich im Zeitlupentempo. Er musste all seine Kraft zusammennehmen, um sie zu öffnen. Die Helligkeit schmerzte in seinen Augen wie das Licht einer Blendgranate, obwohl der Raum nur von Kerzen beleuchtet war. Er konnte nichts erkennen; alles war verschwommen.

Sein Mund war staubtrocken. Er hustete, und der Schmerz, der daraufhin durch seinen Kiefer fuhr, schien sich wie ein Schraubstock um seinen Kopf zu legen und mit solcher Macht zuzudrücken, dass Dupek dachte, er würde jeden Augenblick platzen. Er war so ausgetrocknet, dass seine Lippen spröde geworden waren und seine Drüsen kaum noch Speichel produzierten. Er versuchte, den Speichelfluss in Gang zu bringen, indem er die Zungenspitze gegen den Gaumen presste und auf diese Weise die Speicheldrüsen unter der Zunge zusammendrückte. Genauso hatte er es als Kind immer gemacht. Er hatte den Trick nicht vergessen. Tatsächlich wurde er durch ein paar zähflüssige Tropfen belohnt. Als sie ihm die Kehle hinabglitten, fühlte es sich an, als würde er einen Mundvoll Glasscherben schlucken. Erneut musste er husten, diesmal war es ein bellender, trockener Husten. Der Schmerz in seinem Gesicht war wie eine Explosion und ergriff Besitz von seinem gesamten Schädel. Dupeks Lider flatterten, und er dachte schon, er würde erneut ohnmächtig werden, aber dann meldete sich eine Stimme tief aus seinem Innern, die ihm sagte, dass er, wenn er jetzt die Augen schloss, sie nie wieder aufmachen würde.

Mit all seinem Willen kämpfte er gegen den Schmerz an, und tatsächlich gelang es ihm, bei Bewusstsein zu bleiben.

Gott, er brauchte Wasser. Noch nie zuvor in seinem Leben hatte er sich so schwach und elend gefühlt.

Dupek hatte keine Ahnung, wie viel Zeit verstrich, aber

irgendwann wurde die Welt um ihn herum schärfer. Er konnte die Umrisse eines kleinen Resopaltischs mit zwei Stühlen erkennen und eine L-förmige Sitzbank in der Ecke. Zwei alte, schlaffe Kissen dienten als Rückenlehne.

»Hhh ...?«, war der einzige Laut, den er angesichts der Schmerzen in seinem zerschmetterten Kiefer zustande brachte. Er kannte diesen Ort, er kannte ihn sogar sehr gut. Er befand sich auf seinem eigenen Segelboot.

Er versuchte sich zu bewegen, aber es ging nicht. Weder seine Arme noch seine Beine reagierten. Nichts passierte. Er konnte seinen Körper überhaupt nicht spüren.

Verzweifelte Panik stieg in ihm hoch. Dupek zwang sich zur Ruhe. Er musste sich konzentrieren. Suchte nach einer Empfindung irgendwo in Fingern, Händen, Armen, Zehen, Füßen, Beinen, Brust.

Nichts.

Das Einzige, was er fühlte, waren diese grauenhaften Kopfschmerzen, die ihm Stück für Stück das Gehirn aufzufressen schienen.

Erschöpft ließ Dupek den Kopf auf die Brust sacken. Erst jetzt sah er, dass er nackt war und auf einem Holzstuhl saß. Seine Arme hingen schlaff herab. Sie waren nicht gefesselt. Auch seine Beine schienen nicht festgebunden zu sein, allerdings konnte er die Füße nicht sehen, weil seine Knie abgewinkelt waren, so dass sich seine Waden unterhalb der Sitzfläche befanden. Alles, was er sah, war eine Blutlache, die sich unter dem Stuhl ausgebreitet hatte. Er erschrak. Seine Füße mussten direkt in dem Blut stehen. Er versuchte, seinen Körper ein Stück nach vorn zu bewegen, damit er seine Beine sehen konnte, aber alle Mühe war umsonst. Er konnte sich nicht einen Zentimeter von der Stelle rühren. Kein einziger Körperteil gehorchte ihm.

Aus dem Augenwinkel nahm Dupek eine Bewegung wahr. Der Atem stockte ihm.

Jemand kam aus der Dunkelheit auf ihn zu, ging um seinen Stuhl herum und blieb dann unmittelbar vor ihm stehen.

Dupeks Blick fand das Gesicht der Gestalt. Er kniff die Augen zusammen und überlegte angestrengt. Es dauerte einen Moment, dann wusste er wieder, wer es war: der Mechaniker, der sich seinen defekten Motor angesehen hatte.

»Es muss sehr merkwürdig sein, wenn man den eigenen Körper nicht spüren kann«, meinte der Mechaniker und sah Dupek in die Augen.

Dupek atmete aus, und dabei entschlüpfte ihm unwillentlich ein leises, verängstigtes Stöhnen, das die ganze Zeit in seiner Kehle festgesessen hatte.

Der Mechaniker lächelte.

»Hhhh, ahhhg.« Dupek versuchte zu sprechen, aber da er seinen Kiefer nicht bewegen konnte, kam dabei nicht viel mehr heraus als unverständliches Gemurmel.

»Das mit deinem Kiefer tut mir leid. Es war nicht meine Absicht, ihn dir zu brechen. Eigentlich wollte ich dich am Hinterkopf treffen, aber du hast dich genau im falschen Moment umgedreht. Na ja, es ist mein eigenes Pech, weil du jetzt nicht mehr sprechen kannst, und das hätte ich mir wirklich gewünscht.«

Dupeks Furcht steigerte sich ins Unermessliche.

»Ich möchte dir was zeigen. Ich bin gespannt, was du dazu sagst. Einverstanden?«

Erneut versuchte Dupek zu schlucken. Vor Angst spürte er diesmal nicht einmal die Schmerzen.

Der Mechaniker deutete auf ein fleckiges Tuch, mit dem auf dem kleinen Bartresen links von Dupek etwas zugedeckt war.

Dupeks Blick folgte dem ausgestreckten Finger.

»Bist du bereit?«, fragte der Mechaniker und ließ noch einige Sekunden verstreichen, um die Spannung zu steigern. »Was rede ich? Für so was ist man nie bereit.«

Ein kurzes Ziehen, und das Tuch fiel zu Boden.

Dupek schnappte nach Luft, und seine Augen weiteten sich vor Entsetzen.

Auf dem Tresen standen, von oben bis unten blutverschmiert, zwei menschliche Füße.

Der Mechaniker hielt inne und genoss den Moment. »Erkennst du sie wieder?«

Angst und Tränen füllten Dupeks Augen.

»Ich helfe dir auf die Sprünge.« Der Mechaniker zog einen fünfzig mal fünfundsiebzig Zentimeter großen Spiegel hinter dem Tresen hervor, hielt ihn hoch und winkelte ihn so ab, dass Dupek darin seine Beine sehen konnte.

Jetzt endlich begriff er, wo das viele Blut unter seinem Stuhl herkam.

24

Mit zusammengekniffenen Augen betrachtete Alice die Skulptur. In ihrem Gesicht spiegelte sich eine Mischung aus Verwirrung und Erstaunen. Sie konnte sich nicht erklären, was Hunter gesehen hatte.

Garcia stand noch immer wie angewurzelt an derselben Stelle. Sein fragender Blick wanderte von der Nachbildung zu Hunter und schließlich zum Display seiner Digitalkamera. Er rief die letzten drei Fotos auf, die er gemacht hatte, und sah sich jedes einzelne ganz genau an. Er konnte keinerlei Unterschiede entdecken.

»Also gut, ich geb's zu: Ich bin aufgeschmissen«, verkündete er. »Was war da, Robert?« Er schielte zu Alice und sah dieselbe Ratlosigkeit in ihrem Gesicht. »Was haben wir übersehen?«

»Ihr müsst es selber sehen. Wartet, ich zeige es euch.« Hunter ging zu seinem Schreibtisch und schnappte sich seine

Maglite-Taschenlampe, die beim LAPD zur Standardausrüstung jedes Polizisten gehörte. Dann stellte er sich genau dorthin, wo Garcia stand, und schaltete die Taschenlampe ein. Er hielt sie auf Hüfthöhe und richtete den Lichtstrahl auf die Skulptur.

Garcia und Alice sahen genau hin. Ihre Verwirrung wuchs.

»Okay, und ...?«, sagte Alice.

»Nicht auf die Skulptur schauen«, sagte Hunter. »Sondern auf die Wand dahinter. Auf den Schatten.«

Zeitgleich hoben Garcia und Alice den Blick.

Jetzt waren sie nicht mehr verwirrt, sondern nur noch fassungslos.

Alice stand der Mund offen.

»Das ist doch wohl ein Scherz«, sagte Garcia.

Der Schatten, den die Skulptur warf, wenn sie aus einem ganz bestimmten Winkel angestrahlt wurde, zeigte zwei deutlich erkennbare Gestalten. Es waren Tiere, wie bei einem Schattentheater.

»Ein Hund und ein Vogel?«, meinte Alice unsicher und trat näher. Dann drehte sie sich um und betrachtete abermals die Nachbildung. »Na, so was.« Von dort, wo sie stand, sahen die zusammengebündelten Gliedmaßen kein bisschen nach einem Hund oder einem Vogel aus. Kein Wunder, dass es bislang niemandem aufgefallen war.

Hunter legte die Taschenlampe hinter sich auf ein Bücherregal, so dass ihr Strahl die Plastik weiterhin aus demselben Winkel beleuchtete. Die Schatten verschoben sich ein wenig, blieben aber klar erkennbar. Er ging näher zur Wand, um besser sehen zu können.

»Der Killer hat sein Opfer zerstückelt, um Schattenfiguren aus ihm zu machen?«, fragte Garcia. »Das wird ja immer bizarrer.«

»Er kommuniziert, Carlos«, gab Hunter zurück. »Die Bilder müssen irgendeine versteckte Bedeutung haben.«

»Du meinst ... wie ein Rätsel im Rätsel? Erst die Skulptur,

jetzt die Schattenfiguren ... Wer weiß, was als Nächstes kommt. Er hat uns ein Puzzle hinterlassen.«

Hunter nickte. »Und er will, dass wir die einzelnen Teile zusammenfügen.« Er studierte die Schatten noch einen Moment lang, dann drehte er sich um und warf einen Blick auf die Gipsnachbildung, bevor er zur Pinnwand ging und zwei der Tatortfotos von der Originalskulptur herunternahm. Nachdem er sie lange und gründlich betrachtet hatte, ging er abermals zur Wand. »Was für ein Vogel könnte das wohl sein?«, fragte er.

»Was ...? Keine Ahnung. Wahrscheinlich eine Taube«, meinte Alice.

Hunter schüttelte den Kopf. »Eine Taube hat nicht so einen Schnabel. Der hier ist zu lang und zu dick. Das muss ein größerer Vogel sein.«

»Und Sie glauben, das war Absicht?«

Erneut warf Hunter einen Blick auf die Skulptur. »Der Täter hat sich viel Mühe gegeben, um das Ding anzufertigen. Sehen Sie, wie er den Finger genau am Gelenk abgetrennt hat?« Er zeigte Alice die betreffende Stelle erst an der Gipsnachbildung und dann auf dem Foto. »Danach hat er ihn auf eine ganz bestimmte Art und Weise zurechtgebogen, um den Schnabel zu formen. Das war garantiert kein Zufall.«

»Eine Taube ist so ziemlich das simpelste Schattentier«, fügte Garcia hinzu. »Die lernt man mit als Erstes. Sogar ich weiß, wie man eine Taube macht.« Er verschränkte die Daumen ineinander, streckte die Finger aus, jedoch ohne sie zu spreizen, und schlug mit ihnen wie mit Flügeln. »Sehen Sie? Robert hat recht. Das ist keine Taube.«

»Okay, wenn das mit dem Schnabel stimmt, dann kann es auch kein Adler oder Habicht sein. Die haben nämlich beide Schnäbel, die vorne stärker nach unten gebogen sind, wie Haken.«

»Richtig«, sagte Hunter.

»Vielleicht eine Krähe«, schlug Garcia vor.

»Das war auch meine erste Eingebung«, sagte Hunter. »Eine Krähe, ein Rabe oder sogar eine Dohle.«

»Und Sie denken, es macht einen Unterschied, was für ein Vogel das ist?«, fragte Alice.

»Auf jeden Fall.«

»Dann ist der Hund vielleicht auch kein Hund«, gab Alice zu bedenken. »Er sieht aus, als würde er etwas anheulen. Den Mond?«

Die hundeartige Schattenfigur hatte den Kopf in den Nacken gelegt und das Maul halb geöffnet.

»Stimmt. Es könnte ein Hund sein, ein Wolf, ein Schakal, ein Kojote ... das wissen wir noch nicht. Aber diese zwei Figuren sind definitiv nicht ohne Grund da, und wenn wir dahinterkommen wollen, was sie bedeuten – was der Täter uns damit sagen will –, dann müssen wir zuerst mal rausfinden, um was für Tiere es sich genau handelt.«

Wieder gingen alle Blicke zur Wand.

»Du hast dich in Derek Nicholsons Garten umgesehen, oder?«, wandte Hunter sich an Garcia.

»Ja, das weißt du doch.«

»Kannst du dich an eine Hundehütte erinnern?«

Garcia sah kurz weg und kniff sich in die Unterlippe. »Nein.«

»Ich mich auch nicht«, sagte Hunter mit einem Blick auf die Uhr. Er ging zu seinem Schreibtisch zurück und begann den Berg aus Notizen und Zetteln zu durchwühlen. Nach weniger als einer Minute hatte er gefunden, wonach er suchte. Er zückte sein Handy und wählte die Nummer auf dem Zettel in seiner Hand.

»Hallo«, meldete sich eine müde Frauenstimme.

»Ms Nicholson, Detective Hunter hier. Es tut mir leid, wenn ich Sie störe, ich fasse mich auch kurz. Ich müsste Sie nur schnell etwas über Ihren Vater fragen.«

»Natürlich«, sagte Olivia. Schon klang sie ein wenig wacher.

»Hatte Ihr Vater einen Hund?«

»Wie bitte?«

»Ob Ihr Vater einen Hund hatte.«

Schweigen trat ein, während Olivia den Zweck der Frage zu durchschauen versuchte.

»Äh, nein ... hatte er nicht.«

»Hat er jemals einen besessen? Vielleicht als Sie noch jünger waren oder nach dem Tod Ihrer Mutter?«

»Nein. Wir hatten nie einen Hund. Mom mochte lieber Katzen.«

»Was ist mit einem Vogel?« Hunter konnte fast hören, wie Olivia die Stirn runzelte.

»Einen Vogel ...?«

»Ja, irgendeine Art von Vogel.«

»Nein, einen Vogel hatten wir auch nicht. Wir hatten eigentlich überhaupt nie Haustiere. Wieso?«

Hunter rieb sich mit der Fingerspitze die Stelle zwischen den Augenbrauen. »Ich überprüfe nur einige Dinge, Ms Nicholson.«

»Falls Ihnen das weiterhilft: Mein Vater hatte in seinem Büro in der Stadt ein Aquarium mit ein paar Fischen.«

»Fische?«

»Ja. Er hat immer gesagt, dass er es beruhigend findet, Fischen zuzuschauen. So hat er sich vor, während oder nach einem großen Prozess entspannt.«

Hunter wusste, dass viele diese Auffassung teilten. »Gut. Vielen Dank für Ihre Hilfe, Ms Nicholson. Es könnte sein, dass ich mich noch mal bei Ihnen melde, wenn Sie damit einverstanden sind.«

»Sicher.«

Er legte auf.

»Nichts?«, fragte Garcia.

»Keine Hunde, keine Vögel, überhaupt keine Haustiere, nur ein paar Fische im Büro. Die Verbindung liegt irgendwo anders.«

Genau in dem Moment stieß Captain Blake die Tür zum

Büro auf. Sie hatte nicht angeklopft. Das tat sie nie. Sie war dermaßen in Eile, dass sie die Schattenfiguren an der Wand gar nicht wahrnahm.

»Sie werden es nicht glauben, aber er hat es schon wieder getan.«

Kollektives Stirnrunzeln.

Blake deutete mit dem Kopf auf die Gipsnachbildung. »Wir haben noch so eine.«

25

Marina Del Rey liegt nur einen Steinwurf weit von Venice Beach entfernt an der Mündung des Ballona Creek. Er ist einer der größten von Menschenhand geschaffenen Kleinboot-Häfen der Vereinigten Staaten und verfügt über neunzehn Marinas mit Liegeplätzen für insgesamt fünftausenddreihundert Boote.

Selbst zu später Abendstunde und mit Blaulicht und Sirene brauchten sie im dichten Verkehr fünfundzwanzig Minuten, um vom PAB bis zum Hafen zu gelangen. Garcia saß am Steuer.

Sie bogen links in den Tahiti Way ein und nahmen dann die vierte Abzweigung rechts. Diese führte sie zum Parkplatz direkt hinter dem New World Cinema, wo mehrere Streifenwagen den Fußgängerzugang zu Dock A-1000 am Marina Harbor blockierten. Hinter der Polizeiabsperrung hatte sich bereits eine beachtliche Menschentraube versammelt. Es wimmelte von Übertragungswagen, Reportern und Fotografen. Um näher heranzukommen, musste Garcia sich langsam im Zickzackkurs zwischen den Fahrzeugen hindurchschlängeln und mehrmals die Sirene einschalten, um Fußgänger aus dem Weg zu scheuchen.

Als sie unter dem Absperrband hindurchschlüpften, kam der Einsatzleiter auf sie zu.

»Sind Sie die Leute von Mord I?« Der Mann war Ende vierzig, etwa eins dreiundsiebzig groß, mit rasiertem Schädel und einem buschigen Schnauzer. Seine Stimme war heiser, wie bei einer beginnenden Erkältung.

Hunter und Garcia nickten und zeigten dem Mann ihre Dienstmarken. Der erwiderte ihr Nicken und wandte sich um. »Folgen Sie mir. Das Boot ist das letzte auf der linken Seite.« Damit marschierte er los.

Hunter und Garcia folgten ihm.

Nur wenige Laternen beleuchteten den langen Fußgängerweg. Sie warfen mehr Schatten als Licht.

»Ich bin Officer Rogers vom West Bureau. Mein Partner und ich waren die Ersten am Tatort«, erklärte der Mann. »Es kam ein Notruf rein. Jemand hatte seine Musikanlage über längere Zeit auf voller Lautstärke laufen. Heavy Metal. Irgendwann hat jemand nebenan beschlossen, rüberzugehen und den Störenfried zu bitten, die Musik leiser zu drehen. Auf Klopfen hat niemand reagiert, also blieb nur eins: an Bord gehen. Das Licht war ausgeschaltet, aber in der Kajüte haben ein paar Kerzen gebrannt. Als hätte jemand Stimmung für ein romantisches Abendessen zaubern wollen – wissen Sie, was ich meine?« Rogers schüttelte den Kopf. »Arme Frau, sie ist in den schlimmsten Alptraum ihres Lebens gestolpert.« Er hielt inne und strich sich mit der Hand über den Schnauzbart. »Warum tut jemand einem anderen Menschen so was an? Das ist das Widerwärtigste, was ich je in meinem Leben gesehen habe, und ich kann Ihnen versichern, ich habe schon jede Menge Widerwärtigkeiten gesehen.«

»Sie ...?«, fragte Hunter.

»Wie bitte?«

»Sie sagten, *sie* sei in den schlimmsten Alptraum ihres Lebens gestolpert.«

»Ach so, ja. Jean Ashman, fünfundzwanzig Jahre alt. Ihrem Freund gehört die Jacht da drüben.« Er zeigte auf ein großes blauweißes Boot. Der Name am Bug lautete *Sonhador.* Es ankerte zwei Liegeplätze vom Ende des Docks entfernt.

»Der Freund ist nicht da?«, fragte Hunter.

»Inzwischen schon. Leistet ihr auf der Jacht Gesellschaft. Keine Sorge, ein Officer ist bei ihnen.«

»Haben Sie schon mit ihr gesprochen?«

»Ja, aber nur, um mir die groben Fakten geben zu lassen. So was überlasse ich lieber euch Jungs vom Morddezernat.«

»Sie war also allein auf dem Boot ihres Freundes?«, wollte Garcia wissen.

»Jep. Hat das Abendessen vorbereitet – Dinner für zwei: Kerzen, Champagner, schöne Musik und der ganze Hokuspokus. Er wollte später dazukommen.«

Sie hatten das letzte Boot erreicht. Flatterband versperrte den Zugang zum Deck. Vor dem Steg, der an Bord führte, standen drei Uniformierte. In ihren Mienen las Hunter blanke Wut.

»Wer hat die Musik ausgeschaltet?«, fragte er.

»Was?«

»Sie sagten, auf der Anlage wäre laute Heavy-Metal-Musik gelaufen. Jetzt läuft sie nicht mehr. Wer hat sie ausgeschaltet?«

»Ich«, sagte Rogers. »Die Fernbedienung lag auf einem Stuhl gleich bei der Kajütentür. Und keine Panik, ich habe sie nicht angefasst. Habe meine Taschenlampe benutzt, um den Knopf zu drücken.«

»Sehr gut.«

»Übrigens, der Song war auf Repeat gestellt – Titel drei auf der CD. Ist mir noch aufgefallen, bevor ich sie ausgeschaltet habe.«

»Auf Repeat?«

»Ganz genau, immer und immer wieder derselbe Song.«

»Sie sind sich da sicher?«

»Habe ich doch gerade gesagt. Titel Nummer drei.« Rogers schüttelte erneut den Kopf. »Ich hasse Rockmusik. Teufelswerk, wenn Sie mich fragen.«

Garcia warf Hunter einen Blick zu und zuckte leicht mit den Schultern. Er wusste, wie sehr sein Partner Rockmusik schätzte.

Rogers rückte seine Uniformmütze zurecht. »Also, wer soll denn jetzt alles Zutritt zum Tatort bekommen?«

Hunter und Garcia runzelten die Stirn.

»Die Kriminaltechnik natürlich – und wer sonst noch? Irgendwelche anderen Detectives?«

Hunter schüttelte verständnislos den Kopf. »Ich kann Ihnen nicht ganz folgen.«

»Na ja, bald wird's hier vor wütenden Cops nur so wimmeln.«

Noch immer war Hunter und Garcia ihre Verwirrung ins Gesicht geschrieben.

»Das Mordopfer«, erklärte Rogers. »Andrew Dupek. Er war einer von uns. Polizist beim LAPD.«

26

Hunter und Garcia zogen sich Latexhandschuhe sowie Plastik-Schuhüberzieher an. Beide zückten ihre Maglites, bevor sie den Steg betraten. Kaum waren sie an Bord, blieb Hunter kurz stehen und schaute sich auf Deck um. Er sah keine Schuhabdrücke, keine Blutstropfen oder Spritzer, keinerlei Anzeichen eines Kampfes.

Garcia telefonierte bereits mit der Einsatzzentrale, damit man ihm von dort eine Kurzfassung von Dupeks Akte aufs Handy schickte. Um die vollständige Akte zu lesen, wäre später noch Zeit.

Von Steuerbord aus konnte Hunter sehen, wie weitere Streifenwagen mit Blaulicht auf den Parkplatz gebraust kamen. Rogers hatte recht, nichts machte einen amerikanischen Polizisten wütender als ein Polizistenmörder. Die Polizeidienststellen in L. A. hatten untereinander ihre Differenzen und stritten sich nicht selten um Zuständigkeiten. Zwischen einigen Dezernaten herrschte offene Feindschaft, und ihre Detectives und Officer konnten sich gegenseitig nicht riechen. Trotzdem rückten alle Cops, alle Dezernate, alle Dienststellen sofort zusammen, wann immer einer aus ihren Reihen einem Gewaltverbrechen zum Opfer fiel. Schneller als sich in Hollywood Gerüchte ausbreiteten, würde der kollektive Zorn auf jedes Polizeirevier in Los Angeles übergreifen.

»Wenn es wirklich derselbe Täter war«, sagte Garcia, nachdem er sein Telefonat beendet hatte, »dann ist die Kacke nicht nur am Dampfen, sondern am *Qualmen*, Robert. Erst ein Staatsanwalt, und jetzt ein Cop? Wer auch immer der Mörder ist, der traut sich was.«

Garcia hatte recht, und Hunter machte sich keine Illusionen: Der Druck auf sie und die Ermittlungen würde schon bald um ein Hundertfaches steigen. Entsprechend würden die Rufe nach Ergebnissen immer lauter werden.

Als er sich der Kajüte zuwandte, hörte er Schritte draußen auf dem Anleger.

»Ich bin so schnell gekommen, wie ich konnte«, rief Dr. Hove, während sie den drei Uniformierten am Steg ihren Ausweis hinhielt. Ehe sie an Bord kam, zog auch sie Latexhandschuhe und Überzieher an. »Was haben wir? Ist es wirklich derselbe Täter?« Sie nahm ihre kastanienbraunen Haare am Hinterkopf zusammen und band sie zu einem Pferdeschwanz, bevor sie sie unter der OP-Haube versteckte, die sie aus ihrer Tasche gezogen hatte.

Oberste Priorität an einem Tatort hatte grundsätzlich die Spurensicherung, aber Dr. Hove wusste, dass sich Hunter, wenn irgend möglich, gerne einen Eindruck verschaffte, bevor die Leiche abtransportiert oder irgendetwas verändert wurde.

»Wir waren noch nicht unten«, antwortete Hunter. »Wir sind seit gerade mal zwei Minuten hier.«

Genau wie Hunter blieb auch Dr. Hove an Deck erst einmal stehen und sah sich um. Sie hatte ihre eigene Maglite dabei. »Okay, gehen wir runter und sehen uns die Sache mal an.«

Fünf schmale hölzerne Stufen führten hinab in die kleine Kajüte des Boots. Die Tür stand offen, und der schwache Lichtschein von sechs Kerzen flackerte ihnen entgegen. Sie waren fast heruntergebrannt.

Statt den Raum zu betreten, versammelten sie sich auf den letzten beiden Stufen vor der Kajütentür.

Mehrere Sekunden lang sagte niemand ein Wort, während sie versuchten, den grauenerregenden Anblick, der sich ihnen bot, zu verarbeiten. Wie schon am ersten Tatort wusste man auch hier kaum, wo man zuerst hinschauen sollte. Die gesamte Kajüte war in Blut getaucht. Blutlachen bedeckten einen Großteil des Fußbodens, Abrinnspuren zierten die Wände und die wenigen Möbelstücke. Anders als in Nicholsons Schlafzimmer jedoch gab es diesmal auf dem Boden zahlreiche Abdrücke, die wie Fußspuren aussahen.

Ein unangenehm saurer Geruch kam ihnen entgegen. Wie auf eine stumme Absprache hin hoben sie alle die Hand an die Nase.

»Heilige Muttergottes«, flüsterte Garcia. Sein starrer Blick war auf etwas am hinteren Ende der Kajüte gerichtet. »Diesmal hat er ihm den Kopf abgeschnitten.«

27

Die anderen folgten Garcias Blick.

Neben der Küchenecke im hinteren Teil der Kajüte saß auf einem Holzstuhl eine nackte männliche Leiche. Sie hatte weder Kopf noch Arme und war über und über mit Blut bedeckt. Ihre Knie waren leicht angewinkelt, so dass sich die Waden unterhalb des Stuhls befanden. Die Füße waren an den Knöcheln abgetrennt worden.

Hunter sah den Kopf als Erster. Er stand hinter einer Topfpflanze auf einem niedrigen Tischchen. Der Mund war weit offen, als wäre er im Begriff gewesen, einen letzten Entsetzensschrei auszustoßen. Die milchig eingetrübten Augen waren in ihre Höhlen gesunken, was darauf hindeutete, dass Dupek seit mindestens einer Stunde tot war. Doch der Ausdruck in ihnen war noch immer lebendig: starr, ungläubig, angsterfüllt. Hunter folgte der Blickachse und stieß auf das, wovor sie sich alle gefürchtet hatten: eine neue Skulptur, geschaffen aus den Gliedmaßen des Toten. Sie stand in einer Ecke auf der Frühstückstheke.

Garcia und Dr. Hove brauchten eine Weile, bis sie sie entdeckt hatten.

»Ach du Scheiße!«, entfuhr es Garcia. Der Strahl seiner Taschenlampe glitt über die Skulptur.

»Die Antwort auf meine Frage von eben lautet dann wohl: Ja, es ist derselbe Täter«, murmelte Hove.

Hunter richtete seine Maglite auf den Fußboden, und nacheinander betraten sie den Raum, wobei sie darauf achteten, die Blutlachen weitestgehend zu meiden. Plötzlich nahm Hunter ein seltsames, beißendes Aroma in der Luft wahr. Er kannte es, aber der Cocktail an Gerüchen in der Kajüte machte es ihm unmöglich, es zu identifizieren.

»Können wir Licht anmachen, Doc?«, fragte Garcia.

»M-hm.« Sie nickte.

Garcia betätigte den Schalter an der Wand.

Die Deckenlampe flackerte zweimal, bevor sie anging. Sie spendete nur unwesentlich mehr Helligkeit als die Kerzen.

Dr. Hove ging gleich hinter der Tür in die Hocke. Ihre Aufmerksamkeit galt der ersten großen Blutlache. Sie tippte mit der Spitze des Zeigefingers hinein und rieb sie dann gegen den Daumen, um die Viskosität zu prüfen. Der strenge, metallische Geruch des Blutes brannte ihr in der Nase, doch sie blieb gefasst. Sie richtete sich wieder auf und ging an den Wänden entlang zum Stuhl, auf dem die kopflose, verstümmelte Leiche saß.

Hunters Interesse wiederum galt dem Couchtisch, auf dem der Täter den Kopf des Toten platziert hatte. Nackte Angst spiegelte sich in Dupeks Zügen, und die blutigen Schlieren in seinem Gesicht sahen aus wie Kriegsbemalung. Hunter beugte sich vor, um in den Mund zu schauen. Anders als beim ersten Mordopfer hatte der Täter Dupek nicht die Zunge herausgeschnitten. Zwar war sie tief nach hinten in den Schlund gerutscht, so dass sie fast die Mandeln berührte, aber sie war noch da. Dupeks linke Gesichtshälfte wies eine schwere Verletzung auf. Am Kiefer war eine offene Fraktur zu erkennen, dort stach ein fünf Millimeter breiter, blutiger Knochensplitter durch die Haut.

»Die Totenstarre hat noch nicht eingesetzt«, meldete die Rechtsmedizinerin. »Ich würde sagen, er ist seit weniger als drei Stunden tot.«

»Der Täter wollte, dass wir das Opfer möglichst schnell finden«, gab Hunter zurück.

Das brachte ihm einen fragenden Blick von Dr. Hove ein.

»Der Officer, der als Erster am Tatort war, sagte, es sei sehr laute Rockmusik auf der Stereoanlage gelaufen.«

»Hat der Täter sie eingeschaltet?«

»Wer sonst?«, fragte Garcia. »Er wollte, dass jemand auf das Boot aufmerksam wird. Es war ja klar, dass früher oder später jemand herkommen und sich beschweren würde.«

»Genau.« Hunter ging zurück zum Kajüteneingang. Es war genau, wie Officer Rogers gesagt hatte: Auf einem Stuhl neben der Tür lag eine schlanke schwarze Fernbedienung. »Der Officer meinte, Song drei sei auf Repeat gelaufen.«

»Nur der dritte?« Hove sah sich suchend um und entdeckte schließlich die Stereoanlage hinten auf der Frühstückstheke.

»Das waren seine Worte.«

»Na, dann hören wir doch mal rein«, schlug sie vor.

Hunter wählte den dritten Song und drückte auf »Play«.

Ohrenbetäubende Musik erfüllte den Raum. Zuerst Bassgitarre, dann Schlagzeug, rasch gefolgt von Keyboard. Wenige Takte später setzten E-Gitarren und Gesang ein.

»Verdammt, ist das laut!«, rief Garcia und presste sich die Hände auf die Ohren.

Dr. Hove verzog das Gesicht.

Hunter stellte die Musik leiser, ließ sie aber weiterlaufen.

»Den Song kenne ich«, sagte die Rechtsmedizinerin und dachte nach, die Stirn gerunzelt.

Hunter nickte. »Der ist von Faith No More. Offenbar hat unser Killer einen Sinn für Humor.«

»Inwiefern?«, wollte Garcia wissen.

»Das ist einer ihrer berühmtesten Songs«, klärte Hunter seinen Partner auf. »Ziemlich alt – späte Achtzigerjahre, wenn mich nicht alles täuscht. Er heißt ›Falling to Pieces‹. Im Refrain geht es um jemanden, der in Stücke fällt und wieder zusammengesetzt werden möchte. Im übertragenen Sinne natürlich.«

Garcia und Dr. Hove tauschten einen Blick.

»Gleich kommt die Stelle«, sagte Hunter. »Ihr könnt euch selbst davon überzeugen.«

Instinktiv drehten sich Garcia und Hove mit dem Ohr zur Stereoanlage. Sobald der Refrain zu Ende war, drückte Hunter die Stopptaste.

Einen Moment lang herrschte Stille.

»Woher wussten Sie das?«, fragte Dr. Hove. »Und jetzt sagen Sie bloß nicht, Sie lesen viel.«

Hunter hob die Schultern. »Ich mag Rockmusik. Das Album habe ich früher rauf und runter gehört.«

»Der Kerl hat doch einen Knall«, verkündete Garcia und machte einen Schritt rückwärts. »Wie verstrahlt muss man sein, um so was hier zu veranstalten ...«, er hob die Hände und sah sich in der Kajüte um, »... und dann noch Witze darüber zu machen?«

Weder Hunter noch Dr. Hove gaben darauf eine Antwort.

28

Ihr Schweigen wurde durch Schritte und Stimmen von draußen unterbrochen. Hunter, Garcia und Dr. Hove drehten sich zur Kajütentür. Eine Sekunde später tauchten zwei Leute von der Kriminaltechnik mit weißen Kapuzen-Overalls und Metallkoffern im Türrahmen auf.

»Können Sie noch eine Minute warten, Glen?«, bat Dr. Hove und hob abwehrend die Hand, bevor die beiden die Kabine betreten konnten.

Glen Eagan und Shawna Ross blieben auf der Treppe stehen.

»Wir wollen uns vorher hier drin noch ein paar Sachen ansehen«, fuhr Hove fort. »Wenn Sie wollen, können Sie schon mal mit dem Deck anfangen.«

»Alles klar, Doc.« Die zwei machten kehrt und gingen zurück nach oben.

»Verstrahlt oder nicht«, nahm Dr. Hove den Faden wieder auf. »Dieser Täter weiß genau, was er tut.« Sie hatte sich bereits wieder der verstümmelten Leiche zugewandt. »Diesmal hat er Nadel und Faden benutzt, um beide Oberarmarterien zu schließen und die Blutung zu stoppen, und es sieht so aus, als hätte er recht saubere Arbeit geleistet.« Sie sah unter dem Stuhl nach. Dupeks Beine waren an den Knöcheln, dort, wo die Füße abgetrennt worden waren, bandagiert. »Und aus irgendeinem Grund hat er die Beinstümpfe verbunden.«

Hunter kam näher, um sich die Sache genauer anzusehen. »Merkwürdig«, meinte er. Plötzlich hatte er wieder diesen seltsamen stechenden Geruch in der Nase.

»Ja, sehr merkwürdig«, pflichtete Dr. Hove ihm bei.

Garcia holte die CD aus der Stereoanlage und ließ sie in eine Asservatentüte fallen. Die Hülle lag bei den anderen CDs im Regal. Garcia ging die Sammlung flüchtig durch. Die meisten stammten von Rockbands aus den Achtzigern und Neunzigern.

Endlich wandte Hunter sich der neuen Skulptur zu. Sie war noch widerlicher und unheimlicher als die erste.

Diesmal hatte der Täter die Arme knapp unterhalb der Schultern vom Körper abgetrennt und dann noch einmal am Ellbogengelenk zerschnitten, so dass vier Teile entstanden waren. Die beiden Unterarme waren, Handgelenkinnenseite an Handgelenkinnenseite, mit Draht umwickelt und aufrecht hingestellt worden. Die Hände waren auf merkwürdige Art nach außen gebogen. Die Handflächen zeigten dabei nach oben, so dass es aussah, als wären sie im Begriff, einen Ball zu fangen. An der unnatürlichen Position der Daumen erkannte man, dass der Täter sie gebrochen haben musste. Die übrigen Finger fehlten. Sie waren an den unteren Gliedern abgetrennt und mit Hilfe von Draht und einem starken Klebemittel jeweils zu zweit zusammengefügt worden, so dass sie insgesamt vier Fingerpaare bildeten. Diese hatte der Täter jeweils auf exakt gleiche Art zurechtgeschnitzt – das obere Ende war rund und dick, dann folgte nach einem schmalen Stück eine Wölbung in der Mitte und schließlich ein relativ schlanker unterer Teil. Die so entstandenen Figuren hatte der Täter in etwa dreißig Zentimetern Abstand zu den Händen auf der Theke platziert. Zwei der Figuren standen aufrecht, die anderen beiden lagen übereinander.

»Und? Was, glaubst du, soll es diesmal darstellen?«, fragte Garcia, der näher trat. »Ein Krokodil?«

Dr. Hove hob verwundert die Brauen. »Diesmal ...? Dann haben Sie also rausgefunden, was die erste Skulptur bedeutet?«

»Was sie *bedeutet*, haben wir noch nicht rausgefunden«, korrigierte Hunter sie.

»Aber wir wissen immerhin, was sie darstellen soll«, sagte Garcia.

»Darstellen ...?«

Garcia sah kurz zu Hunter, bevor er das Gesicht verzog, als könne er es selbst nicht glauben. »Die Skulptur wirft Schattenbilder an die Wand.«

»Wie bitte?«

Garcia nickte. »Sie haben ganz richtig gehört, Doc. Schattenbilder. Sie sind sogar ziemlich klar erkennbar. Ein Hundeschatten und ein Vogelschatten.« Er zögerte kurz. »Oder zumindest so was Ähnliches.«

Dr. Hove sah aus, als warte sie darauf, dass einer der beiden Männer in schallendes Gelächter ausbrach.

Was allerdings nicht geschah.

»Wir sind rein zufällig darauf gestoßen«, sagte Hunter. »Ein paar Minuten bevor der Anruf kam, dass wir hier rausfahren sollen. Wir hatten noch keine Zeit, uns eingehender damit zu befassen.« In knappen Worten schilderte er Dr. Hove, was sich im Büro zugetragen hatte.

»Und die Schatten sehen aus wie ein Hund und ein Vogel?«

»Ganz genau.«

Der Blick ihrer grünen Augen richtete sich auf die Skulptur auf dem Tresen. »Und meinen Sie nicht, dass das eventuell bloß Zufall war?«

Beide Detectives schüttelten den Kopf.

»Dazu sind die Schattenbilder zu deutlich«, sagte Hunter.

»Das heißt, als Nächstes müssen Sie rausfinden, was der Hund und der Vogel bedeuten sollen?«

»Genau«, sagte Garcia. »Der Killer spielt Scharade mit uns, Doc. Stellt uns ein Rätsel im Rätsel. Wer weiß, vielleicht ist das in Wirklichkeit alles vollkommener Blödsinn, und er macht sich gerade in die Hose vor Lachen, weil wir uns die Köpfe darüber zerbrechen, ob Scooby-Doo und Tweety irgendeine tiefere Bedeutung haben. Währenddessen kann er in aller Seelenruhe seinem Mordrausch frönen und Leute zerstückeln.«

»Warten Sie.« Dr. Hove hob die Hand. »Die Schattenbilder sehen aus wie Comicfiguren?«

»Nein, das tun sie nicht«, sagte Garcia. »Entschuldigen Sie meinen miesen Scherz.«

Die Rechtsmedizinerin sah Hunter an und zeigte auf die Skulptur. »Wenn Sie recht haben, dann wirft das Ding da also auch ein Schattenbild an die Wand.«

»Wahrscheinlich.«

Hätte es in der Kajüte ein Gerät zum Messen von Spannung gegeben, wäre der Zeiger am Anschlag gewesen.

»Okay, dann lassen Sie uns sofort nachsehen«, beschloss Hove. Man sah ihr deutlich an, wie groß ihre Neugier war. Sie schaltete ihre Taschenlampe wieder ein, bevor sie zum Lichtschalter ging und die Deckenbeleuchtung der Kajüte ausmachte.

Auch Hunter und Garcia schalteten ihre Taschenlampen ein. Die nächsten Minuten verbrachten sie damit, um die abscheuliche Skulptur herumzugehen, sie von allen Seiten anzustrahlen und die Schatten zu studieren, die sie an die Wand warf.

Nichts – keine Tiere, keine Gegenstände, keine Worte.

In dem Moment fiel Hunters Blick auf Dupeks Kopf auf dem Couchtisch. Etwas an der Art und Weise, wie er positioniert worden war, ließ ihn innehalten. Er schien direkt zur Skulptur zu schauen, allerdings von schräg unten.

»Ich will mal was versuchen.« Erneut schaltete Hunter

seine Maglite ein und ging in Stellung. Er richtete den Lichtstrahl so aus, dass er in exakt demselben Winkel die Skulptur traf wie Dupeks toter Blick.

»Vielleicht zeigt uns der Täter ja, wie wir sie betrachten müssen.«

»Indem er den Kopf des Opfers entsprechend ausrichtet?«, fragte Dr. Hove. Sie wirkte skeptisch.

»Wer weiß? Diesem Monster traue ich alles zu.«

Schweigend betrachteten sie die seltsamen Schatten, die hinter der Skulptur an der Wand erschienen.

Dr. Hoves Körper kribbelte wie von einem elektrischen Schlag, und sie merkte, wie sie eine Gänsehaut bekam.

»Ich werd' nicht mehr!«

29

Auf dem Parkplatz hinter dem Gebäude des New World Cinema in Marina Harbor standen über ein Dutzend Polizeifahrzeuge. Der Pulk an Schaulustigen, der sich am Ort des Geschehens eingefunden hatte, war inzwischen auf eine beträchtliche Größe angewachsen, und die Anzahl der Übertragungswagen und Reporter hatte sich innerhalb der letzten Stunde verdoppelt.

»Entschuldigung«, wandte sich eine junge Frau Mitte zwanzig an den Mechaniker, der im hinteren Teil der Menge stand und von dort aus in aller Ruhe das Gewimmel aus Polizei und Reportern beobachtete. »Haben Sie zufällig eine Ahnung, was da passiert ist?« Ihrem Akzent nach kam sie aus dem Mittleren Westen. Missouri vielleicht oder Wisconsin. »Wurde ein Boot gestohlen?«

Der Mechaniker lachte über die Naivität der Frau und drehte sich zu ihr um.

»Ich glaube kaum, dass ein geklautes Boot so viele Cops und Ü-Wagen auf den Plan ruft. Nicht mal in Los Angeles.«

Die Augen der Frau weiteten sich ein wenig. »Wurde jemand ermordet?« Ihre Stimme war plötzlich schrill vor Erregung.

Der Mechaniker hielt die Spannung einen Augenblick lang, dann nickte er. »Ja. Auf dem letzten Boot ganz am Ende vom Dock.«

Die Frau stellte sich auf die Zehenspitzen, um einen Blick auf das Boot zu erhaschen, sah jedoch nichts als die Hinterköpfe der anderen Schaulustigen. »Wurde die Leiche schon rausgebracht?«, fragte sie, während sie von einem Fuß auf den anderen trat und sich vergeblich um bessere Sicht bemühte.

»Nicht, dass ich wüsste.«

»Stehen Sie schon lange hier?«

Der Mechaniker nickte. »Das kann man wohl so sagen.«

»Mensch, was da wohl passiert sein mag ...«

Der Mechaniker hatte einmal gelesen, dass der Tod auf die meisten Menschen eine ungeheure Faszination ausübte. Je brutaler und abscheulicher, desto genauer wollten alle Bescheid wissen, desto mehr wollten sie davon sehen. Einige Wissenschaftler führten dieses Phänomen auf einen primitiven Gewaltinstinkt zurück, der in manchen Menschen schlummerte und in anderen überaus aktiv war. Manche Psychologen vertraten auch die Ansicht, dass es mit dem tief im Innern verwurzelten Bedürfnis des Menschen zusammenhing, den Tod und das, was danach kam, zu begreifen.

»Ich hab gehört, er wurde enthauptet«, sagte der Mechaniker, um die morbide Neugier der Frau auf die Probe zu stellen.

»Nicht im Ernst.« Sie wurde immer unruhiger, stellte sich abermals auf die Zehenspitzen und reckte den Hals wie eine Meerkatze, während sie versuchte, über die Menschenmenge hinwegzuspähen.

»Hab ich gehört«, wiederholte der Mechaniker. »Und dass das ganze Boot voller Blut war. Muss wirklich übel sein.«

»Ach du liebe Güte«, sagte die Frau, und ihre Hand flog an ihren Mund.

»Tja, willkommen in L. A.«

Die Frau schien sich kurz zu ekeln, bis ihr Blick auf einen Polizisten fiel, der unmittelbar in der Nähe stand. Vor Freude sprang sie auf und ab wie ein Kind, dem man eröffnet hatte, es dürfe zum ersten Mal in seinem Leben nach Disneyworld. »Oh, da ist ein Polizist. Den fragen wir.«

»Nein, lassen Sie mal. Für mich war's das hier. Ich muss jetzt los.«

»Ich kann nicht fassen, dass Sie nicht neugierig sind.«

»Ich glaube kaum, dass ein Polizist mir irgendwas sagen kann, was ich nicht schon weiß.«

Die Frau runzelte angesichts dieser seltsamen Bemerkung die Stirn, war aber viel zu aufgeregt, um weiter darüber nachzudenken. »Na ja, ich gehe jedenfalls hin und frage ihn. Ich will Bescheid wissen.«

Der Mechaniker nickte, bevor er in der Menge untertauchte.

Die Frau hingegen drängelte sich nach vorn und nahm entschlossen Kurs auf den Polizisten.

Weder sie noch der Polizist noch sonst jemand in der Menge sah die winzigen Blutspritzer am Hosensaum des Mechanikers.

30

Es war kurz vor ein Uhr nachts, als Hunter endlich in seine Wohnung zurückkam. Er musste dringend duschen. In der Kajüte war so viel Blut gewesen, dass er trotz Schutzkleidung das Gefühl hatte, etwas davon würde an seiner Haut und sogar an seiner Seele kleben.

Er lehnte sich mit geschlossenen Augen gegen die weißgekachelte Wand der Duschkabine und ließ sich vom starken, heißen Wasserstrahl die verspannten Nacken- und Schultermuskeln massieren. Langsam fuhr er sich mit der Hand durch die Haare. Dabei streiften seine Fingerspitzen die hässliche Narbe in seinem Nacken, und er betastete kurz die raue, wulstige Haut. Sie war eine Mahnung, ja nicht zu vergessen, wie zielstrebig, wie gefährlich ein böser Verstand sein konnte. Nicht dass es dieser Mahnung bedurft hätte. Obwohl sie bereits mehrere Jahre zurücklag, war seine Begegnung mit dem Ungeheuer, das die Presse auf den Namen »Kruzifix-Killer« getauft hatte, noch so frisch in seinem Gedächtnis, als wäre sie erst wenige Minuten her. Die schmerzhafte Narbe in seinem Nacken würde ihn auf ewig daran erinnern, wie nahe er und Garcia dem Tod gekommen waren.

Schlimm war nur die Erkenntnis, dass es letztlich vollkommen egal war, was er tat oder wie schnell und hart die Polizei arbeitete. Sie konnten niemals Schritt halten. Kaum hatten sie einen wahnsinnigen Mörder hinter Gitter gebracht, tauchten zwei, drei, vier neue auf. Das Verhältnis fiel immer zu ihren Ungunsten aus. Es war eine traurige Ironie, dass die Stadt der Engel mehr Böses hervorzubringen schien als jede andere Stadt in den USA.

Hunter wusste nicht, wie lange er unter der Dusche stand, doch als er endlich die bösen Erinnerungen verdrängt und das Wasser abgedreht hatte, war seine braungebrannte Haut gerötet, und seine Fingerspitzen waren runzlig wie Backpflaumen.

Er trocknete sich ab, schlang sich ein frisches weißes Handtuch um die Hüften und ging zurück ins Wohnzimmer. Sein Barschrank war klein, doch die beeindruckende Sammlung von Single Malt darin verriet den Whiskykenner. Hunter brauchte jetzt etwas Kräftiges, aber zugleich auch

Sanftes und Beruhigendes. Er suchte nicht lange. Die Wahl war getroffen, sobald sein Blick auf die Flasche fünfzehn Jahre alten Balvenie Single Barrel fiel.

Hunter goss sich einen großzügigen Schluck ein, gab ein wenig Wasser dazu und ließ sich auf das schwarze Kunstledersofa fallen. Er gab sich alle Mühe, nicht an den Fall zu denken, aber die Bilder der letzten Tage hatten sich in seinem Kopf eingenistet und kreisten nun unablässig darin herum. Garcia und er waren gerade ansatzweise hinter den Sinn der ersten Skulptur gekommen, aber noch ehe sie Gelegenheit hatten, ihre wahre Bedeutung zu entschlüsseln, konfrontierte sie der Täter schon mit einem zweiten Opfer, einer zweiten Skulptur und einem zweiten Schattenbild, das noch rätselhafter war als das erste. Er hatte keine Ahnung, wo er ansetzen sollte.

Hunter trank einen großen Schluck von seinem Whisky und konzentrierte sich ganz auf das Geschmackserlebnis. Der höhere Alkoholgehalt verlieh dem Single Malt etwas mehr Intensität, ohne das vollmundige, fruchtige Aroma zu beeinträchtigen.

Wenige Minuten und einen Schluck später setzte allmählich die Entspannung ein, als plötzlich Hunters Handy zu klingeln anfing.

Aus Reflex warf er einen Blick auf die Uhr. »Das darf doch wohl nicht wahr sein.« Er ließ sein Handy aufschnappen und hob es ans Ohr. »Detective Hunter.«

»Robert, hier ist Alice.«

Hunter zog die Brauen zusammen. »Alice ...? Was gibt's?«

»Na ja, ich habe mich gefragt, ob Sie vielleicht was trinken gehen wollen.«

»Was trinken ...? Es ist fast zwei Uhr morgens.«

»Das weiß ich.«

»Dann wissen Sie ja wahrscheinlich auch, dass wir in Los Angeles sind, wo so ziemlich jede Bar um zwei Uhr schließt.«

»Ja, das weiß ich auch.«

»Und macht das Ihr Vorhaben, was trinken zu gehen, nicht mehr oder weniger zunichte?«

Eine kurze Pause.

»Vielleicht könnten Sie mich ja zu sich nach Hause einladen, und wir könnten bei Ihnen was trinken?«

Hunter runzelte die Stirn. »Sie wollen hierherkommen und bei mir was trinken?«

»Na ja, ich bin sowieso gerade in der Gegend. Ich könnte in ... zwei Minuten da sein. Oder auch schneller.«

Instinktiv ging Hunters Blick zum Wohnzimmerfenster. Er hatte noch keine Zeit gehabt, es zu überprüfen, war sich jedoch relativ sicher, dass Alice Beaumont nicht in diesem Teil der Stadt wohnte. Zwei Minuten von seiner Wohnung entfernt befand man sich ziemlich genau in der Mitte von Nirgendwo. Oder auf Gang-Territorium.

Er zögerte.

»Könnte sein, dass ich was rausgefunden habe«, sagte Alice.

»Was denn?«

»Ich glaube, ich weiß jetzt, was die Schattenbilder bedeuten.«

31

Hunter schlüpfte in alte Jeans und ein weißes T-Shirt. Der Baumwollstoff spannte sich über seinen breiten Schultern und schmiegte sich wie eine zweite Haut um seinen Körper. In seinem Wohnzimmer lagen jede Menge Unterlagen, Zeitschriften und Bücher herum. Er überlegte, ob er noch rasch aufräumen sollte, doch bevor er damit anfangen konnte, klopfte es bereits. Er griff nach seiner Heckler & Koch USP .45 Tactical, prüfte den Sicherungsmechanismus und steckte sie sich hinten in den Hosenbund. Erst dann ging er zur Tür.

Erneut drei Klopfzeichen.

»Robert? Ich bin's, Alice«, kam eine Stimme von draußen.

Hunter entriegelte Schloss und Kette und zog die Tür zur Hälfte auf.

Auf der Schwelle stand Alice Beaumont mit ihrem schwarzen Aktenkoffer. Sie hatte den Pferdeschwanz, den sie früher am Tag getragen hatte, gelöst, und ihr blondes Haar glänzte selbst im trüben Licht des Hausflurs. Jetzt sah sie kein bisschen mehr wie eine Anwältin aus. Sie hatte ihr konservatives Kostüm gegen hautenge Jeans, eine schwarze, tief ausgeschnittene Baumwollbluse und schwarze kniehohe Stiefel mit klobigen Absätzen eingetauscht. Ihr Make-up war nach wie vor dezent, allerdings ein klein wenig verruchter als zuvor. Ihr Parfüm roch blumig und aufreizend.

Hunter musterte sie schweigend.

»Darf ich reinkommen, oder sollen wir uns hier im Treppenhaus unterhalten?«

»Klar. Sorry.« Hunter machte einen Schritt nach rechts und ließ sie eintreten. Die Wohnung lag im Halbdunkel. Nur die Lampe auf Hunters Esstisch brannte.

Alice sah sich in dem kleinen Zimmer um. Lange brauchte sie nicht dafür.

»Nett hier ... gemütlich«, sagte sie. Es lag kein Sarkasmus in ihrer Stimme. »Aber aufräumen könnte man mal.«

Hunter schloss die Tür hinter sich und ging an ihr vorbei. »Sollten Sie um diese Zeit nicht im Bett liegen und schlafen?«

Alice lachte leise. »Nach allem, was heute los war? Die Sache mit den Schattenfiguren? Dann Sie beide, wie Sie wie zwei Verrückte aus dem Büro stürzen, weil derselbe Täter vielleicht noch mal zugeschlagen hat?« Sie schüttelte den Kopf. »Wie soll ich denn da abschalten? Keine Chance.«

Hunter konnte sie verstehen. Er löste seinen Blick von ihrem Gesicht.

Alice wartete, aber Hunter sagte nichts weiter.

»Captain Blake hatte recht, oder? Er hat zum zweiten Mal zugeschlagen.«

Hunter nickte.

»Eine neue Skulptur?«

Hunter nickte.

Alice stieß durch zusammengebissene Zähne den Atem aus. »Also, ich könnte wirklich einen Drink vertragen.« Sie stellte ihren Aktenkoffer auf dem Boden ab.

»Ich fürchte, meine Auswahl ist begrenzt. Scotch oder Bier. Was anderes gibt es nicht.«

»Bier ist in Ordnung.«

Hunter nahm eine Flasche aus dem Kühlschrank, drehte den Kronkorken ab und reichte sie ihr.

Alice starrte erst die Flasche und dann Hunter einen Moment lang an. »Könnte ich ein Glas dazu haben?«

Hunter deutete auf den Hochschrank über der Spüle. »Bedienen Sie sich.«

Alice öffnete den Schrank und fand darin zwei Becher, ein hohes Coca-Cola-Glas, vier Schnapsgläser und ein halbes Dutzend Whisky-Tumbler. Sie entschied sich für das hohe Glas.

Dann kehrten sie ins Wohnzimmer zurück, und Hunter goss sich einen zweiten Scotch ein.

»Sie haben gesagt, Sie wüssten vielleicht, was die Schattenbilder zu bedeuten haben. Ich höre.«

Alice trank einen Schluck von ihrem Bier. »Okay, nachdem Sie und Carlos weg waren, konnte ich nicht aufhören, über die Skulptur und diese Schattenfiguren nachzugrübeln. Was Sie davor gesagt hatten, klang für mich plausibel – dass man die Bedeutung der Bilder nur dann korrekt interpretieren kann, wenn man weiß, um was für einen Vogel und was für einen Hund es sich handelt.«

Hunter nickte und bot ihr mit einer Geste einen Platz auf dem Sofa an. Sie setzte sich und griff nach ihrem Koffer.

Hunter zog einen der Kiefernstühle vom Esstisch heran, drehte ihn mit der Lehne nach vorn und setzte sich rittlings darauf.

»Also habe ich recherchiert, während Sie beide unterwegs waren«, fuhr Alice fort. »Ich habe im Netz nach hundeähnlichen Tieren und mittelgroßen, ›dicken‹ Vögeln gesucht. Wie Sie gesagt haben – Krähe, Rabe, Dohle und so weiter. Dann habe ich die Bilder ...«, sie hielt inne und berichtigte sich, »oder besser: ihre *Silhouetten* mit unseren Schattenbildern verglichen.«

»Und was ist dabei rausgekommen?«

»Eine ganze Menge.« Sie ließ den Aktenkoffer aufschnappen und zog mehrere Blätter heraus. »Zunächst mal gibt es für jedes Tier, das ich mir in dem Zusammenhang angeschaut habe, eine ganze Palette möglicher Interpretationen. Je länger ich recherchiert habe, desto unübersichtlicher wurde es. Und als ich die Suche dann noch auf verschiedene Kulturkreise und Zeitepochen ausgeweitet habe, bin ich von Bedeutungen regelrecht überschwemmt worden.«

Hunter hob fragend eine Braue.

»Zum Beispiel«, Alice legte ein Blatt zwischen sie beide auf den Couchtisch, »gibt es mehrere Stämme amerikanischer Ureinwohner, bei denen der Kojote beziehungsweise der Wolf für eine Gottheit steht oder für einen bösen Geist oder sogar für das Böse an sich. Es ist kein Zufall, dass sowohl in Cartoons als auch in der Kunst die meisten Dämonendarstellungen – sei es nun Satan, Beelzebub, Azazel oder was Ihnen sonst noch so für satanische Kreaturen einfallen – Ähnlichkeiten mit einem Hund haben.«

Hunter griff nach dem Blatt und überflog, was darauf geschrieben stand.

»In der ägyptischen Mythologie ist Anubis ein schakalköpfiger Gott, der die Mumifizierung der Toten überwacht und in Verbindung mit dem Jenseits steht.«

Hunter nickte. »Laut den Pyramidentexten des alten Königreichs war Anubis der wichtigste Totengott. Später wurde er von Osiris abgelöst.«

Alice sah ihn verwundert an.

Hunter tat die Sache mit einem Schulterzucken ab. »Ich lese viel.«

Alice besann sich wieder auf ihren Vortrag. »Überall auf der Welt gibt es Kulturen, in denen der Rabe als Geschöpf der Dunkelheit gilt, ähnlich wie die Fledermaus. Er ist ein Symbol für Geheimnis, Verwirrung, Zorn, Hass, Gewalt und alles, was man gemeinhin mit der Dunkelheit assoziiert.« Sie legte ein zweites Blatt auf den Tisch.

Hunter griff danach.

»Besonders weit verbreitet ist die Symbolik des Raben oder der Krähe als ...«, sie machte eine Pause wie eine Lehrerin, die die Neugier ihrer Schüler steigern will, »... Todesbote. In einigen Kulturkreisen schickt man dem Feind eine Krähe oder einen Raben zum Zeichen dafür, dass er dem Tod geweiht ist. Manchmal einen ganzen Vogel, manchmal nur den Kopf.« Sie holte tief Luft. »In Süd- und Mittelamerika existiert dieser Brauch heute noch.« Sie wies Hunter auf die entsprechenden Textstellen hin.

Hunter nahm alles mit einem Nicken zur Kenntnis und trank noch einen Schluck von seinem Whisky. Schweigend las er zu Ende.

»Bevor ich weitererzähle, muss ich Sie noch was fragen«, sagte Alice.

»Nur zu.«

»Wieso um alles in der Welt hat der Täter überhaupt diese Skulpturen und Schattenbilder gemacht? Wenn er uns was zu sagen hat, warum schreibt er dann nicht einfach eine Botschaft an die Wand, so wie für diese arme Pflegeschülerin? Warum macht er sich so viel Mühe und geht so ein hohes Risiko ein, nur um uns irgendwelche mysteriösen Hinweise zu hinterlassen?«

Hunter rollte langsam den Kopf von links nach rechts. Selbst nach der Dusche und zwei Drinks waren seine Trapezmuskeln noch steif.

»Wenn ein Verbrecher absichtlich Hinweise hinterlässt, dann tut er das normalerweise aus einem von zwei Gründen«, sagte er. »Erstens: um die Polizei herauszufordern, also als eine Provokation. Er hält sich für besonders intelligent. Er ist überzeugt, man kann ihn nicht fassen. Für ihn ist es wie ein Spiel, und die Hinweise erhöhen sein Risiko, machen das Spiel spannender.«

»Er hält sich für Gott?«, fragte sie in Anlehnung dessen, was Miguel ihnen gesagt hatte.

»Manchmal auch das, ja.«

Sie ließ sich Hunters Worte durch den Kopf gehen. »Und der zweite Grund?«

»Um Verwirrung zu stiften. Um die Polizei auf die falsche Fährte zu locken, wenn man so will. Wenn das der Fall ist, haben die Hinweise überhaupt keine tiefere Bedeutung, aber natürlich wissen wir das erst mal nicht. Der Täter kann sich sicher sein, dass die Polizei jedem vermeintlich bedeutsamen Hinweis, den sie am Tatort vorfindet, nachgeht. Das ist Vorschrift. Das heißt, wir verschwenden wertvolle Zeit, indem wir versuchen, Sinn in etwas völlig Sinnloses hineinzulesen.«

»Und je kryptischer der Hinweis, desto mehr Zeit geht verloren.«

»Genau.«

Alice deutete Hunters Gesichtsausdruck richtig. »Aber Sie glauben nicht, dass in unserem Fall einer dieser beiden Gründe zutrifft?«

»Der zweite Grund definitiv nicht. Es besteht durchaus die Möglichkeit, dass unser Täter verblendet genug ist, sich selbst für unbesiegbar zu halten. Zu glauben, dass man ihn nicht fassen kann. Dass er Gott ist.«

»Aber so richtig sind Sie nicht davon überzeugt.«

»Nein«, bekannte Hunter ohne Zögern.

»Also, wie sieht Ihre Vermutung aus?«

Hunter blickte in sein Glas, dann wieder hoch zu Alice. »Ich glaube, unser Täter hinterlässt uns Hinweise, weil es ihm wichtig ist. Die Skulptur und die Schattenbilder spielen bei seinen Taten eine ganz konkrete und zentrale Rolle. Wir wissen noch nicht, welche Rolle das ist, aber ich bin mir absolut sicher. Sie müssen eine direkte Verbindung zum Täter, zum Opfer, zur Tat oder sogar zu allen dreien haben. Er hat die Skulptur und die Schattenbilder nicht aus einer Laune heraus geschaffen, nur um die Polizei zu verhöhnen oder abzulenken. Er hat sie geschaffen, weil ohne sie die Tat in seinen Augen nicht vollständig wäre.«

Alice rutschte auf ihrem Platz hin und her. Etwas an Hunters Erklärung löste tiefes Unbehagen in ihr aus.

»Also, was haben Sie sonst noch rausgefunden?«

Alice legte ein drittes und letztes Blatt Papier auf den Tisch. »Etwas sehr Interessantes. Ich glaube, das könnte die Lösung sein, nach der wir gesucht haben.«

Hunter beugte sich vor und überflog das Blatt.

»Mir ist wieder eingefallen, dass Derek sich für Mythologie interessiert hat. Er hat oft Bücher zu dem Thema gelesen, und er hat nie eine Gelegenheit ausgelassen, irgendwelche Analogien anzubringen oder aus einem mythologischen Text zu zitieren, ob in einer ganz normalen Unterhaltung oder während eines Plädoyers. Das hat mich auf eine Idee gebracht.«

»Nämlich?«

»Mir war bereits aufgefallen, dass der Kojote und der Rabe in ihrer mythologischen Funktion viele Eigenschaften gemeinsam haben«, führte Alice aus. »Schnelligkeit, Listenreichtum, Geschick ... Deswegen habe ich aufs Geratewohl beide Figuren miteinander kombiniert. Und das hier war das Ergebnis.« Sie zeigte auf das Blatt in Hunters Händen.

Hunter las.

»Die Gestalt des Kojoten, gepaart mit der des Raben, symbolisiert in erster Linie einen Schwindler oder Betrüger ... eine Person, der man nicht trauen kann, weil sie andere hintergeht.«

32

Das Aufheulen einer Polizeisirene in der Ferne zerriss die unheimliche Stille, die sich in Hunters Wohnzimmer ausgebreitet hatte. Alice versuchte, in Hunters Gesicht zu lesen, aber es gelang ihr nicht.

»Der Täter lässt uns wissen, was er von Derek Nicholson hält«, sagte Alice. »Er sagt uns, dass Derek in seinen Augen ein Lügner, Betrüger und Schwindler ist.« Sie hob abwehrend die Hand, noch ehe Hunter etwas darauf erwidern konnte. »Ich weiß, was Sie jetzt sagen wollen. Derek war Anwalt, und viele Menschen sind der Meinung, dass Anwälte gewissermaßen von Berufs wegen nichts anderes tun als lügen und betrügen.«

Hunter schwieg.

»Aber Derek war kein Rechtsverdreher oder einer dieser Winkeladvokaten, die es nur auf Unfallmandate abgesehen haben, weil die viel Geld bringen. Er war Staatsanwalt. Er hatte einen einzigen Mandanten, und zwar den Staat Kalifornien. Seine Aufgabe war es, Angeklagten, die vom LAPD oder der California State Police gefasst worden waren, den Prozess zu machen. Sein Gehalt bemaß sich nicht danach, ob er einen Prozess gewonnen oder verloren hat oder wie viel Geld er aus der Gegenseite herauspressen konnte.«

Noch immer sagte Hunter nichts.

Alice wurde lebhafter. »Der springende Punkt ist doch der: Ich glaube kaum, dass der Täter sich *selbst* als Betrüger sieht. Er meint definitiv Derek, aber nicht in dessen Funktion als Staatsanwalt. Da muss es noch einen anderen Grund geben. Einen, auf den wir noch nicht gestoßen sind.«

»Sind Sie mit der Liste der Straftäter, die Derek Nicholson im Laufe seiner Karriere ins Gefängnis gebracht hat, schon weitergekommen?«, erkundigte sich Hunter.

»Bis jetzt noch nicht«, sagte Alice und stand auf. »Ich habe niemanden gefunden, der zu einer Tat solchen Ausmaßes fähig wäre, weder unter den entlassenen Straftätern noch unter den Angehörigen oder Freunden. Aber falls es ihn gibt, kriege ich ihn. Haben Sie was dagegen, wenn ich mir noch ein Bier hole?« Sie zeigte in Richtung Küche.

»Fühlen Sie sich ganz wie zu Hause.«

Alice öffnete Hunters Kühlschrank und runzelte die Stirn, als sie die gähnende Leere sah, die darin herrschte. »Wow, wovon ernähren Sie sich eigentlich? Proteinshakes, Scotch und ...« Sie ließ den Blick einmal rasch durch die Küche wandern. »Luft?«

»So essen Sieger«, gab Hunter zurück. »Wie sieht es mit denen aus, die Nicholson nicht ins Gefängnis gebracht hat? Die wegen eines Formfehlers oder aus anderen Gründen einer Haftstrafe entgangen sind? Was ist mit ihren Opfern? Denen, die vielleicht das Gefühl hatten, dass der Staat in seiner Pflicht versagt hat. Wäre es denkbar, dass sich einer von ihnen gerächt hat? Ist bekannt, ob Derek Nicholson jemals von einem dieser Leute für einen verlorenen Prozess verantwortlich gemacht wurde?«

Alice goss das neue Bier in ihr Glas und kehrte damit ins Wohnzimmer zurück. »Ich muss zugeben, dass ich noch keine Zeit hatte, das zu überprüfen. Aber verlassen Sie sich darauf, wenn es einen Zusammenhang zwischen dem Mord an Derek und einem seiner Fälle gibt, dann finde ich ihn.«

Hunter musterte Alice. Ihre gelassene, souveräne Art zu sprechen verriet ihm, dass ihr Selbstbewusstsein nicht nur Großspurigkeit und Angeberei war. Eine erstaunliche Tatsache, wenn man bedachte, dass sie für Bezirksstaatsanwalt

Bradley arbeitete – den großspurigsten, selbstverliebtesten Gesetzesvertreter in ganz Kalifornien. Nein, ihr Selbstvertrauen gründete sich auf mehr als hohle Worte. Es war buchstäblich ein Vertrauen in sich selbst und die eigenen Fähigkeiten.

»Das zweite Mordopfer …«, fragte Alice, bevor sie ihr Bierglas an die Lippen hob. »War das auch ein Anwalt oder Staatsanwalt?«

Hunter stand auf und trat ans Fenster. »Schlimmer. Ein Polizist beim LAPD.«

Alices Augen wurden groß vor Erstaunen, während sie sich in Gedanken die Konsequenzen auszumalen versuchte.

»Er hieß Andrew Dupek«, sagte Hunter.

»War er Detective?«

»Bis vor acht Jahren.«

Sie wollte trinken, hielt aber mitten in der Bewegung inne. »Was ist passiert?«

»Dupek hat in Inglewood einen Verdächtigen verfolgt und wurde in den Bauch geschossen. Das Ergebnis: eine kollabierte Lunge, ein Monat im Krankenhaus und dann ein halbes Jahr Beurlaubung. Danach konnte er nicht mehr im aktiven Dienst arbeiten, deswegen hat er einen Schreibtischjob im South Bureau angenommen.«

»Und wie lange hat er davor als Detective gearbeitet?«

Hunter konnte sehen, dass Alice mitdachte. »Zehn Jahre.«

Ein Leuchten trat in Alices Augen. Ihr schien derselbe Gedanke gekommen zu sein wie der, den Hunter einige Stunden zuvor gehabt hatte.

»Er und Derek könnten doch zusammen an einem Fall gearbeitet haben«, sagte sie. »Oder sogar an mehreren. Zehn Jahre sind eine lange Zeit. Da kann man viele Verbrecher fangen.«

Hunter sah das genauso.

»Derek war sechsundzwanzig Jahre lang Staatsanwalt.« Alice war kaum noch zu bremsen. »Da ist die Wahrscheinlichkeit doch groß, dass er mindestens einem Straftäter den Prozess gemacht hat, der von ... wie hieß er noch gleich?«

»Andrew Dupek.«

»Dupek verhaftet wurde.«

Auch dieser Schlussfolgerung konnte Hunter nicht widersprechen.

»Das könnte unsere erste richtige Spur sein. Vielleicht sogar der Durchbruch. Ich prüfe das nach. Mal sehen, was ich finden kann.«

Hunter sah auf die Armbanduhr. »Ja, aber nicht jetzt. Wir brauchen beide Schlaf.«

Alice nickte, machte allerdings keine Anstalten, aufzustehen. Ihr Blick ruhte auf Hunter. »Sie haben gesagt, es gibt eine zweite Skulptur.«

Hunter schwieg.

»Hatten Sie schon Gelegenheit, sie sich anzusehen? Gab es diesmal auch Schattenbilder?«

»Alice, haben Sie gehört, was ich gesagt habe? Wir brauchen Schlaf. Und Sie müssen wenigstens für ein paar Stunden aufhören, an den Fall zu denken.«

»Es gab welche, oder? Jetzt haben wir noch mehr Anhaltspunkte. Einen neuen Hinweis vom Mörder. Ein neues Schattenbild. Was stellt es dar?«

»Das wissen wir noch nicht«, log Hunter.

»Natürlich wissen Sie das«, widersprach Alice. »Warum wollen Sie es mir nicht sagen?«

»Weil Sie, wenn ich es Ihnen sage, nach Hause gehen, sich an Ihren Computer setzen und so lange im Internet surfen, bis Sie irgendwas ausgegraben haben. Und wir *brauchen Schlaf.* Das schließt *Sie* mit ein. Lassen Sie es gut sein. Genehmigen Sie Ihrem Hirn ein paar Stunden Ruhe, sonst sind Sie bald ausgebrannt.«

Alice schlenderte zum Sideboard, auf dem mehrere gerahmte Fotos standen. Sie griff nach dem Foto ganz rechts. Es zeigte einen jungen, strahlenden Hunter in schwarzer

Robe bei seiner College-Abschlussfeier. Neben ihm stand sein Vater, dessen Gesichtsausdruck keinen Zweifel daran ließ, dass er an diesem Tag der stolzeste Vater der Welt war. Sie betrachtete das Bild lächelnd und stellte es zurück aufs Sideboard, bevor sie sich zu Hunter umdrehte. »Du erinnerst dich überhaupt nicht mehr an mich, oder?«

33

Hunter zeigte keine Regung und sagte kein Wort. Sein Blick lag fest auf Alice. Er wollte sich erinnern, wusste aber nicht, wo in seinem Gedächtnis er suchen sollte.

Als er sie am Tag zuvor zum ersten Mal gesehen hatte, war ihm etwas an ihr sofort bekannt vorgekommen, auch wenn er nicht sagen konnte, was. Doch dann hatten sich die Ereignisse überschlagen, so dass er keine Gelegenheit mehr gehabt hatte, ihren Lebenslauf zu überprüfen. Er gab sich betont gelassen.

»Sollte ich denn?«

Alice warf ihre Haare zurück.

»Nicht unbedingt. Ich war nicht sonderlich bemerkenswert.«

Falls sie auf Anteilnahme oder Mitleid hoffte, war sie bei Hunter an der falschen Adresse.

»Du warst ein Wunderkind«, sagte sie. »Du warst auf der Mirman, einer Schule für Hochbegabte. Wenn ich mich richtig entsinne, hieß es über dich: ›Sein IQ ist jenseits des Messbaren‹. Und das selbst nach Wunderkind-Maßstäben.«

Hunter lehnte sich gegen die Fensterscheibe und spürte, wie ihm die Pistole ins Kreuz drückte.

Schon als Kind war Hunter aus der Masse der Gleichaltrigen herausgestochen. Er hatte Zusammenhänge immer viel schneller begriffen als andere, und während normale Schüler mit vierzehn Jahren auf die Highschool wechselten, war Hunter noch nicht einmal elf gewesen. Dementsprechend hatte es auch nicht lange gedauert, bis sein Schulleiter ihn an die Mirman School für Hochbegabte am Mulholland Drive verwiesen hatte.

»Aber für dich war nicht mal der Lehrplan einer Begabtenschule anspruchsvoll genug. Wie lange hast du für die Highschool gebraucht? Zwei Jahre?«

Langsam kehrte Hunters Erinnerung zurück. »Du warst auch auf der Mirman«, sagte er.

Alice nickte. »Du bist in meine Klasse gekommen, als du neu warst.« Sie lächelte. »Aber du bist nicht lange geblieben. Ein paar Monate später hattest du den Lehrplan des ganzen Schuljahres durch, und man hat dich in die nächsthöhere Klasse versetzt. Dir schien alles so leicht zu fallen, dass die Lehrer gar nicht wussten, was sie mit dir anfangen sollen. Also haben sie für dich aus vier Jahren Highschool zwei gemacht, stimmt's?«

Hunter zuckte bescheiden mit den Schultern.

»Ich weiß das, weil mein Vater Lehrer an der Schule war.«

Hunter betrachtete sie. Ihr Blick bekam etwas Melancholisches.

»Er hat Philosophie unterrichtet.«

»Mr Gellar?«, fragte Hunter. »Mr Anthon Gellar?« Plötzlich hatte er das Bild von ihr als Mädchen klar vor Augen – klein, pummelig, dunkle Haare, ein Gesicht voller Sommersprossen und eine blinkende Zahnspange. Ihm fiel ein, dass er sich ein paar Mal mit ihr unterhalten hatte. Er war vierzehn oder fünfzehn gewesen. Sie war unglaublich schüchtern gewesen, aber sehr klug und nett.

»Genau der«, sagte Alice. »Mr Gellar war mein Dad. Dann erinnerst du dich also noch an ihn?«

»Er war ein toller Lehrer.«

Alice sah auf ihre Füße. »Ich weiß.«
»Du hast jetzt die Haare anders.«
Alice lachte. »Ich bin schon vor über fünfzehn Jahren erblondet.«
»Und deine Sommersprossen sind weg.«
Sie sah Hunter geschmeichelt an, wie um zu sagen: *Du weißt also doch noch einiges!* »Nein, die sind noch da. Nur unter Sonnenbräune und Make-up versteckt. Aber die Zahnspange bin ich los, und ich habe ziemlich viel abgenommen.« Alice trank einen Schluck von ihrem Bier. »Mein Vater war immer so stolz auf dich. Ich glaube, du warst der beste Schüler, den er je hatte.«
Hunter schwieg.
»Ich habe gehört, du bist dann mit einem Stipendium nach Stanford gegangen. Wie nicht anders zu erwarten, hast du dein Studium natürlich auch im Schnelldurchlauf hinter dich gebracht. Mit dreiundzwanzig hattest du schon einen Doktor in Kriminal- und Biopsychologie.«
Noch immer kein Wort.
»Das ist wirklich beeindruckend, sogar für einen Schüler von der Mirman. Mein Vater hat immer gesagt, dass du eines Tages höchstwahrscheinlich Präsident der Vereinigten Staaten werden würdest. Oder Wissenschaftler. Aber in jedem Fall berühmt.« Sie trat von einem Fuß auf den anderen. »Aber du fandst es wohl spannender, verrückte Mörder zu jagen, was?«
Keine Antwort.
»Außerdem hast du fünf Jobangebote des FBI ausgeschlagen. Aber deine Dissertation ist nach wie vor Pflichtlektüre an der FBI-Akademie.« Sie hielt inne und betrachtete erneut das Foto von Hunters Abschlussfeier. »Ich bin nach der Mirman ans MIT gegangen.«
Die meisten Menschen wären stolz darauf gewesen. Das Massachusetts Institute of Technology gilt als die renommierteste und bekannteste Forschungsuniversität der USA,

wenn nicht gar der Welt. Alice hingegen schien beinahe peinlich berührt.

»Ich habe einen Doktor in Elektrotechnik und Informatik.«

»Und du fandst es wohl spannender, als Recherche-Spezialistin für die Bezirksstaatsanwaltschaft von L. A. zu arbeiten, was?«, versetzte Hunter.

Alice lachte leise. »Touché. In Wahrheit hatte ich irgendwann einfach keine Lust mehr, mich für die Regierung in fremde Computersysteme zu hacken. Das war vorher mein Arbeitgeber.«

»Geheimdienst?«

Jetzt war Alice diejenige, die eine Antwort verweigerte. Hunter bohrte nicht weiter nach.

»Mach dir nichts vor«, sagte er. »Du arbeitest immer noch für die Regierung.«

»Ja, stimmt«, räumte sie ein. »Aber das Ziel ist ein anderes.«

»Hehrer?«

Sie zögerte einen Moment. »Ja, so könnte man es wohl sagen.«

»Und du hackst dich nach wie vor in fremde Computersysteme«, sagte Hunter herausfordernd.

Alice neigte neckisch den Kopf zur Seite. »Gelegentlich. Es tut mir leid, deswegen weiß ich auch so viel über dich. Und darüber, was du nach der Mirman gemacht hast. Als Bezirksstaatsanwalt Bradley mir gesagt hat, dass ich mit einem Detective aus dem Morddezernat namens Robert Hunter zusammenarbeiten würde, waren auf einmal all die Erinnerungen an die Mirman wieder da. Ich war so neugierig, was du seitdem gemacht hast.«

»Du hast dich in die Datenbank des FBI gehackt?«, fragte Hunter. Dass er exakt *fünf* Jobangebote des FBI ausgeschlagen hatte, war keine Information, zu der die allgemeine Öffentlichkeit Zugang hatte.

»Sie haben nicht all ihre Akten durch die sichersten Algorithmen verschlüsselt«, sagte Alice. »Im Gegenteil, eigentlich sogar nur ganz wenige. Sich in ein fremdes System zu hacken ist nicht weiter schwer, wenn man weiß, wie es geht. Und sobald man drin ist, ist es nur noch eine Frage der Navigation.«

»Ich vermute mal, dass du ziemlich gut im Navigieren bist.«

Alice zuckte die Achseln. »Jeder ist gut in irgendwas.«

Hunter trank seinen Scotch aus. »Wie geht's deinem Vater?«

Ihre Augen wurden traurig. »Er lebt nicht mehr.«

»Das tut mir leid.«

»Ist inzwischen schon zehn Jahre her, dass er gestorben ist. Trotzdem danke.« Sie wandte sich ab, und ihr Blick blieb an einem anderen der gerahmten Bilder hängen: Hunter als Kind, zehn oder elf Jahre alt, schätzte sie. Kurze Hosen, knochige Knie, weißes T-Shirt, dünne Arme und glatte, zu lange Haare. Genau wie sie ihn in Erinnerung hatte. »Du warst früher ein Streber und dünn wie ein Strichmännchen. Dein Spitzname war ...«

»Zahnstocher«, half Hunter ihr aus.

»Stimmt. Mein lieber Mann, und jetzt hast du Muskeln wie der Hulk.« Sie musterte seine durchtrainierte Brust. »Was drückst du, das gesamte Fitnessstudio?«

Hunter sagte nichts.

»Weißt du«, meinte Alice mit einer leichten Neigung des Kopfes. »Eigentlich wundert es mich nicht, dass du zur Polizei gegangen bist.«

»Wieso nicht?«

Alice trank bedächtig einen Schluck von ihrem Bier. »Du hast dich immer schon für andere Leute eingesetzt. Anderen geholfen.«

Hunter sah sie fragend an.

»Mein bester Freund damals in der Schule war Steve MacKay. Erinnerst du dich noch an ihn? Dicke Brille, blonde

Locken, noch dünner und verklemmter als du. In der Schule haben sie ihn immer Schlabbernudel genannt.«

Hunter nickte. »Ja, ich erinnere mich.«

»Weißt du noch, wie du ihm einmal nach der Schule geholfen hast?«

Keine Antwort.

»Er war gerade auf dem Nachhauseweg. Er wohnte nur ein paar Straßen weiter. Plötzlich sind diese drei Jungs aufgetaucht und haben angefangen, ihn zu schubsen. Sie wollten seine neuen Tennisschuhe und sein Geld haben. Dann bist du aus dem Nichts aufgetaucht, hast einem von ihnen deine Faust ins Gesicht gedroschen und Steven zugerufen, er soll wegrennen.«

»Ja, das weiß ich noch«, sagte Hunter nach einer kurzen Pause.

Alice lächelte schief. »Sie haben dich grün und blau geprügelt. Was hast du dir nur dabei gedacht? Dass du es mit drei Jungs aufnehmen kannst, die viel größer und stärker sind als du?«

»Aber es hat doch geklappt. Mein Plan war, sie von dem Kleinen abzulenken, damit er abhauen konnte.«

»Und dann was?«

Hunter wandte den Blick ab. »Also schön, du hast recht, der Plan war nicht ganz ausgereift. Aber funktioniert hat er trotzdem. Ich wusste ja, dass ich die Prügel einstecken kann. Im Gegensatz zu diesem Steve.«

Auf einmal war Alices Lächeln voller Wärme. »Steve hat sich hinter einem Auto versteckt und alles beobachtet. Er hat gesagt, du hast dich einfach nicht unterkriegen lassen. Sie hatten dich am Boden, aber du bist wieder aufgestanden. Sie hatten dich noch mal am Boden, und du bist *wieder* aufgestanden, obwohl du geblutet hast. Steve hat gesagt, nach dem vierten oder fünften Mal haben die Jungs aufgegeben und sind abgehauen.«

»Ein Glück. Ich weiß nämlich nicht, wie lange ich das noch

durchgehalten hätte.« Hunter drehte den Kopf, so dass Alice sein linkes Ohr sehen konnte, und bog die obere Hälfte der Ohrmuschel herunter. »Die Narbe ist von der Prügelei. Sie haben mir fast das Ohr abgerissen.«

Alice betrachtete die wulstige Narbe. »Du warst in der Zwölften und hast dich für jemanden verprügeln lassen, den du nicht mal kanntest. Einen Jungen, der zwei Klassen unter dir war. Ganz ehrlich, ich kenne niemanden, der so was gemacht hätte.«

Hunter schwieg, und Alice wusste nicht recht, ob es ihm peinlich war oder nicht.

»Weißt du«, sagte sie schließlich. »Obwohl du ein Klappergestell und eine Streberleiche warst und dich angezogen hast wie ein gescheiterter Rockstar, waren viele der Mädchen an der Mirman total in dich verknallt.«

»Du auch?« Hunter fixierte sie mit einem fragenden Blick.

Alice biss sich auf die Unterlippe und sah weg. »Ich glaube, du hast recht. Wir brauchen beide Schlaf.« Sie leerte ihr Bier in einem langen Zug, nahm ihren Aktenkoffer und strebte zur Tür.

»Bis morgen im Büro«, sagte Hunter.

Die Antwort war ein Lächeln.

34

Captain Blake stand neben Garcia. Ihr Mund war halb geöffnet, ihr unerschrockener Blick fest auf die Schattenbilder an der Wand gerichtet. Es war das erste Mal, dass sie sie sah.

»Das ist doch ein schlechter Scherz«, sagte sie nach einem langen Schweigen.

Garcia erwiderte nichts.

»Sie wollen mir allen Ernstes weismachen, dass ein wahnsinniger Killer in das Haus eines Staatsanwalts eingedrungen ist, ihn in Stücke gehackt, seine Körperteile zusammengeschnürt und irgendein gottverdammtes Kunstwerk daraus gemacht hat, nur um damit die Schattenbilder von einem Hund und einem Vogel an die Wand zu projizieren?«

»Es sind ein Kojote und ein Rabe«, verbesserte Hunter, der soeben das Büro betrat. Er hatte es in der Nacht auf etwas mehr als vier Stunden Schlaf gebracht. Für ihn war das praktisch das Maximum.

»Was?« Captain Blake fuhr zu ihm herum. »Wovon reden Sie, zum Kuckuck noch mal? Und was spielt die Tierart dabei überhaupt für eine Rolle?«

»Auch Ihnen einen guten Morgen, Captain.«

Blake deutete erst auf die Nachbildung der Skulptur, dann auf die Schattenbilder an der Wand. »Sieht das für irgendjemanden hier nach einem guten Morgen aus?«

»Ein Kojote und ein Rabe?«, wiederholte Garcia und betrachtete die Schatten mit zusammengekniffenen Augen.

Hunter zog die Jacke aus und schaltete seinen Rechner ein.

»Wie hast du das rausgefunden?«, fragte Garcia.

»Nicht ich. Alice.«

Wie aufs Stichwort stieß Alice Beaumont die Tür auf und kam ins Büro gewirbelt. Genau wie tags zuvor hatte sie sich einen adretten Pferdeschwanz gebunden, allerdings wurde er diesmal durch eine teuer aussehende Designer-Sonnenbrille ergänzt, die in ihren Haaren steckte. Sie trug einen tadellos sitzenden hellgrauen Hosenanzug mit einer weißen Charmeuse-Bluse und eine dezente Halskette aus Gold.

Alle drehten sich zu ihr um.

Sie sah auf und blieb stehen, als sie die Blicke auf sich spürte. »Guten ... Morgen ... alle zusammen. Habe ich was falsch gemacht?«

»Ich habe den anderen nur gerade gesagt, dass du rausgefunden hast, dass es sich bei den Schattentieren um einen Kojoten und einen Raben handelt«, erklärte Hunter. »Vielleicht solltest du die Bedeutung dahinter erläutern.«

Garcia war so gespannt, dass er sich nicht einmal über die plötzliche Vetrautheit zwischen Hunter und Alice wunderte.

Alice stellte ihren Aktenkoffer neben ihrem provisorischen Schreibtisch ab und berichtete Captain Blake und Garcia, was sie in der vergangenen Nacht herausgefunden hatte. Als sie fertig war, herrschte eine Zeitlang nachdenkliche Stille.

»Macht Sinn«, befand Garcia schließlich.

Captain Blake verschränkte die Arme vor der Brust. Sie war nicht so leicht zu überzeugen.

»Ich sehe es so«, fuhr Alice fort. »Wenn der Täter Derek für einen Lügner hält und das als Anlass für eine derart grausame Racheaktion nimmt, dann muss das Ganze mit einem von Dereks Fällen zusammenhängen. Dereks Lüge muss schuld daran gewesen sein, dass jemand zu Unrecht ins Gefängnis gekommen ist oder vielleicht sogar zum Tode verurteilt wurde. Oder es war umgekehrt, so wie Robert gestern vorgeschlagen hat: Aufgrund von Dereks Lüge ist jemandem nicht die Gerechtigkeit widerfahren, die er in seinen eigenen Augen verdient hatte. Dieser Jemand fühlt sich vom Rechtssystem und insbesondere von Derek betrogen.«

Captain Blake wog noch immer alles ab. »Haben wir denn schon Namen? Gibt es irgendjemanden, den Derek Nicholson hinter Gitter gebracht hat, der auf die Theorie passen könnte?« Bei diesen Worten fixierte sie Alice mit einem stahlharten Blick.

»Noch nicht«, antwortete diese unerschrocken. »Aber wir werden welche haben, noch bevor der Tag zu Ende ist.«

»Sie meinen wohl, noch bevor der *Vormittag* zu Ende ist«, konterte Captain Blake postwendend. »Bezirksstaatsanwalt Bradley hat behauptet, Sie wären seine beste Mitarbeiterin – also seien Sie das gefälligst auch.« Sie warf eine Ausgabe der aktuellen *LA Times* auf Hunters Schreibtisch. Die Schlagzeile lautete KÜNSTLER DES TODES. POLIZIST ERMORDET UND ZERSTÜCKELT.

Hunter überflog den Artikel. Darin stand, dass die Kajüte von Dupeks Boot blutgetränkt gewesen sei, Dupeks kopf- und armlose Leiche auf einem Stuhl mit Blick zur Tür gesessen habe und die abgetrennten Gliedmaßen zu einem rätselhaften Gebilde zusammengefügt worden seien. Auch die laute Heavy-Metal-Musik erwähnte der Verfasser. Wichtige Details allerdings wurden nicht enthüllt.

»Die Fernsehausgabe der Story lief gestern Abend in den Spätnachrichten und heute Morgen schon wieder«, knurrte Captain Blake und begann im Raum hin- und herzumarschieren. »Praktisch das Erste, was ich heute nach dem Aufwachen erblickte, war ein Reporter nebst Fotograf, die beide praktisch vor meinem Haus zelten. Eins schwöre ich Ihnen, sobald ich weiß, welcher Officer am Tatort die Informationen an die Presse weitergegeben hat, darf der für den Rest seines Lebens die Gehwege der Stadt mit der Zunge säubern.«

»Ich glaube nicht, dass ein Cop die Story ausgeplaudert hat, Captain«, widersprach Hunter.

»Wer denn dann? Die Frau vom Boot nebenan, die die Leiche gefunden hat?«

Hunter schüttelte den Kopf. »Die war gestern Abend viel zu verstört, um mit irgendjemandem zu reden. Ich habe eine halbe Stunde gebraucht, um ein paar grundlegende Informationen aus ihr herauszubekommen. Ihr Unterbewusstsein war schon fleißig dabei, die Geschehnisse zu verdrängen. Das Einzige, woran sie sich erinnern konnte, war das Blut. Außerdem war die ganze Zeit ein Officer bei ihr, bis sie dann ein Beruhigungsmittel bekommen hat und eingeschlafen ist. Sie hat mit keinem Reporter gesprochen.«

»Aber irgendjemand schon.«

»Wahrscheinlich der Wachmann, der gestern Abend an der Marina Dienst hatte.« Hunter griff nach seinem Notizbuch. »Ein Mr Curtis Lodeiro. Fünfundfünfzig Jahre alt, wohnhaft in Maywood. Als Jean Ashman von Dupeks Boot kam, ist sie in ihrer Panik zum Wärterhäuschen der Marina gelaufen. Von da aus hat sie die Polizei alarmiert, und Lodeiro ist derweil zum Boot gegangen, um sich ein Bild von der Lage zu machen. Er hat viel mehr vom Tatort gesehen als sie.«

»Traumhaft. Ich hatte heute Morgen schon den Bezirksstaatsanwalt an der Strippe, noch bevor ich überhaupt aus dem Bett aufgestanden war. Nach ihm hat gleich Dupeks Captain angerufen und danach der Polizeichef. Wenn jetzt auch noch die Presse anfängt, wie hungrige Köter überall rumzuschnüffeln, dann haben wir bald Alarmstufe Rot. Alle wollen Ergebnisse sehen, und zwar unverzüglich. Falls der Killer auf Aufmerksamkeit aus war, hat er sein Ziel erreicht: Jeder Cop in der Stadt will sein Blut sehen.«

35

Alice angelte sich die Zeitung von Hunters Schreibtisch und las den Artikel.

»Das sind doch alles reine Mutmaßungen«, meinte sie und brach damit das grimmige Schweigen, das sich über den Raum gesenkt hatte. »Mehr nicht. Es gibt zwei Fotos, eine Außenaufnahme vom Boot und ein Bild von Andrew Dupek. Was fehlt, sind Zeugenaussagen, irgendwelche Kommentare von Detectives oder Interviews. Die Einzelheiten, wenn man sie überhaupt als solche bezeichnen kann, sind bestenfalls dürftig.«

»Vielen Dank, dass Sie das Offensichtliche aussprechen«, sagte Captain Blake und funkelte Alice an. »Mutmaßungen hin oder her, das ändert nichts an der Tatsache, dass die Geschichte an die Öffentlichkeit gelangt ist. Viel fehlt nicht, und wir haben eine Panik am Start. Dazu brauchen die Leute keine Beweise. Alles, was sie brauchen, ist ein Artikel in der Zeitung oder ein Beitrag im Fernsehen. Jetzt schreien alle nach Antworten, und der Fall soll am besten schon gestern gelöst sein.«

Dem konnte Alice nichts entgegenhalten. Sie wusste selbst, dass Blake recht hatte. Sie hatte es oft genug bei Gerichtsprozessen erlebt: Verteidiger stellten vor den Geschworenen Behauptungen auf, obwohl sie genau wussten, dass die Gegenpartei Einspruch erheben, der Richter dem Einspruch stattgeben und die Bemerkung folglich aus dem Protokoll gestrichen würde. Aber das machte keinen Unterschied. Gesagt war gesagt. Ob die Bemerkung nachträglich aus dem Protokoll getilgt wurde oder nicht, die Geschworenen hatten sie gehört. Mehr war oft nicht nötig, um ihre Gedanken in die gewünschte Richtung zu lenken.

Captain Blake wandte sich an Hunter. »Also gut, klären Sie mich auf, Robert. Wenn Sie mit diesen Schattenbildern richtigliegen, dann bedeutet das doch, dass Dupeks Boot uns neue Hinweise geliefert haben muss.«

Hunter sah Garcia an, der vor der Pinnwand stand und die neuen Tatortfotos in einzelne Gruppen ordnete.

»Hat es auch«, sagte er.

Captain Blake und Alice traten näher und betrachteten aufmerksam jedes Foto, das Garcia an die große weiße Pinnwand heftete. Die Aufnahmen zeigten die Kajüte, das Blut an den Wänden und auf dem Fußboden, die Leiche auf dem Stuhl, Dupeks Kopf auf dem Tisch und die Skulptur auf der Frühstückstheke.

»Gott im Himmel!«, stieß Alice hervor und legte die Finger an die Lippen. Doch trotz ihres Entsetzens war sie zu gebannt, um wegzuschauen.

Blake nahm sich die Bilder der Reihe nach vor. Ihr geübter Blick registrierte jedes Detail. Eigentlich war sie der Überzeugung gewesen, dass sie in ihrer langen Laufbahn jede noch so hässliche Facette von Mord und Verbrechen gesehen hatte, die Ereignisse der letzten drei Tage allerdings hatten ganz neue Maßstäbe gesetzt. Das Böse schien keinerlei Schwierigkeiten zu haben, sich immer wieder neu zu erfinden.

Ganz zum Schluss richtete sie ihre Aufmerksamkeit auf die Fotos der neuen Skulptur aus scheinbar wahllos zusammengesetzten blutverschmierten Armen, Händen und Fingern.

»Hat der Täter diesmal auch wieder Draht und Sekundenkleber benutzt?«, fragte Alice, die mit zusammengekniffenen Augen das Foto ganz rechts betrachtete.

»Ja, hat er«, bestätigte Garcia.

»Aber diesmal gab es keine Botschaft an der Wand.«

»Dazu bestand kein Anlass«, sagte Hunter. »Die Botschaft in Derek Nicholsons Schlafzimmer hatte nichts mit der Tat an sich zu tun. Der Täter ist nur einer spontanen Eingebung gefolgt.«

»Okay, das verstehe ich. Aber warum?«, hakte Alice nach. »Aus welchem Grund hat er überhaupt so eine Botschaft hinterlassen? Nur um die Seele einer armen jungen Frau zu zerstören?«

»Die Botschaft war nicht ausschließlich an die Pflegerin gerichtet.«

Alice war perplex. »Wie bitte?«

»Nein. Sie war gleichzeitig auch für uns gedacht.«

»Was?« Endlich riss sich Captain Blake von der Pinnwand los. »Robert, wovon reden Sie da?«

»Entschlossenheit, Zielstrebigkeit, Hingabe.« Mehr sagte Hunter nicht.

»Reden Sie ruhig weiter, Superhirn«, ermunterte Captain Blake ihn. »Ich gebe schon Bescheid, wenn mir ein Licht aufgeht.«

Hunter war den bissigen Tonfall seiner Chefin gewohnt.

»Damit wollte uns der Täter auf seine Art zu verstehen geben, dass er durch nichts aufzuhalten ist«, erklärte er. »Und dass er, wäre er von einer vollkommen unschuldigen Person gestört worden und hätte diese Person sein Ziel in irgendeiner Weise gefährdet, sie ebenfalls getötet hätte. Ohne Reue. Ohne Skrupel. Ohne Zögern.«

»Das sagt uns, dass der Mord an Derek Nicholson alles andere als willkürlich war«, nahm Garcia den Faden auf. »Robert hat es eben schon angesprochen – Zielstrebigkeit. Und ein Ziel hatte unser Killer auf jeden Fall: Derek Nicholson zu töten und seine Gliedmaßen zu einer makabren Skulptur zu verarbeiten. Die Pflegerin zu töten gehörte nicht zu seinem Plan, also hat er sie verschont, weil sie ihm nicht in die Quere gekommen ist. Was anders gewesen wäre, wenn sie Licht gemacht hätte.«

»Und die Botschaft verrät uns noch etwas anderes, überaus Wichtiges«, fiel Hunter ein. »Nämlich dass diesen Täter so schnell nichts aus der Ruhe bringt.«

»Wieso?«, fragte Alice.

»Eben *weil* er die Pflegerin verschont hat.« Hunter trat ans Fenster, nahm die Arme nach hinten und streckte seinen steifen Rücken durch. »Als der Mörder gehört hat, wie die Pflegerin mitten in der Nacht zurück ins Haus kam, war er besonnen genug, um mit dem, was er gerade tat, aufzuhören, das Licht in Nicholsons Schlafzimmer zu löschen und abzuwarten. Ihr Schicksal lag in ihren eigenen Händen, nicht in seinen.«

»Wohingegen die meisten Täter, wären sie von einem Unbeteiligten überrascht worden, entweder in einem Anfall von Panik den Zeugen getötet hätten«, nun war bei Blake der Groschen gefallen, »oder aber sie wären vom Tatort geflohen, ohne ihr Werk zu vollenden.«

»Korrekt. Die Botschaft an der Wand war nicht geplant. Sie war ein spontaner Einfall. Aber der Täter hat sie als Chance gesehen, uns ... seine Entschlossenheit zu demonstrieren, ungeachtet der verheerenden Wirkung auf Melinda.« Hunter entriegelte das Fenster und öffnete es. »Anfangs war uns das nicht klar, weil wir nicht wissen konnten, dass er erneut töten würde.«

»Der Kerl ist sehr selbstsicher, und er scheut sich nicht, uns das auch zu zeigen«, sagte Garcia, während er das letzte Foto an die Pinnwand heftete. »Gestern Abend hat er uns keine Botschaft hinterlassen, sondern uns stattdessen eine Kostprobe seines Humors gegeben.«

»Der Heavy-Metal-Song, den er auf der Anlage hat laufen lassen«, sagte Blake.

Alice schauderte. »Das stand im Artikel. Was hatte es damit auf sich?«

»Der Täter hat die Stereoanlage auf Dupeks Boot eingeschaltet – auf volle Lautstärke«, erläuterte Garcia. »Es lief immer wieder derselbe Song, in Endlosschleife.«

»Und inwiefern sagt das was über seinen Sinn für Humor aus?«, fragte Alice kopfschüttelnd.

»Der Song, den der Mörder ausgesucht hat, ist schon etwas älter. Er heißt ›Falling to Pieces‹«, klärte Hunter sie auf.

»Der Refrain handelt von jemandem, der in Stücke zerfällt und will, dass jemand kommt und ihn wieder zusammensetzt«, fügte Garcia hinzu.

Das musste Alice erst mal verdauen.

»Mit anderen Worten, er macht sich über uns lustig«, sagte Captain Blake und lehnte sich gegen Garcias Schreibtisch. Ihre Stimme und ihr Blick waren voller Wut. »Nicht nur ist unser Täter wahnsinnig genug, um einen Staatsanwalt und einen Polizisten des LAPD zu töten, er ist außerdem noch so dreist, uns mit Botschaften an der Wand, zweideutigen Liedern, Skulpturen aus dem Fleisch seiner Opfer und Schattenbildern zu provozieren. Er macht einen gottverdammten Zirkus aus dem Fall.« Ihre Augen loderten. »Und *wir* sind die Clowns.«

Niemand antwortete.

Alice hatte sich zwischenzeitlich wieder der Pinnwand gewidmet. »Was habt ihr gesehen, als ihr sie angestrahlt habt?« Sie zeigte auf eins der Fotos von der neuen Skulptur. »Ich weiß, dass ihr diesmal nicht darauf wartet, dass das Labor eine Nachbildung anfertigt, also habt ihr es gestern Abend gleich an Ort und Stelle überprüft, stimmt's?«

»Ja.«

»Und? Was haben Sie gesehen?« Diesmal kam die Frage von Captain Blake. »Die vier Reiter der Apokalypse?«

Garcia ging zu seinem Schreibtisch zurück, griff nach einem braunen Papierumschlag und zog ein einzelnes Foto heraus. Er drehte es um und hielt es für alle gut sichtbar in die Höhe.

»Das hier.«

36

Garcia ging zur Pinnwand und heftete das neue Foto unter die anderen.

Als folgten sie einer Choreographie, reckten Captain Blake und Alice genau zeitgleich die Hälse und kniffen die Augen zusammen.

»Wir haben bei der neuen Skulptur eine lichtstarke Tatortlampe verwendet, um die Schatten an die Wand zu werfen«, führte Hunter aus. »Auf die Weise konnten wir ohne Blitzlicht fotografieren. Es hat ein bisschen gedauert, bis wir den richtigen Winkel gefunden hatten – obwohl uns der Täter sogar gezeigt hat, wie wir die Skulptur betrachten müssen. Er hat einen entsprechenden Hinweis am Tatort hinterlassen.«

Weder Captain Blake noch Alice schienen Hunters Worte Beachtung zu schenken. Sie wirkten, als hätten sie die Welt um sich herum komplett vergessen. Für sie gab es nichts mehr bis auf das Foto, das Garcia gerade an der Pinnwand befestigt hatte.

Captain Blake war die Erste, die den Mund aufmachte. Sie sprach langsam, und in ihrer Stimme schwang Ratlosigkeit mit. »Und was zum Geier soll das darstellen?«

Hunter verschränkte die Arme vor der Brust und betrachtete das Bild, das ihm, seit er es am vergangenen Abend zum ersten Mal gesehen hatte, nicht mehr aus dem Kopf gegangen war. »Wonach sieht es denn in Ihren Augen aus, Captain?«

Blake holte tief Luft. Andrew Dupeks zusammengeschnürte Arme – Handgelenkinnenseite an Handgelenkinnenseite, die Hände geöffnet und nach außen gebogen, wie um einen Ball zu fangen – warfen einen Schatten an die Wand, der einem verzerrten Kopf ähnelte. Die gebrochenen Daumen waren nach oben verbogen und sahen aus wie krumme Hörner.

»Wie der Kopf irgendeines gehörnten Monsters oder so. Ein Teufel vielleicht.« Blake verengte die Augen noch weiter und betrachtete kopfschüttelnd die Schatten der vier Figuren, die der Täter aus den jeweils zu zweit gebündelten abgetrennten Fingern geformt hatte. Ihr fehlten die Worte. Das Geschick, mit dem der Täter die Finger zurechtgeschnitten und sie dann relativ zur Lichtquelle platziert hatte, war in gewisser Weise faszinierend. Das Werk eines kranken Genies. Wenn das Licht das Ensemble aus einem ganz bestimmten Winkel traf, sahen die Schatten der zwei aufrechten Fingerpaare aus wie stehende Menschen im Profil. Die Schatten der zwei liegenden Fingerpaare wiederum ähnelten zwei Menschen, die übereinander am Boden lagen.

»Und was macht der Teufel?«, wollte Captain Blake wissen. »Er starrt vier Menschen an? Zwei stehende und zwei liegende?«

Hunter zuckte die Achseln. »Wir sehen nicht mehr als Sie, Captain.«

Captain Blake wurde unruhig. »Wunderbar! Und dieser ganze Kokolores bedeutet was genau?«

»Noch ein Rätsel im Rätsel«, sagte Garcia und kehrte an seinen Schreibtisch zurück.

»Wir wissen es noch nicht, Captain«, musste Hunter einräumen. »Wir hatten noch keine Zeit, das Bild zu analysieren und mögliche Analogien zu recherchieren. Es liegt uns erst seit gestern Abend vor, schon vergessen?«

»Der Schatten, der wie ein Kopf mit Hörnern aussieht, könnte den Täter repräsentieren«, überlegte Alice und lenkte damit die allgemeine Aufmerksamkeit auf sich. Sie zeigte auf das Foto. »Deswegen ist er auch viel größer als die anderen. Der Kopf mit den krummen Daumen, die wie Hörner aussehen, symbolisiert doch ganz eindeutig das Böse. Vielleicht glaubt der Täter, dass er von einem Dämon besessen ist oder so ähnlich.« Sie hob die Schultern und betrachtete den Rest des Bildes. »Und man könnte es so deuten, dass er auf die vier anderen Figuren herabschaut, weil sie seine ...« Ihre Stimme verebbte, und sie erschauerte, als fürchte sie sich vor dem Gedanken, der ihr soeben gekommen war.

»Opfer sind«, beendete Hunter ihren Satz.

Captain Blake hätte sich um ein Haar verschluckt. »Einen Moment mal. Sie meinen, dass dieses neue Rätsel, dieses neue Schattenbild, möglicherweise den Killer und seinen Plan darstellen soll?« Sie klang nach wie vor leicht genervt.

Hunter hob die Hände in einer »Wer weiß«-Geste. »Wie gesagt, Captain, wir wissen es noch nicht.«

»Aber es wäre doch plausibel, oder?«, beharrte Alice. »Vielleicht ist das auch die Erklärung dafür, dass zwei der Figuren schon am Boden liegen. Sehen Sie?« Sie trat näher an das Foto heran und deutete auf die betreffende Stelle. »Das könnten seine beiden Opfer sein: Derek Nicholson und Andrew Dupek. Vielleicht will er uns mitteilen, dass er noch mindestens zwei weitere Opfer im Visier hat. Sie haben das doch eben selbst angesprochen, oder?« Die Frage war an Captain Blake gerichtet. »Sie haben gesagt, der Killer sei dreist genug, die Ermittler mit Botschaften und Rocksongs und Skulpturen und Schattenbildern zu provozieren. Warum also sollte er nicht auch dreist genug sein, uns mitzuteilen, dass er noch zwei Menschen töten will? Wir wissen ja, dass es ihm an Selbstbewusstsein nicht mangelt. Wir wissen, dass er vermessen ist.« Sie tippte mit dem Zeigefinger auf den Schatten, der aussah wie ein Kopf mit Hörnern. »Wir wissen, dass er denkt, niemand könnte ihn stoppen.«

Captain Blake hob die Hand, um Alice am Weitersprechen zu hindern. »Langsam, Professor Sonnenschein. Gestern bei der ersten Skulptur haben Sie noch darüber nachgedacht, ob der Täter eventuell wahnsinnig genug sein könnte, sich für Gott zu halten. Und jetzt hat er auf einmal seine Meinung geändert und teilt uns stattdessen mit, dass er der Teufel ist? Das personifizierte Böse? Wir trampeln hier quer durchs ganze Gemüsebeet.«

»Ich bin mir ziemlich sicher, es bereits erwähnt zu haben«, unterbrach Hunter sie, und diesmal war sein Tonfall deutlich strenger, »aber wir wissen noch nicht, was diese Schattenbilder zu bedeuten haben, Captain. Bislang ist alles Spekulation auf der Basis unserer eigenen Fantasie. Es kann gut sein, dass auch die Interpretation der ersten Skulptur falsch ist. Wir haben keine Möglichkeit, es zweifelsfrei festzustellen.«

»Dann finden Sie eine«, blaffte Captain Blake, die sich bereits auf dem Weg zur Tür befand. »Liefern Sie mir was Konkreteres als Spekulationen.« Sie sah Alice missbilligend an. »Und Sie machen sich besser sofort an die Liste, Miss Top-Rechercheurin-des-Bezirksstaatsanwalts.« Damit rauschte sie hinaus und ließ die Tür hinter sich zuknallen.

Einen Sekundenbruchteil später klingelte das Telefon auf Hunters Schreibtisch. Er griff nach dem Hörer.

»Detective Hunter«, sagte er und lauschte etwa zehn Sekunden lang, bevor er so heftig die Stirn runzelte, dass seine Augenbrauen fast aneinanderstießen. »Ich komme runter.«

37

Das berühmte Parker Center hatte seit 1954 als Hauptquartier des Los Angeles Police Department gedient. Im Jahr 2009 war die gesamte Abteilung aus den alten Räumlichkeiten in der North Los Angeles Street Nummer 150 in ein neues, fünfundvierzigtausend Quadratmeter großes Gebäude unmittelbar südlich des Rathauses umgezogen. Das neue Police Administration Building beherbergt über zehn verschiedene Abteilungen des LAPD, unter anderem die Sitte, die Abteilung für Jugendkriminalität, die Abteilung für Wirtschaftsverbrechen, das Drogendezernat sowie das Raub- und Morddezernat. Insofern ist es nicht weiter verwunderlich, dass es in der Empfangshalle vor Menschen – in Uniform wie in Zivil – nur so wimmelt.

Hunter hatte sie schnell entdeckt. Olivia Nicholson saß in einer der zahlreichen fest installierten Reihen aus Plastikschalensitzen in der Nähe der gläsernen Eingangstür. Sie trug ein konservatives schwarzes Rüschenkleid aus Chiffon zu schwarzen hochhackigen Pumps und stach damit aus der Masse wesentlich derber aussehender Menschen hervor wie ein heller Laserstrahl. Ihre überdimensionierte Sonnenbrille saß hoch oben auf ihrer zierlichen Stupsnase.

»Ms Nicholson.« Hunter streckte ihr zur Begrüßung die Hand hin.

Sie erhob sich, ergriff die dargebotene Hand jedoch nicht. »Detective, können wir reden?«, fragte sie mühsam beherrscht.

»Selbstverständlich.« Hunter ließ die Hand sinken und sah sich rasch in der Lobby um. »Kommen Sie mit, ich finde ein ruhiges Plätzchen für uns.« Er lotste sie durchs Getümmel, öffnete mit Hilfe seiner Chipkarte ein elektronisches Drehkreuz und führte sie tiefer ins Gebäude hinein. Als sie den Lift betraten, schob sich Olivia die Sonnenbrille nach oben in die langen blonden Haare. Ihre Augen waren noch immer gerötet – zu viele Tränen und zu wenig Schlaf. Make-up kaschierte die dunklen Ringe unter ihren Augen, trotzdem sah man ihr die Erschöpfung an. Die Ungewissheit darüber, wer ihren Vater ermordet hatte, fraß an ihren Reserven, das war nur allzu deutlich.

Hunter drückte auf den Knopf für den ersten Stock, in dem der Saal für die Pressekonferenzen und die Besprechungszimmer lagen. Angesichts der Foto-Pinnwand, der Nachbildung der Skulptur und der herumliegenden Fallakten kam ihr Büro als Ort für ein Gespräch definitiv nicht in Betracht. Die Vernehmungsräume in der zweiten Etage mit ihren Metalltischen, kahlen Wänden und großen Spiegeln waren zu beklemmend. Der Saal für die Pressekonferenzen oder einer der kleineren Konferenzräume stellten die wesentlich bessere Wahl dar.

Schweigend fuhren sie im Fahrstuhl nach oben. Dort angekommen, traten sie in einen langen, breiten und hell erleuchteten Gang. Hunter ging voran und probierte die Tür des ersten Besprechungszimmers. Sie war unverschlossen, das Zimmer leer. Er schaltete das Licht ein und bat Olivia herein.

»Was kann ich für Sie tun, Ms Nicholson?«, fragte er und deutete auf einen der fünf Stühle, die um den kleinen rechteckigen Tisch gruppiert waren.

Olivia setzte sich nicht. Stattdessen öffnete sie den Reißverschluss ihrer Handtasche, zog eine Ausgabe der Morgenzeitung hervor und legte sie auf den Tisch. »Hat er mit meinem Vater dasselbe gemacht?« Ihre unteren Augenränder sahen so aus, als würden jeden Augenblick die Tränen überquellen. »Hat der, der ihn getötet hat, aus seinen Gliedmaßen auch so eine widerwärtige Skulptur gemacht?«

Hunter ließ die Arme locker herunterhängen. Er sprach betont ruhig. »In dem Artikel geht es nicht um den Mord an Ihrem Vater.«

»Aber um einen ganz ähnlichen Mord«, gab Olivia zurück, und ihre Stimme war scharf wie ein Messer. »Einen Mord, in dem Sie, diesem Artikel zufolge, ermitteln. Stimmt das?«

Hunter hielt ihrem Blick stand. »Ja.«

»Bezirksstaatsanwalt Bradley hat mir versichert, dass alle ihr Bestes tun, um das Monster dingfest zu machen, das ins Haus meines Vaters eingedrungen ist. Er hat mir versichert, dass die Detectives, die den Fall bearbeiten, die besten in der Abteilung sind und dass sie sich *ausschließlich* mit dem Mord an meinem Vater befassen. Die einzig logische Erklärung ist also, dass es zwischen den zwei Morden eine Verbindung gibt.« Sie forschte in Hunters Miene nach einer Antwort, fand aber keine. »Bitte beleidigen Sie nicht meine Intelligenz, indem Sie behaupten, dass die Fragen über Bildhauerei, die Sie mir und meiner Schwester vorgestern gestellt haben, mit einem Metallstück von einer Skulptur zusammenhängen, das Sie angeblich im Haus meines Vaters gefunden haben.«

Hunters Miene gab nichts preis. Trotzdem wusste er, dass er aufgeflogen war. »Bitte, Ms Nicholson, setzen Sie sich doch.« Diesmal zog er ihr eigenhändig einen Stuhl zurecht. Das war Phase eins im Umgang mit emotional labilen Personen: einfache, leicht zu befolgende Handlungsanweisungen geben, um den Betroffenen die Angst zu nehmen. Wenn möglich, die Person dazu bringen, sich hinzusetzen, denn im Sitzen sind sowohl Körper als auch Geist entspannter als im Stehen.

»Bitte«, beharrte Hunter.

Endlich gab Olivia nach.

Hunter ging zum Wasserspender in der Ecke, füllte zwei Plastikbecher mit eisgekühltem Wasser und trug sie zum Tisch zurück, bevor er Olivia gegenüber Platz nahm.

Phase zwei sieht vor, dem Betreffenden etwas zu trinken anzubieten. Das kurbelt den Stoffwechsel an, und der Organismus bekommt etwas zu tun, das ihn von einer drohenden Panikattacke ablenkt. Darüber hinaus ist ein kaltes Getränk an einem heißen Tag angenehm erfrischend.

Hunter nahm als Erster einen Schluck von seinem Wasser. Kurz darauf folgte Olivia seinem Beispiel.

»Falls Sie den Eindruck gewonnen haben, ich hätte Sie und Ihre Schwester angelogen, bitte ich um Entschuldigung«, begann Hunter, stets auf Blickkontakt bedacht. »Das war bestimmt nicht meine Absicht.«

»Aber das mit dem Bruchstück von einer Skulptur im Schlafzimmer meines Vaters war doch ganz eindeutig eine Lüge.« Olivia klang tief verletzt.

Hunter nickte. »Die Einzelheiten einer Tat zu kennen oder zu wissen, zu welchen Grausamkeiten ein gestörter Mörder fähig ist, hat noch niemandem dabei geholfen, mit seiner Trauer fertig zu werden. Oft tritt das genaue Gegenteil ein, Ms Nicholson, das können Sie mir glauben. Ich habe es oft genug erlebt. Die Fragen, die ich Ihnen und Ihrer Schwester an dem Tag stellen musste, waren schon schwer genug für Sie. Es bestand kein Grund, es noch schlimmer zu machen. Ihre Antworten wären nicht anders ausgefallen, wenn ich Ihnen die Wahrheit über die Skulptur gesagt hätte.«

Olivia trank erneut von ihrem Wasser, stellte den Becher dann auf den Tisch und hielt den Blick darauf gerichtet. Offenbar wollte sie genau nachdenken, bevor sie weitersprach. »Was war es?«, fragte sie schließlich.

Hunter sah sie an, als verstehe er nicht, was sie meinte.

»Was war das für eine Skulptur? Was hat er aus den ...« Sie konnte den Satz nicht zu Ende bringen. In ihren Augen glitzerten Tränen.

»Es ließ sich nicht näher identifizieren«, antwortete Hunter. »Irgendein formloses Gebilde.«

»Hatte es irgendeine Bedeutung?«

Das Letzte, was Hunter wollte, war Olivias Leiden noch weiter zu vergrößern, aber er sah keinen anderen Ausweg. Er musste schon wieder lügen. Er durfte die Ermittlungen nicht gefährden, und es gab keine Beweise, dass das, was Alice herausgefunden hatte, tatsächlich der wahren Bedeutung der Schattenbilder entsprach. »Falls ja, haben wir keine Ahnung, welche.«

38

Olivia sah Hunter forschend ins Gesicht. Fünf lange Sekunden blickten ihre großen grünen Augen in seine, bevor sie zu dem Schluss kam, dass er die Wahrheit sagte. Sie griff nach ihrem Becher, führte ihn aber nicht zum Mund. Es war lediglich eine nervöse Geste, damit ihre Hände nicht so zitterten. Viel half es nicht.

»Ich konnte die letzten Tage nicht schlafen«, gestand sie. Sie wandte den Blick ab und fixierte eine Stelle an der Wand. »Wach zu liegen ist immer noch besser, als die Augen zu schließen und die Träume zu ertragen.«

Hunter sagte nichts. Er bezweifelte, dass es Olivia ein Trost wäre, wenn sie wüsste, dass es ihm schon fast sein ganzes Leben so ging.

»Wir wussten, dass Dad nicht mehr lange zu leben hatte, und so schwer das auch für uns war, Allison und ich waren darauf vorbereitet.« Sie schüttelte den Kopf, und ihre Unterlippe zitterte. »Dachte ich zumindest. Offenbar habe ich mich getäuscht. Und dann noch auf diese Weise zu erfahren, was wirklich passiert ist …« Sie schob Hunter die Zeitung hin und sagte nichts mehr.

»Noch einmal, es tut mir leid«, beteuerte Hunter, ohne die Zeitung anzusehen. »Ich musste eine Entscheidung treffen. Und das habe ich getan, auf der Grundlage meiner Erfahrungen im Umgang mit den Hinterbliebenen von Mordopfern.« Er sagte dies in sanftem Tonfall und ohne jede Herablassung.

Darauf schien Olivia anzusprechen. »Was gestern passiert ist ...« Ihr Blick glitt zur Zeitung, dann zurück zu Hunter. »Gibt es da wirklich einen Zusammenhang?«

Durch ihre Frage zwang sie Hunter zu einer Antwort, die er ihr sowieso nicht ewig hätte vorenthalten können.

»Nach unserem bisherigen Kenntnisstand scheint es so, dass beide Verbrechen von demselben Täter verübt wurden, ja«, antwortete er, um dann rasch hinterherzuschieben: »Sie haben den Artikel ja offensichtlich gelesen.« Er deutete mit einem Nicken auf die Zeitung.

»Ja.«

»Sagt Ihnen der Name Andrew Dupek irgendwas?«

»Nein«, antwortete sie mit einem leichten Kopfschütteln.

»Sie erkennen ihn auf dem Zeitungsfoto nicht wieder?«

»Als ich den Artikel heute Morgen gelesen habe, habe ich mir dieselbe Frage gestellt, Detective.« Abermals wandte Olivia den Blick ab. »Weder sein Name noch sein Gesicht kommen mir bekannt vor. Falls mein Vater ihn gekannt hat, hat er ihn mir gegenüber nie erwähnt. Und ich kann mich definitiv nicht daran erinnern, ihn schon mal gesehen zu haben.«

Hunter nahm dies mit einer leichten Neigung des Kopfes zur Kenntnis.

Olivia trank ihr Wasser aus, dann fixierte sie Hunter mit einem beschwörenden Blick. »Sie haben noch nicht viel in der Hand, oder, Detective?« Sie zögerte ganz kurz. »Und bitte belügen Sie mich nicht schon wieder.« Ihre Stimme kippte.

Hunter zögerte, weil er überlegte, was er ihr sagen sollte. Olivias bange Erwartung schwirrte wie eine elektrische Ladung in der Luft. »Im Moment haben wir mehrere Hinweise, die wir noch auswerten müssen. Aber wir machen Fortschritte«, versicherte er ihr. »Viel mehr als das kann ich Ihnen wirklich nicht sagen, es tut mir leid. Ich hoffe, Sie haben dafür Verständnis.«

Einen langen, unangenehmen Moment saß Olivia einfach nur da und schwieg. »Detective. Ich weiß, dass nichts jemals meinen Vater zurückbringen kann, aber die Vorstellung, dass dieses Monster, das ihn getötet hat, vielleicht noch da draußen ist und weiter mordet ... und dass es vielleicht nie seine gerechte Strafe bekommen wird – dieser Gedanke ist unerträglich für mich. Bitte lassen Sie das nicht zu.«

39

Es war Vormittag, und es gab keinen Zweifel, dass ihnen ein weiterer heißer Tag bevorstand. Wolkenlos blauer Himmel vereinte sich mit strahlendem Sonnenschein, und trotz der frühen Stunde war die Hitze schon fast drückend. Die Klimaanlage in Garcias Auto lief auf Hochtouren, als er und Hunter zum Rechtsmedizinischen Institut fuhren. Dr. Hove hatte die Obduktion von Andrew Dupeks Leiche abgeschlossen.

Hunter saß schweigend auf dem Beifahrersitz, den Ellbogen gegen den Türgriff gelehnt, das Kinn auf der Faust. Obwohl es den Anschein machte, als beobachte er das Chaos des morgendlichen Verkehrs, war er mit den Gedanken ganz woanders. Olivias gefühlsgeladene Worte gingen ihm nicht aus dem Kopf. Ihr Schmerz war für ihn genauso real wie für sie und ihre Schwester.

Wenige Wochen nachdem Hunter seinen Doktortitel in Kriminal- und Biopsychologie verliehen bekommen hatte, wurde sein Vater, der in Downtown Los Angeles in einer Filiale der Bank of America als Wachmann arbeitete, während eines verpfuschten Banküberfalls in die Brust geschossen.

Zwölf Wochen lang lag er schwerverletzt im Koma, und während der ganzen Zeit wich Hunter ihm nicht von der Seite. Er glaubte fest daran, dass seine Gesellschaft, der Klang seiner Stimme und seine Berührung seinem Vater helfen würden, die Kraft zum Weiterleben zu finden. Er irrte sich.

Zwei der Bankräuber waren in der Bank erschossen worden, den drei übrigen Mitgliedern der Bande jedoch war die Flucht gelungen. Man hatte sie nie gefasst.

Das Wissen, dass die Mörder seines Vaters nie für ihre Tat zur Rechenschaft gezogen worden waren, schmeckte noch immer bitter und sorgte dafür, dass der Schmerz Jahr um Jahr lebendig blieb. Er wollte nicht, dass Olivia und Allison Nicholson dasselbe widerfuhr.

»Alles klar?« Garcias Frage riss Hunter aus seinen Gedanken.

Hunter brauchte eine Weile, um den Blick vom Verkehr loszureißen und seinen Partner anzusehen. »Ja, ja. Ich war bloß ...«

»In Gedanken?« Garcia nickte. »Alles klar.« Er lächelte und überlegte kurz. »Weißt du, je länger der Mörder sich am Tatort aufhält, desto größer ist doch das Risiko, dass er entdeckt wird. Es wäre also eigentlich logisch anzunehmen, dass er keine Sekunde länger bleibt als unbedingt nötig.«

Hunter nickte.

»Aber diese Skulpturen mit ihren Schattenbildern – die sind nicht das Werk eines Amateurs. Ich habe noch nie so was Detailliertes gesehen. Er hat die abgetrennten Gliedmaßen nicht einfach irgendwie zurechtgeschnitzt und verbogen und dann gehofft, dass das Ergebnis stimmt. Er muss vorher geübt haben, und zwar lange.«

»Daran habe ich keinen Zweifel.«

»Aber womit? Dummys?«

»Was weiß ich, Carlos«, erwiderte Hunter. »Vielleicht hat er sich Modelle aus Draht oder Pappmaché oder Gips gebaut. Er hätte auch ganz normale Spielzeugpuppen mit gelenkigen Gummiarmen und -beinen benutzen können. Die gibt's in jedem Kaufhaus.«

»Soll heißen, der Typ sitzt zu Hause und spielt mit Puppen, bevor er rausgeht und seine Opfer in Stücke hackt? Diese Stadt hier ist echt am Arsch.«

»Die ganze Welt ist am Arsch«, korrigierte Hunter ihn.

»Wir haben endlich Andrew Dupeks Akte bekommen. Liegt auf dem Rücksitz.« Garcia deutete mit einer raschen Kopfbewegung nach hinten.

»Schon einen Blick reingeworfen?«

»M-hm. Steht genau dasselbe drin wie in der Akte jedes anderen Detectives, die ich bisher gelesen habe. Dupek ist in El Granada in San Mateo County in Nordkalifornien geboren. Da hat er gelebt, bis er zwölf oder dreizehn war oder so. Dann sind seine Eltern nach Los Angeles gezogen. Sein Vater war Finanzbuchhalter, er hat hier unten eine bessere Stelle bekommen. Seine Mutter war Hausfrau und fleißige Kirchgängerin.«

Sie kamen an eine rote Ampel. Hunter lehnte sich nach hinten und angelte sich die Akte vom Rücksitz.

»In der Schule war Dupek eher durchschnittlich. Nicht der beste Schüler, aber auch nicht der schlechteste. Obwohl er in Maywood gewohnt hat, ist er in Bell auf die Highschool gegangen. Er hat nie das College besucht. Hat nach der Schule erst mal ein paar Jahre gejobbt, bevor er sich dann entschloss, zur Polizei zu gehen. Hat eine Weile gebraucht, um es bis zum Detective zu schaffen.«

»Zwölf Jahre«, las Hunter aus der Akte vor. »Ist viermal durch die Prüfung gerasselt.«

»Er ist Witwer. Keine Kinder.«

Hunter nickte und las weiter. »Er hat mit sechsundzwanzig geheiratet. Seine Frau ist keine drei Jahre später gestorben.«

»Ja, das habe ich auch gelesen. Irgendein seltener Herzfehler, der nie diagnostiziert wurde.«

»Kardiomyopathie«, bestätigte Hunter. »Eine Erkrankung des Herzmuskels. Danach hat er nie wieder geheiratet.«

»Soweit sich der Akte entnehmen lässt, war er ein guter Cop«, meinte Garcia, legte den Gang ein und bog links in die North Mission Road ab. »Hat als Detective jede Menge Gesindel aus dem Verkehr gezogen. Und dann ist ihm das passiert, wovor jeder Cop Angst hat. Er war in Inglewood hinter irgendeinem gewalttätigen Kleinkriminellen her und hat sich dabei eine Kugel eingefangen.« Garcia schüttelte den Kopf. »Armes Schwein. In Brasilien würde man sagen, er wurde mit dem Arsch voller Chilipulver in der prallen Sonne geboren.«

Carlos Garcia war in São Paulo als Sohn eines brasilianischen Bundesbeamten und einer amerikanischen Geschichtslehrerin geboren worden. Im Alter von zehn Jahren war er nach dem Scheitern der Ehe seiner Eltern mit seiner Mutter nach Los Angeles übergesiedelt. Obwohl er den Großteil seines Lebens in den USA verbracht hatte, sprach Garcia Portugiesisch wie ein waschechter Brasilianer, und er reiste noch immer alle paar Jahre in das Land seiner Geburt.

Hunter sah seinen Partner an und schnitt eine Grimasse. »Wie bitte? Was soll denn das bedeuten?«

»Das bedeutet, dass jemand ein chronischer Pechvogel ist. In Dupeks Fall trifft das ja wohl zu.«

»Im Ernst? Und was sagt man in Brasilien zu einem Glückspilz? Dass er mit gezuckertem Hintern im Mondschein geboren wurde?«

»Woher weißt du das?« Garcia war ehrlich beeindruckt.

»Du nimmst mich auf den Arm.«

»Nein, das ist so ziemlich die wortgetreue Übersetzung.«

»Interessante Analogie«, war alles, was Hunter als Erwiderung einfiel. Die nächsten paar Seiten in Dupeks Akte waren eine Zusammenfassung seiner letzten Fälle.

»Sein Captain meinte, er sei ein Gewohnheitstier gewesen«, sagte Garcia. »Hat jedes Jahr exakt zur selben Zeit Urlaub genommen – in den ersten zwei Sommerwochen. Er ist immer alleine mit seinem Boot rausgefahren und hat geangelt. Für das Boot hat er seine gesamten Ersparnisse aufgebraucht. Sein Captain meinte, es sei quasi seine Altersvorsorge gewesen.«

»Keine Freundin, keine Lebensgefährtin.« Hunter war noch immer in die Akte vertieft. »Nächste Angehörige sind ein Onkel und eine Tante, die noch in El Granada leben.«

»Ja. Sein Captain wollte sich mit ihnen in Verbindung setzen.«

Hunter suchte in der Akte nach Dupeks Privatadresse – ein Apartment in East L. A. Auf dem Boot hatten sie weder Handy noch Laptop, Adressbuch, Terminplaner oder Ähnliches gefunden, und Dupeks Captain zufolge lag keiner dieser Gegenstände auf Dupeks Schreibtisch. Die Festplatte seines Dienstrechners enthielt keinerlei private Dateien. Die dienstlichen E-Mails wurden noch überprüft. Hunter hoffte, dass die Durchsuchung von Dupeks Wohnung verwertbare Hinweise liefern würde. Er klappte die Akte zu und warf sie auf die Rückbank, gerade als Garcia auf den Parkplatz des Rechtsmedizinischen Instituts einbog.

40

Alice Beaumont druckte die nächste Seite aus und legte sie zu den Dutzenden von anderen Seiten auf den Boden. Für die Dauer von Hunters und Garcias Abwesenheit hatte sie das Büro in ihren privaten kleinen Recherche-Himmel verwandelt.

Sie hatte einen flüchtigen Versuch unternommen, herauszufinden, was die Schattenbilder der zweiten Skulptur bedeuteten, aber eine dreiviertelstündige Suche im Internet hatte nichts zutage gefördert, was auch nur im Entferntesten ihr Interesse erregt hätte. Anders als bei den ersten Schattenbildern gab es diesmal keine mythologische Interpretation, die auf das gesamte Ensemble gepasst hätte. Wenn sie das Bild in seine Bestandteile zerlegte, ließ sich der gehörnte Kopf mit beliebigen Teufelsdarstellungen in Verbindung bringen, allerdings war damit immer noch nicht die Bedeutung der vier kleineren Figuren geklärt, die der Täter aus Dupeks abgetrennten Fingern angefertigt hatte.

Alice wollte weitermachen, wusste aber, dass die Priorität im Moment woanders lag: Sie musste die Liste der Straftäter durcharbeiten, denen Derek Nicholson im Laufe seiner Karriere den Prozess gemacht hatte. Wenn es ihr gelänge, irgendeine Verbindung zu einem Fall zu finden, in dem Dupek ermittelt hatte, entweder als Detective oder später im South Bureau, dann würde ihnen das den Ansatzpunkt liefern, nach dem sie so händeringend suchten.

Alice ließ sich zwischen ihren Ausdrucken auf dem Fußboden nieder. Dann begann sie zu lesen und das Material in Gruppen zu je zwei, drei, vier, manchmal auch fünf Seiten neu zu ordnen.

An diesem Morgen war sie mit ihrem eigenen Laptop ins Büro gekommen. Sie hatte so eine Ahnung gehabt, dass sie einige der leistungsstarken Programme auf ihrer Festplatte brauchen würde, und sie hatte sich nicht getäuscht. Hunter hatte ihr aufgetragen, bei ihrer Suche nach entlassenen, geflohenen oder auf Bewährung freigekommenen Straftätern fünf, notfalls auch zehn Jahre zurückzugehen. Das waren viel zu viele Namen und Akten, um sie alle einzeln zu lesen. Wenn sie dann noch Andrew Dupeks Fälle hinzunahm und die Liste der Opfer, die Nicholson möglicherweise für verlorene Prozesse verantwortlich machten, würde sie mindestens eine Woche brauchen, um die Unterlagen durchzuarbeiten. Aber genau hier kamen ihre Computerkenntnisse ins Spiel.

Das Erste, was Alice tat, nachdem Hunter und Garcia sich verabschiedet hatten, war, eine kleine Anwendung zu schreiben, die die Textdateien nach bestimmten Namen, Schlagwörtern und Phrasen durchsuchen konnte. Die Anwendung war sogar in der Lage, einzelne Akten gemäß einer ganzen Reihe verschiedener Kriterien miteinander zu verknüpfen. Das Problem war nur, dass bei weitem nicht alle Akten digital vorlagen. Etwa die Hälfte existierte nur in Papierform. Einfach eine Liste der alten Fälle zusammenzustellen war nicht weiter schwierig, selbst wenn diese Liste sechsundzwanzig Jahre in die Vergangenheit reichte. Die eigentlichen Fallakten jedoch wurden erst seit etwa fünfzehn Jahren systematisch digitalisiert. Zwar bemühte man sich bei der Bezirksstaatsanwaltschaft von Los Angeles, ältere Fälle so schnell wie möglich in die Datenbank einzupflegen, aber die schiere Flut an Material sowie der chronische Personalmangel hatten zur Folge, dass der Prozess nur äußerst schleppend voranging. Dasselbe galt für das LAPD und Dupeks Akten.

Doch bislang machte Alice mit dem, was sie hatte, sehr gute Fortschritte. Ihr selbstgeschriebenes Programm hatte bereits sechsundvierzig Dokumente markiert. Allerdings hatte sie immer noch Dupeks Fälle vor sich.

41

Hunter zog den Atemschutz über Nase und Mund und stellte sich rechts neben einen der beiden Sektionstische im Speziellen Sektionssaal 1. Garcia stand dicht hinter ihm, die Arme vor der Brust verschränkt und die Schultern nach vorn gebeugt, als wollte er sich vor einem eisigen Wind schützen.

Wie immer war der Raum trotz der sommerlichen Wärme

draußen zu kalt; trotz des grellen Lichts der OP-Lampen und Halogenröhren zu düster; und zu makaber, mit seinen Tischen und Arbeitsflächen aus rostfreiem Stahl, der klinischen Reinheit, dem Wabengeflecht aus Kühlzellen und der abschreckenden Auslage laserscharfer Schneidinstrumente.

»Die Maske ist nicht nötig, Robert«, sagte Dr. Hove, und der Schatten eines Lächelns zuckte um ihre Mundwinkel. »Es besteht kein Infektionsrisiko, und eigentlich riecht die Leiche auch nicht.« Sie zögerte, während die ihre Worte überdachte. »Vielleicht ein bisschen.«

Jede Leiche riecht aufgrund der natürlichen Zersetzung des Gewebes und des rasanten Bakterienwachstums, das nach dem Tod einsetzt. Allerdinge hatte dieser Geruch Hunter noch nie gestört. Alle Leichen wurden vor der Sektion gründlich gewaschen, danach war der Geruch kaum noch wahrnehmbar.

»Ihnen ist schon klar, dass Ihr Geruchssinn so tot ist wie ein Brathähnchen, oder, Doc?«, gab Hunter zurück, während er sich ein Paar Latexhandschuhe überstreifte.

»Mein Mann sagt mir das jedes Mal, wenn ich koche.« Erneut lächelte die Rechtsmedizinerin, um dann die Aufmerksamkeit der beiden Detectives auf die zwei Sektionstische zu lenken. Auf dem einen lag Dupeks verstümmelter Torso, auf dem anderen sein Kopf neben den abgetrennten Gliedmaßen. Diesen Tisch nahm sich Dr. Hove als Erstes vor.

»Die offizielle Todesursache war Herzversagen aufgrund des Blutverlusts. Genau wie bei unserem ersten Opfer.«

Hunter und Garcia nahmen dies mit einem Nicken zur Kenntnis. Hove fuhr fort.

»Ich habe die Schnittmarken mit denen beim ersten Opfer verglichen. Sie stimmen überein. Der Täter hat dasselbe Schneidinstrument benutzt.«

»Das elektrische Tranchiermesser?«, fragte Garcia.

Dr. Hove nickte. »Aber diesmal ist der Täter ein wenig anders vorgegangen.«

»Inwiefern?«, fragte Hunter und ging um den Tisch herum.

»Er hat sich die Zeit genommen, die Blutung ordnungsgemäß zu stillen. Die Amputation der Füße trägt alle Merkmale einer korrekt ausgeführten Syme-Exartikulation.«

»Einer was?«, fragte Garcia.

»Das ist eine Methode zur Amputation des Fußes im Sprunggelenk, benannt nach James Syme«, klärte Dr. Hove ihn auf. »Syme war im neunzehnten Jahrhundert Professor für klinische Chirurgie an der University of Edinburgh. Er hat eine Methode zur Fußamputation entwickelt, die heute noch Anwendung findet. Wie auch immer – die Schnitte gehen sauber durch die Knöchelgelenke. So wie bei einer Syme-Exartikulation vorgesehen, wurden die großen Blutgefäße durchstochen und ligiert. Jedenfalls so gut wie möglich, man darf ja nicht vergessen, dass der gesamte Eingriff in einer Bootskajüte und ohne OP-Team stattfand. Normalerweise werden kleinere Blutgefäße während des Eingriffs elektrokauterisiert, aber damit hat sich der Täter nicht aufgehalten. Entweder weil er nicht die entsprechenden Gerätschaften zur Verfügung hatte oder ...«

»Weil dazu keine Notwendigkeit bestand«, beendete Hunter den Satz. »Er wusste ja, dass das Opfer innerhalb weniger Stunden, vielleicht Minuten, tot sein würde. Er wollte bloß verhindern, dass er zu viel Blut auf einmal verliert und ihm sofort wegstirbt.«

»Dem würde ich zustimmen«, sagte Hove. »Die Füße wurden definitiv als Erstes amputiert. Der Täter hat den Stumpf mit einem Kompressionsverband aus Mull umwickelt, der von einem elastischen Fixierstrumpf gehalten wurde. Saubere Arbeit.«

»Sauber im Sinne von professionell?«, fragte Garcia.

»Das muss man wohl so sagen, ja. Aber vorher hat er die Wunden noch mit Cayennepfeffer bestäubt.«

»Cayennepfeffer?« Garcia zog die Brauen zusammen. Er überlegte kurz. »Ach du meine Güte!«

Sofort erinnerte sich Hunter an den seltsamen beißenden Geruch, der ihm in der Kajüte in die Nase gestiegen war. Er war sich sicher gewesen, ihn schon einmal gerochen zu haben, allerdings hatte er ihn zu dem Zeitpunkt nicht identifizieren können. »Der Cayennepfeffer hat nicht dazu gedient, die Schmerzen zu vergrößern«, sagte er. Er hatte sofort verstanden, was sein Partner vermutete, konnte seinen Verdacht jedoch zerstreuen. »Sondern um die Blutung zu stillen.«

»Wie bitte?«

»Robert hat recht«, bestätigte Dr. Hove. »Cayennepfeffer wird seit langem als natürliches Heilmittel eingesetzt. Genauer gesagt als Blutgerinnungsmittel.«

Garcias Blick glitt zu Dupeks abgetrennten Füßen auf dem Sektionstisch. »So wie Kaffeepulver?«

»Ja, Kaffeepulver hat eine ganz ähnliche Wirkung«, sagte Dr. Hove. »Beide Stoffe reagieren mit dem Körper und regulieren den Blutdruck, so dass der Blutfluss im Wundbereich vermindert wird. Ist der Blutdruck erst einmal ausgeglichen, koaguliert das Blut in der Regel recht schnell. Es ist eine traditionelle Methode, aber wirkungsvoll. Die Verbände wurden bereits zur Analyse ins Labor geschickt.«

»Hat der Täter sich bei den anderen Amputationen auch so viel Mühe gegeben?«, wollte Garcia wissen.

Dr. Hove neigte den Kopf zur Seite und verzog den Mund. »Im Wesentlichen schon. Die Arterien und Hauptvenen in den Armen wurden ebenfalls mit einem dicken Faden ligiert, allerdings wurden die Wunden nicht verbunden, falls Sie sich noch daran erinnern. Und anders als bei den Fußamputationen wurde hier auch kein Cayennepfeffer eingesetzt, um die Blutgerinnung zu beschleunigen. Aber insgesamt hat der Täter durch seine Maßnahmen mit Sicherheit das Ausbluten des Opfers verzögert.«

»Tox-Ergebnisse gibt es wohl noch nicht?«, fragte Hunter.

»Nein, das dauert noch. Morgen oder übermorgen vielleicht. Meine Vermutung ist, dass wir dieselben herzschlagregulierenden Präparate finden werden, die der Täter schon seinem ersten Opfer verabreicht hat.«

Hunter vermutete dasselbe, trotzdem war da etwas an Hoves Verhalten, das ihn misstrauisch machte. Irgendetwas schien ihr sehr zuzusetzen. »Gibt es sonst noch was?«, fragte er ins Blaue hinein.

Dr. Hove holte tief Luft und vergrub die Hände in den Taschen ihres langen, weißen Kittels. »Sie wissen, dass ich schon lange in der Rechtsmedizin arbeite, Robert. Und wenn man in einer Stadt wie L. A. Rechtsmedizinerin ist, gewöhnt man sich schnell daran, mehr oder weniger täglich mit dem Schlimmsten konfrontiert zu werden, was die menschliche Natur zu bieten hat. Aber eins sage ich Ihnen hier und jetzt: Wenn es so was gibt wie das absolute Böse oder einen Dämon in Menschengestalt, dann ist es dieser Mörder. Ganz im Ernst, es würde mich nicht wundern, wenn Sie bei seiner Verhaftung feststellen, dass er Hörner hat.«

Die Worte ließen Hunter und Garcia innehalten. Wie ein immer wiederkehrender Alptraum erschien das Schattenbild der Skulptur aus Dupeks Kajüte vor ihrem inneren Auge.

»Warten Sie mal.« Garcia hob die Hand, bevor er einen flüchtigen, beunruhigten Blick mit Hunter tauschte. »Wie kommen Sie denn auf so was, Doc?«

Die Rechtsmedizinerin drehte sich um. »Ich zeige es Ihnen.«

42

Alice war gerade mit einer weiteren Akte fertig und sah auf die Uhr. Sie las nun schon seit dreieinhalb Stunden, und noch immer hatte sie keine Spur gefunden, die weiterzuverfolgen sich gelohnt hätte. Achtunddreißig der sechsundvierzig Dokumente, die ihr selbstgeschriebenes Programm markiert hatte, war sie bereits durchgegangen.

Kopfschüttelnd und mit mürrischem Blick beäugte sie die zwei noch unberührten Kartons voller Akten, die auf ihrem Schreibtisch standen. Diesmal hatte sie sich übernommen, das stand fest. Um bis zum Abend sämtliche Unterlagen durchzuarbeiten, hätte sie ein ganzes Team von Leuten und noch ein oder zwei Programmierer gebraucht. Vielleicht sollte sie stattdessen lieber einen weiteren Versuch machen, etwas über die Bedeutung des neuen Schattenbilds herauszufinden. Womöglich hätte sie damit mehr Erfolg.

Alice goss sich eine frische Tasse Kaffee ein und ließ sich gegen die Wand sinken. Dabei blieb ihr Blick einen Moment lang an der Pinnwand hängen. Die Grausamkeit der Bilder jagte ihr einen Schauer über den Rücken. Wie konnte jemand so abgrundtief böse sein? So krank? Und trotzdem noch intelligent genug, solche Skulpturen und Schattenbilder auszutüfteln? Intelligent genug, sich Zugang zu einem fremden Haus oder Boot zu verschaffen, dort sein Opfer stundenlang zu quälen, es in Stücke zu schneiden und dann unerkannt zu verschwinden? Ohne irgendwelche Spuren zu hinterlassen – mit Ausnahme derjenigen, von denen er wollte, dass die Polizei sie findet?

Alice zwang sich, den Blick abzuwenden, und verjagte die Bilder aus ihrem Kopf. Sie konzentrierte sich wieder auf die Dokumentenberge zu ihren Füßen. Auf den Deckblättern der Akten waren jeweils die Fallnummer sowie der Name des Angeklagten beziehungsweise Verurteilten vermerkt. Sie starrte eine Weile grübelnd darauf und wog ihr weiteres Vorgehen ab. Sie hatte bereits einige der Fälle überflogen, an deren Ermittlungen Dupek entweder als Detective oder in anderer Funktion beteiligt gewesen war. Bei der Mehrzahl der Verhafteten handelte es sich um Gang-Mitglieder, Schläger, Diebe und ganz gewöhnliche Kleinkriminelle. Personen, die – zumindest ihrer Auffassung nach – auf keinen Fall als der gesuchte Mörder in Frage kamen. Sie bezweifelte, dass sie dort eine Verbindung finden würde. Allerdings hatte sie mit der Liste der Opfer, die möglicherweise Derek Nicholson und dem Staat Kalifornien für einen verlorenen Prozess die Schuld gaben, noch nicht einmal angefangen.

Sie trank zu hastig von ihrem Kaffee und verbrühte sich den Gaumen. Dann erstarrte sie plötzlich. Ihr war soeben eine Idee gekommen, gerade *weil* es scheinbar keine Verbindungen zwischen den Listen gab.

Auf ihrem Computer rief Alice das Programmierfenster ihrer selbstgeschriebenen Anwendung auf. Ein paar kleine Modifikationen hier und da, schon hätte sie ein neues, verbessertes Suchprogramm. Sie brauchte dreißig Minuten, um alle Änderungen vorzunehmen. Mit Hilfe ihres Sicherheitsschlüssels konnte sie ihrem neuen Programm erlauben, auf die Datenbank der Bezirksstaatsanwaltschaft zuzugreifen. Hunter hatte ihr außerdem ein Passwort gegeben, mit dessen Hilfe sie sich Zugang zur Datenbank des LAPD und der Nationalen Verbrecherdatenbank verschaffen konnte.

Während das Programm arbeitete, wandte sich Alice wieder ihren Akten zu. Das Programm musste sich in zwei verschiedene Datenbanken auf zwei unterschiedlichen Servern einklinken und sie durchsuchen. Es war damit zu rechnen, dass der Vorgang eine ganze Weile dauern würde.

Die ersten Ergebnisse lagen nach einer guten halben Stunde vor. Vierunddreißig Namen. Alice rief die Zusammenfassungen der dazugehörigen Fallakten auf und druckte sie aus. Sie ging sie einzeln durch und machte sich beim Lesen am Rand Notizen. Bei der vierundzwanzigsten angekommen, spürte sie plötzlich, wie ihr kalt wurde. Sie ließ das Blatt sinken und suchte rasch unter den restlichen Dokumenten nach dem zweiten Fall, den ihr Programm mit Nummer vierundzwanzig verknüpft hatte. Als sie ihn gefunden hatte, schnappte sie überrascht nach Luft, und es war, als führe ein eisiger Wind in ihre Lungen.

»Na, wenn das nicht interessant ist.«

43

Dr. Hove lenkte Hunters und Garcias Aufmerksamkeit erneut auf den Sektionstisch mit Dupeks Gliedmaßen.

»Der Kopf wurde als Letztes vom Rumpf abgetrennt«, sagte sie, trat näher und drehte Dupeks Kopf herum, so dass die große Wunde an der linken Wange sichtbar wurde. »Hier kann man sehen, wie der Täter sein Opfer überwältigt hat. Ein einzelner, sehr heftig ausgeführter Schlag ins Gesicht. Vermutlich mit einem schweren Metallgegenstand oder einer dicken hölzernen Schlagwaffe; ein Rohr oder ein Baseballschläger oder Ähnliches.«

Garcia drehte den Kopf hin und her, als wäre ihm sein Kragen zu eng.

»Sein Kiefer ist an drei Stellen gebrochen«, fuhr Dr. Hove fort und deutete auf das aus der Haut ragende, etwa fünf Millimeter breite Fragment der Mandibula, das Hunter bereits in der Kajüte aufgefallen war. »Knochensplitter haben ihm den Mundinnenraum aufgeschnitten. Einige sind wie Nägel ins Zahnfleisch eingedrungen. Er hat durch den Schlag insgesamt drei Zähne verloren.«

Von den anderen unbemerkt, fuhr sich Garcia mit der Zunge über die eigenen Zähne und unterdrückte ein Schaudern.

»Die Spurensicherung hat alle drei Zähne in der Kajüte sichergestellt«, merkte Dr. Hove an.

»Durch den Schlag ins Gesicht hat er also das Bewusstsein verloren?«, fragte Hunter.

»Ganz genau. Aber im Gegensatz zum ersten Opfer, das praktisch ans Bett gefesselt und seinem sadistischen Peiniger hilflos ausgeliefert war, hätte sich dieses Opfer, sofern bei vollem Bewusstsein, problemlos zur Wehr setzen können. Für sein Alter und in Anbetracht der Tatsache, dass einer seiner Lungenflügel nicht mehr voll funktionstüchtig war, befand er sich in guter körperlicher Verfassung.« Dr. Hove deutete auf die abgetrennten Körperteile. »Die Muskeln in seinen Armen und Beinen waren gut ausgebildet, vermutlich hat er regelmäßig Sport getrieben. Sich fit gehalten.«

»Aber es gibt keine sichtbaren Fesselmarken an den Handgelenken oder irgendwo sonst an den Armen.« Hunter beugte sich vor und betrachtete die Körperteile auf dem Tisch ein wenig genauer.

»Das stimmt«, räumte die Rechtsmedizinerin ein. »Die Spurensicherung hat auch nichts gefunden, was darauf hindeuten würde, dass das Opfer an den Stuhl gefesselt war oder auf irgendeine andere Art fixiert wurde.«

»Soll das etwa heißen ...«, klinkte sich Garcia ins Gespräch ein, »... dass das Opfer während der gesamten Prozedur bewusstlos war?«

»Normalerweise wäre das die logische Schlussfolgerung.«

Hunter bemerkte das Zögern in Hoves Stimme. »Normalerweise?«

»Der Schlag ins Gesicht hat ihn definitiv bewusstlos gemacht, aber ohne Betäubung hätten die Schmerzen dafür gesorgt, dass er wieder zu sich kommt, sobald der Täter mit dem Schneiden anfängt.«

»Also muss er betäubt gewesen sein«, schlussfolgerte Garcia.

»Davon wäre ich – zumindest bis zum Vorliegen der Tox-Ergebnisse – ausgegangen. Wenn das hier nicht gewesen wäre ...« Sie deutete auf ein etwa sieben Zentimeter langes Knochenfragment, das auf dem Sektionstisch neben Dupeks Kopf lag.

Hunter betrachtete es. Seine Kopfhaltung drückte leichte Besorgnis aus. »Wirbelknochen?«

»Halswirbelknochen«, präzisierte Dr. Hove.

»Was?« Garcia beugte sich vor, um besser sehen zu können.

»Ein Teil der Halswirbelsäule«, sagte Hunter.

»Und was bedeutet das?«

Dr. Hove wandte sich an Garcia. »Also gut, ich versuche es zu erklären, ohne allzu weit auszuholen. Das hier sind die Wirbel C5 bis C7.« Sie wies erneut auf die Knochenfragmente. »Die Halswirbelsäule besteht aus den Wirbeln C1 bis C7 und befindet sich im oberen Teil der Wirbelsäule.« Sie berührte Garcias Nacken, um ihm die Position im menschlichen Körper zu veranschaulichen. »C1 ist der erste Halswirbel, direkt unterhalb Ihrer Schädelbasis, und C7 ist der letzte, im unteren Bereich des Nackens – da, wo der Rücken anfängt. Dies ist ein extrem empfindlicher Teil der Wirbelsäule, und jede Verletzung kann Lähmungserscheinungen zur Folge haben. Was für welche das sind, hängt wesentlich davon ab, wo die Verletzung sich befindet. Je näher am Schädel, desto sensibler die Stelle und desto umfassender die Lähmung. Können Sie mir bis hierhin folgen?«

Garcia nickte wie ein Kind in der Schule.

»Befindet sich die Verletzung ganz oben, in der Region von C1, C2 oder C3, kann sie Tetraplegie hervorrufen – Lähmung und Taubheit der Nerven vom Hals abwärts –, es gibt dann keinerlei sensible und motorische Funktion unterhalb des Halses mehr. Aber bei einer Tetraplegie kann auch das Atmen beeinträchtigt sein, und wenn das der Fall ist, führt sie ohne die Hilfe eines Atemgeräts rasch zum Tod.«

Hunter spürte sein Herz schneller schlagen, als ihm klar wurde, worauf Dr. Hove hinauswollte.

»Eine Schädigung an und unterhalb von C4, in der Mitte der Halswirbelsäule« – erneut berührte sie Garcias Nacken – »kann Tetraplegie mit vollständigem Verlust der Sensibilität verursachen, allerdings kommt es hier nur selten zu einer Einschränkung der Atemfunktion.« Sie hielt inne, als müsse sie die Bedeutsamkeit ihrer Worte erst abwägen. »Der Grund, weshalb dieses Stück der Wirbelsäule hier liegt, ist folgender: Beim Enthaupten des Opfers wurde die Wirbelsäule unterhalb von C7 durchtrennt, also im unteren Nackenbereich. Als ich mir aber Kopf und Nacken genauer angesehen habe, habe ich festgestellt, dass zusätzlich das Rückenmark direkt unterhalb von C4 durchtrennt worden war. Das Opfer wurde vom Hals abwärts paralysiert. Es hatte im Großteil seines Körpers keinerlei Empfindung mehr.«

Garcia spürte, wie ihm kalter Schweiß den Rücken hinabrann. »Moment mal, Doc. Wollen Sie sagen, der Mörder hat absichtlich eine Lähmung herbeigeführt?«

»Genau das hat er getan.«

»Wie?«

»Ich zeige es Ihnen.«

Dr. Hove griff Dupeks Kopf und drehte ihn um, so dass sie den Nacken betrachten konnten. Etwa sieben Zentimeter unterhalb der Schädelbasis war ein frischer horizontaler Schnitt von etwa zweieinhalb Zentimetern Breite zu erkennen.

»Der Täter hat ihm im unteren Nacken mit einem scharfen Messer in den Hals gestochen und so das Rückenmark durchtrennt.«

»Das ist nicht Ihr Ernst.« Garcias Magen krampfte sich zusammen.

»Ich fürchte doch. Ich sagte ja bereits, in meinen Augen ist dieser Killer das leibhaftige Böse – ein Teufel in Menschengestalt. Wer um alles in der Welt würde sich so was Krankes ausdenken?«

»Stickman«, sagte Hunter.

Die anderen beiden sahen ihn an, als wäre er ein Außerirdischer.

»Das nennt man Stickman«, erklärte Hunter. »Eine Foltermethode, die von einigen sadistischen Einheiten im Vietnamkrieg praktiziert wurde. Natürlich nicht so präzise wie hier. Die Soldaten haben ihrem Opfer einfach ein Messer in den Rücken gerammt und das Rückenmark an einer beliebigen Stelle durchtrennt. Manchmal war das Ergebnis eine Lähmung vom Hals abwärts, manchmal waren nur die Beine betroffen, aber das war egal. Es bedeutete, dass das Opfer sich nicht mehr wehren konnte.«

»Du willst ja wohl nicht behaupten, dass unser Täter Vietnam-Veteran ist, oder?«, fragte Garcia.

»Ich sage nur, dass die Technik an sich nicht neu ist.«

»Weil das Rückenmark relativ dicht unter der Hautoberfläche liegt« fuhr Hove fort, »muss der Schnitt nicht mal besonders tief sein. Zwei, drei Zentimeter tiefer, und der Täter hätte die Luftröhre durchtrennt. Dann wäre das Opfer fast augenblicklich tot gewesen.«

»Du liebe Zeit. Dann besteht wohl endgültig kein Zweifel mehr, dass der Täter über medizinisches Fachwissen verfügt«, sagte Garcia und wich einen Schritt zurück.

»Meiner Meinung nach nicht, nein«, sagte Hove. »Er wusste, dass er das Rückenmark bei Wirbel C4 durchtrennen muss, um eine Lähmung vom Hals abwärts ohne Beeinträchtigung des respiratorischen Systems hervorzurufen. Und genau das hat er getan. Dazu noch die fast perfekte Syme-Exartikulation, das Ligieren der Blutgefäße nach den Amputationen und das sorgfältige Verbinden der Beinstümpfe – der Kerl könnte als Chirurg im Krankenhaus arbeiten.«

44

»Der Killer hat sein Opfer gelähmt, indem er ihm mit einem Stich in den Nacken das Rückenmark durchtrennt hat?« Captain Blake versagte fast die Stimme, als sie aus der

Kopie des Autopsieberichts vorlas, die Garcia ihr soeben überreicht hatte.

Hunter nickte.

Bezirksstaatsanwalt Dwayne Bradley saß in einem der zwei ledernen Besuchersessel vor Captain Blakes Schreibtisch. Auch er hielt eine Kopie des Berichts in der Hand.

»Jetzt mal langsam«, sagte er mit einem irritierten Kopfschütteln. »Dem Bericht hier zufolge würde ein durchtrenntes Rückenmark auch das Nervensystem lahmlegen, das heißt, das Opfer hätte überhaupt keine Schmerzempfindung mehr.«

»Das ist richtig«, sagte Garcia.

»Ja, verdammt noch mal, warum hat er es denn dann gemacht? Wenn der Killer wollte, dass sein Opfer leidet, warum hat er ihm dann jedes Schmerzgefühl genommen, bevor er angefangen hat, ihn in Stücke zu schneiden? Das ist doch nun wirklich absolut hirnrissig.« Bradleys Wangen hatten sich bereits verdächtig gerötet.

»Weil der Täter, aus welchem Grund auch immer, wollte, dass das Opfer auf *andere* Art leidet«, antwortete Hunter, den Ellbogen auf das Bücherregal an der Wand gestützt. »Seelisch.«

Bradley sah ihn ungläubig an.

»Stellen Sie sich vor, Sie müssten mit ansehen, wie Ihr Körper zerstückelt wird, wie das Blut nur so spritzt, ohne dass Sie auch nur das Geringste spüren, ohne dass Sie irgendwas tun könnten. Stellen Sie sich vor, Sie müssten völlig hilflos Ihren eigenen Tod mit ansehen wie einen Film auf einer Leinwand. Sie wissen, dass Sie sterben werden, aber Ihr Körper fühlt nichts.«

Bezirksstaatsanwalt Bradley fixierte Hunter, während er sich dessen Worte durch den Kopf gehen ließ. »Na, Sie wissen jedenfalls, wie man die Dinge in schillernden Farben malt.«

»Wie lange hat es gedauert?«, wollte Captain Blake wissen. »Ich meine die Verstümmelungen, die psychologische Folter?«

»Schwer zu sagen. Aber wenn man überschlägt, wie viel Zeit man bräuchte, um die einzelnen Gliedmaßen abzutrennen und den Blutfluss ordnungsgemäß zu stoppen, so wie der Täter es gemacht hat … mindestens eine Stunde, vielleicht auch länger.«

»Himmelherrgott noch mal«, stieß Bezirksstaatsanwalt Bradley aus, bevor er im Bericht eine Seite umblätterte. »Hier steht, der Todeszeitpunkt lag schätzungsweise zwischen sechzehn und neunzehn Uhr.«

»Stimmt«, sagte Garcia.

»Und die Leiche wurde gegen zwanzig Uhr von der Bootsnachbarin entdeckt, richtig?«

»Ja, das ist richtig.«

»Sieht man irgendwas auf den Bändern der Überwachungskameras an der Marina?«, wollte Captain Blake wissen. »Leute, die kommen oder gehen?«

Garcia lachte freudlos auf. »Darauf hatten wir auch spekuliert, aber sie verwenden da noch ein uraltes System. Es nimmt auf VHS auf, ob man's glaubt oder nicht. Außerdem ist es schon seit über zwei Monaten kaputt.«

»Typisch«, lautete der Kommentar des Bezirksstaatsanwalts. »Aber es ist doch bestimmt jemand von Tür zu Tür gegangen – oder in diesem Fall von Boot zu Boot – und hat die Nachbarn befragt. Hat denn niemand einen Fremden gesehen, der um die fragliche Zeit, als die laute Musik losging, den Anleger verlassen hat?«

»Ich glaube nicht, dass der Täter so dumm ist«, warf Hunter ein.

»Dumm? Was meinen Sie damit?«

»Es gibt natürlich keine Möglichkeit, es zu beweisen, aber die Anlage auf Dupeks Boot verfügt über einen Timer. Meine Vermutung ist, dass der Täter den Timer so eingestellt hat, dass die Musik erst später anging, frühestens eine halbe Stunde nachdem er den Tatort verlassen hatte. Außerdem muss man noch den Umstand mit einbeziehen, dass die

Leute sich erst dann an lauter Musik stören, wenn sie schon eine ganze Weile läuft. Ich denke, man kann davon ausgehen, dass der Täter längst über alle Berge war, als die Leute den Lärm bemerkt haben.«

Captain Blake klappte ihr Exemplar des Autopsieberichts zu und schob es von sich weg an den Rand des Schreibtischs. »Was ist mit der Wohnung des Opfers? Haben wir da was gefunden? Computer? Handy?«

»Die Spurensicherung hat einen Laptop sichergestellt«, berichtete Hunter. »Sie untersuchen ihn gerade und schauen sich die Daten an – Textdateien, Fotos, E-Mails, alles, was sie finden können. Kein Handy.«

»Dupek wollte in seinen zweiwöchigen Jahresurlaub starten«, fügte Garcia hinzu. »Insofern ist davon auszugehen, dass er sein Handy dabeihatte. Wir glauben, dass der Täter es entweder mitgenommen oder entsorgt hat. Möglicherweise hat er es ins Wasser geworfen oder zerstört.«

»Wir können doch die Nummer ermitteln und seinen Anbieter kontaktieren«, schlug Bezirksstaatsanwalt Bradley vor.

»Das haben wir bereits getan«, gab Hunter zurück. »Das Handy ist ausgeschaltet, man kann es also nicht orten – falls es nicht sowieso kaputt ist. Aber vielleicht können wir uns eine Funkzellen-Analyse seiner Gespräche besorgen.«

»›Vielleicht‹ ist keine Option«, gab der Bezirksstaatsanwalt zurück. »Alice *wird* Ihnen eine Funkzellen-Analyse besorgen.« Er warf einen raschen Blick auf seine Armbanduhr.

»In Ordnung«, sagte Hunter. »Außerdem wollte ich heute noch mal bei Amy Dawson vorbeischauen.«

Bezirksstaatsanwalt Bradley und Captain Blake kniffen die Augen zusammen und schüttelten ratlos die Köpfe.

Hunter half ihnen auf die Sprünge. »Derek Nicholsons Pflegerin – die, die ihn unter der Woche betreut hat. Ich möchte ihr gerne ein Foto von Andrew Dupek zeigen, vielleicht war er der Unbekannte, der Derek Nicholson besucht hat. Wir konnten den zweiten Besucher immer noch nicht identifizieren. Ich habe Bezirksstaatsanwalt Bradley gefragt, und er hat sich in sämtlichen Büros der Bezirksstaatsanwaltschaft in Los Angeles County umgehört. Niemand hat sich gemeldet, wir gehen also davon aus, dass besagter zweiter Besucher kein Kollege von der Staatsanwaltschaft war.«

Der Bezirksstaatsanwalt bestätigte dies mit einem Nicken.

Captain Blake begann mit einem Bleistift auf die Schreibtischplatte zu trommeln, während ihre Gedanken einen Gang hochschalteten. »Verraten Sie mir mal eins«, wandte sie sich an Hunter. »Ich weiß, dass die Vorgehensweise bei beiden Morden dieselbe war, aber Dwaynes Einwand von eben hat mich ins Grübeln gebracht. Warum beim ersten Opfer körperliche Folter und beim zweiten seelische? Das ist nicht besonders einleuchtend.«

»Ist es doch nie, Captain«, lautete Hunters Antwort.

»Von mir aus, aber tun Sie mir trotzdem den Gefallen und hören Sie mich kurz an. Denken Sie, es besteht die Möglichkeit, dass es mehr als einen Täter gibt? Vielleicht sind es zwei, die gemeinsame Sache machen? Einer hat Nicholson gehasst und der andere Dupek? Vielleicht haben sie sich hinter Gittern kennengelernt. Sie saßen zufällig im selben Gefängnis, wegen zweier völlig unterschiedlicher Vergehen, haben sich angefreundet und zusammengetan. Sie hätten jahrelang Zeit gehabt, ihren morbiden Racheplan auszubrüten.«

»Da hat sie nicht ganz unrecht«, meinte Bezirksstaatsanwalt Bradley.

»Das ist mehr als unwahrscheinlich, wenn man bedenkt, wie die Opfer zugerichtet wurden.«

»Und wieso?«

Hunter trat in die Mitte des Raumes. »Wenn man das Ausmaß der psychotischen Störung bedenkt, die sich in beiden Morden offenbart, ganz zu schweigen vom Wahnsinn der Taten an sich, schließt das zwei Täter praktisch aus. Die Tatorte lassen eine ungeheure Getriebenheit erkennen, es gibt da einen Handlungsfaden, den der Täter akribisch bis ins kleinste Detail ausagiert. Man muss sich nur die Skulpturen anschauen. Die Motivation für so was kann man unmöglich mit anderen teilen. Seine Opfer zu töten, ihre Körper zu verstümmeln und aus ihren Gliedmaßen Skulpturen zu machen – all das verschafft dem Täter Befriedigung. Es stillt ein tiefsitzendes Bedürfnis in ihm, das nur er allein versteht. Niemand anders könnte durch dieselbe Tat dasselbe Maß an Befriedigung erlangen. Eine solche seelische Störung kommt nicht gleichzeitig bei zwei Individuen vor. Es ist *ein* Täter, Captain, glauben Sie mir.«

Ein Klopfen an der Tür unterbrach sie.

»Ja«, rief Captain Blake.

Die Tür wurde ein Stück aufgeschoben, und Alice Beaumonts Kopf erschien im Spalt. Sie war ins Büro der Bezirksstaatsanwaltschaft gefahren, um einige Akten einzusehen, die nicht übers Internet zugänglich waren. Ihre Augen weiteten sich vor Erstaunen, und sie blieb verunsichert stehen. Sie hatte nicht gewusst, dass Hunter und Garcia schon aus der Rechtsmedizin zurück waren. Und mit der Anwesenheit ihres Chefs hatte sie erst recht nicht gerechnet.

Alle wandten sich zur Tür.

Drei Sekunden verstrichen.

»Tut mir leid, falls ich störe.« Alice ließ den Blick einmal in die Runde schweifen, um sich der allgemeinen Aufmerksamkeit zu versichern. »Aber ich glaube, ich habe endlich eine Spur.«

45

Bezirksstaatsanwalt Bradley winkte Alice ins Büro, als wäre es sein eigenes. Er wartete, bis sie die Tür hinter sich geschlossen hatte.

»Also, was hast du für uns?«, fragte er und warf seine Kopie des Obduktionsberichts auf Captain Blakes Schreibtisch.

»Ich habe mich den ganzen Vormittag lang mit der Liste der Verbrecher befasst, denen Derek Nicholson den Prozess gemacht hat.« Sie nickte Hunter zu. »Diesmal bin ich fünfzehn Jahre zurückgegangen. Ich habe nach Verbindungen zwischen den zwei Mordopfern gesucht, und zwar in erster Linie nach jemandem, der von Dupek verhaftet und dann von Nicholson angeklagt wurde.« Sie hatte eine grüne Plastikmappe mitgebracht, aus der sie nun vier Blätter herauszog, die sie an die anderen austeilte. »Von allen Verbrechern, die Dupek im Laufe seiner zwölf Jahre als Detective verhaftet hat, gibt es siebenunddreißig, bei denen Derek Nicholson im Prozess als Vertreter der Anklage aufgetreten ist.«

Alle schauten auf ihre Blätter.

»Siebenunddreißig? Hier stehen aber nur neunundzwanzig Namen drauf«, sagte Bezirksstaatsanwalt Bradley und hob fragend die Augenbrauen.

»Das liegt daran, dass ich die ursprünglichen siebenunddreißig Namen schon mal provisorisch überprüft habe«, erklärte Alice. »Acht sind gestorben. Das eigentliche Problem ist, dass alle siebenunddreißig stinknormale Kriminelle mit stinknormalen Vergehen waren – bewaffneter Raubüberfall, tätlicher Angriff, Drogenhandel, Zuhälterei, schwere Körperverletzung, Mitgliedschaft in kriminellen Vereinigungen und so weiter. Nichts als Schulabbrecher und sozial Benachteiligte aus zerrütteten oder gewalttätigen Familien. Leute mit hohem Aggressionspotenzial, die einfach nicht auf unser Täterprofil passen.«

»Von welchem Profil reden Sie?«, wollte Bezirksstaatsanwalt Bradley wissen.

»Das Protokoll von Nicholsons Autopsie deutet doch ganz klar darauf hin, dass der Täter über medizinisches Fachwissen verfügt«, erklärte Alice.

»Die Obduktion von Dupek heute Morgen hat das bestätigt«, setzte Garcia hinzu.

»Das würde meine Argumentation also stützen«, fuhr Alice fort. »Die Kriminellen auf dieser Liste haben gar nicht den nötigen Bildungsgrad, um solche Morde zu verüben. Sie verfügen weder über das nötige Wissen noch die Geduld oder die Zielstrebigkeit, um ihre Opfer zu zerstückeln und dann zu Kunstwerken zu verarbeiten.«

»Mit anderen Worten, es wäre Zeitverschwendung, sich auch nur einen Namen auf der Liste näher anzusehen?«, resümierte Captain Blake in trügerisch heiterem Tonfall. »Und warum haben Sie sie uns dann gegeben?« Sie warf ihr Blatt in einer Geste der Verachtung auf den Schreibtisch.

»Nein«, gab Alice in demselben Tonfall zurück. »Ich habe lediglich meine Meinung kundgetan. Ich habe die Liste zusammengestellt, weil das meine Aufgabe war. In all den Jahren, die ich jetzt schon für die Bezirksstaatsanwaltschaft arbeite, habe ich eins gelernt: Zeit ist bei jeder Ermittlung ein kostbares Gut. Wenn Sie die Ressourcen und die Zeit haben, alle neunundzwanzig Namen auf der Liste zu überprüfen, bin ich die Letzte, die Sie daran hindert.«

Bezirksstaatsanwalt Bradley grinste wie ein stolzer Vater, als er Captain Blake ansah. Das Einzige, was noch fehlte, war der Satz: *Das ist mein Mädchen.*

Hunter sah einen Muskel in Captain Blakes Kiefer zucken. »Aber das ist nicht der Grund, weshalb du so aufgeregt bist«, sagte er rasch, an Alice gewandt. »Du hast noch was anderes rausgefunden, stimmt's?«

Ihre Augen blitzten. »Nachdem ich mit der Liste fertig war, ist mir eine Idee gekommen. Ich dachte mir: Warum die ganze Sache nicht mal aus einer anderen Perspektive betrachten?«

»Und welche Perspektive wäre das?«, fragte Captain Blake trocken.

Alice baute sich vor Blakes Schreibtisch auf. »Was, wenn

die Person, die wir suchen, nur zu *einem* der Opfer eine Verbindung hat, nicht zu beiden?«

Alle dachten kurz darüber nach.

»Aber warum sollte er dann beide töten?«, gab Garcia schließlich zu bedenken.

Alice hob den rechten Zeigefinger, als wolle sie sagen: *Tja, das ist die Preisfrage.*

»Weil der Zusammenhang woanders liegt.« Sie gab niemandem Gelegenheit, ihre Worte zu hinterfragen. »Mit dem Gedanken im Hinterkopf habe ich schnell ein Programm geschrieben, das die Datenbank der Bezirksstaatsanwaltschaft durchsuchen konnte – spezifisch die Fälle, bei denen Nicholson Anklagevertreter war. Dann hat das Programm versucht, diese Ergebnisse mit Fällen zu verknüpfen, die Dupek im Laufe der Jahre bearbeitet hat.«

»Nach welchen Kriterien?«, fragte Hunter dazwischen.

Alice legte den Kopf schief und hob die Schultern. »Genau das war mein Problem. Die Bandbreite war ja ziemlich groß, deswegen habe ich mich dafür entschieden, mit was ganz Simplem anzufangen. Du hattest es selber schon mal ins Gespräch gebracht: Familienangehörige und Verwandte, die kürzlich aus dem Gefängnis entlassen wurden oder auf Bewährung freigekommen sind.« Sie hielt inne und wiegte den Kopf hin und her. »Na ja, ›kürzlich‹ ist vielleicht nicht ganz richtig. Für den Anfang bin ich fünf Jahre zurückgegangen.«

»Und …?« Captain Blake stellte den rechten Ellbogen auf die Armlehne ihres Drehstuhls und stützte das Kinn in die Hand.

»Und möglicherweise hatte ich Glück. Es hat sich nämlich ein vielversprechender Kandidat gefunden.«

46

Ein leises Lächeln flog über Alices Lippen, bevor sie vier Kopien eines Verbrecherfotos aus ihrer grünen Plastikmappe zog.

»Das ist Alfredo Ortega.«

Sie reichte jedem eine Kopie. Das Foto sah alt aus. Der darauf abgebildete Mann hatte ein asymmetrisches Gesicht mit kantigem Kinn, einer spitzen Nase, Ohren, die für seinen Kopf zu klein waren, schiefen Zähnen und fleischigen Lippen – nicht gerade die Attraktivität in Person. Seine Haare waren mitternachtsschwarz und reichten ihm bis über die Schultern.

»Okay«, sagte Captain Blake. »Finster genug sieht er schon mal aus. Was ist das für ein Kerl?«

»Also, Mr Ortega war ein amerikanischer Staatsbürger mexikanischer Abstammung. Er hat als Packer und Gabelstaplerfahrer in einer Lagerhalle in East L. A. gearbeitet. Ein Hüne – eins dreiundneunzig groß und einhundertzehn Kilo schwer. Die Art Mann, mit der man besser keinen Streit anfängt. Eines regnerischen Tages im August klagte er auf der Arbeit über Bauchschmerzen, angeblich hatte er was Falsches gegessen. Am Nachmittag hatte sein Chef schließlich Mitleid mit ihm und hat ihm den Rest des Tages freigegeben. Ortega war zu dem Zeitpunkt seit zwei Jahren verheiratet – Kinder hatte er keine. Er kam also früher als gewöhnlich nach Hause und hat seine Frau Pam im Bett mit einem anderen Mann erwischt. Einem seiner Kumpels, mit dem er öfter mal ein Bier trinken ging, um genau zu sein.«

Garcia verzog das Gesicht. »Das hört sich nicht gut an.«

Alice verlagerte ihr Gewicht von einem Fuß auf den anderen, dann fuhr sie fort. »Statt auszurasten und die beiden zur Rede zu stellen, ist Ortega einfach klammheimlich verschwunden. Er ist nach San Bernardino gefahren, wo die

Familie seiner Frau wohnte, und hat dort ihre Mutter, ihren Vater, ihre Großmutter und ihren jüngeren Bruder getötet. Den Hund hat er am Leben gelassen. Nach dem Blutbad hat er den Leichen die Köpfe abgeschnitten und sie auf den Küchentisch gestellt.«

Vier besorgte Augenpaare waren auf Alice gerichtet. Sie wartete einen Moment, um die Spannung zu steigern.

»Dann ist Ortega zurück nach L. A. zum Haus des Freundes gefahren. Der war zum fraglichen Zeitpunkt bereits wieder daheim bei seiner Frau und seinem fünfjährigen Kind.« Alice zögerte kurz und holte tief Luft. »Ortega hat sie auf dieselbe Art und Weise getötet wie zuvor die Familie seiner Frau – mit einer Machete. Und er hat ihre Köpfe auf den Küchentresen gestellt. Danach hat er in ihrem Haus noch seelenruhig geduscht und sich aus dem Kühlschrank bedient. Erst dann ist er nach Hause zurückgefahren. Dort hatte er Sex mit seiner Frau, bevor er ihr ebenfalls den Kopf abschlug.«

Alle starrten Alice wie gelähmt an.

»Wow ... das ist aber eine inspirierende Geschichte«, sagte Garcia schließlich und blies die Backen auf. »Wann ist das passiert?«

»Vor einundzwanzig Jahren. Er hat bei der Festnahme keinen Widerstand geleistet. Vor Gericht hat er auf unschuldig wegen vorübergehender Unzurechnungsfähigkeit plädiert. Deswegen ist er vor ein Geschworenengericht gekommen. Derek Nicholson war der zuständige Staatsanwalt.«

Beklommenes Schweigen.

»Ich kann mich noch an den Fall erinnern«, meinte Bezirksstaatsanwalt Bradley irgendwann.

»War Dupek damals der Officer, der ihn verhaftet hat?«, fragte Garcia.

»Das geht ja gar nicht«, widersprach Hunter mit einem energischen Kopfschütteln. »Das war vor einundzwanzig Jahren, Carlos. Damals war Dupek noch kein Detective.«

»Einen Augenblick.« Captain Blake ließ das Foto sinken. »Sie sagten gerade, Sie hätten nach Straftätern gesucht, die innerhalb der letzten fünf Jahre freigekommen sind oder auf Bewährung entlassen wurden. Wollen Sie mir etwa sagen, dass sich dieser Charmebolzen wieder auf freiem Fuß befindet? Wie kann das sein?«

»Nein.« Alice schüttelte den Kopf. »Das Urteil der Geschworenen war einstimmig. Ortega hat die Todesstrafe bekommen. Er saß sechzehn Jahre lang in der Todeszelle. Vor fünf Jahren wurde er per Giftspritze hingerichtet.«

Verblüffte Blicke.

Jetzt riss Captain Blake endgültig der Geduldsfaden. »Wollen Sie mich verarschen?« Sie knallte die Kopie des Fotos auf ihren Schreibtisch und stand auf. Ihr Blick ging zwischen Alice und dem Bezirksstaatsanwalt hin und her. »Erst eine Liste mit Namen, die wir uns Ihrer Meinung nach gar nicht erst anzusehen brauchen, dann ein Foto von jemandem, der bereits tot ist. Was soll dieser Unfug, zum Donnerwetter noch mal? Macht es Ihnen Spaß, mir die Zeit zu stehlen? Was für Vollidioten arbeiten eigentlich in Ihrem Büro, Dwayne?«

»Die Art Vollidioten, die *Ihren* Vollidioten allemal auf den Kopf scheißen können, Barbara.« Dabei deutete Bezirksstaatsanwalt Bradley auf Hunter und Garcia.

»Alfredo Ortega ist das Bindeglied auf Nicholsons Seite«, fuhr Alice in betont gelassenem Tonfall fort, damit der Streit nicht noch weiter eskalierte. Dann zog sie ein zweites Foto aus ihrer Mappe. Auch von diesem Foto bekam jeder ein Exemplar. »Darf ich vorstellen: Ken Sands.«

Dieses Foto schien neuer zu sein als das von Ortega. Der Mann darauf sah aus wie Mitte zwanzig. Sein goldbronzener Teint war weniger seiner ethnischen Herkunft als ausgiebigen Sonnenbädern geschuldet. Die Haut seiner Wangen war pockennarbig und porös wie ein Schwamm – Spuren einer verheilten Akne, wahrscheinlich ein Andenken aus der Pubertät. Seine Augen waren so dunkel, dass sie fast schwarz wirkten. Er hatte den weggetretenen Blick eines Junkies, aber in seinem aufsässigen Blick lag noch etwas anderes – etwas Kaltes, Angsteinflößendes. Etwas Böses. Seine dunklen Haare waren kurz geschnitten, und er hatte das selbstsichere Lächeln eines Mannes, der wusste, dass er seine Rechnung irgendwann begleichen würde.

»Okay, und was bringt dieser Ken Sands zu unserer Party mit?«, wollte Garcia wissen.

Alice grinste verschmitzt. »Eine ganze Menge.«

47

»Sands ist zusammen mit Ortega in Paramount aufgewachsen.« Alice hatte ein weiteres Blatt Papier gezückt. »Sie waren beste Freunde. Keiner der beiden hatte Geschwister, das hat sie noch stärker zusammengeschweißt. Sie kamen beide aus armen Familien. Sands' Vater hat viel getrunken – also nicht gerade Verhältnisse wie aus dem Bilderbuch. Sands hat sein Zuhause gehasst. Er hat seinen Vater gehasst, und er hat die Prügel gehasst, die er von ihm bezogen hat. Deswegen hat er sich die meiste Zeit zusammen mit Ortega auf der Straße rumgetrieben. Irgendwann sind sie mit Drogen in Berührung gekommen, haben sich mit Gangs eingelassen, Schlägereien angezettelt – die übliche Geschichte.«

Das Telefon auf Captain Blakes Schreibtisch klingelte. Sie riss den Hörer ans Ohr. »Nicht jetzt!« Sie knallte den Hörer wieder auf. »Reden Sie weiter.«

Alice räusperte sich, um einen Frosch im Hals loszuwerden. »Sands und Ortega waren zusammen auf der Paramount Highschool. Ortega war ein ziemlich mieser Schüler, ganz im Gegensatz zu Sands. Der störte zwar oft den Unterricht, hatte aber bessere Noten, als die meisten ihm zugetraut hätten. Er hätte ohne Probleme einen Platz auf dem College bekommen können, wenn die finanziellen Mittel vorhanden gewesen wären. Allerdings waren die beiden zu dem Zeitpunkt auch schon fleißig dabei, die kriminelle Karriereleiter hochzuklettern. Mit siebzehn wurden sie wegen Autodiebstahls und Marihuanabesitzes verhaftet. Ein Jahr Jugendknast. Der Aufenthalt dort hat Ortega zur Besinnung gebracht. Er ist zu dem Schluss gelangt, dass er so nicht weitermachen will. Kurz nach seiner Entlassung hat er dann Pam kennengelernt, und ein paar Jahre später haben sie geheiratet. Er hat zwar weiterhin Drogen genommen, konnte aber einen Job in einer Lagerhalle ergattern – den hatte ich ja schon erwähnt. Kurz und gut: Alles deutete darauf hin, dass er mit seiner Vergangenheit abgeschlossen hatte.«

»Anders als Sands«, sagte Hunter.

Ein flüchtiges Nicken. »Anders als Sands. Der hat nach seiner Entlassung noch eine Weile als Kleinkrimineller weitergemacht, aber im Gefängnis hatte er eine Menge Kontakte geknüpft, und bevor man es sich versah, dealte er im großen Stil mit Drogen.«

»Wie sind Sie denn so schnell an all die Informationen gekommen?«, wunderte sich Garcia.

»Die Bezirksstaatsanwaltschaft legt ausführliche Akten von sämtlichen Straftätern an, denen der Prozess gemacht wird«, antwortete Alice mit einer Geste in Bradleys Richtung. Dann blätterte sie eine Seite in ihrer Mappe um. »Eines Abends kam Sands betrunken und zugedröhnt nach Hause. Es kam – nicht zum ersten Mal – zum Streit mit seiner Freundin Gina Valdez, und die Sache eskalierte. Sands hat völlig die Kontrolle über sich verloren. Er hat sich einen Baseballschläger gegriffen und sie so schlimm verprügelt, dass sie ins Krankenhaus eingeliefert werden musste und um ein Haar gestorben wäre. Sie hatte mehrere Knochenbrüche, eine Schädelfraktur, und sie ist seitdem auf dem rechten Auge blind.«

»Sympathischer Typ«, meinte Garcia und lehnte sich gegen das Fenster.

»Du sagtest, dein Programm hätte nach Verwandtschaftsbeziehungen gesucht«, unterbrach Hunter sie. »Wie ist es dir da gelungen, Sands mit Ortega in Verbindung zu bringen?«

»Nachdem er seine Frau ermordet hatte und zum Tode verurteilt worden war, hat Ortega Sands als nächsten Angehörigen angegeben«, erklärte Alice. »Ich hatte es ja eingangs erwähnt: In ihrer Jugend waren sie wie Brüder gewesen. Du hattest vorgeschlagen, dass wir nach Familienangehörigen oder Gang-Mitgliedern suchen sollen – nach allen, die möglicherweise für jemand anderen Rache nehmen könnten. Ich würde sagen, Ken Sands passt definitiv in diese Kategorie.«

»Ohne Frage«, sagte Garcia.

»Aber das Beste kommt noch«, fuhr Alice fort. »Andrew Dupek war der Detective, der Sands verhaftet hat.«

Im nächsten Moment schien der Raum wie von statischer Elektrizität erfüllt.

»Sands' Freundin Gina hatte Todesangst vor ihm, und zu Recht. Wie sich herausstellte, hatte er sie schon oft geschlagen. Dupek war derjenige, der sie schließlich überzeugen konnte, ihn anzuzeigen, als es ihr wieder etwas besser ging. Sands kam wegen gefährlicher Körperverletzung eines Lebenspartners mit einer tödlichen Waffe vor Gericht.«

»Was laut Paragraph 245 des kalifornischen Strafgesetzbuchs ein Kapitalverbrechen ist«, fügte Bezirksstaatsanwalt Bradley ergänzend hinzu.

Alice nickte. »Dazu nehme man noch den Umstand, dass er zum Zeitpunkt der Festnahme high war und über ein Kilogramm Heroin bei sich hatte, und heraus kommt eine neuneinhalbjährige Haftstrafe. Er ist ins kalifornische Staatsgefängnis in Lancaster überstellt worden.«

»Wie lange ist das jetzt her?«, wollte Captain Blake wissen.

»Zehn Jahre. Und angeblich hat er nach der Urteilsverkündung, bevor er von den Gerichtsdienern abgeführt wurde, noch die Gelegenheit genutzt, sich zu Dupek, der genau hinter dem Staatsanwalt saß, umzudrehen und zu sagen: ›Ich krieg dich.‹ Er wurde vor einem halben Jahr entlassen.«

Mehrere Sekunden lang schien die Zeit stillzustehen.

»Haben wir eine Adresse?«, fragte Hunter dann.

»Nur seine alte Privatadresse. Es gibt keine Bewährungsauflagen, Sands hat seine Strafe komplett abgesessen, er muss sich also weder bei einem Bewährungshelfer noch bei einem Richter oder bei sonst wem melden. Er unterliegt keinerlei Beschränkungen. Wenn er will, kann er sogar das Land verlassen.«

»Also gut«, sagte Captain Blake mit einem Blick zu dem Foto auf ihrem Schreibtisch. »Wir müssen ihn auf der Stelle ausfindig machen und uns ein wenig mit ihm unterhalten.« Sie machte Alice ein Handzeichen, damit diese ihr die Mappe mit dem Bericht aushändigte.

»Bis wir ihn gefunden haben«, sagte Bezirksstaatsanwalt Bradley, »sollten wir über die Sache Stillschweigen bewahren. Ich will nicht, dass die Presse oder sonst irgendjemand davon erfährt.« Er sah Hunter und Garcia an, als rechne er damit, dass sie mit den neuen Erkenntnissen an die Öffentlichkeit gingen, kaum dass sie Blakes Büro verlassen hatten. »Ganz egal wer. Ein Staatsanwalt und ein Polizist sind ermordet worden. Jeder Cop, jede Strafverfolgungsbehörde in Los Angeles ist heiß darauf, einen vermeintlichen Verdächtigen in die Finger zu kriegen. Wenn das hier nach außen dringt, haben wir eine Hexenjagd am Start, wie die Stadt sie noch nicht erlebt hat. Also, kein Wort zu niemandem. Habe ich mich klar ausgedrückt?«

Statt ihm eine Antwort zu geben, sahen Hunter und Garcia den Bezirksstaatsanwalt lediglich an.

»Habe ich mich klar ausgedrückt, Detectives?«

»Glasklar«, sagte Hunter.

48

Nach der Aufregung des Vormittags zog sich der Rest des Tages wie Kaugummi. Es gab keine weiteren Entwicklungen. Wie vermutet, war die Adresse, die Alice in der Akte über Ken Sands gefunden hatte, veraltet. Und da Sands erst sechs Monate zuvor aus dem Gefängnis entlassen worden war, hatte er noch keine Papiere beantragt, mit deren Hilfe man ihn hätte aufspüren können – keinen Führerschein, keinen Reisepass, keinen Berechtigungsschein für die staatliche Fürsorge, nichts. Auf seinem Sozialversicherungsausweis war immer noch die alte Anschrift angegeben.

Hunter hatte ein Team damit beauftragt, Bankkonten, Gas- oder Stromrechnungen ausfindig zu machen – irgendetwas, was ihnen einen Hinweis auf Sands' gegenwärtigen Aufenthaltsort liefern konnte. Darüber hinaus klapperten sie Sands' alte Freunde ab, und zwar sowohl diejenigen, mit denen er vor seinem Gefängnisaufenthalt zu tun gehabt hatte, als auch diejenigen, die er in Haft kennengelernt hatte und die zwischenzeitlich entlassen worden waren. Sie wollten nichts unversucht lassen, auch wenn es, das wusste Hunter sehr wohl, so gut wie unmöglich sein würde, aus alten Freunden oder Knastbrüdern Informationen herauszubekommen. Dem Gesetz der Straße nach war Verrat – erst recht Verrat an die Cops – ein Verbrechen, das mit dem Tod bestraft wurde. Nicht einmal Sands' Feinde würden sich ohne weiteres zum Reden bringen lassen.

Außerdem hatte Hunter in Lancaster die kompletten Besuchslisten von Sands und Ortega angefordert. Da jedoch die kalifornischen Gesetze zum Schutz der Persönlichkeitsrechte recht streng waren, würde es ein oder zwei Tage dauern, ehe sie einen Richter davon überzeugt hatten, den Antrag zu unterschreiben, und dann noch einen weiteren, bevor sie die relevanten Unterlagen in den Händen hielten.

Gina Valdez, die Freundin, die Ken Sands fast totgeprügelt hatte, war wie vom Erdboden verschluckt. Den Namen zu ändern war in Amerika kein sonderlich komplizierter Vorgang, und im Zeitalter des Internets wurde es zunehmend leichter, sich eine vollständig neue Identität zu erschaffen. Niemand wusste, ob Gina inzwischen unter anderem Namen lebte oder gar eine neue Identität angenommen hatte. Niemand wusste, ob sie sich noch in L. A., in Kalifornien oder in den USA aufhielt. Nur eins stand fest: Sie wollte offenbar nicht gefunden werden.

Als Detective des LAPD hatte Andrew Dupek hin und wieder mit einem Partner zusammengearbeitet, Detective Seb Stokes. Stokes war bei Ken Sands' Verhaftung nicht dabei gewesen, doch Hunter rief ihn trotzdem an. Sie verabredeten sich für den nächsten Morgen.

Brian Doyle, Chef der IT-Abteilung des LAPD, hatte sich am späten Nachmittag bei Hunter gemeldet und ihm berichtet, was er auf dem Computer aus Dupeks Apartment gefunden hatte. Hunter und Garcia verbrachten eine Stunde damit, die E-Mails und den Browserverlauf durchzugehen. Es stellte sich rasch heraus, dass Dupek des Öfteren Escort-Agenturen in Anspruch genommen hatte, von denen viele auf Fetisch, Bondage und SM spezialisiert waren. Außerdem gab es eine lange Reihe von Porno-Websites, und obwohl viele von ihnen definitiv als Hardcore einzustufen waren, war keine von ihnen illegal.

Die E-Mails förderten nichts Verdächtiges zutage, keine Drohbotschaften oder Nachrichten, die man als solche hätte interpretieren können.

Auch bei der Identifikation des mysteriösen zweiten Besuchers an Derek Nicholsons Krankenbett erzielten sie keine Fortschritte. Immer wieder dachte Hunter über das nach, was Nicholsons Pflegerin Amy Dawson gesagt hatte: dass Nicholson sein Gewissen erleichtern und jemandem die Wahrheit habe sagen wollen.

Als Nächstes machten sie sich daran, im Internet nach Abbildungen zu suchen, die auch nur im Entferntesten dem Schattenbild der Skulptur von Dupeks Boot ähnlich sahen. Sie fanden nichts. Die Schattenfigur des gehörnten Kopfes passte zu jeder beliebigen Teufels- oder Dämonengestalt aus jeder Religion, jedem Glaubenssystem und jeder Kultur rund um den Globus, selbst auf den griechischen Gott Pan, Apollo oder sogar Zeus, deren frühe Darstellungen oft gehörnte Männer zeigten.

Teufel oder Gott, dachte Hunter. *Such dir was aus.*

Ohne Referenzpunkt war es, als würde man an einem Sandstrand nach einem blonden Haar suchen.

Der zweite Teil des Schattenbildes erwies sich als noch rätselhafter. Zwei stehende und zwei halb übereinander liegende Gestalten. Hunter und Garcia kamen einfach nicht weiter, und Hunter sah sich allmählich gezwungen, die Möglichkeit in Betracht zu ziehen, dass Alice recht gehabt hatte: Vielleicht gab es in dem Bild tatsächlich keinen tieferen Sinn zu entdecken. Keine religiöse, keine mythologische, keine wie auch immer geartete zweite Bedeutungsebene. Vielleicht stellte es genau das dar, was sie als Interpretation vorgeschlagen hatte: einen diabolischen Mörder, der auf seine Opfer herabsah. Zwei waren schon beseitigt, zwei standen noch aus. Was im Klartext hieß, dass er wieder töten würde.

49

Die Abendessenszeit war schon vorbei, als Hunter zum zweiten Mal vor Amy Dawsons Haus in Lennox parkte. Auch diesmal bat sie ihn mit einem höflichen Lächeln ins Haus, führte ihn jedoch nicht ins Wohnzimmer, sondern in die Küche.

In der Luft lag der köstliche Duft von gekochten Tomaten, Basilikum, Zwiebeln und Gewürzen.

»Mein Mann schaut sich im Wohnzimmer das Spiel an«, sagte Amy zur Erklärung. »Er ist ein großer Dodgers-Fan, und wenn er so richtig mitfiebert, kann es ziemlich laut werden. Es macht Ihnen doch nichts aus, wenn wir uns hier unterhalten, oder?«

»Kein bisschen«, versicherte Hunter. »Es dauert auch nicht lange.«

Amy trug ein leichtes geblümtes Kleid und Flipflops aus Gummi. Ihre Cornrows waren verschwunden, stattdessen hatte sie sich die Haare zu einem buschigen Pferdeschwanz gebunden. Sie bot Hunter einen der Stühle an, die um den Resopal-Klapptisch herumstanden.

»Wenn Sie ein bisschen früher gekommen wären, hätten Sie noch mit uns zu Abend essen können.«

Hunter lächelte. »Das ist sehr freundlich von Ihnen, danke. Aber wahrscheinlich ist es besser so. Wenn man mir ein leckeres, hausgemachtes Nudelgericht vorsetzt, kann ich mein eigenes Körpergewicht verdrücken ... vielleicht sogar mehr.«

Amy stutzte und sah Hunter argwöhnisch an. »Woher wissen Sie, dass ich heute Abend Nudeln gekocht habe?«

»Ach ... bloß eine Vermutung aufgrund des Geruchs hier in der Küche, bei dem einem das Wasser im Mund zusammenläuft.« Er hob die Schultern. »Pikante Tomatensauce?«

Amy konnte ihr Erstaunen nicht verbergen. »Stimmt genau. Ein Rezept von meiner Mutter. Wir mögen es gerne feurig.«

»Ich auch.« Hunter nickte, bevor er Platz nahm. Er wartete, bis Amy sich ihm gegenüber an den Tisch gesetzt hatte. »Ich wollte noch mal über den zweiten Besucher bei Mr Nicholson sprechen.«

»Mir ist nichts Neues mehr eingefallen«, sagte Amy. Es schien ihr aufrichtig leidzutun.

»Das ist schon in Ordnung. Eigentlich wollte ich bloß, dass Sie sich ein Foto ansehen und mir sagen, ob es eventuell die Person sein könnte, die bei Mr Nicholson zu Besuch war.«

»In Ordnung.« Sie beugte sich vor und stützte die Ellbogen auf den Tisch.

Screamer, der Familienhund, begann jenseits der geschlossenen Küchentür laut zu bellen. Amy machte ein genervtes Gesicht. »Entschuldigen Sie mich einen Augenblick, Detective.« Sie stand auf und öffnete die Tür, ließ den Hund jedoch nicht herein. »Delroy!«, rief sie. »Könntest du Screamer nach draußen bringen? Ich kann mich jetzt nicht um ihn kümmern.«

»Ich guck das Spiel!«, kam ein kräftiger Bariton zurück.

»Kannst du dann bitte Leticia sagen, sie soll ihn mit nach oben nehmen?«

»Leticia!«, rief Delroy, noch lauter als zuvor. »Komm und hol deinen Hund, bevor ich ihm den Hals umdrehe.«

Kopfschüttelnd schloss Amy die Tür. »Es tut mir wirklich leid«, sagte sie, als sie zu ihrem Platz zurückkehrte. »Manchmal treibt mich dieser Hund in den Wahnsinn. Und mein Mann erst recht.«

Hunter lächelte. »Überhaupt kein Problem.« Er legte ein DIN-A4-großes Foto von Andrew Dupek vor sie hin. »Ist das der Besucher?«

Sie nahm das Foto in die Hand und betrachtete es lange und gründlich.

»Tut mir leid, Detective, aber das ist er nicht. Der Mann sah jünger aus und dünner. Ja, ganz bestimmt.« Sie legte das Foto zurück auf den Tisch.

Hunter nickte, ließ das Foto aber liegen. »Was ist mit dem hier?« Er präsentierte ihr ein zweites Bild, es zeigte Ken Sands. Hunter hatte im kalifornischen Staatsgefängnis in Lancaster angerufen und sich ein aktuelles Foto schicken lassen. Es war am Tag seiner Entlassung aufgenommen worden. Seine Haare waren darauf lang und verfilzt, und er hatte sich einen struppigen Bart stehen lassen, so dass seine Gesichtszüge kaum zu erkennen waren.

»Dies ist das aktuellste Foto, das wir von ihm haben«, erklärte Hunter. Er wusste, dass Sands' verzotteltes Aussehen Absicht war. Viele Häftlinge, die mittlere oder lange Freiheitsstrafen verbüßten, sahen bei ihrer Entlassung ganz ähnlich aus. Es war ein einfacher Trick, um zu verhindern, dass die Behörden ein gutes Foto von ihnen hatten. Kaum in Freiheit, wurden die langen Haare und der struppige Bart abrasiert. »Bestimmt hat er jetzt nicht mehr so viele Haare im Gesicht.« Hunter zeigte ihr ein letztes Foto – das von Sands bei seiner Verhaftung. »So sah er ungefähr vor zehn Jahren aus.«

Amy nahm das Bild von Hunter entgegen. Sie schaute es lange an.

Hunter verhielt sich still und ließ ihr so viel Zeit, wie sie brauchte.

»Er könnte es gewesen sein«, sagte Amy schließlich.

Hunter spürte ein Kribbeln durch seinen Körper gehen.

»Aber ich bin mir wirklich nicht sicher. Der Mann, der Mr Nicholson an dem Tag besucht hat, hatte keinen Bart und auch keine langen Haare. Er trug einen Anzug.«

»Das verstehe ich.«

Amys Blick war noch immer auf das Foto geheftet. »Aber möglich wäre es schon.«

50

Das Blut auf dem Boden und an den Wänden war geronnen und dann getrocknet. Mit dem Absterben der roten Blutkörperchen und ihrer allmählichen Verwesung war der charakteristische Eisengeruch des Blutes verflogen und hatte einem anderen, sehr viel strengeren Geruch Platz gemacht: ranziges Fleisch, vermischt mit saurer Milch. Genau so stank ein gewaltsamer Tod – das behaupteten zumindest viele, die schon einmal am Schauplatz eines brutalen Mordes gewesen waren.

Hunter blieb an der Tür zu Dupeks Kajüte stehen. Mitten in der Nacht alleine an Tatorte zurückzukehren war für ihn mittlerweile fast zu einer Obsession geworden. Es gab ihm die Möglichkeit, sich in aller Ruhe umzuschauen und zu versuchen, sich, und sei es nur für kurze Zeit, in die Gedankenwelt des Mörders hineinzuversetzen. Aber wie konnte man Sinn in der Sinnlosigkeit finden?

Hunter hatte den Bericht der Spurensicherung wieder und wieder gelesen. Die Schuhabdrücke, die er tags zuvor auf dem Fußboden der Kajüte gesehen hatte, waren sehr uneinheitlich und konnten keiner bestimmten Schuhgröße zugeordnet werden. Die Blutmenge auf dem Boden war so groß, dass sofort nach Anheben des Fußes Blut nachgeflossen war und die Konturen verwischt hatte. Das erschwerte die kriminaltechnische Analyse erheblich. Mike Brindle, der Leiter des zuständigen Teams der Spurensicherung, hatte Hunter früher am Tag mitgeteilt, dass ihm etwas Merkwürdiges an den Schuhabdrücken aufgefallen sei. Die Gewichtsverteilung sei nicht bei jedem Schritt gleich gewesen. Das legte den Schluss nahe, dass der Täter entweder einen Gehfehler hatte oder absichtlich zu große Schuhe getragen. Der Trick war Hunter wohlbekannt. Ein Sohlenprofil hatte die Spurensicherung ebenfalls nicht feststellen können, was darauf hindeutete, dass der Täter seine Schuhe mit einem Überzug aus dickem Plastik oder ähnlichem Material geschützt hatte. Das erklärte auch das Fehlen blutiger Schuhabdrücke außerhalb der Kajüte.

Brindle hatte Hunter versichert, dass sein Team die Kajüte genau so verlassen habe, wie sie sie vorgefunden hatten. Die

Gegenstände, die sie zwecks kriminaltechnischer Analyse mitgenommen hatten, waren auf einer Liste verzeichnet, die Hunter dabeihatte. Alles andere befand sich noch am ursprünglichen Platz.

Hunter zog den Reißverschluss seines Tyvek-Overalls zu und betrat die Kajüte. Er machte sich keine Gedanken darüber, dass er den Tatort verunreinigen könnte; er wollte nur verhindern, dass Blut an seine Schuhe und Kleider gelangte oder der widerliche Geruch an ihm haften blieb. Denn wenn sich dieser Geruch einmal im Stoff festgesetzt hatte, konnte man ihn durch kein noch so häufiges Waschen oder Reinigen loswerden, das wusste er. Es war ein psychologischer Mechanismus. Das Gehirn assoziierte die Kleidungsstücke automatisch mit dem Geruch, und zwar auch dann noch, wenn er sich längst verflüchtigt hatte.

In der Mitte des Raums blieb Hunter stehen und ließ den Blick langsam in die Runde schweifen.

War der Täter schon an Bord gewesen, als Dupek sein Boot betreten hatte?

Die Kajütentür zeigte keinerlei Anzeichen gewaltsamen Eindringens, obwohl es für jemanden mit ein bisschen Erfahrung kein großes Problem hätte sein dürfen, die zwei Schlösser zu knacken.

Um sicherzugehen, dass ihm nichts entgangen war, durchlief Hunter im Wesentlichen noch einmal genau dieselben Schritte wie am Tag zuvor mit Garcia. Er ging zum kleinen Kühlschrank und zog die Tür auf. Er war gut bestückt – mehrere Flaschen Wasser, Käse, Aufschnitt sowie reichlich Bier. Er sah erneut im Mülleimer nach – das Einwickelpapier eines Schokoriegels und eine leere Beef-Jerky-Tüte. Keine Bierflaschen. In der kleinen Küche standen auch keine Gläser herum. Falls Dupek also jemanden zu sich an Bord eingeladen hatte, kurz bevor er zu seinem zweiwöchigen Segeltörn aufbrechen wollte, dann höchstwahrscheinlich nicht für ein geselliges Beisammensein.

Also was dann?

Garcia hatte gemutmaßt, dass der Täter Dupek außerhalb des Bootes mit einer Waffe bedroht und gezwungen haben könnte, die Tür aufzuschließen, bevor er ihn mit dem Schlag ins Gesicht außer Gefecht setzte. Doch nach eingehender Betrachtung beider Tatorte und mit Dr. Hoves Vermutung im Hinterkopf, dass die bevorzugte Waffe des Täters ein elektrisches Tranchiermesser war, fand Hunter diese Theorie wenig plausibel. Der Täter mochte keine Schusswaffen.

Er durchquerte die Kajüte bis zur gegenüberliegenden Wand, wo sich die größte Blutlache befand. Der Stuhl, auf dem Dupeks Leiche gesessen hatte, war von der Spurensicherung mitgenommen worden, aber die Stelle, an der er gestanden hatte, war mit Klebeband markiert. Hunter blieb stehen und sah sich um. Man konnte sich nirgendwo verstecken. Jeder, der den Versuch unternahm, hier jemandem aufzulauern, würde sofort entdeckt werden – es sei denn, er war ein Zwerg. Schon von der Tür aus hätte Dupek die gesamte Kajüte im Blick gehabt. Lediglich das Badezimmer war nicht einzusehen, allerdings galt das nur bei geschlossener Tür. Wenn der Täter sich dort versteckt gehalten hatte, hätte er zwei Möglichkeiten gehabt: zu warten, bis Dupek aus irgendeinem Grund die Badezimmertür öffnete, und ihn dann mit einer entsprechenden Schlagwaffe niederzustrecken; oder selbst die Tür zu öffnen und Dupek zu attackieren, sobald dieser die Kajüte betrat.

Hunter erkannte sofort, was gegen diese beiden Möglichkeiten sprach. Wie in jeder Bootskajüte war auch hier das Bad alles andere als großzügig geschnitten. Dr. Hove war sich sicher, dass Dupek durch einen einzigen heftigen Schlag betäubt worden war, und dieser Schlag hatte ihn mit viel Schwung von rechts getroffen. Einen solchen Schlag auszuführen, wenn man in Dupeks Badezimmer stand, war völlig unmöglich. Es gab schlicht und ergreifend nicht genug Platz. Wäre der Täter andererseits aus dem Bad auf Dupek zugestürzt, hätte er in jedem Fall mehrere Sekunden gebraucht, um ihn zu erreichen. Das hätte Dupek genügend Zeit gegeben, die grundlegendste aller Abwehrhaltungen einzunehmen, indem er die Arme hochriss, um das Gesicht zu schützen. Doch waren weder an Händen noch an Armen des Opfers Abwehrverletzungen gefunden worden.

Hunters Blick wanderte erneut durch den Raum und blieb schließlich an der kleinen Luke hängen, hinter der sich der Innenbordmotor des Bootes verbarg. Wie fast alles auf dieser Seite der Kajüte war auch sie mit getrocknetem Blut bedeckt. Weil die Spurensicherung es am Vorabend so eilig gehabt hatte, den Tatort zu untersuchen, hatte Hunter nicht die Zeit gefunden, den Motor gründlicher in Augenschein zu nehmen. Nun ging er neben der Luke in die Hocke und zog die Abdeckung auf. Der Raum dahinter war nicht größer als ein normaler Schrank. Der Motor nahm fast den gesamten Platz ein. Durch die Ritzen war Blut hineingelaufen und auf den Motor und den ölverschmierten Boden darunter getropft. Hunter wollte die Luke gerade wieder schließen, als er etwas entdeckte, das ihn stutzig machte: Blutspuren auf dem mittleren Teil des Motors. Es waren keine Tropfen, die durch den Spalt in der Abdeckung gesickert waren, sondern eindeutig Spritzer. Hunter hatte ähnliche Verteilungsmuster schon oft gesehen – Wundspritzer, normalerweise verursacht durch eine Drehbewegung, wie wenn ein Angreifer seinem Opfer einen Schlag ins Gesicht versetzt. Durch die Wucht des Schlages wird der Kopf des Opfers herumgerissen, und das Blut, das dabei aus der Wunde fliegt, hinterlässt ein bogenförmiges Spritzmuster.

Hunter griff nach der Mappe mit dem kriminaltechnischen Bericht und blätterte rasch durch die Beweisfotos. Als er das richtige Foto gefunden hatte, begann es in seinem Kopf fieberhaft zu arbeiten. Er spielte sämtliche Möglichkeiten durch. Schließlich langte er mit der Hand nach unten, steckte den Kopf in den Motorraum und tastete an der Unterseite des Motors herum. Als er die Hand wegzog, klebte eine schmierige Flüssigkeit daran.

Hunter spürte, wie sich das Blut in seinen Adern erwärmte. »Ganz schön schlau, der Mistkerl.«

51

Um neun Uhr morgens war die Hitze, die von den staubigen Straßen aufstieg, bereits so stark, dass es sich anfühlte, als wäre eine Backofentür geöffnet worden. Hunter saß an einem der Tische im Außenbereich des Grub Café in der Seward Street. Der große weiße Schirm, der aus der Mitte der Tischplatte emporragte, spendete hochwillkommenen Schatten. Die getrimmten, mit purpurnen Blüten gesprenkelten Hecken, die an einem Holzzaun um die Terrasse herum wuchsen, verliehen dem Café ein ländliches Flair, und das obwohl man sich in unmittelbarer Nachbarschaft zu West Hollywood befand.

Detective Seb Stokes, Andrew Dupeks ehemaliger Partner, hatte das Grub Café als Treffpunkt vorgeschlagen. Er kam einige Minuten nach Hunter, blieb im Durchgang zur Terrasse stehen und ließ den Blick über die vollbesetzten Tische schweifen. Er war ein Bär von einem Mann. Seine abgewetzte Hose spannte sich um einen ausufernden Bauch, und seine Jacke sah aus, als würde sie zerreißen, sobald er mit den Schultern zuckte oder etwas zu heftig nieste. Sein Haar war schütter, dunkelblond und seitlich über den Schädel gekämmt, um eine kahle Stelle zu verbergen, die sich nicht verbergen ließ. Er hatte das erschöpfte Aussehen eines Menschen, der zu viel Zeit in demselben Job verbracht und ihn zu hassen gelernt hat.

Obwohl sie sich nie getroffen hatten, erkannte Hunter ihn

sofort und hob die Hand, um seine Aufmerksamkeit auf sich zu lenken. Stokes kam zu ihm.

»Ich sehe wohl zu sehr wie ein Cop aus, was?« Seine Stimme passte zu seinem Äußeren: volltönend, aber müde.

»Das tun wir doch alle«, gab Hunter zurück und stand auf, um Stokes die Hand zu schütteln.

Stokes unterzog Hunters Figur und Kleider einer eingehenden Musterung. Die schwarzen Jeans, die Cowboystiefel, das Hemd, dessen aufgerollte Ärmel muskulöse Unterarme entblößten, die breiten Schultern und die starke Brust, das Gesicht mit dem markanten Kiefer.

»Ach ja?«, sagte er mit einem spöttischen Grinsen. »Sie sehen eher aus wie Amerikas größter Superturner. Jedenfalls nicht wie die Cops, die ich kenne.« Er schüttelte Hunter die Hand. »Seb Stokes. Alle nennen mich Seb.«

»Robert Hunter. Sagen Sie Robert zu mir.«

Sie setzten sich.

»Also, dann bestellen wir mal.« Stokes winkte die Kellnerin herbei, ohne auch nur einen Blick in die Speisekarte geworfen zu haben, und bestellte die Frühstückskombi. Hunter bat um eine Tasse schwarzen Kaffee.

Stokes lehnte sich zurück und öffnete die Knöpfe seines Jacketts. »Sie sind also der leitende Detective in Andys Mordfall?« Er schüttelte den Kopf und sah in die Ferne, bevor er Hunter mit seinen müden Augen fixierte. »Stimmt es, was ich gehört habe? Dass er in Stücke gehackt wurde? Ich meine ... zerstückelt? Enthauptet?«

Hunter nickte. »Es tut mir leid.«

»Und seine Gliedmaßen lagen auf einem Tisch, zu einer Art verrückter Skulptur arrangiert?«

Erneut nickte Hunter.

»Glauben Sie, da steckt eine Gang dahinter?«

»Nichts deutet darauf hin.«

»Was dann? Ein Einzeltäter?«

»Nach allem, was wir bislang wissen, ja.«

Stokes wischte sich mit der Handfläche der linken Hand über die schweißglänzende Stirn, und Hunter sah, wie sich sein Kiefer vor Wut verkrampfte.

»Das ist krank. Diese feige Sau. Dieses Dreckschwein. So sollte ein Polizist nicht sterben. Ich würde alles dafür geben, um nur fünf Minuten mit dem Arsch, der Andy das angetan hat, alleine in einem Raum zu sein. Mal sehen, wer dann wen in seine Einzelteile zerlegt.«

Hunter beobachtete Stokes, wie dieser vor sich hin brodelte.

»Ich hoffe, Sie wissen, dass bei dieser Sache das ganze LAPD hinter Ihnen steht, oder? Egal was Sie brauchen, egal von welcher Abteilung, Sie müssen es nur sagen. Scheißverdammter Copkiller. Aber der wird noch kriegen, was er verdient hat.«

Hunter enthielt sich eines Kommentars.

»Andy war kein Zufallsopfer, stimmt's? Das war was Persönliches. Ich meine, macht es den Eindruck, als wäre es ein Racheakt?«

»Möglicherweise.«

»Rache wofür? Andy war schon Ewigkeiten nicht mehr im aktiven Dienst. Seit ...« Stokes kniff die Augen zusammen und schüttelte den Kopf.

»Seit acht Jahren«, half Hunter ihm auf die Sprünge.

»Genau, seit acht Jahren. Er hatte einen Schreibtischjob ...« Er verstummte schlagartig, als ihm klar wurde, worauf Hunter hinauswollte. »Moment mal. Sie glauben, es war Rache für einen Fall, der länger zurückliegt als acht Jahre? Von früher, als er noch Detective war?«

»Sie waren sein Partner, ist das richtig?«

»Na ja, nicht direkt Partner. Wir haben hin und wieder mal zusammengearbeitet, ja, aber bei uns auf der Dienststelle brauchte man für die meisten Fälle nicht mehr als einen Detective. Wir hatten mit jeder Menge Kleinkram zu tun, Raubüberfälle, Schlägereien, häusliche Gewalt, Diebstahl und so weiter. Andy und ich haben zusammen in ein paar Mordfällen ermittelt, die gingen fast alle auf das Konto von irgendwelchen Gangs. Alles, was komplizierter war, wurde an euch da unten beim Raub- und Morddezernat weitergeleitet.«

Die Kellnerin kehrte mit dem Kaffee an ihren Tisch zurück. Stokes' Becher krönte eine Sahnehaube, die so groß war, dass sie aussah wie ein verschneiter Weihnachtsbaum. Hunter wartete, während Stokes drei Beutelchen Zucker in seinen Kaffee schüttete.

»Denken Sie, dieser Schweinehund ist einer von denen, die Andy und ich hochgenommen haben?«

»Im Moment ermitteln wir in jede Richtung.«

»Na, das nenne ich mal eine Bullshit-Antwort streng nach Lehrbuch.« Mit einem kleinen Holzstäbchen rührte Stokes seinen Kaffee um. »Warten Sie mal. Sie glauben, der Mistkerl wird noch mal zuschlagen? Bitte sagen Sie jetzt nicht, Sie sind gekommen, um mir zu sagen, ich soll vorsichtig sein.«

»Nein, deswegen bin ich nicht gekommen. Trotzdem kann ein bisschen Wachsamkeit nie schaden.«

Stokes lachte laut auf. Es war ein raues, kehliges Lachen. »Und was schlagen Sie vor, Detective? Dass ich Polizeischutz beantrage? Mir eine größere Knarre besorge?« Er beugte sich so weit nach vorn, wie sein Bauch es zuließ, und öffnete sein Jackett ein wenig, so dass Hunter die Waffe im Schulterhalfter sehen konnte. »Der soll nur kommen. Ich bin bereit.« Er lehnte sich wieder zurück und musterte Hunter kurz. »Ich habe mich nicht so oft bei Andy gemeldet, wie ich's hätte tun sollen. Ich bin nicht mehr beim South Bureau. Bin nach meiner Scheidung ins West Bureau versetzt worden, Hollywood Division.«

»Wann war das?«

»Vor sieben Jahren. Ein Jahr nachdem Andy angeschossen wurde. Aber verraten Sie mir mal was. Andy war ein sportlicher Kerl. Er war nicht mehr im aktiven Dienst und auch nicht mehr so fit wie früher, dafür hat die Kugel in seiner Lunge gesorgt, aber er wusste sich zu helfen. Und er war einer von denen, die immer auf der Hut sind, kennen Sie die Typen? Trauen niemandem über den Weg. Und ich weiß, dass er immer seine Waffe dabeihatte. Wie konnte ein einzelner Täter ihn überwältigen? Hat er ihm auf seinem Boot aufgelauert?«

Hunter lehnte sich zurück und schlug die Beine übereinander. »Nein. Er hat sich als Mechaniker ausgegeben.«

52

Garcia war Frühaufsteher und kam immer vor den meisten Kollegen ins Dezernat. An diesem Morgen saß er noch viel früher als sonst an seinem Schreibtisch. Er litt nicht an Schlaflosigkeit wie Hunter, aber niemand hat wirklich die Kontrolle über seine Gedanken oder darüber, womit das eigene Unterbewusstsein einen traktiert, sobald man die Augen zumacht. Letzte Nacht waren die Bilder in seinem Kopf so schlimm gewesen, dass er vor Angst fast die ganze Nacht nicht geschlafen hatte.

Er hatte sein Bestes getan, seine Frau nicht zu wecken, doch obwohl er stumm und regungslos dalag, spürte Anna die Unruhe ihres Mannes, als wäre es ihre eigene. Das tat sie immer.

Garcia hatte Anna Preston in der neunten Klasse der Highschool kennengelernt. Ihre außergewöhnliche Schönheit hatte damals viele Jungs fasziniert, aber Garcia war regelrecht in ihren Bann geschlagen. Auf der Schule war Garcia still und eher schüchtern. Er brauchte zehn Monate, um genügend Mut aufzubringen, bei einem Schulball zu Anna hinzugehen und die Worte zu stammeln: »Würdest du … äh … mö… also, möchtest du tanzen …?«

»Ja«, antwortete sie mit einem Lächeln, bei dem ihm die Knie schlotterten.

»Ich meine … mit mir … Möchtest du mit mir tanzen …?«

Ihr Lächeln wurde noch strahlender. »Ja, und wie.«

Während sie etwas unbeholfen zu einem langsamen Song über die Tanzfläche schunkelten, flüsterte Anna in Garcias Ohr: »Wieso hat das so lange gedauert?«

Garcia hob das Kinn von ihrer Schulter und sah in ihre goldbraunen Augen. »Was?«

»Fünf Schulbälle. Das hier ist der fünfte Schulball in diesem Jahr. Wieso hat es so lange gedauert, bis du mich endlich mal aufforderst?«

Garcia legte den Kopf schief und sagte zögerlich: »Ich … lasse die Frauen halt gern zappeln?«

Da mussten beide lachen.

Seit jenem Abend waren sie ein Paar.

Drei Jahre später, direkt nach bestandenem Schulabschluss, machte Garcia ihr einen Heiratsantrag.

Als Garcia Detective beim LAPD wurde, schwor er sich, die kranke, brutale Welt, mit der er beruflich zu tun hatte, niemals mit nach Hause zu bringen. Niemals mit Anna über seine Arbeit zu sprechen – nicht weil das gegen die Dienstvorschrift verstieße, sondern weil er sie so sehr liebte, dass er ihre Gedanken nicht mit den Bildern seines grausamen Alltags verschmutzen wollte. Bislang hatte er sich eisern an diesen Schwur gehalten.

Doch als sie nun im Bett lagen, kroch Anna näher zu Garcia hin und wisperte in die Dunkelheit: »Wenn du irgendwann mal reden willst – du weißt, dass ich da bin. Ganz egal worum es geht.«

Er drehte sich zu ihr um und strich ihr zärtlich eine Haarsträhne aus dem Gesicht. »Ich weiß.« Er lächelte. »Alles ist gut«, und küsste ihre Lippen.

Anna legte ihm eine Hand auf die Brust und schloss die Augen. »Ich liebe dich«, sagte sie.

Garcia begann ihr Haar zu streicheln. »Ich liebe dich auch.« Schlaf fand er in dieser Nacht nicht.

Garcia saß mit Blick zur Pinnwand. Sein Interesse galt hauptsächlich dem Foto des Schattenbildes von der zweiten Skulptur. »Was zum Geier will er uns damit sagen?«

»Die Frage habe ich mir auch die ganze Nacht gestellt«, verkündete Alice. Sie stand genau hinter ihm.

Garcia fuhr in die Höhe. Er hatte sie gar nicht hereinkommen hören. »Mein lieber Mann«, sagte er und sah auf die Uhr. »Du bist aber früh auf den Beinen.«

»Oder spät, je nachdem.« Sie legte mehrere Mappen auf ihren Schreibtisch.

»Konntest du auch nicht schlafen?«

»Ich *wollte* nicht schlafen. Jedes Mal, wenn ich die Augen zugemacht habe, hat mein Hirn einen neuen Alptraum ausgebrütet.«

Garcia verzog mitfühlend das Gesicht. Er wusste nur zu gut, wovon sie sprach.

Sie nahm eine der mitgebrachten Mappen vom Tisch und reichte sie Garcia.

»Was ist das?«

»Gefängnisakten und Besucherlisten von Alfredo Ortega und Ken Sands.«

Garcia machte große Augen. »Im Ernst? Ich wusste gar nicht, dass der Antrag schon bewilligt wurde.«

»Es hat eben Vorteile, wenn der Bezirksstaatsanwalt, der Bürgermeister und der Polizeichef unbedingt Ergebnisse sehen wollen. Alles geht viel schneller. Ich habe sie heute in aller Frühe per Fax ins Büro bekommen.«

»Hast du sie schon durchgesehen?«

Alice schob sich mit beiden Händen die Haare hinter die Ohren. »Ja, habe ich.«

Garcia beäugte ungläubig den dicken Mappenstapel.

»Ich lese schnell.« Sie lächelte. »Ich habe ein paar Sachen angestrichen.« Sie überlegte kurz. »Genauer gesagt ziemlich viele. Fang mit der blauen Mappe an, das ist die von Alfredo Ortega. Du weißt ja bestimmt noch, dass er elf Jahre vor Ken Sands ins Gefängnis gekommen ist.«

Garcia fiel Alices eigenartiger Tonfall auf. »Ich merke schon, du bist auf was gestoßen.«

»Wart ab, bis du beide Akten durch hast.« Sie hockte sich mit selbstzufriedener Miene auf die Kante ihres Schreibtischs. »Du musst es mit eigenen Augen sehen, sonst glaubst du es nicht.«

53

Detective Seb Stokes hielt mitten im Trinken inne und stellte seinen Kaffeebecher zurück auf den Tisch. Ein Sahneklecks hing vorn an seiner knolligen Nase, und ein fast perfekter Schnurrbart aus weißem Schaum zierte seine Oberlippe.

»Als Mechaniker?«, wiederholte er, während er sich mit einer Papierserviette die Sahne aus dem Gesicht wischte. »Sie haben das Schwein auf Band?«

»Nein, die Überwachungskameras waren kaputt«, sagte Hunter mit ruhiger Stimme.

»Das sind sie doch immer, wenn man sie mal braucht. Woher wissen Sie dann, dass der Mörder sich als Mechaniker ausgegeben hat?«

»Gestern Abend habe ich entdeckt, dass Dupeks Innenbordmotor einÖlleck hatte. An dem Tag, als er ermordet wurde, wollte er zu seinem alljährlichen Segeltörn aufbrechen. Ich vermute, dass ihm das Problem wahrscheinlich beim letzten Check aufgefallen ist und er nicht mit einem defekten Motor in See stechen wollte.«

»Typisch Andy. Er war immer sehr gründlich. Ist nie ein Risiko eingegangen. Haben Sie schon beim Büro der Marina nachgefragt? Haben die Vertragsmechaniker?«

»Ja, ich habe mich erkundigt.« Hunter nippte an seinem Kaffee. »Sie haben keine eigenen Mechaniker auf Abruf, sondern bloß eine Liste von Mechanikern, die sie den Bootsbesitzern bei Bedarf vermitteln. Dupek hat sich mit seinem Problem allerdings nicht ans Büro gewandt, aber die meisten Bootsbesitzer haben ohnehin einen festen Mechaniker, dem sie vertrauen.«

»Andy auch?«

Hunter nickte. »Ein Mann namens Warren Donnelly. Ich habe heute Morgen schon mit ihm gesprochen. Er sagte, Dupek hätte sich nie bei ihm wegen eines Öllecks gemeldet.«

»Sie denken also, der Mörder hat am Motor rumgefummelt, kurz bevor Andy aufs Boot kam«, sagte Stokes, der Hunters Miene richtig gedeutet hatte. »Vielleicht sogar ein, zwei Tage vorher.«

»Möglicherweise.«

»Dann musste er nur noch in der Nähe bleiben und den richtigen Moment abpassen, damit er ihm seine Dienste anbieten konnte.«

»Das ist die Theorie, der wir momentan nachgehen«, bestätigte Hunter.

»Aber warum hat er sich nicht einfach in der Kajüte versteckt und auf Andy gewartet? Warum musste er es so kompliziert machen und diesen ganzen Mechaniker-Zirkus aufführen?«

»Ich bin mir nicht sicher«, gestand Hunter. »Vielleicht weil das Boot so klein ist. Es ist sehr eng in der Kajüte, eigentlich gibt es gar keinen Platz, um sich zu verstecken. Dupek wäre die Anwesenheit eines Fremden aufgefallen, noch bevor er das Boot überhaupt betreten hätte. Damit hätte der Täter seinen Vorteil verspielt – kein Überraschungsmoment mehr.«

»Andy war immer noch ein Cop«, sagte Stokes, lehnte sich auf seinem Stuhl zurück und rieb sich mit der Hand den grummelnden Magen. »Und ein guter noch dazu. Beim geringsten Anzeichen von Gefahr hätte er sofort die Waffe gezogen und wäre auf der Hut gewesen.«

Wieder nickte Hunter. »Dupek war groß und kräftig, er wusste sich zu verteidigen. Vielleicht war dem Täter klar, dass er es unter keinen Umständen auf einen Zweikampf ankommen lassen durfte. Unser Täter geht keine unnötigen Risiken ein.«

Stokes begann auf seiner Unterlippe herumzukauen. »Das heißt, der Killer musste dafür sorgen, dass er von Andy aufs Boot eingeladen wird. Auf die Art hätte Andy auch keinen Verdacht geschöpft. Er wusste, wenn er erst mal an Bord ist, würde sich früher oder später schon eine Gelegenheit ergeben, Andy zu überwältigen.«

»Den Blutspritzern und dem Fundort seiner Zähne nach zu urteilen, hat Dupek vor der Luke zum Innenborder gekniet. Vielleicht hat der Täter ihn gebeten, einen Blick auf etwas zu werfen oder etwas zu halten, während er nach einem Werkzeug sucht.«

»Zähne?«

»Dupek hat einen Schlag ins Gesicht bekommen, der seinen Kiefer zertrümmert und ihm drei Zähne ausgeschlagen hat.«

Die Kellnerin brachte Stokes' Frühstück. »Sind Sie sicher, dass ich Ihnen nicht auch was bringen kann?«, wandte sie sich an Hunter.

»Nein, danke, für mich nichts.«

»Na gut. Sagen Sie Bescheid, falls Sie es sich anders überlegen.« Die Kellnerin zwinkerte Hunter neckisch zu, bevor sie eine Drehung auf den Zehenspitzen vollführte und wieder verschwand.

Hunter kratzte behutsam die Narbe einer alten Schusswunde an seinem rechten Trizeps. Die Sache lag über zwei Jahre zurück, aber manchmal juckte die Wunde noch wie verrückt. »Wer auch immer der Täter ist«, sagte er, »er muss Dupek abgrundtief gehasst haben. Und deswegen bin ich hier. Sie haben mit ihm gearbeitet. Sie gehörten zur selben Abteilung. Können Sie sich an irgendeinen Fall erinnern, in dem Sie zusammen ermittelt haben? Fällt Ihnen irgendjemand ein, von dem Sie glauben, dass er imstande wäre, so was zu tun?«

Stokes säbelte eine große Ecke von seinem spanischen Omelett ab und nahm sie in die Hand, als wäre sie ein Stück Pizza. »Nach unserem Telefonat gestern Abend habe ich gewusst, dass die Frage kommt. Ich habe gründlich drüber nachgedacht. Und der Einzige, der mir einfällt, ist Raul Escobedo.«

»Wer ist das?«

»Mehrfachvergewaltiger. Wurde verurteilt, weil er innerhalb von acht Monaten drei Frauen in Lynwood Park und Paramount angegriffen hatte. In Wahrheit hat er wohl um die zehn Frauen vergewaltigt, aber nur drei haben gegen ihn ausgesagt. Ein sadistisches Schwein. Hat seine Opfer vor der eigentlichen Vergewaltigung brutal zusammengeschlagen. Er ist uns nur ins Netz gegangen, weil er, ohne dass er es ahnen konnte, einen Fehler gemacht hat.«

»Was für einen Fehler?« Hunters Neugier war geweckt.

»Das war so. Escobedo ist hier in L. A. geboren, aber seine Eltern stammen aus einem kleinen Bundesstaat in Mexiko. Colima.«

»Heimat des gleichnamigen Vulkans.«

»Stimmt genau. Das wissen Sie?«

Hunter nickte.

»Hm. Ich musste das erst nachlesen. Na ja, ist ja auch egal, jedenfalls sind Escobedos Eltern in die USA ausgewandert, bevor seine Mutter schwanger wurde. Sie stammten aus einem kleinen Ort namens Santa Inés. Obwohl Escobedo in Paramount aufgewachsen ist, wurde bei ihm zu Hause nur Spanisch gesprochen. Und genau das hat ihm das Genick gebrochen. Die Leute aus Santa Inés sprechen nämlich einen ganz bestimmten Dialekt. Ich persönlich höre da keinen Unterschied, aber bitte.« Stokes biss erneut von seinem Omelett ab. »Er hatte die Heimatstadt seiner Eltern nie gesehen, sprach aber den Santa-Inés-Dialekt wie ein Einheimischer. Und genau das war sein Verhängnis. Er hat den Frauen gerne Schweinereien ins Ohr geflüstert, während er sie vergewaltigt hat. Sein letztes Opfer stammte aus Las Conchas, das ist ein Nachbarort von Santa Inés.«

»Sie hat seinen Dialekt wiedererkannt«, sagte Hunter.

»Nicht nur das.« Stokes lachte leise. »Escobedo hat damals bei der Post am Schalter gearbeitet. Zwei Wochen nach der Vergewaltigung war die Frau bei einer Freundin in South Gate zu Besuch. Es war eine Woche vor dem mexikanischen Muttertag, deswegen sind sie zusammen auf die Post, weil die Freundin ihrer Mutter eine Karte schicken wollte. Und wer bedient sie? Kein Geringerer als Escobedo. Kaum hatte die Frau seine Stimme gehört, hat sie angefangen zu zittern. Aber sie hat die Nerven behalten. Statt in Panik zu geraten und ihn misstrauisch zu machen, ist sie einfach wieder rausspaziert, hat eine Telefonzelle gesucht und die Polizei gerufen. Wir haben ihn observiert, und – zack – drei Wochen später haben wir ihn in flagranti erwischt, als er sich gerade an einer weiteren Frau vergehen wollte. Andy und ich haben ihn festgenommen.« Stokes wandte sich wieder seinem Kaffee zu, doch Hunter spürte sein Zögern. Da war noch mehr. Stokes hielt mit etwas hinterm Berg.

»Was ist bei der Festnahme passiert?«

Stokes legte sein Omelettstück hin, fuhr sich mit der Serviette über den Mund und sah Hunter über den Tisch hinweg forschend an.

»Von Cop zu Cop?«

Hunter antwortete mit einem nachdrücklichen Nicken. »Von Cop zu Cop.«

»Na ja, nach der Verhaftung haben wir ihn uns ein bisschen vorgeknöpft.«

»Vorgeknöpft?«

»Sie wissen doch selbst, wie das ist, Mann. Bei so einem Zugriff ist man voller Adrenalin, da kocht das Blut hoch. Andy war als Erster bei ihm. Escobedo hatte eine Achtzehnjährige in ein leerstehendes Gebäude der Heilsarmee in Lynwood gezerrt. Andy war immer schon ein ziemlicher Choleriker gewesen. Seine Sicherung ...« Stokes verzog den Mund zu einer Seite und neigte den Kopf. »Na ja, sagen wir mal, er hatte keine Sicherung. Es gab ständig Zoff mit unserem Captain, weil Andy dauernd die Beherrschung verlor. Er war nicht gerade gemeingefährlich, aber viel hat nicht gefehlt, wenn Sie wissen, was ich meine. Als er ins Gebäude kam, hatte Escobedo dem Mädchen schon die Bluse runtergerissen und sie übel zugerichtet. Als Andy das sah, hat er vergessen, dass er ein Cop ist, und mit Escobedo ein paar Runden Hau-den-Lukas gespielt. Verstehen Sie?«

Hunter erwiderte nichts. Eine Zeitlang herrschte Schweigen.

»Die Wahrheit ist ...«, fuhr Stokes schließlich fort, »... dass der Mistkerl jeden einzelnen Schlag verdient hatte. Andy hat ihm das Gesicht zu Brei geschlagen.«

Hunter trank unberührt von seinem Kaffee. »Und wo ist er jetzt? Escobedo?«

»Keine Ahnung. Das war vor zwölf Jahren. Escobedo hat zehn Jahre gekriegt und jede Sekunde davon abgesessen. Soweit ich weiß, wurde er vor zwei Jahren entlassen.«

Ein Gefühl wie ein Stromstoß jagte Hunter das Rückgrat hinauf.

»Und eins sag ich Ihnen jetzt gleich«, fuhr Stokes fort, »wenn dieser Drecksack derjenige ist, der Andy auf dem Gewissen hat, dann ...«

»Wo hat er eingesessen?«, unterbrach Hunter ihn. Er war bis an die Kante seines Stuhls vorgerückt.

»Was?« Stokes kniff die Augen zusammen und schob sich eine Strähne seines schlaffen Haares aus der Stirn.

»Escobedo, in welchem Gefängnis war er?«

»Im Staatsgefängnis von Los Angeles County.«

»Lancaster?«

»Ja.«

Im selben Gefängnis wie Ken Sands, durchfuhr es Hunter.

»Im Ernst, wenn Escobedo ihn auf dem Gewissen hat, dann werde ich ...«

»Sie werden überhaupt nichts tun«, schnitt Hunter Stokes abermals das Wort ab. Das Letzte, was er wollte, war, dass Stokes das Café verließ und dachte, er kenne die Identität des neuesten Copkillers von L. A. Die falsche Information würde sich ausbreiten wie ein Lauffeuer, und noch vor der Mittagspause wären die Cops der halben Stadt auf dem Kriegspfad. Davon musste er Stokes unbedingt abbringen. »Hören Sie, Seb, wenn Escobedo der Einzige ist, der Ihnen einfällt, dann überprüfen wir ihn natürlich, aber momentan ist er für uns nicht mal ein Verdächtiger. Er ist bloß ein Name auf einer Liste. Wir haben nichts, was ihn mit dem Tatort in Verbindung bringen könnte – keine Fingerabdrücke, keine DNA, keine Fasern, keine Augenzeugen. Wir wissen nicht mal, wo er war, als Dupek ermordet wurde, oder ob er über die Fähigkeiten verfügt, die zur Ausführung der Tat notwendig waren.« Hunter ließ ein paar Sekunden verstreichen, damit seine Worte ihre volle Wirkung entfalten konnten. »Sie sind ein guter Detective, ich habe Ihre Akte gelesen. Sie wissen genau, wie es abläuft. Wenn jetzt irgendein Gerücht die Runde macht, gerät die gesamte Ermittlung in Gefahr. Und wenn das passiert, dann kommt der Schuldige vielleicht davon. Das wissen Sie.«

»Dieses Arschloch wird garantiert nicht davonkommen.«

»Da haben Sie recht, das wird er nicht. Und falls Escobedo unser Mann ist, werde ich ihn fassen.«

Die Entschlossenheit in Hunters Tonfall ließ Stokes' harten Blick ein wenig weicher werden.

Hunter legte eine Visitenkarte auf den Tisch und schob sie Stokes hin. »Wenn Ihnen außer Escobedo noch jemand einfällt, rufen Sie mich an.« Bevor er aufstand, fügte er hinzu: »Noch eins. Tun Sie mir den Gefallen und seien Sie auf der Hut, in Ordnung? Der Kerl ist schlauer als die Verbrecher, mit denen Sie es normalerweise zu tun kriegen.«

Stokes grinste. »Wie gesagt ...« Er tätschelte die Ausbuchtung unter seinem Jackett. »Der soll nur kommen ...«

54

Garcia war gerade mit den Akten fertig, die Alice ihm mitgebracht hatte, als Hunter die Tür zum Büro aufstieß. Die Fahrt zurück vom Grub Café hatte länger gedauert als erwartet.

»Du musst das hier lesen«, sagte Garcia, noch ehe Hunter an seinem Schreibtisch angekommen war.

»Was ist das?«

»Die Gefängnisakten und Besucherlisten von Alfredo Ortega und Ken Sands.«

Hunter sah stirnrunzelnd zu Alice hinüber, die sich gerade eine Tasse Kaffee einschenkte.

»Captain Blake hat gesagt, wir sollen in die Hufe kommen; also bin ich in die Hufe gekommen«, meinte sie ungerührt.

»Du hast dich in die Datenbank des Gefängnissystems von Kalifornien gehackt?«

Alice reagierte mit einem unmerklichen Schulterzucken.

»Was?« Garcia lachte über Hunters Frage. »Mir hast du doch gesagt, es hätte eben Vorteile, wenn man den Bezirksstaatsanwalt, den Bürgermeister von Los Angeles und den Polizeichef auf unserer Seite hat.«

Alice sah ihn von der Seite an und lächelte. »Das war gelogen. Sorry. Ich wusste ja nicht, wie du darauf reagieren würdest, dass ich mich nicht an die Dienstvorschrift gehalten habe. Manche Polizisten sind da ein bisschen pingelig.«

Garcia erwiderte ihr Lächeln. »Nicht in diesem Büro.«

»Also gut, was haben wir denn?«, wandte Hunter sich an Garcia.

Garcia blätterte in der ersten Akte. »Alfredo Ortega kam elf Jahre vor Ken Sands ins Gefängnis, der, wie Alice uns gestern mitgeteilt hat, von Ortega als nächster Angehöriger angegeben wurde. Während dieser elf Jahre zwischen Ortegas Verurteilung und Sands' Verhaftung hat Ken Sands Alfredo Ortega sage und schreibe dreiunddreißigmal im Gefängnis besucht.«

Hunter lehnte sich gegen die Schreibtischkante. »Dreimal pro Jahr.«

»Dreimal pro Jahr«, wiederholte Garcia nickend. »Aufgrund der Brutalität von Ortegas Verbrechen wurde er als sogenannter Grad-B-Verurteilter eingestuft, das bedeutet, dass für ihn nur Besuche ohne Körperkontakt erlaubt waren.«

»Alle Besuche für die Grad-B-Verurteilten finden in einem gesicherten Besucherraum statt, und der Häftling ist die ganze Zeit über in Handschellen«, setzte Alice hinzu.

»Besuchstermine bei Todeskandidaten werden nur nach Verfügbarkeit vergeben; Durchschnitt ist ein Besuch alle drei bis fünf Monate«, fuhr Garcia fort. »Die Besuche dauern zwischen ein und zwei Stunden. Wir haben Ortegas gesamte Besucherhistorie vorliegen. Jedes Mal, wenn Sands ihn besucht hat, ist er über die maximale Besuchsdauer geblieben.«

»Okay, und hat außer ihm noch jemand anders Ortega besucht?«, wollte Hunter wissen.

»Als Ortegas Hinrichtungstermin näher rückte, haben die üblichen Leute bei ihm angeklopft – Reporter, Mitglieder von Aktionsgruppen gegen die Todesstrafe, jemand, der ein Buch über ihn schreiben wollte, der Gefängnispriester ... Du weißt ja, wie das ist.« Garcia blätterte eine Seite um. »Aber während der ersten elf Jahre seiner Haft war Sands sein einziger Besucher. Außer ihm keine Menschenseele.« Garcia klappte die Akte zu und reichte sie an Hunter weiter.

»Dass Sands Ortega besucht hat, hätten wir uns auch so denken können«, stellte Hunter fest, während er in der Akte blätterte. »Durch Alices Recherchen wussten wir ja, dass sie ein sehr enges Verhältnis hatten, es war also nichts anderes zu erwarten. Ist das alles?«

»Ortegas Besucherprotokolle beweisen lediglich, dass Sands all die Jahre über mit ihm in Kontakt geblieben ist«, meldete sich Alice aus einer Ecke des Büros zu Wort. Sie schlürfte dort ihren Kaffee. »Besuche finden unter Aufsicht statt, aber die Inhalte der Gespräche sind privat. Sie hätten über alles Mögliche reden können. Und nein, das ist *nicht* alles.« Ihr Blick ging von Hunter zu Garcia, wie um zu sagen: *Na los, zeigen Sie es ihm.*

Garcia griff nach der zweiten Akte und schlug sie auf.

»Das hier ist Ken Sands' Gefängnisakte«, sagte er. »Jetzt wird es allmählich interessant.«

55

Garcia zog ein DIN-A4-Blatt aus der Mappe und gab es Hunter.

»Sands' Besuchsprotokolle sind nicht weiter bemerkenswert. Während der ersten sechs Jahre seiner Haft hat er vier Besuche pro Jahr bekommen, alle von derselben Person.«

Hunter sah nach. »Seiner Mutter.«

»Genau. Sein Vater hat ihn nie besucht, aber das ist angesichts ihrer Beziehung ja auch nicht weiter verwunderlich. Während der restlichen dreieinhalb Jahre hatte Sands dann keinen Besuch mehr.«

»Er war wohl nicht sehr beliebt, was?«

»Nicht wirklich. Sein einziger richtiger Freund war Ortega, und der saß in San Quentin.«

»Zellengenossen?«, fragte Hunter.

»So ein harter Hund namens Guri Krasniqi«, antwortete Alice.

»Albaner, einer der großen Bandenchefs.« Hunter nickte. »Habe von ihm gehört.«

»Genau der war es.«

Garcia lachte leise. »Tja, wahrscheinlich sind die Chancen größer, auf dem Weg aus dem Büro in Einhornkacke zu treten, als einen albanischen Gangsterkönig zum Reden zu bringen.«

Auch wenn Garcias Bemerkung als Scherz gemeint war, traf sie im Kern zu, darüber machte sich Hunter keine Illusionen.

»Im sechsten Jahr seiner Haft hat Ken Sands gleich zwei Schicksalsschläge erlitten«, führte Alice ihren Bericht fort. »Zuerst wurde Ortega nach sechzehn Jahren im Todestrakt per Giftspritze hingerichtet. Ein halbes Jahr später ist Sands' Mutter an einer Gehirnblutung gestorben. Deswegen haben auch die Besuche aufgehört. Man hat ihm erlaubt, zur Beisetzung zu gehen – natürlich schwer bewacht. Es waren insgesamt nur zehn Trauergäste da, unter anderem sein Vater, aber mit dem hat Sands kein Wort gesprochen. Angeblich war er völlig emotionslos. Keine einzige Träne.«

Das wunderte Hunter nicht. Ken Sands hatte einen Ruf als knallharter Schlägertyp, für Kerle wie ihn war Stolz alles. Niemals hätte er seinem Vater oder den Wachen die Genugtuung verschafft, ihn dabei zu sehen, wie er litt oder gar weinte, nicht einmal am Grab seiner Mutter. Falls er Tränen vergossen hatte, dann in der Abgeschiedenheit seiner Zelle.

Garcia stand auf und ging bis zur Mitte des Raums. »Okay, das ist alles schon ganz interessant – aber nicht so interessant wie das, was jetzt kommt.« Er deutete mit dem Kinn auf die Akte in seinen Händen. »Du weißt ja sicher, dass die Gefängnisse als Rehabilitationsanstalten ihren Insassen die Möglichkeit bieten, verschiedene Kurse zu belegen, eine Lehre zu machen oder einer Arbeit nachzugehen. Sie nennen das edukativ-berufliche Programmierung. Ihrem Leitbild zufolge soll das Ganze bei den Insassen Produktivität, Verantwortungsbewusstsein und den Willen zur Selbstvervollkommnung fördern. Obwohl es in der Realität nicht immer ganz so erfolgreich funktioniert.«

»Aha.« Hunter verschränkte die Arme vor der Brust.

»Einige Häftlinge dürfen auch, sofern sie einen entsprechenden Antrag stellen und dieser bewilligt wird, an Fernkursen teilnehmen. Mehrere Universitäten in den Vereinigten Staaten sind Kooperationspartner des Programms und bieten eine ganze Bandbreite von Studiengängen an.«

»Sands hat so ein Fernstudium gemacht«, schlussfolgerte Hunter.

»Er hat *zwei* gemacht. Und beide abgeschlossen.«

Hunter hob verblüfft die Brauen.

»Sands hat einen Abschluss in Psychologie vom College of Arts and Sciences, das gehört zur American University in Washington, DC, und ...«, Garcia warf Alice einen Blick zu und machte eine bedeutungsvolle Pause, »... einen in Gesundheits- und Krankenpflege von der University of Massachusetts. Um das Examen zu machen, braucht man keine Praxiserfahrung im Umgang mit Patienten, allerdings hätte er im Rahmen des Studiengangs die Erlaubnis gehabt, medizinische Fachbücher anzufordern. Bücher, die die Gefängnisbibliothek nicht im regulären Bestand hatte.«

Hunter spürte, wie es in seinem ganzen Körper zu kribbeln begann.

»Weißt du noch«, warf Alice ein, »wie ich gesagt habe,

dass Sands' Schulnoten wesentlich besser waren, als man von einem Problemkind wie ihm erwartet hätte?«

»Ja.«

»Er hat beide Examen mit Bestnoten bestanden. Lobende Erwähnung bei seinem Abschluss in Psychologie und herausragende Noten während seines gesamten Krankenpflege-Studiums.« Sie begann mit dem silbernen Bettelarmband zu spielen, das sie am rechten Handgelenk trug. »Wenn wir also nach jemandem suchen, der über medizinische Fachkenntnisse verfügt, ist Sands ein klarer Anwärter.« Alice trank erneut einen Schluck von ihrem Kaffee, während sie Hunter vielsagend ansah. »Aber das ist *immer* noch nicht alles.«

Hunter warf Garcia einen fragenden Blick zu.

Dieser führte den Vortrag weiter. »Den Gefängnisinsassen wird die Gestaltung ihrer Freizeit in der Regel nicht selbst überlassen. Alle werden dazu angehalten, sich in irgendeiner Weise sinnvoll zu betätigen: mit Lesen, Malen oder was auch immer. Das Staatsgefängnis in Lancaster bietet diverse ...«, Garcia malte mit den Fingern Gänsefüßchen in die Luft, »... persönlichkeitsfördernde Beschäftigungsmaßnahmen an. Sands hat viel gelesen und regelmäßig Bücher aus der Bibliothek ausgeliehen.«

»Das Problem ist leider«, klinkte sich Alice in den Vortrag ein, »dass der Katalog der Bibliothek nicht online verfügbar ist. Prinzipiell überrascht mich das nicht, aber es bedeutet natürlich, dass ich mich nicht einfach in den Katalog hacken und mir Sands' Ausleihliste besorgen kann. Wir müssen warten, bis Lancaster sie uns schickt.«

»Außerdem hat Sands viel Zeit im Fitnessraum verbracht«, sagte Garcia nach einem Blick in die Akte. »Und wenn er nicht gerade gelesen, Gewichte gestemmt oder für einen seiner Fernstudiengänge gebüffelt hat, ist er seinem Hobby nachgegangen. Ein Hobby, das er sich erst drinnen zugelegt hat.«

»Und zwar?« Hunter ging zum Wasserspender und ließ ein Glas volllaufen.

»Kunst.«

»Aber nicht Malen oder Zeichnen«, ergänzte Alice und sah Hunter auffordernd an, offenbar wollte sie, dass er sich den Rest selbst zusammenreimte.

»Bildhauerei«, sagte er.

Garcia und Alice nickten.

Hunter wollte nicht zu früh jubeln. Er verstand den psychologischen Ansatz, den der Staat Kalifornien in seinen Strafvollzugsanstalten verfolgte, sehr gut. Die Häftlinge sollten dazu ermutigt werden, ihre negativen Energien in etwas Kreatives, Konstruktives umzulenken. Jede Haftanstalt in Kalifornien verfügt über ein umfangreiches Kunstprogramm, und alle Insassen werden dazu angehalten, die Angebote wahrzunehmen. Die große Mehrheit tut dies auch. Wenn es auch sonst nichts bringt, so hilft es immerhin dabei, die Zeit totzuschlagen. Die drei beliebtesten künstlerischen Aktivitäten in kalifornischen Gefängnissen sind Malen, Zeichnen und Bildhauerei. Viele Insassen beschäftigen sich mit allen dreien.

»Und wir haben immer noch keinen möglichen Aufenthaltsort für Ken Sands?«, fragte Hunter.

Alice schüttelte den Kopf. »Es ist, als hätte er sich nach seiner Entlassung in Luft aufgelöst. Niemand weiß, wo er stecken könnte.«

»Es gibt immer jemanden, der irgendwas weiß«, widersprach Hunter.

»Das stimmt«, sagte Garcia, der emsig auf seine Computertastatur eintippte. Kurz darauf erwachte der Drucker neben seinem Schreibtisch aus dem Ruhezustand. »Das ist die letzte Liste, die du haben wolltest«, sagte er, angelte den Ausdruck aus dem Ausgabefach und hielt ihn Hunter hin. »Alle Insassen, die während der Zeit von Sands' Haft im selben Zellenblock gesessen haben wie er. Es sind über vierhundert

Namen, aber ich nehme dir das Suchen ab. Schau auf der zweiten Seite nach. Kommt dir da jemand bekannt vor?«

Alice warf Garcia einen verdutzten Blick zu. »Als du vorhin die Liste durchgegangen bist, hast du mir nicht gesagt, dass du einen der Namen kennst.«

Garcia lächelte. »Du hast mich auch nicht danach gefragt.«

Hunter blätterte auf Seite zwei und überflog die Namen. Nach etwa zwei Dritteln hielt er inne. »Da sieh mal einer an.«

56

Thomas Lynch, besser bekannt unter dem Spitznamen Tito, war ein Junkie und Schmalspurkrimineller, der der Polizei sieben Jahre zuvor ins Netz gegangen war, nachdem es im Rahmen eines bewaffneten Überfalls auf einen kleinen Supermarkt zu einer Schießerei gekommen war. Es hatte zwei Tote gegeben, den Ladenbesitzer und seine Frau.

Obwohl beide Räuber während des gesamten Überfalls Masken getragen hatten, war Hunter und Garcia bei der Analyse der Überwachungsaufnahmen bei einem der Männer eine nervöse Kopfbewegung aufgefallen. Ein Tic, hervorgerufen durch Stress. Drei Tage später hatten sie Tito.

Tito war ein kleiner Fisch. Es war sein erster bewaffneter Raubüberfall gewesen. Sein Partner Donnie Brusco, ein Cracksüchtiger, für den jede Hilfe zu spät kam und der davor bereits zweimal getötet hatte, war der eigentliche Drahtzieher gewesen.

Garcia brauchte nicht mal eine Stunde, um Tito zum Reden zu bringen. Anhand der Videos wussten sie, dass nicht er die Schüsse abgefeuert hatte. Im Gegenteil, er hatte sogar noch versucht, seinen Partner davon abzuhalten, das ältere Ehepaar zu erschießen. Als Gegenleistung für sein Geständnis stellte Garcia Tito einen Deal mit der Staatsanwaltschaft in Aussicht. Schließlich war dies sein erstes schweres Vergehen. Sollte er sich allerdings weigern zu kooperieren, würde er mit Sicherheit die Todesstrafe bekommen.

Also redete Tito, und Donnie Brusco wurde verhaftet und zum Tode durch die Giftspritze verurteilt. Derzeit saß er im Todestrakt von San Quentin und wartete auf seine Hinrichtung. Tito selbst bekam zehn Jahre für bewaffneten Raub und Beihilfe zum Mord. Hunter und Garcia hielten ihren Teil der Abmachung und legten für Tito ein gutes Wort beim Staatsanwalt ein, woraufhin dieser in der Verhandlung die Möglichkeit einer vorzeitigen Entlassung auf Bewährung vorschlug. Nachdem er sechs Jahre seiner zehnjährigen Haftstrafe abgesessen hatte, war Tito nun elf Monate zuvor unter Aufsicht eines Bewährungshelfers in die Freiheit entlassen worden. Er hatte seine Strafe in Block A des kalifornischen Staatsgefängnisses in Lancaster verbüßt – in demselben Block, in dem auch Ken Sands untergebracht gewesen war.

57

Da Tito unter Bewährungsaufsicht stand, war es nicht weiter schwer, ihn ausfindig zu machen. Seine Meldeadresse war eine kleine Wohnung in einem Sozialbau in Bell Gardens, East L. A. Sein Bewährungshelfer hatte Hunter wissen lassen, dass Titos Verhalten vorbildlich sei. Er komme stets pünktlich zu ihren Treffen, sei in einem Lagerhaus angestellt und habe bisher noch keine seiner wöchentlichen Sitzungen bei dem ihm zugeteilten Psychologen versäumt.

Hunters und Garcias erste Anlaufstelle war Titos Arbeitsplatz, eine Lagerhalle in Cudahy im Südosten von Los Angeles. Der jüdische Besitzer, ein kleiner und sehr runder Mann mit Dauerlächeln im Gesicht, teilte Hunter mit, dass Tito freitags freihabe, allerdings am Samstag wieder zur Arbeit erwartet werde, falls sie es dann noch einmal versuchen wollten. Samstags arbeite er die Nachtschicht von einundzwanzig bis fünf Uhr.

Das Haus, in dem Tito wohnte, war ein quadratischer Backstein-Klotz westlich vom Bell Gardens Park gelegen. Als die eiserne Eingangstür hinter Hunter und Garcia ins Schloss fiel, hörte es sich an wie ein zuschlagendes Gefängnistor. Der kleine, dämmrige Eingangsflur stank nach Urin und altem Schweiß, und nicht ein Quadratzentimeter Wandfläche war frei von Graffiti. Fahrstühle gab es nicht, lediglich eine verdreckte, schmale Treppe, die bis in den fünften Stock hinaufführte. Titos Apartment hatte die Nummer 311.

Weitere Graffiti begleiteten Hunter und Garcia bis nach oben und ließen das Treppenhaus wie einen bunten, psychedelischen Tunnel wirken. In der dritten Etage angekommen, wurden sie von einem Gestank begrüßt, der noch ekelerregender war als unten in der Halle – saure Milch oder altes Erbrochenes.

»Verdammt«, sagte Garcia und hielt sich die Nase zu. »Hier riecht's wie in einer Kloake.«

Vor ihnen lag ein langer, schmaler Korridor im Halbdunkel. Ziemlich genau in der Mitte hatte eine der wenigen noch funktionierenden Neonröhren an der Decke offenbar einen Wackelkontakt. Sie flackerte wie ein Discoscheinwerfer.

»Fehlt nur noch die Musik«, meinte Garcia trocken. »Und eine Putzkolonne mit Desinfektionsmittel und Lufterfrischer.«

Die Tür zu Nummer 311 befand sich direkt unter der flimmernden Neonröhre. Aus der Wohnung drangen spanische Dance-Klänge. Hunter klopfte dreimal, dann gingen beide Detectives gewohnheitsmäßig links und rechts neben der Tür in Stellung. Nichts geschah. Hunter wartete etwa fünfzehn Sekunden ab, dann klopfte er noch einmal, bevor er schließlich das rechte Ohr an die Tür presste. Drinnen bewegte sich etwas.

Wenige Sekunden später wurde von einer dunkelhaarigen Latina geöffnet. Sie war etwa eins sechzig groß, Anfang zwanzig und geradezu erschreckend mager. Ihre dunkle Haut spannte sich über die Knochen, als hätte sie sonst nichts, woran sie sich klammern konnte. Ihre Pupillen waren so groß wie Kaffeebohnen, ihr Blick weggetreten. Sie war nackt bis auf einen schlecht sitzenden chinesischen Morgenmantel, den sie sich hastig um die knochigen Schultern gelegt hatte. Sie machte sich nicht die Mühe, ihn zuzubinden.

»Oh, sexy Besuch«, sagte sie mit spanischem Akzent, noch bevor Hunter und Garcia Gelegenheit hatten, sich vorzustellen. »Besuch ist toll. Je mehr, desto lustiger.« Sie schenkte ihnen ein nikotinfleckiges Lächeln und zog die Tür vollständig auf. »Kommt rein, dann kann die Party abgehen.« Sie warf Hunter eine Kusshand zu und begann sich im Takt der Musik zu wiegen.

»Was machst du da für einen Scheiß, Schlampe?« Tito kam aus dem Schlafzimmer. Er trug ein violettes Spitzenhöschen und sonst nichts. »Komm wieder rein und ...« Er verstummte mitten im Satz, als sein Blick auf die zwei Neuankömmlinge fiel. »Was soll der Scheiß?« Er versuchte seine Blöße zu bedecken. Hunter und Garcia waren bereits in der Wohnung, und beide starrten Tito an – einen eins fünfundsiebzig großen, knapp hundert Kilo schweren Kerl mit birnenförmigem Körper, der ein Damenhöschen trug.

»Das ist kein schöner Anblick«, raunte Hunter.

Garcias Kopfschütteln war kaum wahrnehmbar. »Aber so gar nicht.«

»Hier sind noch ein paar Leute für unsere Party, Papi«, sagte die junge Frau und warf die Tür zu. »Kommt, zieht euch aus, dann tanzen wir.« Sie ließ den Morgenmantel zu Boden gleiten und machte sich an Hunters Hemdknöpfen zu schaffen. Sanft schob er ihre Hände beiseite.

»Bedauerlicherweise sind wir nicht zum Feiern hier.« Er hob ihren Morgenmantel vom Boden auf und half ihr wieder hinein.

»*Ai, chingado.* Dummes Stück, verpiss dich ins Schlafzimmer«, sagte Tito, ging zu der Frau und packte sie am Arm, bevor er sich ein weißes Handtuch um die Hüften knotete.

»Danke, dass du dir was angezogen hast, Tito«, sagte Garcia. »Mir wurde schon langsam ein bisschen übel.«

»Tito, was geht da draußen?«, kam die Stimme einer zweiten Frau aus dem Schlafzimmer. Sie klang blutjung.

»Nichts, Bitch. Halt die Klappe.«

Garcia setzte ein Lächeln auf. »Wie viele Leute hast du denn da drinnen, Tito?«

»Geht dich einen Scheißdreck an, Bulle.«

Schlagartig war die Latina nüchtern. »Das sind Bullen?«

»Was glaubst du denn, du dumme Nutte? Vom Pizzadienst sind die ja wohl nicht. Jetzt geh zurück da rein und bleib da!« Tito schubste sie ins Schlafzimmer und knallte die Tür zu. »Was wollt ihr? Und warum seid ihr ohne Durchsuchungsbefehl in meiner Wohnung?«

»Wir brauchen keinen Dursuchungsbefehl«, gab Garcia zurück, während er sich im Zimmer umschaute. »Deine ... Freundin hat uns netterweise reingebeten.«

»Das ist nicht meine Freundin ...«

»Wir müssen reden, Tito.« Hunter kam gleich zur Sache. »Jetzt sofort.«

»Leck mich, Bulle. Ich muss nicht mit euch reden. Ich muss gar nichts.« Dann zog er eine Schublade der Holzkommode auf, neben der er stand, und langte hinein.

58

Die Reaktion erfolgte innerhalb eines Wimpernschlags und in perfekter Übereinstimmung. Um den Abstand zwischen ihnen zu vergrößern, machte Hunter einen Schritt nach links, Garcia einen nach rechts. Zeitgleich zogen sie ihre Waffen und zielten beide auf Titos Brust. Es ging alles so blitzschnell, dass Tito mitten in der Bewegung erstarrte.

»Sachte, Spitzenhöschen«, warnte Garcia. »Zeig mir deine Hände. Schön langsam.«

»Hey, hey.« Tito wich zurück und reckte beide Arme in die Luft. In einer Hand hielt er die Fernbedienung für eine Stereoanlage. »Scheiße, Mann, was geht denn bei euch ab? Ich wollte nur die Musik leiser machen.« Sein Kinn zuckte kaum merklich zur rechten Schulter – derselbe nervöse Tic, der ihn sieben Jahre zuvor auf den Überwachungsbändern des Raubüberfalls verraten hatte.

Hunter und Garcia sicherten ihre Pistolen und steckten sie zurück ins Halfter.

»Was geht denn bei *dir* ab?«, gab Garcia zurück. »Du müsstest doch wissen, dass man im Beisein von Polizisten keine plötzlichen Bewegungen macht. Das wird dich noch umbringen.«

»Bis jetzt ist mir ja nix passiert.«

»Setz dich, Tito«, sagte Hunter und zog einen Stuhl vom runden Holztisch heran, der in der Mitte des kleinen Wohnzimmers stand. Titos Wohn-Esszimmer war muffig und düster, und wer auch immer es eingerichtet hatte, litt unter ernsten Geschmacksverirrungen und war vermutlich halb blind. Die Wände waren in einem schmutzigen Beige gestrichen, das möglicherweise früher einmal Weiß gewesen war. Der Laminatboden hatte so viele Kratzer, dass man annehmen musste, Tito führe in der Wohnung Schlittschuh. Es stank nach Gras und Alkohol.

Tito zögerte und bemühte sich, eine grimmige Miene aufzusetzen.

»Hinsetzen, Tito«, wiederholte Hunter. Sein Tonfall änderte sich nicht, aber sein Blick verlangte Gehorsam.

Also setzte sich Tito hin und ließ sich gegen die Rückenlehne seines Stuhls sacken wie ein bockiger Schuljunge. Seine Arme und sein schwabbeliger Oberkörper waren mit Tattoos bedeckt. Seinen kahlrasierten Schädel zierten mehrere Narben. Hunter vermutete, dass er sich die meisten davon im Gefängnis geholt hatte.

»Das ist doch Verarsche, Mann«, brummte Tito und fummelte nervös an einem gelben Plastikfeuerzeug herum. »Ihr habt kein Recht, einfach so bei mir reinzuplatzen. Ich hab eine absolut weiße Weste. Da könnt ihr meinen Bewährungshelfer fragen. Der wird das bestätigen.«

»Klar hast du das, Tito«, entgegnete Hunter. Er fing seinen Blick ein und tippte sich dreimal an die Nase. »Schneeweiß.«

Tito wischte sich mit Daumen und Zeigefinger die Nasenlöcher und betrachtete dann die Fingerspitzen, an denen ein weißes Pulver klebte. Er rieb sich weitere vier- oder fünfmal die Nase und schnaubte dabei jedes Mal laut, um auch die letzten Reste loszuwerden. »Mann, das ist doch Katzenpisse. Wir haben da drinnen nur ein bisschen Spaß gehabt, ihr wisst doch, wie das ist. Nichts Krasses, Mann. Nur was, um uns in Schwung zu bringen. Ich hab heute frei. Wir haben bloß ein bisschen Dampf abgelassen, alles klar?«

»Reg dich ab, Tito. Wir sind nicht hier, um dich festzunehmen oder deine kleine Party da drinnen zu sprengen«, sagte Garcia mit einer Kopfbewegung in Richtung Schlafzimmer. »Steck einfach mal für fünf Minuten deine Latte weg, wir wollen uns wirklich nur unterhalten.«

»Ihr seid wohl auf'm Trip, Alter. Wenn ich eine Latte hätte, würde der Tisch umkippen.« Er feixte. »Ja, genau. Ich bin so heiß, ich kann mit der flachen Hand eine Hose bügeln.«

»Okay, von mir aus, Dr. Dauersteif«, sagte Hunter, der Tito direkt gegenüberstand. »Wir müssen dir nur ein paar Fragen stellen, dann bist du uns wieder los.«

»Fragen worüber?«

»Über einen Mithäftling aus dem Staatsgefängnis in Lancaster.«

»Scheiße, Alter, seh ich aus wie die Auskunft?«

Garcia klatschte einmal in die Hände, um Titos Aufmerksamkeit auf sich zu lenken. »Jetzt pass mal gut auf, *Alter*, ich sage es nämlich nur einmal. Ich habe gesagt, wir sind nicht hier, um dich hochzunehmen, aber ich kann meine Meinung auch ganz schnell ändern. Bestimmt würde dein Bewährungshelfer sehr gerne von deinen kleinen Drogenpartys erfahren. Wie würde es dir gefallen, den Rest deiner dreieinhalb Jahre im Knast abzusitzen?«

»Oder sogar noch länger«, ergänzte Hunter. »Wenn man dich wegen Drogenbesitzes und möglicherweise Drogenhandels drankriegt, kommen noch mindestens zwei Jahre dazu.«

Tito biss sich auf die Lippe. Er wusste, dass er in der Patsche saß.

»Pass auf, Tito, wir würden einfach gerne erfahren, ob du weißt, wo wir einen gewissen Ken Sands finden können.«

Tito riss die Augen auf wie ein Haifisch sein Maul. »Ihr wollt mich wohl verarschen.«

»Daraus schließe ich, dass du ihn kennst«, sagte Garcia.

»Klar kenn ich den. Jeder in Block A hat den gekannt. Der war krass drauf, Mann. Und ich meine *echt* krass drauf, kapiert? Ist er ausgebrochen?«

»Nein, er wurde vor sechs Monaten entlassen«, sagte Hunter. »Er hat seine Strafe abgesessen.«

»Und schon sind wieder die Cops hinter ihm her.« Tito lachte. »Wen wundert's.«

»Ihr zwei wart Freunde da drinnen?«

»Schwachsinn, Mann. Ich kannte ihn, aber ich hab schön

brav einen Bogen um ihn gemacht. Der Typ hatte ein Temperament wie eine Atombombe. Hatte einen Hass auf alles und jeden. Aber schlau war der. Immer wenn die Schließer kamen, hat er einen auf lammfromm gemacht. Höflich und respektvoll. Er hat in Lanc fast nie Ärger gekriegt. Und er hatte ständig Bücher dabei. Der Typ hat gelesen wie ein Bekloppter. Wie ein Mann auf einer Mission, klar, was ich meine? Aber er hatte einen gewissen Ruf, und niemand ist ihm zu nahe gekommen.«

»Ruf?«, hakte Garcia nach.

Wieder zuckte Titos Kopf. »Da war mal dieser Typ, der über ihn gelästert hat. Ihr kennt ja die Sorte, Gorillas mit jeder Menge Muskeln, die sich für König Arschtreter halten. Na ja, der Typ hat Ken vor allen anderen runtergemacht. Zuerst hat Ken gar nicht drauf reagiert. Er hat auf den richtigen Moment gewartet. Er hatte viel Geduld. Hat nie was überstürzt. Na ja, irgendwann kam der Moment, und er hat den Typen allein in der Dusche erwischt. Der hat Ken nicht mal kommen sehen. Niemand hat was mitbekommen, und sowieso war so viel Zeit vergangen, seit der Typ über Ken gelästert hatte, dass man die zwei Sachen gar nicht in Zusammenhang gebracht hat. Ken hat nie Ärger dafür gekriegt.«

Hunter und Garcia wussten, dass solche Vorfälle in Gefängnissen an der Tagesordnung waren.

Tito schüttelte den Kopf und begann erneut mit seinem Feuerzeug zu spielen. »Der Typ vergisst niemals, Mann. Wenn der es auf dich abgesehen hat, dann kannst du einpacken, und zwar in drei Lagen Geschenkpapier mit Schleife obendrauf. Weil er dich nämlich garantiert kriegen wird.« Tito hustete wie ein Lungenkranker. »Ich war im Hof, als der Gorilla Ken runtergemacht hat. Ich hab den Blick in Kens Augen gesehen. Den werd ich nicht so schnell vergessen. Da hab sogar ich Schiss gekriegt, obwohl ich mit der Sache gar nix zu tun hatte. Als hätte er den Teufel im Leib oder so was. Ich hab seinen Namen nicht mehr gehört, seit ich aus Lancaster raus bin. Und ich wär auch nicht böse, wenn ich ihn nie wieder hören müsste. Der Typ ist 'ne ganz üble Nummer, Leute.«

»Wir müssen ihn finden.«

»Und wieso fragt ihr da mich? Ihr seid doch die Ermittler, oder nicht? Ermittelt halt.«

»Genau das tun wir doch, Einstein.« Garcia schlenderte in Richtung Küchenecke. Dort mischte sich der Geruch von Marihuana mit dem von geronnener Milch. In der uralten Spüle türmte sich schmutziges Geschirr. Die Arbeitsflächen waren mit Papptellern, Essensschachteln und leeren Bierdosen übersät. »Deine Deko-Ideen gefallen mir«, meinte Garcia und öffnete die Kühlschranktür. »Bier?«

»Du fragst mich, ob ich mein eigenes Bier trinken will?«

»Ich will nur höflich sein, aber du vermasselst es mir total.« Garcia knallte die Kühlschranktür wieder zu und trat auf das Pedal des Mülleimers. Als der Deckel sich hob, entwich eine überwältigende Cannabiswolke. »O Gott!« Garcia wich einen Schritt zurück und verzog das Gesicht. »Sind das etwa die Stummel von Joints? Da müssen ja mindestens hundert Stück drin sein.«

»Hey, Mann, was soll der Scheiß?«

»Tito.« Hunter setzte sich vor Tito hin – so war seine Haltung weniger bedrohlich. Er wollte, dass Tito sich ein bisschen entspannte. »Wir müssen Sands wirklich dringend finden, verstehst du?«

»Woher soll ich wissen, wo der steckt, verdammt? Wir waren ja nicht befreundet oder so.«

»Aber du warst mit anderen befreundet, die möglicherweise das eine oder andere wissen.« Hunter beobachtete, wie Titos Pupillen sich bewegten. Er versuchte sich zu erinnern. Sekunden später kamen sie zur Ruhe, und sein Blick wurde starr. Ihm war jemand eingefallen.

»Ich hab keine Ahnung, wen ich da fragen soll, Mann.«

»Doch, die hast du«, konterte Hunter.

Titos und Hunters Blicke kreuzten sich einen Moment lang.

»Hör zu, Kumpel.« Garcia umrundete den Tisch. »Alles, was wir wollen, sind ein paar Informationen. Wir müssen wissen, wo wir Sands finden können, es ist sehr wichtig. Im Gegenzug dafür bekommst du nicht innerhalb der nächsten Stunde Besuch von deinem Bewährungshelfer oder unseren Kollegen von der Drogenfahndung. Ich bin mir sicher, dass die deine Wohnung liebend gern durchsuchen würden, vor allem das Zimmer mit deinen zwei jungen Bekannten drin.«

»Das ist doch Arschwichse, Mann.«

»Tja, was anderes haben wir leider nicht im Angebot.«

»Kacke.« Noch ein nervöses Zucken, gefolgt von einem tiefen Seufzer. »Ich schau mal, was ich rausfinden kann. Aber ich brauch Zeit.«

»Die hast du. Bis morgen.«

»Das ist doch wohl ein Scherz!«

»Sehen wir so aus, als würden wir Scherze machen?«, fragte Garcia.

Tito zögerte.

Garcia suchte nach seinem Handy.

»Okay, Leute, ich seh mal, was sich machen lässt. Ich meld mich morgen bei euch. Könnt ihr euch jetzt verpissen?«

»Noch nicht ganz«, sagte Hunter. »Da ist noch jemand anders.«

»Ich glaub's ja wohl nicht.«

»Ein anderer Mithäftling. Raul Escobedo. Schon mal von dem gehört?«

Auf der Fahrt zu Titos Wohnung hatte Hunter Garcia von seinem Treffen mit Seb Stokes und von Raul Escobedo berichtet.

»Wer?« Titos Augen verengten sich zu Schlitzen.

»Sein Name ist Raul Escobedo«, wiederholte Hunter. »Er hatte ebenfalls ein Zimmer in Lancaster. Sexualstraftäter.«

»Ein Vergewaltiger?« Tito sah ihn verdattert an.

»Genau.«

»Nee, Mann, bist du drauf oder was? Tun sie neuerdings Hasch in eure Donuts?«

»Ich esse keine Donuts.«

»Ich auch nicht«, sagte Garcia.

»Ich war in Block A, Alter, da sitzen die echt krassen Wichser und die Typen, die Einzelhaft gekriegt haben. Auf keinen Fall würden sie einen Vergewaltiger zu uns stecken, klar? Es sei denn, die Bullen wollen, dass er abkratzt. Der wäre innerhalb der ersten Stunde in den Arsch gefickt und tot.«

Tito sagte die Wahrheit. So ging es in den Gefängnissen Kaliforniens zu, und Hunter wusste das. Jeder Häftling, egal welches Verbrechen er begangen hatte, hasste Vergewaltiger. Sie galten als allerniedrigster Abschaum – als Feiglinge, die nicht den Mumm hatten, ein richtiges Verbrechen zu begehen, und die nur dann eine Frau abbekamen, wenn sie Gewalt anwendeten. Außerdem hatte jeder Gefangene eine Mutter, eine Schwester, Tochter, Ehefrau oder Freundin – jemanden, der selbst zum Opfer eines Vergewaltigers werden konnte. Normalerweise wurden Vergewaltiger in einem eigenen Flügel untergebracht, weit weg von den übrigen Häftlingen. Die Gefahr war zu groß, dass ihre Mitgefangenen es ihnen mit gleicher Münze heimzahlten und sie danach brutal ermordeten. Dergleichen war schon oft vorgekommen.

59

Alice Beaumont wurde immer frustrierter. Sie hatte den ganzen Tag damit zugebracht, sich Bilder im Internet anzusehen und darauf zu warten, dass das kalifornische Staatsgefängnis in Lancaster ihr die benötigten Unterlagen schickte. Trotz mehrerer Telefonate und erhöhter Dringlichkeitsstufe schien man dort keine Eile zu haben, ihrem Wunsch nachzukommen.

Mit ihren Bildrecherchen war sie kein Stück weitergekommen. Sie hatte stundenlang die Inhalte mythologischer und religionsgeschichtlicher Websites durchforstet, ohne dabei etwas Neues zutage zu fördern.

Alice war keine Frau, die Däumchen drehte und darauf wartete, dass andere Leute Dinge für sie erledigten. Sie wollte immer mittendrin sein, außerdem hatte sie allmählich vom Warten die Nase voll.

Also verließ sie das PAB und fuhr höchstpersönlich die knapp über zwei Stunden zum kalifornischen Staatsgefängnis in Lancaster. Zuvor hatte sie Bezirksstaatsanwalt Bradley telefonisch von ihrem Anliegen unterrichtet. Zwei Anrufe und knapp fünfzehn Minuten später war alles in die Wege geleitet. Gefängnisdirektor Clayton Laver ließ ausrichten, Alice könne gerne herkommen und sich die benötigten Unterlagen persönlich zusammensuchen. Sie würden es natürlich gerne für sie übernehmen, hatte der Direktor hinzugefügt, allerdings hätten sie nur wenig Personal und seien ohnehin schon überlastet, weshalb es noch ein oder zwei Tage dauern könnte, bevor sie dazu kämen. Unter Umständen auch länger.

Alice parkte auf dem zweiten der beiden großen Besucherparkplätze und machte sich auf den Weg zum Empfangsgebäude. Dort wurde sie von Gefängnisaufseher Julian Healy begrüßt, einem eins fünfundneunzig großen Afroamerikaner von der Breite eines Staudamms.

»Direktor Laver lässt sich entschuldigen«, sagte Healy mit einem nicht näher identifizierbaren Südstaatenakzent. Er zog die Vokale in die Länge, und seine Stimme hatte etwas Schleppendes, als wäre es ihm zu anstrengend, schneller zu sprechen. »Er ist im Moment leider verhindert und kann Sie nicht empfangen. Also wurde mir aufgetragen, Sie zu begleiten.« Er lächelte, während er Alices Erscheinungsbild musterte. Sie trug ein marineblaues Kostüm mit einer hellgrauen Seidenbluse. Der oberste Knopf der Bluse war geöffnet und gab den Blick auf ihren Halsansatz und eine feine Weißgoldkette mit Diamant-Anhänger frei.

»Besser, Sie knöpfen sich die Bluse zu. Und ich würde vorschlagen, die Jacke ebenfalls zu schließen.«

»Hier drin ist es so heiß wie in Afrika«, protestierte Alice, während sie ihm ihre Tasche zur Durchsuchung aushändigte.

»Das ist nichts im Vergleich zu der Hitze da drin, wenn die Häftlinge Sie in diesem dünnen Oberteil zu sehen kriegen.« Er warf einen Blick auf ihre Pumps. »Na, wenigstens tragen Sie keine offenen Schuhe.«

»Was ist so schlimm an offenen Schuhen?«

»Haben Sie eine Ahnung, wie viele Häftlinge auf Frauenfüße stehen? Vor allem auf Zehen. Und wenn dann noch die Nägel rot lackiert sind ... Das macht sie wahnsinnig. Da könnten Sie genauso gut nackt sein. Damit die Triebe bei den Insassen nicht verrücktspielen, müssen alle Besucher Schuhe tragen, die vorne geschlossen sind.«

Alice wusste nicht, was sie dazu sagen sollte. Also sagte sie gar nichts.

»Hier steht, Sie wollen sich unsere Bibliothek ansehen?«, fragte Healy nach einem kurzen Blick auf ein Blatt Papier, das er mitgebracht hatte.

»Ja, das stimmt.«

»Gibt es dafür einen bestimmten Grund?«

Alice sah ihn an.

»Geht mich nichts an, was?« Healy grinste. »Alles klar. Folgen Sie mir.« Er führte Alice durch die Hintertür aus dem Empfangsgebäude hinaus und über eine dreispurige Straße. Sie befanden sich jetzt innerhalb des Gefängnisareals. Hinter ihnen ragte die nördliche Gefängnismauer auf. Sie war über eine halbe Meile lang, und alle zweihundert Meter gab es einen bemannten Wachtturm. Lancaster war auf zweitausenddreihundert Häftlinge ausgelegt, beherbergte aber mehr als doppelt so viele. Es gab Gefangene der Sicherheitsstufen I bis IV – Stufe IV bezeichnete die höchste Sicherheitsstufe in kalifornischen Justizvollzugsanstalten mit Ausnahme der Todeskandidaten. Das kalifornische Staatsgefängnis in Lancaster zu bewachen war keine leichte Aufgabe.

Sie erreichten das erste Gefängnisgebäude, einen rechteckigen, zweigeschossigen Klotz aus Stahl und Beton. Healy zog seinen Sicherheitsausweis durch den Schlitz in der Tür und tippte dann eine achtstellige Ziffernfolge ein. Die schwere Metalltür öffnete sich unter lautem Summen und Klicken. Drinnen kamen sie an weiteren bewaffneten Wärtern vorbei, die allesamt dafür konstruiert schienen, einem Erdbeben der Stärke acht standzuhalten. Schweigend liefen Healy und Alice durch die Gänge. Healy nickte jedes Mal kurz, wenn sie einer anderen Wache begegneten. Schließlich verließen sie auch dieses Gebäude und gelangten in einen offenen Verbindungsgang.

»Die Bibliothek ist im Keller von Block F«, gab Healy Auskunft. »Es gibt einen wesentlich schnelleren Weg, aber dazu müssten wir übers innere Gelände gehen, und da halten sich Häftlinge auf. Ich versuche uns beiden die Sache so leicht wie möglich zu machen.«

Nach etwa drei Minuten hatten sie die Eingangstür zu Block F erreicht, wo Healy den Vorgang mit seinem Ausweis und der Eingabe des Zahlencodes wiederholte. Einzige Lichtquelle waren durch Käfige aus Maschendraht geschützte Leuchtröhren an der Decke. Sie bogen nach links in einen langen Gang ein. Ein Häftling im orangefarbenen Overall war gerade dabei, den Boden in der Nähe der Treppe zu wischen. Seine braungebrannten, muskulösen Arme zierten zahlreiche Tätowierungen und Narben. Er hielt inne und trat zur Seite, um Alice und Healy vorbeizulassen. Der Korridor erstrahlte in einem solchen Glanz, dass Alice sich unwillkürlich fragte, ob der Häftling, sobald er mit dem Wischen fertig war, zurückging und wieder von vorne anfing und immer so weiter von Sonnenaufgang bis Sonnenuntergang.

»Vorsicht mit dem Fußboden, Boss, der ist ein bisschen rutschig«, sagte der Häftling. Er zog dabei den Kopf ein, und sein Blick war zu Boden gerichtet.

Die Bibliothek war größer, als Alice erwartet hatte. Sie nahm das gesamte Untergeschoss ein. Healy nickte dem bewaffneten Wachtposten am Eingang zu und führte Alice in einen kleinen Nebenraum.

»Bitte setzen Sie sich, ich hole den Bibliothekar. Der hilft Ihnen bei allem, was Sie brauchen.«

60

Der Raum, in dem Alice wartete, war eine triste, etwa sechs mal zehn Schritte große Schachtel ohne Fenster, dafür aber mit einer massiven Tür. Er war leer bis auf einen mit dem Betonboden verschraubten Metalltisch und zwei Plastikstühlen, die besser auf eine Terrasse gepasst hätten, und erfüllt von dem beißenden Geruch starker Bleiche. Von diesem Geruch abgesehen erinnerte der Raum Alice an die Verhörzellen, die sie im PAB gesehen hatte. Nur der Spiegel an der Wand fehlte.

Eine Minute verstrich, ehe Healy in Begleitung eines Mannes zurückkam, der halb so groß und doppelt so alt war wie er. Die wenigen weißen Haare, die der Mann noch auf dem Kopf hatte, waren kurz und sauber geschnitten. Sein Gesicht war von tiefen Falten zerfurcht, die ihm etwas Trauriges verliehen und von einem größtenteils in Gefangenschaft verbrachten Leben zeugten. Auf der Spitze seiner nach mehreren Brüchen krummen Nase saß eine Lesebrille. Seine Augen sahen aus, als wären sie früher einmal hart und gemein gewesen, doch jetzt schauten sie nur noch müde und resigniert in die Welt. Auch er trug einen orangefarbenen Häftlingsoverall.

»Unser Bibliothekar hat sich heute krankgemeldet. Das hier ist Jay Devlin, der Bibliotheksassistent«, erklärte Healy. »Er macht das schon seit neunzehn Jahren und weiß alles, was es über die Bibliothek zu wissen gibt. Wenn er Ihnen nicht helfen kann, dann kann es keiner.«

Devlin nickte höflich zur Begrüßung, gab Alice jedoch nicht die Hand. Er ließ die Arme herabhängen und hielt den Kopf gesenkt.

Healy instruierte Devlin. »Wenn sie in den Lesesaal gehen muss, ruf Officer Toledo, der begleitet euch dann, verstanden? Ich will nicht, dass sie auf eigene Faust da rumläuft.«

»Alles klar, Boss.« Devlins Stimme war nur unwesentlich lauter als ein Flüstern.

»Falls Sie aufs Klo müssen«, sagte Healy, nun wieder an Alice gewandt, »kommt Officer Toledo mit und kontrolliert, ob frei ist, bevor Sie reingehen. Wir haben hier keine extra Räumlichkeiten für Damen, die gibt's nur im Besucherblock. Wenn Sie hier fertig sind, ruft Jay oben an, ich komme dann und hole Sie ab.«

»Jawohl, Boss«, antwortete sie mit einem Nicken. Es juckte sie, vor ihm zu salutieren, aber sie beherrschte sich.

Healys Augen verengten sich, und er bedachte sie mit einem Blick, der Milch zum Gerinnen gebracht hätte. »Ich hoffe, unsere Bibliothek entspricht Ihren Erwartungen«, sagte er noch, bevor er ging und die Tür hinter sich zuschlagen ließ.

»Er ist wohl nicht so der Mann für Scherze, was?«, fragte Alice.

»Nein, Ma'am«, sagte Devlin. Seine Körperhaltung drückte Befangenheit aus. »Die Schließer hier mögen keine Witze, es sei denn, sie gehen auf unsere Kosten.«

»Ich bin Alice.« Sie streckte ihm die Hand hin.

»Ich bin Jay, Ma'am.« Auch diesmal machte er keine Anstalten, ihr die Hand zu schütteln.

Alice trat einen Schritt zurück. »Mein Anliegen ist eigentlich ganz simpel. Ich brauche eine Liste aller Bücher, die ein bestimmter Ex-Häftling aus der Bibliothek entliehen hat.«

»In Ordnung.« Devlin nickte und sah ihr zum ersten Mal ins Gesicht. »Das dürfte nicht weiter schwer werden. Haben Sie die Nummer des Häftlings?«

»Ich habe seinen Namen.«

»Kein Problem, damit kann ich auch was anfangen. Wie heißt er?«

»Ken Sands.«

Devlins Lider zuckten kurz.

»Sie kannten ihn?«

Devlin nickte und fuhr sich zweimal hastig mit der Hand über Mund und Kinn. »Ich kenne jeden Häftling, der hierherkommt, Ma'am. Ich arbeite hier, seit es die Bibliothek gibt. Jeder Zellenblock hat einen festen Termin in der Woche, wann die Insassen kommen und die Bibliothek nutzen dürfen. Es ist nicht gut, wenn sich Leute aus den verschiedenen Blocks mischen, wenn Sie verstehen, was ich meine. Aber nur die wenigsten nehmen das Angebot wahr. Eine Schande, wenn Sie mich fragen. Nur Ken hat so gut wie nie eine Gelegenheit ausgelassen. Er war ein echter Büchernarr. Wollte immerzu lernen. Er war öfter hier als jeder andere.«

»Das ist gut. Dann sollten wir ja keine größeren Schwierigkeiten haben.«

»Kommt drauf an. Wie viel Zeit haben Sie denn mitgebracht, Ma'am?«

Alice lächelte schief. »Hat er so viel gelesen?«

»Wahnsinnig viel, aber das ist nicht das Problem. Das Problem ist unser System. Wir haben erst zu Beginn des Jahres damit angefangen, alles auf Computer umzustellen. Das dauert. So lange müssen wir für die Ausleihe und die Katalogisierung noch das alte Karteikarten-System benutzen.

Keine Computer.« Devlin wiegte den Kopf hin und her. »Für mich ist das ganz gut. Wenn das neue System startklar ist, muss ich mir eine andere Beschäftigung suchen. Ich hab's nicht so mit diesem elektronischen Schnickschnack, Ma'am.«

Als Mitarbeiterin der Bezirksstaatsanwaltschaft konnte Alice gut nachvollziehen, warum die Digitalisierung der Gefängnisbibliotheksbestände nur im Schneckentempo voranging. Alles, was die Regierung des Staates Kalifornien tat, verschlang einen Teil ihres Budgets. Dieses Budget schwankte von Jahr zu Jahr, und wie es verteilt wurde, hing von der Wichtigkeit der einzelnen Maßnahmen ab. Da innerhalb des kalifornischen Justizsystems gerade eine ganze Reihe von Reformen umgesetzt werden musste, stand die Digitalisierung der Gefängnisbibliotheken ziemlich weit unten auf der Prioritätenliste.

»Jeder Häftling bekommt eine Ausleihkarte«, fuhr Devlin nach einer kurzen Pause fort. »Jedes Mal, wenn er ein Buch ausleiht, werden die Katalognummer des Buchs und das Ausleihdatum auf die Karte geschrieben. Und die Nummer des Häftlings kommt auf die jeweilige Karteikarte. Wir verwenden keine Namen.«

Alice riss die Augen auf. »Soll das heißen, ich muss mir Sands' Ausleihkarte besorgen, und da steht dann nichts weiter drauf als lauter Nummern? Keine Titel?«

»Genauso ist es. Wenn Sie wissen wollen, wie ein Buch heißt, müssen Sie anhand der Titelnummer die Karteikarte zum Buch suchen.«

»Aber das ist doch ein völlig sinnloses System. Da braucht man ja ewig, bis man was findet.«

Devlin zuckte scheu die Achseln. »Zeit ist hier drin ja nicht so das Problem, Ma'am. Wir müssen uns nicht beeilen, im Gegenteil. Sonst hat man bloß noch mehr Zeit totzuschlagen.«

Dazu fiel Alice keine Erwiderung ein. »Also schön.« Sie

warf einen raschen Blick auf ihre Armbanduhr. »Dann legen wir mal los. Wo bewahren Sie die Ausleihkarten auf?«

»In Karteikästen hinter der Ausleihtheke, Ma'am. Im Lesesaal.«

»Wenn das so ist, rufen Sie mal besser die Wache. Wenn Ihr System wirklich so funktioniert, wie Sie beschrieben haben, dann kann ich von hier aus nichts machen.«

61

Officer Toledo war ganze dreißig Zentimeter größer als Alice und breit wie ein Kleiderschrank. Er hatte einen buschigen, teilweise ergrauten Schnurrbart, dünne Lippen, einen rasierten Schädel und Koteletten, bei deren Anblick Elvis neidisch geworden wäre. Er eskortierte Alice und Devlin in den Lesesaal und bezog dann links neben der Ausleihe, vier Schritte von der Tür entfernt, Position. Die Art und Weise, wie sein Blick immer wieder zu ihr wanderte, war Alice sehr unangenehm.

Der Lesesaal verfügte über rund einhundert Sitzplätze, allerdings saßen jetzt nur eine Handvoll Häftlinge an den Resopaltischen und Pulten, alle in unterschiedlichen Ecken des Raums. Wie in einer Szene aus einem alten Western hielten beim Eintreten der drei alle abrupt in ihrer Beschäftigung inne und hoben genau zur selben Zeit die Köpfe, um Alice anzustarren. Ein leises Murmeln schwappte durch den Raum. Alice hatte keinerlei Interesse daran, zu erfahren, was die Männer sagten.

»Was für Bücher haben Sie denn hier so?«, erkundigte sie sich stattdessen bei Devlin.

»Ein bisschen von allem, Ma'am, außer Kriminalliteratur. So was führen wir gar nicht – keine Krimis, keine Thriller, keine Sachbücher über Kriminalistik, nichts.« Er wagte ein zaghaftes Lächeln. »Als würde das noch einen Unterschied machen. Dafür haben wir aber eine große Auswahl an religiösen Büchern und Schulbüchern – Mathe, Geschichte, Geografie ... all so was. Hier kann jeder lesen lernen oder seinen Schulabschluss nachmachen, wenn er will. Die meisten wollen aber nicht. Außerdem haben wir eine große und ziemlich aktuelle Sammlung juristischer Bücher.«

»Und was für Bücher hat Ken gelesen?«

Devlin kratzte sich leise lachend am Kinn. »Alles. Er war ein schneller Leser. Aber am liebsten Fachbücher. Er hat Fernkurse belegt – richtig schwierige, wie auf dem College, wissen Sie? Er hatte was im Köpfchen. Wegen der Kurse durfte er sich auch eigene Bücher zum Lernen bestellen, die wir nicht im Bestand hatten. Wenn er mit ihnen fertig war, kamen sie hier in die Bibliothek, weil der Staat sie ja bezahlt hatte. Aber nach ihm hat sie nie mehr jemand ausgeliehen.« Devlin hielt inne, verzog das Gesicht und fuhr sich mit der Hand durch die stoppeligen Haare. »Es gab aber auch Bücher, die er nur hier im Lesesaal gelesen hat, da drüben in der Ecke.« Er zeigte auf ein Pult am hintersten Ende des Saals. »Die er nicht ausgeliehen hat. Wenn die Bücher nur hier drin gelesen werden, stehen sie natürlich nicht auf der Ausleihkarte.«

Alice nickte zum Zeichen, dass sie verstanden hatte.

Devlin zeigte Alice, wie die Karteikarten geordnet waren und wo sie aufbewahrt wurden – in einem langen Holzschrank, der die gesamte Breite der Wand einnahm. Alice hatte bereits damit begonnen, im Kopf die Reihenfolge der notwendigen Arbeitsschritte festzulegen. »Haben Sie auch Bücher über Medizin?«

»Ja, haben wir«, lautete Devlins Antwort. »Ein paar. Kommen Sie, ich zeige sie Ihnen.«

Sie verließen den Ausleihbereich und durchquerten den Lesesaal. Officer Toledo war die ganze Zeit drei Schritte hinter ihnen. Erneut sahen die Häftlinge von ihren Tischen auf.

Getuschel kam aus jeder Ecke, aber auch diesmal tat Alice so, als würde sie nichts hören.

Sie gingen weiter bis zu einem Regal ganz hinten.

»Das hier ist unsere Medizin-Abteilung«, sagte Devlin und deutete auf ein paar Bücher im obersten Regal. Insgesamt waren es vierundzwanzig Bücher. Alice merkte sich die Spanne der Katalognummern. »Der einzige Grund, weshalb wir die Bücher überhaupt haben, ist, dass Ken sie für einen seiner Kurse gebraucht hat«, erklärte Devlin.

Alice bat ihn, ihr noch zwei weitere Abteilungen zu zeigen – Psychologie und Kunst. Auch deren Nummernbereiche prägte sie sich ein.

»Okay, dann brauche ich jetzt bloß noch einen Kugelschreiber und ein Blatt Papier, und ich kann loslegen.«

»Ich kann Ihnen einen Bleistift geben.«

»Das geht auch.«

Sie kehrten in den vorderen Bereich der Bibliothek zurück. Devlin ging hinter die Ausleihtheke und reichte Alice einige Blatt Papier sowie einen Bleistift. Dann zeigte er ihr den Schubkasten, in dem sie Ken Sands' Ausleihkarten finden konnte, und überließ sie ihrer Arbeit.

Ken Sands hatte insgesamt zweiundneunzig Ausleihkarten, und alle waren von oben bis unten vollgeschrieben. Er musste zu jener Sorte Mensch gehören, die pro Tag ein Buch verschlingen. Devlin hatte es ja bereits gesagt: An Zeit mangelte es einem Häftling gewiss nicht, und wie es aussah, hatte Sands jede freie Sekunde seiner Zeit zum Lesen genutzt. Alice würde Ewigkeiten brauchen, um alle Karten durchzusehen. Sie zögerte einen Moment, während sie darüber nachgrübelte, was die einfachste und schnellste Vorgehensweise wäre. Schließlich hatte sie eine Idee und begann sich Katalognummern zu notieren.

Ein Häftling mit rasiertem Schädel, der bis dahin still an dem Tisch ganz in der Nähe der Ausleihtheke gesessen hatte, kam zu Devlin und reichte ihm ein Buch.

»Das ist ziemlich gut, Toby. Wird dir bestimmt gefallen.« Alice war viel zu sehr mit ihren Nummern beschäftigt, um zu merken, wie Devlin unauffällig ein Stück Papier zwischen die Buchseiten schob. Wenn jemand in der Lage war, eine Nachricht aus dem Gefängnis nach draußen zu schmuggeln, dann Toby.

Polizisten waren nicht die Einzigen, die zusammenhielten.

62

Viele Kenner behaupten, dass der wahre Whiskyliebhaber sein Getränk mit ein wenig Wasser, idealerweise Quellwasser, zu sich nimmt. Die Zugabe von Wasser verhindert, dass der Alkohol die Geschmacksknospen betäubt und einen so um den vollen Genuss bringt. Außerdem hebt Wasser Aroma und Geschmack des Whiskys und bringt seine verborgenen Noten besser zur Geltung. Eine weit verbreitete Faustregel ist, dass man seinen Whisky mit einem fünften Teil Wasser verdünnen sollte. Für diejenigen, die ihren Whisky mit Eis trinken, haben Connaisseurs hingegen nur Verachtung übrig, da das Absenken der Temperatur das Aroma abtötet und das Geschmackserlebnis schmälert.

Hunter kümmerte sich nicht darum, was andere sagten, ob sie nun Whiskykenner waren oder nicht. Er trank seinen Single Malt nicht deshalb mit einem Schuss Wasser, weil dies die offiziell anerkannte Darreichungsform war, sondern weil er festgestellt hatte, dass einige Whiskys geschmacklich zu intensiv waren, als dass man sie pur genießen konnte. Manchmal nahm er seinen Scotch aber auch mit einem, gelegentlich sogar mit zwei Eiswürfeln. Er mochte das Gefühl, wenn ihm die kühle Flüssigkeit die Kehle hinabglitt.

Garcia wiederum trank seinen Whisky so, wie er ihn vorgesetzt bekam. An diesem Abend hatten sie beide je einen Würfel Eis im Glas.

Sie saßen an einem der vorderen Tische im Brennan's Pub am Lincoln Boulevard – bekannt für seine Schildkrötenrennen am Donnerstagabend und für die große Auswahl an Rock-Klassikern in seiner Jukebox.

Hunter hatte die Enge ihres Büros nicht länger ausgehalten – ganz zu schweigen von dem morbiden Wandschmuck aus blutigen Tatortfotos und der Gipsnachbildung der Körperteil-Skulptur.

Sie tranken schweigend. Es gab so vieles, worüber sie nachdenken mussten. Hunter hatte vorher noch mit Dr. Hove telefoniert. Die Tox-Ergebnisse für Andrew Dupek waren da, und ihre Vermutung hatte sich bestätigt: In Dupeks Blut waren Spuren von Propafenon, Felodipin und Carvedilol nachgewiesen worden – derselbe Medikamentencocktail wie bei Derek Nicholson.

Eine große Frau mit langer blonder Mähne, dem geschmeidigen Körper einer Tänzerin und einem Gang, der ebenso bezaubernd wie verführerisch war, betrat den Pub. Sie trug hautenge Bluejeans, hellbraune Stilettos und eine cremefarbene Bluse, die sie in die Hose gesteckt hatte. Ihre chirurgisch optimierten Brüste dehnten den dünnen Baumwollstoff so stark, dass fast die Knöpfe absprangen. Hunters Blick folgte ihr auf dem kurzen Weg vom Eingang bis zur Theke.

Garcia feixte seinen Partner an, sagte jedoch nichts.

Hunter trank noch einen Schluck von seinem Scotch, bevor sein Blick erneut zu der Blondine wanderte.

»Vielleicht solltest du sie ansprechen«, schlug Garcia vor und deutete mit dem Kopf in Richtung Bar.

»Was?«

»Du machst ja schon Stielaugen. Geh doch einfach mal zu ihr rüber und sag hallo.«

Hunter sah seinem Partner kurz ins Gesicht, bevor er leicht den Kopf schüttelte. »Es ist nicht das, was du denkst.«

»Natürlich nicht. Trotzdem finde ich, du solltest mal drüber nachdenken.«

Hunter stellte sein Glas hin und stand auf. »Bin gleich wieder da.«

Garcia sah seinem Partner verdattert nach, als dieser tatsächlich zur Theke ging und sich neben die Blondine schob, die bereits reichlich männliche Aufmerksamkeit auf sich gezogen hatte. Garcia hatte nicht wirklich damit gerechnet, dass Hunter etwas unternehmen würde, noch dazu so schnell. »Da bin ich jetzt aber gespannt«, murmelte er und setzte sich so hin, dass er optimale Sicht hatte: Dann beugte er sich vor und stützte beide Ellbogen auf den Tisch. Was hätte er in diesem Moment nicht alles für ein Paar bionische Ohren gegeben.

»Entschuldigen Sie«, sagte Hunter und stellte sich neben die Blondine an den Tresen.

Die sah nicht einmal in seine Richtung. »Kein Interesse.« Ihre Stimme war kühl, abweisend und eine Spur arrogant.

Hunter stutzte. »Wie bitte?«

»Ich sagte, ich habe kein Interesse«, wiederholte die Frau und nippte an ihrem Drink. Noch immer würdigte sie Hunter keines Blickes.

Hunter unterdrückte ein Schmunzeln. »Okay, ich auch nicht. Ich wollte Sie nur darauf aufmerksam machen, dass Sie sich in ein Kaugummi gesetzt haben, und jetzt klebt Ihnen ein dicker grüner Klumpen hinten an den Jeans.« Er neigte den Kopf zur Seite. »Sieht nicht so schick aus.«

Jetzt endlich zuckte der Blick der Frau für den Bruchteil einer Sekunde zu Hunter, bevor er weiter nach unten wanderte. Sie verdrehte den Oberkörper im Versuch, ihren Hintern zu betrachten.

»Andere Seite«, sagte Hunter milde.

Die Frau drehte sich in die andere Richtung, und schlagartig flog ihre Hand an ihr Gesäß. Ihre Fingerspitzen mit den aufwendig manikürten Nägeln ertasteten den zähen, klebrigen Fleck, der sich von der Mitte ihrer Pobacke bis hinunter zum Oberschenkelansatz zog.

»Shit«, sagte sie, zog die Hand weg und betrachtete sie angeekelt. »Das sind Roberto-Cavalli-Jeans.«

Hunter hatte keine Ahnung, was das für einen Unterschied machte. »Die sind hübsch«, sagte er mitfühlend.

»Hübsch? Die haben ein Vermögen gekostet!«

Hunter sah sie mit neutraler Miene an. »In der Reinigung geht der Fleck bestimmt raus.«

»Shit«, sagte sie erneut und stakste in Richtung Toiletten davon.

»Na, das war aber geschmeidig«, meinte Garcia, als Hunter an ihren Tisch zurückkehrte. »Was hast du zu ihr gesagt? Ich habe nur gesehen, wie sie sich an den Arsch gefasst hat und dann wie eine Rakete Richtung Klo gezischt ist.«

Hunter hob seinen Whisky zum Mund. »Wie ich bereits sagte, es war nicht das, wonach es aussah.«

Garcia gluckste und lehnte sich auf seinem Stuhl zurück. »Du musst an deinen Anmachsprüchen arbeiten, Mann.«

Hunters Handy klingelte. Er stellte sein Glas hin und fischte es aus seiner Tasche. »Detective Hunter?«

»Robert, hier ist Terry. Ich habe ein paar Infos für dich.«

Detective Terry Cassidy gehörte zum Raub- und Morddezernat. Hunter hatte ihn gebeten, alles über den mittlerweile entlassenen Raul Escobedo herauszufinden, den Vergewaltiger, den Dupek bei der Verhaftung zusammengeschlagen hatte.

»Ich höre, Terry.«

»Also, der Kerl, den ich überprüfen sollte, dieser Escobedo, der ist ein echt mieses Stück Scheiße«, sagte Cassidy einleitend. »Arschloch GmbH und Co KG, wenn du weißt, was ich meine. Sexualstraftäter, dem bei Gewalt einer abgeht. Soll sich insgesamt an zehn Frauen vergangen haben.«

»Ich kenne die Geschichte«, unterbrach Hunter seinen Kollegen. »Was hast du sonst noch rausgefunden?«

»Okay, unser Freund hat seine Strafe abgesessen. Hat zehn Jahre wegen Vergewaltigung in drei Fällen gekriegt – mehr Frauen haben nicht gegen ihn ausgesagt. Und jetzt halt dich fest: Während seiner Zeit im Knast hat die Kotztüte doch allen Ernstes seinem sündigen Leben abgeschworen. Er hat *zu Gott gefunden.*« Cassidy hielt inne, entweder des Effekts wegen oder weil ihn die Vorstellung, jemand wie Escobedo könne behaupten, geläutert zu sein, ihn vor Empörung sprachlos machte. Cassidy war gläubiger Katholik. »Escobedo hat angefangen, Tag und Nacht in der Bibel zu lesen, und er hat am Religionsunterricht teilgenommen, der im Knast angeboten wurde. Hat mit Bestnoten abgeschlossen. Nach seiner Entlassung vor zwei Jahren ...«, wieder eine kurze Pause, »... du ahnst es schon – hat er angefangen zu predigen. Er bezeichnet sich jetzt als ›Reverend‹, der anderen die Frohe Botschaft verkündet und ihnen hilft, den rechten Weg zu finden. Nennt sich Reverend Soldado. Nach St. Juan Soldado, einem Volksheiligen, der im Nordwesten Mexikos von vielen Menschen verehrt wird. Escobedos Familie stammt aus der Region.«

»Der heilige Soldat?«, fragte Hunter, der den Namen aus dem Spanischen übersetzt hatte.

»Ganz genau«, bestätigte Cassidy. »Ich habe mal ein bisschen nachgeforscht. Mit bürgerlichem Namen hieß dieser Heilige Juan Castillo Morales. Er war Gefreiter bei der mexikanischen Armee. Und jetzt pass auf, das glaubst du nicht ... Castillo wurde 1938 für die Vergewaltigung und den Mord eines achtjährigen Mädchens aus Tijuana verurteilt hingerichtet. Kein Witz, Robert – Vergewaltigung. Seine Anhänger glauben, dass er zu Unrecht beschuldigt wurde. Er soll bei Gesundheitsproblemen, Schwierigkeiten mit dem Gesetz, Familienangelegenheiten, bei der Überquerung der mexikanisch-amerikanischen Grenze und allen möglichen anderen Unwägbarkeiten des Alltags helfen.« Hunter hörte Cassidys ungläubiges Lachen. »Das muss man sich wirklich mal auf der Zunge zergehen lassen. Escobedo hat sich einen heiligen Vergewaltiger als Namensvetter ausgesucht. Hat der Eier oder was?«

Hunter enthielt sich eines Kommentars.

Cassidy fuhr fort. »Er hat in Pico Rivera seinen eigenen Tempel oder seine Gemeinde oder wie auch immer man das nennen will. Ich persönlich würde das ganz einfach als Sekte bezeichnen. Sie nennen sich *Soldiers for Jesus*, zieh dir das rein. Klingt wie ein Terrornetzwerk. Würde mich nicht wundern, wenn er jetzt junge Frauen davon überzeugt, dass sie sich ihm hingeben müssen, wenn sie in seinen Club aufgenommen werden wollen. Wahrscheinlich redet er ihnen ein, dass er der neue Messias ist und den Willen des Herrn erfüllt. Wenn er im Knast irgendwas gelernt hat, dann wie man am besten das Gesetz umgeht.«

»Hast du auch was darüber rausgefunden, wo er an den Tagen war, die ich dir genannt habe?«, wollte Hunter wissen.

»Ja. Und sosehr ich den Kerl auch hasse, er kann nicht euer Mann sein. Am ersten Datum – dem 19. Juni – war Escobedo gar nicht in Los Angeles. Da hat er in San Diego einen Gottesdienst abgehalten. Er hat Expansionspläne für die *Soldiers of Jesus*. Am zweiten Datum, dem 22. Juni, war er den ganzen Tag damit beschäftigt, zwei CDs und eine DVD aufzunehmen. Die verkauft er an seine Anhänger. Er hat Dutzende von Zeugen, die das bestätigen können. Escobedo ist ein Abgrund aus Lügen, stinkender Scheiße und Gotteslästerei, aber er ist nicht euer Killer, Robert.«

Hunter nickte. Die Dienstvorschrift verlangte, dass er jedem Hinweis nachging, aber er hatte Escobedo von Anfang an nicht für einen Verdächtigen gehalten. Als Psychologe und später als Detective beim Raub- und Morddezernat hatte Hunter unzählige Mörder studiert, verhört und festgenommen, und im Laufe der Jahre war er zu der Erkenntnis gelangt, dass es nicht viel gab, was einen Mörder von einem ganz normalen Menschen unterschied. Er war Mördern begegnet, die ein attraktives Äußeres und ein freundliches, einnehmendes Wesen hatten. Mördern, die aussahen wie liebe, alte Großväter. Sogar Mördern mit starker erotischer Ausstrahlung. Der wahre Unterschied zeigte sich erst, wenn man tief in ihre Psyche hineinblickte. Aber es gab unterschiedliche Arten von Kriminellen – und unterschiedliche Arten von Mördern. Escobedo war ein Sexualstraftäter – das Niedrigste vom Niedrigsten. Sicher, er war gewaltbereit, aber sein primäres Interesse lag darin, seine sexuelle Begierde zu befriedigen. Er hatte seinen Opfern nie über längere Zeit hinweg nachgestellt, sondern sie sich einfach dort gegriffen, wo immer er sich zum fraglichen Zeitpunkt gerade aufhielt. Hunter wusste, dass Verbrecher wie er nur in sehr seltenen Fällen ihre Handschrift änderten. Selbst wenn Rache das Motiv war, hätte Escobedo sein Opfer höchstwahrscheinlich erschossen oder erstochen und sich danach so schnell wie möglich vom Tatort entfernt, statt sein Opfer in stundenlanger Kleinarbeit zu zerlegen und groteske Skulpturen aus seinen Gliedmaßen zu formen, von denen jede noch dazu eine tiefere Bedeutung in Form eines versteckten Schattenbildes hatte. Nein, Escobedo hatte weder das Wissen noch die Geduld, den Intellekt oder die Kaltblütigkeit, ein solches Verbrechen zu begehen.

»Hervorragende Arbeit, Terry, danke«, sagte Hunter, bevor er sein Handy zuklappte und es zurück in die Tasche steckte. Er gab die Neuigkeiten an Garcia weiter, und beide tranken schweigend ihre Gläser aus. Als sie aufstanden, um zu gehen, kam die große Blondine gerade von der Toilette zurück und steuerte ihren Tisch an.

»Tut mir leid wegen eben«, sagte sie zu Hunter. Auf einmal klang ihre Stimme nicht nur sehr charmant, sondern hatte sogar einen verführerischen Unterton angenommen. »Und danke noch mal.«

Garcias Miene war ein Bild für die Götter. »Das glaub ich jetzt nicht«, zischte er verdattert.

»Kein Problem«, wiegelte Hunter ab.

»Ich weiß, dass ich hochnäsig rübergekommen bin«, fuhr die Frau fort. Ihr Lächeln wirkte künstlich und einstudiert. »Ich bin nicht immer so. Aber an Orten wie diesem muss man als Frau vorsichtig sein, das verstehen Sie doch?«

»Wie gesagt, kein Problem.« Hunter drückte sich an ihr vorbei. »Einen schönen Abend noch.«

»Warten Sie mal«, rief sie scheu, als er sich schon von ihr abgewandt hatte. »Ich muss jetzt nach Hause und versuchen, das irgendwie wieder hinzukriegen, aber vielleicht könnten wir ja ein andermal was zusammen trinken gehen.« Mit einer geschickten Bewegung schob sie Hunter eine gefaltete Serviette hin. »Die Entscheidung liegt bei Ihnen.« Sie beendete ihren Auftritt mit einem neckischen Augenzwinkern und verließ die Bar.

»Das glaub ich einfach nicht«, murmelte Garcia erneut.

63

Es war Freitagabend, und das Airliner am North Broadway war fast bis auf den letzten Platz besetzt. Der große, exklusive Danceclub mit Lounge war – getreu seines Namens und nicht unbedingt einfallsreich – in einem Flugzeug-Dekor gehalten, allerdings erwartete die Gäste eine wesentlich gehobenere Auswahl alkoholischer Getränke als auf einem Flug der US Airways. Mit seinen zwei großen und gut bestückten Bars, einer Tanzfläche, auf der immer die Post abging, einem plüschigen Lounge-Bereich und einigen der heißesten DJs in ganz L. A. zählte das Airliner ohne Zweifel zu den besten Clubs der Stadt und zog eine bunte

Mischung aus Einheimischen wie Touristen an. Genau das war der Grund, weshalb Eddie Mills an diesem Abend hier war.

Eddie war ein zwielichtiger Kleinganove, der in Redondo Beach mit anderthalb Kilo Kokain im Auto erwischt worden war. Im Gefängnis hatte er Guri Krasniqi, einen albanischen Gangsterboss, kennengelernt. Krasniqi saß lebenslänglich, regierte sein Imperium aber aus dem Knast heraus weiter und hatte Eddie, als dieser vor zwei Jahren aus dem kalifornischen Staatsgefängnis in Lancaster entlassen worden war, mit einigen seiner Leute in Kontakt gebracht.

Eddie stand an der Bar im Obergeschoss und schlürfte Champagner. Er war so sehr in den Anblick einer kurzhaarigen Brünetten vertieft, die gerade die Tanzfläche zum Beben brachte, dass er den kleinen untersetzten Mann, der sich neben ihn an die Theke gestellt hatte, zuerst gar nicht bemerkte.

»Meine Güte!« Eddie erschrak zu Tode, als plötzlich eine schwere Hand auf seiner Schulter landete.

»Eddie! Was geht?«

Eddie drehte sich um und musterte den Mann mit dem kahlrasierten Schädel. »Tito?« Er blinzelte, als könne er seinen Augen nicht trauen. »Verdammt, Alter, was machst du denn hier?« Eddies Lippen verzogen sich zu einem Lächeln voller blendend weißer Zähne. Er breitete die Arme aus.

Tito erwiderte das Lächeln, und sie umarmten sich wie Brüder, die sich eine Ewigkeit lang nicht gesehen hatten.

»Mann, wann bist du denn rausgekommen?«, wollte Eddie wissen.

»Vor sieben Monaten. Auf Bewährung.«

»Im Ernst?«

»Im Ernst, Alter.«

»Und wie geht's dir so, du Hund?« Eddie machte einen Schritt zurück und musterte seinen Freund. »So wie du aussiehst, ganz gut. Wo wohnst du, in einer Konditorei?«

»Ein Mann muss essen.«

»Ja, das sehe ich. Und ein Mann muss vor allem *aufhören* zu essen, bevor er platzt.«

»Leck mich doch. Wenigstens muss ich nicht mehr den Fraß in mich reinschaufeln, den sie uns in Lanc vorgesetzt haben.«

»Darauf trinke ich.« Eddie hob sein Glas.

»Was ist denn das?« Tito machte ein beeindrucktes Gesicht. »Champagner? Im Ernst? Na, da lässt es aber jemand krachen.«

»Hey, Mann, nur das Beste. Hier, nimm auch was.« Eddie winkte dem Barkeeper und bat ihn um eine zweite Champagnerflöte.

»Du siehst top aus«, sagte Tito und erhob sein Glas für einen Toast. »Auf die Freiheit. Und darauf, dass wir nie wieder reinmüssen.«

Eddie nickte zustimmend. »Danke, Mann.« Er strich sich mit der Hand über die Krawatte. »Das ist Armani.« Er deutete auf seinen Anzug. »Kann ich gut tragen, oder?«

»Sieht geschmeidig aus«, pflichtete Tito ihm bei.

Sie unterhielten sich etwa eine Stunde lang über ihre Zeit im Knast. Eddie erzählte Tito, dass er für eine ausländische Firma arbeite, blieb allerdings in seinen Aussagen ziemlich vage. Tito hatte sowieso nicht die Absicht, weiter nachzubohren. Um den wahren Grund seines Hierseins zu verschleiern, ließ er immer wieder Namen bestimmter Mithäftlinge fallen und erkundigte sich bei Eddie, was aus ihnen geworden war – *Kennst du noch den Sowieso? Was ist mit dem und dem?* Und so weiter. Tito wusste, dass Eddie im Knast mit Ken Sands befreundet gewesen war. Langsam näherte er sich seinem eigentlichen Anliegen.

»Sag mal, Eddie, und was ist eigentlich aus Ken geworden?«

Er hätte schwören können, dass sich Eddie einen Moment lang versteifte.

Eddie leerte den Rest seines Champagners und fixierte Tito. »Ken? Den haben sie entlassen, soweit ich weiß. Keine Bewährung, hat seine Strafe abgesessen.«

»Hat er?« Tito spielte den Dummen.

»Ja, ist vor ungefähr sechs Monaten rausgekommen.«

»Der Typ war das klassische Beispiel einer gemeingefährlichen Sau.« Tito lachte nervös. »Hast du noch Kontakt zu ihm?«

»Nee, Mann, hab nur gehört, dass er entlassen wurde. Der hat seine eigenen Sachen am Laufen. Zeug, das er noch erledigen wollte, nachdem er draußen war, wenn du kapierst, was ich meine?«

»Was denn?«

»Woher soll ich das wissen? Vielleicht wollte er sich an den Leuten rächen, die ihn in den Bau gebracht haben. Wie auch immer, mein Beileid für jeden, mit dem er ein Hühnchen zu rupfen hat.«

»Das kannst du laut sagen. War der nicht mit diesem albanischen Gangster auf der Zelle? Diesem Guri? Den kennst du doch noch, oder? Hab ein paarmal gesehen, wie du mit ihm gequatscht hast.«

»Ich hab mit vielen gequatscht, als ich im Bau war, genau wie du. Dann geht die Zeit schneller rum.« Eddie spielte die Sache herunter.

Tito nickte. »Glaubst du, Ken dealt wieder? Das hat er doch gemacht, bevor er eingebuchtet wurde, oder? Vielleicht hat er sich mit den Albanern zusammengetan. Hab gehört, die ziehen das richtig professionell auf.«

Eddie musterte Tito mit argwöhnischem Blick. »Was ist los, Alter, bist du auf der Suche nach einem Job? Oder willst du Dope abgreifen?«

»Nee, Mann, ich hab, was ich brauche.« Tito fuhr sich mit der Hand über den kahlen Schädel.

Eddie nickte. »Okay. Und warum interessierst du dich dann so für Ken? Schuldet der dir noch Geld oder so? Falls ja, dann würde ich es an deiner Stelle einfach vergessen. Das ist den Ärger nicht wert, verstehst du?«

»Ach was, ich frag doch bloß.«

»Ja, das sehe ich. Aber wenn man zu viel fragt, kann das unangenehme Folgen haben, und das weißt du auch.«

Tito hob in einer beschwichtigenden Geste die Hände. »Wir quatschen doch nur, Alter, mehr nicht. Ist mir doch scheißegal, was der treibt.«

Eddie schwieg, aber sein Unbehagen war ihm deutlich anzusehen. Tito war sich sicher, dass sein alter Mithäftling mehr wusste, als er preisgab, und das reichte ihm. Er würde die Info an die zwei Bullenschweine weitergeben, die bei ihm zu Hause aufgetaucht waren. Sollten die Eddie doch selber grillen. Er hatte getan, was er konnte.

»Komm, wir nehmen noch eine Flasche«, schlug Eddie vor und winkte dem Barkeeper.

»Zu Champagner sag ich nie nein. Lass mich nur kurz pissen gehen.«

Während Tito in Richtung Toilette davonging, steuerte Eddie die Raucherlounge im Erdgeschoss an. Das war der ruhigste Ort für ein Telefonat.

64

Es war schon spät. Tito hatte zusammen mit Eddie im Airliner noch zwei Flaschen Champagner klargemacht. Als er wieder in seiner Wohnung in Bell Gardens ankam, spürte er bereits die ersten Anzeichen des mordsmäßigen Katers, mit dem er am nächsten Morgen aufwachen würde.

Tito stolperte durch die Tür. Champagner hatte die seltsame Angewohnheit, ihn ganz schnell betrunken zu machen. Aber wenn er ehrlich war, gefiel es ihm, betrunken zu sein. Und sich mit teurem Champagner zu betrinken, den jemand anders bezahlt hatte, gefiel ihm noch besser. Nur seine Zunge fühlte sich ein bisschen pelzig an.

Er öffnete die Kühlschranktür, goss sich ein großes Glas Orangensaft ein und kippte es in einem Zug hinunter. Dann ging er ins Wohnzimmer zurück und ließ sich auf das alte dunkelrote Sofa fallen, das nach Aschenbecher stank. Dort saß er einige Minuten lang, bevor er beschloss, dass er eine kleine Stärkung nötig hatte. Etwas, das seinen Kreislauf wieder in Gang brachte. Tito erhob sich schwerfällig und ging zur Kommode. Er zog die unterste Schublade auf, nahm ein silbernes Döschen und einen kleinen rahmenlosen Spiegel heraus und trug alles zum Esstisch. Aus der Dose holte er einen handgefalteten Papierumschlag. Er schüttete eine großzügig bemessene Portion weißes Pulver auf den Spiegel und formte mit Hilfe einer Rasierklinge eine lange, dicke Linie. Das war besonders gutes Zeug, fast nicht gestreckt. Erstklassiger kolumbianischer Schnee. Deswegen teilte er ihn auch nie mit den dreckigen, zweitklassigen Nutten, die er mit nach Hause brachte. Nein, dieser Stoff hier war für ihn, und nur für ihn.

Tito suchte in seinen Taschen nach einem neuen Geldschein. Das Einzige, was er fand, war ein Fünf-Dollar-Schein, und neu war der nicht gerade. Aber er würde schon irgendwie gehen. Er war zu betrunken, um nach was Besserem zu suchen. Er rollte den Schein auf, so gut er konnte, dann zog er eine Hälfte der Line in ein Nasenloch und die andere Hälfte ins andere.

Anschließend sackte er auf seinem Stuhl nach hinten, schloss die Augen und kniff sich die Nasenlöcher zu.

»Ja, so gehört sich das«, murmelte er durch zusammengebissene Zähne. Genau das hatte er gebraucht. Er legte den Kopf in den Nacken, saß eine Zeitlang mit geschlossenen Augen da und genoss den Effekt, wie sich Droge und Alkohol in seinem Blut vermischten.

Tito war ganz mit seinem Trip beschäftigt und hörte nicht, wie seine Wohnungstür geöffnet wurde. Er war so hinüber gewesen, dass er ganz vergessen hatte, von innen abzuschließen.

Mit noch immer zurückgelegtem Kopf öffnete Tito schließlich die Augen, aber statt der Zimmerdecke sah er ein Gesicht über sich. Und Augen, die er kannte.

65

Am nächsten Morgen saß Hunter an seinem Schreibtisch und las die E-Mails, die sich über Nacht angesammelt hatten. Er war früh ins Büro gekommen, nur fünf Minuten nach Garcia. Keiner der beiden hatte gut geschlafen.

Hunter hatte sich vom Computer losgerissen und war gerade dabei, einige Notizen durchzugehen, als Alice an die Tür klopfte und ohne auf ein »Herein« zu warten eintrat. Ihre Augen verrieten, dass auch sie nicht viel Schlaf bekommen hatte. Sie ging schnurstracks zu Hunters Schreibtisch und legte ihm eine dreiseitige computergeschriebene Liste vor. Hunter sah auf.

»Die Liste der Bücher, die Sands aus der Bibliothek des Gefängnisses in Lancaster ausgeliehen hat«, verkündete sie, wobei sie den Triumph in ihrer Stimme nicht ganz unterdrücken konnte.

Hunter hielt ihren Blick fest.

»Ich musste hinfahren, um sie mir zu besorgen«, erklärte sie.

»Du musstest was?«, fragte Garcia.

»Ihr System wurde noch nicht auf Computer umgestellt, deswegen gibt es keinen Online-Katalog. Die Bibliothek verwendet noch ein uraltes Karteikarten-System, und sie haben ihre ganz eigene bizarre Art, alles zu archivieren. Wenn ich nicht hingefahren wäre, hätte es Tage, vielleicht sogar Wochen gedauert, bis wir das hier bekommen hätten.«

Hunter musste die nächste Frage nicht stellen, sie stand ihm ins Gesicht geschrieben.

»Also schön, ich habe hier gestern einen kleinen Lagerkoller bekommen«, gestand Alice. »Ihr zwei wart den ganzen Tag unterwegs. Ich hatte es satt, im Internet zu suchen und nichts zu finden. Also habe ich ein bisschen rumtelefoniert, und Bezirksstaatsanwalt Bradley hat mit dem Gefängnisdirektor gesprochen, damit ich mir die Bibliothek ansehen kann. Ich habe mehrere Stunden gebraucht, um das alles hier zusammenzustellen.«

Jetzt endlich griff Hunter nach der Liste.

»Ken Sands hat sich mehr oder weniger durch die komplette Gefängnisbücherei gelesen«, sagte Alice. »Allerdings gab es einige Bücher, die er mehr als einmal ausgeliehen hat. Manche davon sogar sehr viel mehr als einmal. Auf die habe ich mich konzentriert.«

Hunter begann die Liste zu überfliegen. Alice folgte seinem Blick.

»Dir wird auffallen, dass die ersten vierundzwanzig Titel medizinische Fachbücher sind«, fuhr sie fort. »Von denen steht die Hälfte überhaupt nur in der Bibliothek, weil Sands sie bestellt hat. Er brauchte sie für seinen Pflegestudiengang. Ich habe mir einen kurzen Überblick über die Inhalte verschafft. In mindestens fünf von den Büchern gibt es ausführliche Kapitel darüber, wie man Blutungen stillt und Blutgefäße, unter anderem die Oberschenkel- und Oberarmarterien, umsticht und ligiert. Inklusive detaillierter Anleitungen und Diagramme.«

Hunter hob den Blick.

Alice zuckte mit den Schultern. »Ich habe die Obduktionsberichte gelesen.«

Garcia verließ seinen Schreibtisch und gesellte sich zu ihnen. »Aber das ist doch nichts Neues. Wir wissen doch schon, dass Sands sich mit Medizin auskennt«, sagte er.

»Stimmt«, räumte Alice ein. »Aber das hier beweist, dass er mit großer Wahrscheinlichkeit über die spezifischen Kenntnisse verfügt, um die Amputationen bei beiden Opfern durchzuführen und die Blutungen ordnungsgemäß zu stillen.«

Hunter schwieg. Er war nach wie vor mit den Buchtiteln beschäftigt.

»Ich sehe es folgendermaßen.« Alice redete unbeirrt weiter. »Wenn Sands unser Mann ist, dann hat er seinen Racheplan ganz offensichtlich schon im Gefängnis ausgebrütet. Aber nicht sofort. Bis so was im Kopf entsteht, dauert es vermutlich eine Weile. Und falls es stimmt, dass er nicht nur für sich selbst, sondern auch für Alfredo Ortega Rache nehmen wollte – der, wir erinnern uns, für Sands so was wie ein Bruder war –, dann hat der Plan vermutlich erst nach dessen Hinrichtung richtig Gestalt angenommen, also vor fünf Jahren.«

»Macht Sinn«, stimmte Garcia ihr zu, nachdem er eine Weile darüber nachgedacht hatte.

Hunter kontrollierte die Ausleihdaten der Bücher, bevor er eine Seite zurückblätterte.

»Für die vertiefenden Medizinbücher gibt es keine Ausleihdaten«, sagte Alice, die ahnte, wonach Hunter suchte. »Aus dem ganz einfachen Grund, dass sie zunächst gar nicht in der Bibliothek vorhanden waren. Die Gefängnisleitung hat sie extra für Sands angeschafft, damit der sein Studium erfolgreich abschließen kann. Er hat sie zum persönlichen Gebrauch angefordert und durfte sie bis zum Examen in seiner Zelle behalten. Nach seiner Entlassung sind die Bücher dann in den Besitz der Bibliothek übergegangen. Und falls ihr euch noch an meinen vorherigen Bericht erinnert: Er hat beide Fernstudiengänge erst nach Ortegas Hinrichtung angefangen.«

Hunter fuhr in seinem Studium der Liste fort.

Alice folgte noch immer seinem Blick. »Die nächsten Bücher sind alle über Psychologie – sein zweiter Studiengang. Auch die waren ein Zugeständnis des Gefängnisdirektors an Sands. Ein Buch ist mir ganz besonders ins Auge gesprungen. Ich hatte vorher noch gar nicht daran gedacht, bis ich es dann gesehen habe.«

Hunters Blick blieb in der Mitte der Seite hängen. Alice wusste, dass er es gefunden hatte.

66

Garcia, der neben Hunter stand, las, so schnell er konnte. Ihm fiel nichts Besonderes auf. »Okay, was übersehe ich hier?«

Hunter tippte mit dem Finger auf einen Titel – *Grundlagen der Rorschach-Interpretation*.

Garcia verzog das Gesicht. »Entschuldigt meine dämliche Frage, aber was ist Rorschach?«

»Hermann Rorschach war ein Schweizer Psychiater und Psychoanalytiker«, dozierte Hunter. »Ein Freudianer. In erster Linie ist er als Entwickler eines projektiven Testverfahrens bekannt – des nach ihm benannten Rorschach-Formdeuteversuchs beziehungsweise Tintenkleckstests.«

Man konnte fast hören, wie Garcia nachdachte. »Verdammte Axt. Ist das nicht dieser bizarre Test, bei dem man ein weißes Blatt mit einem Tintenklecks gezeigt bekommt und sagen muss, was man sieht? Ein bisschen so, wie wenn man Wolkenformen deutet?«

»Kurz zusammengefasst, ist das das Prinzip des Tests, ja«, bestätigte Hunter.

»Und nicht ganz so kurz zusammengefasst, ist das Prinzip des Tests welches?«, hakte Garcia nach.

Hunter ließ die Liste auf seinem Schreibtisch liegen und lehnte sich auf seinem Stuhl nach hinten. »Der offizielle Test besteht aus zehn Tafeln mit Tintenklecksen. Jeder Tintenklecks ist nahezu perfekt achsensymmetrisch. Fünf Tintenkleckse sind schwarz, zwei sind rot-schwarz und drei sind bunt. Im Laufe der Jahre haben Psychologen den Test immer weiter verändert und eigene Tafeln mit Tintenklecksen entworfen. Manche haben dabei die ursprüngliche Symmetrie der Kleckse auch vollständig aufgegeben.«

»Okay, aber wozu soll der Test dienen? Was genau wird dabei getestet?«

Hunter neigte den Kopf zur Seite, als sei die Frage nicht so leicht zu beantworten. »Der Test *soll* eine ganze Palette von Persönlichkeitsmerkmalen und psychischen Störungen abfragen, wie zum Beispiel geringes Selbstwertgefühl, Depressionen, mangelhaft ausgebildete Bewältigungsmechanismen, Problemlösungs-Defizite ...« Er machte eine Geste mit der Hand, um anzudeuten, dass die Aufzählung noch weiterging. »Im Wesentlichen versucht der Test, die geistige Verfassung und Soziabilität einer Person festzustellen.«

»Anhand von Tintenklecksen?«, fragte Garcia.

Hunter hob die Schultern und nickte. Er konnte die Skepsis seines Partners sehr gut nachvollziehen.

»Ja, aber lasst doch mal kurz außer Acht, was der Test abfragen soll«, schaltete sich Alice ein, »und denkt stattdessen an unseren Fall. Die Schattenbilder könnte man doch als Sands' ganz persönlichen Rorschach-Test interpretieren.«

Hunter schüttelte energisch den Kopf. »Der Täter will uns testen, das steht fest, aber nicht mit Tintenklecksen.«

»Wie kannst du dir da so sicher sein?«

»Carlos hat es eben schon auf den Punkt gebracht. Die Tintenkleckse sind genau das: Kleckse ohne erkennbare Form. Aber was unser Täter uns hinterlassen hat, ist in seiner Form ganz klar zu erkennen. Beim ersten Mal waren es ein Kojote und ein Rabe, und obwohl wir uns über die Bedeutung des zweiten Bildes noch nicht einig sind, ist es definitiv nicht bloß ein formloser Fleck.«

»Okay, geschenkt. Trotzdem kommt es aber doch auf die Interpretation an, oder? Darauf, was wir zu sehen *glauben*«, hielt Alice dagegen. »Die meisten Leute hätten doch gar nicht gewusst, dass ein Kojote und ein Rabe zusammen einen Lügner und Betrüger symbolisieren.«

»Wir wussten es auch nicht«, sagte Hunter. »Bis du es recherchiert hast, das darfst du nicht vergessen. Bis zu einem gewissen Grad ist jedes Bild Interpretationssache. Die Art, wie jemand ein Kunstwerk betrachtet, kann ganz anders sein, als der Künstler es ursprünglich beabsichtigt hat.«

»Das da ist keine Kunst, Robert«, sagte Alice und zeigte auf die Gipsnachbildung.

»Für uns nicht, aber für den Mörder ...?« Hunter ließ den Satz unvollendet. »Abscheulich oder nicht, es ist sein Werk, seine Schöpfung, seine Kunst. Und ich wette mit dir, dass er, als er die Skulpturen gemacht hat, was ganz anderes darin gesehen hat als das, was wir jetzt sehen. Ein anderer Gemütszustand führt automatisch dazu, dass man andere Dinge sieht.«

Alice starrte die Skulptur an. »Ein anderer Gemütszustand?«

Hunter stand auf und ging zur Pinnwand. »Interpretation ist immer abhängig von der seelischen Befindlichkeit des Interpretierenden. Jemand kann ein und dasselbe Bild betrachten und zwei völlig unterschiedliche Dinge darin sehen, je nachdem, in welcher Stimmung er sich gerade befindet. Und genau das ist auch die Schwäche des Rorschach-Tests.«

»Wie kann ein und dieselbe Person unterschiedliche Dinge in ein und demselben Bild sehen?« Alice hatte den Blick auf das Foto der Schattenfigur von Dupeks Boot gerichtet. »Wenn ich das anschaue, sehe ich jedes Mal exakt dasselbe: einen Teufel, der auf mehrere Personen hinabschaut, möglicherweise seine Opfer.«

»Dann bist du nicht offen«, entgegnete Hunter. »Mal angenommen, wir haben irgendein formloses Gebilde, das einem Gesicht mit offenem Mund ähnlich sieht. Du zeigst es jemandem, der zum fraglichen Zeitpunkt gerade glücklich ist. Der wird darin vielleicht jemanden sehen, der laut lacht.«

Garcia begriff sofort. »Aber wenn dieselbe Person aus irgendeinem Grund traurig oder schlecht gelaunt wäre, würde sie in dem Bild vielleicht jemanden sehen, der leidet und deswegen schreit.«

»Richtig. Unsere Gemütslage hat Einfluss auf unsere Weltsicht. Das ist immer schon das größte Argument gegen den Rorschach-Test gewesen. Viele sagen, dass er nichts anderes testet als die seelische Grundverfassung der Testperson zu einem ganz bestimmten Zeitpunkt. Aber in einem stimme ich dir zu, Alice. Was auch immer die Bedeutung hinter diesen Bildern ist«, Hunter zeigte auf das Foto des Schattenbildes, »es dreht sich alles darum, wie wir sie interpretieren. Das ist der Schlüssel zum Rätsel. Wenn wir die Bilder falsch deuten, wenn wir nicht rausfinden, was genau der Täter uns damit mitzuteilen versucht ...« Hunter schüttelte den Kopf. »Dann, glaube ich, werden wir ihn niemals fassen.«

67

Sie war die ganze Nacht über zappelig gewesen. Sie brauchte dringend einen Hit. Noch dringender als was zu essen. Regina Campos war es egal, was für Drogen sie nahm, Hauptsache, sie kriegte ihren Trip. Sie hatte keine Kohle, aber das machte nichts. Sie wusste genau, was sie tun musste, um an Stoff zu kommen. Sie hatte schon mit sechzehn begriffen, dass Männer Wachs in ihren Händen waren, wenn man nur wusste, was man im Bett mit ihnen anstellen muss.

Regina war erst achtzehn, und hätte man die wenigen Menschen gefragt, die sie kannten, hätten die sie vermutlich als durchschnittlich beschrieben. Sie war durchschnittlich groß, hatte eine durchschnittliche Figur und ein durchschnittliches Gesicht. In einer Menschenmenge wäre sie nicht weiter aufgefallen. Ihre Haare waren weder lang noch kurz, und in der Schule war sie – bevor sie abgebrochen hatte – weder gut noch schlecht gewesen. Aber sie hatte Charme, und wenn sie eins wusste, dann wie sie von anderen das bekam, was sie haben wollte.

Regina hatte eine ganze Reihe von nichtsnutzigen Liebhabern und belanglosen Affären gehabt. Na ja, nichtsnutzig stimmte genau genommen nicht, zu *einer* Sache hatten sie immerhin getaugt: als Quelle für Drogen. Ihr aktueller zu einer Sache taugender Liebhaber – wenn man ihn überhaupt als solchen bezeichnen konnte – war ein fauler, versiffter Ex-Knacki, der in einer Sozialwohnung in Bell Gardens hauste. Er war fett, hatte im Bett das Stehvermögen eines Neunzigjährigen, und ihm ging einer ab, wenn er Frauenunterwäsche trug. Regina kümmerte es einen Scheißdreck, was ihn antörnte. Solange er sie mit Stoff versorgte.

Sie war völlig am Ende gewesen, als sie ihn spät am Abend angerufen hatte, aber er hatte ihr am Telefon gesagt, dass er die Nacht über nicht zu Hause wäre. Wenn sie will, soll sie am Morgen zu ihm kommen.

Für Regina war es eine verdammt lange Nacht gewesen.

Sie rannte die Stufen zum dritten Stock hoch, als müsste sie einen Marathon gewinnen. Inzwischen brauchte sie so dringend einen Trip, dass sie mit dem Kiefer mahlte wie ein Kaninchen. Es kam ihr nicht mal seltsam vor, dass die Tür zu Apartment 311 nicht abgeschlossen war, obwohl ihr Typ sonst *immer* abschloss.

Sie stieß die Tür auf und betrat die stinkende Wohnung.

»Hallo, Babe«, krächzte sie. Sie hatte in letzter Zeit zu viel Crack geraucht, das hatte ihre Stimmbänder ruiniert.

Keine Antwort.

Sie wollte gerade die Wohnung nach ihm durchsuchen, als sie von etwas wesentlich Verlockenderem abgelenkt wurde: Auf dem kleinen Esstisch lag eine silberne Dose. Daneben ein quadratischer Spiegel, und auf dem Spiegel konnte Regina Reste eines weißen Pulvers erkennen. Ihre kleinen braunen Augen leuchteten auf wie der Himmel am 4. Juli.

»Babe?«, rief sie erneut, allerdings mit weit weniger Eifer als zuvor. Wen scherte es, wo er steckte, wenn ihre Belohnung direkt vor ihr lag und sie nur zugreifen musste?

Regina trat zum Tisch und strich mit dem Mittelfinger über den Spiegel, um die Pulverreste aufzunehmen. Hastig hob sie den Finger an den Mund und rieb sich damit übers Zahnfleisch, bevor sie ihn genüsslich ableckte, als wäre er in Honig getaucht. Augenblicklich wurde ihr Zahnfleisch taub, und sie erschauerte vor Wonne, weil der Stoff so stark war. Wahnsinn. Sie klappte die Dose auf und sah hinein. Darin lagen fünf kleine handgefaltete Papierumschläge. Regina wusste genau, was sie enthielten. Sie hatte solche Umschläge oft genug gesehen. Ihre Lippen verzogen sich zu einem breiten Grinsen.

Ausnahmsweise war Weihnachten mal im Sommer.

Sie schnappte sich einen der Umschläge, faltete ihn auf und tippte ein bisschen weißes Pulver auf den Spiegel. Ihr Blick suchte den Tisch nach etwas ab, das sich zum Schnupfen verwenden ließ.

Sie fand nichts.

Regina machte einen Schritt zurück und schaute sich um. Unter dem Tisch sah sie einen lose gerollten Fünf-Dollar-Schein liegen.

Das würde ein absolut großartiger Tag werden.

Sie hob den Schein auf, rollte ihn neu und hob ihn an die Nase. Sie hielt sich nicht erst damit auf, das Pulver zu einer Line zu formen. Sie brauchte unbedingt was im Blut, und zwar schnell. Sie hielt sich ein Nasenloch mit dem Finger zu und sog das Pulver tief durch das andere ein.

Die Wirkung war sofort zu spüren.

»Wow.«

Das war das beste Zeug, das sie je probiert hatte. Kein Stechen, kein Brennen. Nur pure, reine Seligkeit.

Sie hielt den gerollten Schein ans andere Nasenloch und atmete erneut tief ein.

So musste sich das Paradies anfühlen.

Sie legte den Schein auf den Tisch, stand einen Moment lang ganz still und genoss das Gefühl. Himmlisch.

Draußen war das Thermometer bereits auf dreißig Grad geklettert. Regina fühlte, wie sich auf ihrer Stirn Schweißperlen bildeten. Die Droge hatte ihre Körpertemperatur in die Höhe getrieben. Sie öffnete den obersten Knopf ihrer Bluse, aber das reichte nicht. Sie musste sich unbedingt ein bisschen kaltes Wasser ins Gesicht spritzen. Sie drehte sich um und machte sich auf den Weg ins Bad. Als sie bei der Tür ankam, hatte sie auf einmal so ein seltsames Gefühl, als kröche ihr etwas den Nacken hoch. Sie erschauerte.

Ihre Hand verharrte kurz auf dem Türknauf, dann blickte sie über die Schulter, als stünde jemand hinter ihr.

»Babe, bist du da drin?«, rief sie und ging mit dem Gesicht näher an die Tür heran.

Auch diesmal kam keine Antwort.

Das Kribbeln in ihrem Nacken lief ihr die Wirbelsäule hinunter und breitete sich von dort in ihrem ganzen Körper aus.

»Mann, das war wirklich fetter Stoff«, murmelte sie.

Regina drehte den Knauf und stieß die Tür auf.

Das Paradies wurde zur Hölle.

68

Als Hunter und Garcia bei Apartment 311 in Bell Gardens ankamen, war die Spurensicherung schon eifrig bei der Arbeit. Die vier Leute in weißen Kapuzenoveralls traten sich in der winzigen Wohnung fast auf die Füße. Im Wohnzimmer nahm ein junger Kriminaltechniker Fingerabdrücke von der hölzernen Kommode. Eine Frau saugte mit einem Handstaubsauger Fasern und Haare vom Fußboden auf. Ein älterer Kriminaltechniker mit Sprühflasche und tragbarer UV-Lampe untersuchte eine silberne Dose auf dem Esstisch nach Blutspuren. Währenddessen schoss der Tatortfotograf ein Bild nach dem anderen.

Detective Ricky Corbí und seine Partnerin, Detective Cathy Ellison, standen vor der Wohnung im Hausflur. Drei weitere Polizisten in Uniform waren mit der routinemäßigen Befragung der Nachbarn beschäftigt.

»Detective Corbí?«, fragte Hunter, als er aus dem schlecht beleuchteten Treppenaufgang trat.

Der große Afroamerikaner drehte sich zu Hunter um. Er war etwa fünfzig Jahre alt, hatte ein verkniffenes Gesicht und kurzgeschnittene Haare mit einer Spur Grau darin. Er trug eine Hornbrille, einen braunen Anzug, und seiner Figur nach zu urteilen hatte er früher vermutlich Football gespielt. Er sah immer noch sehr durchtrainiert aus.

»Das wäre dann wohl ich«, sagte er in sattem Bariton. »Und so, wie Sie zwei aussehen, müssen Sie die Leute von Mord I sein.« Er streckte ihnen die Hand hin. »Detective Hunter, nehme ich an.«

Hunter nickte. »Nennen Sie mich Robert.« Corbís Händedruck war fest und kräftig. Er winkelte die Hand dabei leicht nach unten ab, was, so wusste Hunter aus Erfahrung, in der Regel das Erkennungsmerkmal einer dominanten Persönlichkeit war. Corbí stellte von Anfang an klar, dass er derjenige war, der hier das Sagen hatte. Nicht, dass Hunter die Absicht gehabt hätte, ihm seine Autorität streitig zu machen.

»Nennen Sie mich Ricky. Das hier ist meine Partnerin, Detective Cathy Ellison.«

Ellison trat vor und begrüßte Hunter und Garcia. Ihr Händedruck war fast genauso stark wie der von Corbí. Sie war etwa eins fünfundsechzig groß, schlank mit leicht hängenden Schultern, und hatte kurze, stufig geschnittene dunkle Haare. In ihrem Blick lag die Intensität eines Menschen, der seine Arbeit sehr ernst nahm. »Cathy«, sagte sie und unterzog die beiden Detectives einer flüchtigen Musterung.

»Ich habe es Ihnen ja schon am Telefon gesagt. Der Grund, weshalb ich Sie angerufen habe, ist, dass wir das hier im Wohnzimmer des Opfers gefunden haben«, sagte Corbí mit einem Nicken in Richtung Wohnungstür. Er reichte Hunter eine Visitenkarte. »Das ist doch Ihre?«

Hunter nickte.

Corbí langte in seine Brusttasche und holte sein Notizbuch hervor. »Thomas Lynch, auch bekannt als Tito. Er war seit elf Monaten auf Bewährung draußen, hat vorher in Lancaster eingesessen. Seiner Akte zufolge« – Corbí wandte sich an Garcia – »waren Sie derjenige, der ihn vor sieben Jahren verhaftet und ihn zu einem Geständnis bewegt hat.« Er hielt inne und überlegte kurz. »Oder sollte ich besser sagen: Sie waren derjenige, der ihn dazu bewegt hat, sich auf einen Deal einzulassen. Wenn ich raten müsste, würde ich sagen, dass er seit seiner Freilassung so was wie Ihr Informant gewesen ist.«

»Nicht wirklich«, sagte Garcia.

Corbí fixierte ihn mit stechendem Blick. »Dann ein Freund?«

»Nicht wirklich.«

Corbí nickte, nahm seine Brille ab, hauchte auf beide Gläser und polierte sie mit dem Zipfel seiner blauen Krawatte.

»Wollen Sie mich dann vielleicht darüber aufklären, wie

er an Ihre Visitenkarte gekommen ist? Eine schöne, neue Visitenkarte wohlgemerkt.«

Den letzten Satz sagte er mit leicht spöttischem Unterton.

Garcia hielt Corbís Blick stand. »Wir haben vor kurzem Kontakt zu ihm aufgenommen, weil wir eine Auskunft von ihm brauchten – aber er war kein Informant«, fügte er hinzu, ehe Corbí die Chance hatte, einzuhaken. »Er war lediglich jemand, der auf einer Liste von Namen aufgetaucht ist.«

Ricky Corbí war erfahren genug, um zu wissen, dass Garcia nicht aus bloßer Sturheit mauerte. Er sagte ihm ganz einfach das, was er zum gegenwärtigen Zeitpunkt zu sagen bereit war. Weiter nachzubohren wäre zwecklos. Er nickte Garcia kaum merklich zu.

»Können Sie mir sagen, wann Sie ihn zuletzt gesehen haben?«, wollte Ellison nun wissen.

»Gestern Nachmittag«, antwortete Hunter.

Corbí und Ellison tauschten einen erstaunten Blick.

»Nach Aussagen des Leichenbeschauers wurde Ihr Junge irgendwann letzte Nacht ermordet.« Corbí setzte seine Brille wieder auf. »Genauer, in den frühen Morgenstunden. Die Leiche wird gerade für den Transport fertig gemacht. Wenn Sie vorher noch einen Blick drauf werfen wollen ...«

Hunter und Garcia nickten.

»Ich habe keine Ahnung, mit wem er sich gestern Nacht angelegt hat«, setzte Corbí hinzu, während er den beiden je ein Paar Latexhandschuhe und Schuhüberzieher reichte. »Aber wer auch immer es war, er hat bei diesem Tito ganze Arbeit geleistet. Da drinnen erwartet uns ein echtes Kunstwerk.«

69

Corbí und Ellison betraten, gefolgt von Hunter und Garcia, das Apartment Nummer 311. Zusammen mit den vier Leuten von der Spurensicherung wurde das kleine Wohnzimmer zur Sardinenbüchse.

»Was ist da drin?«, fragte Hunter und wies auf die silberne Dose auf dem Esstisch.

»Jetzt nichts mehr«, antwortete Corbí. »Aber da waren mal Drogen drin – Kokain, um genau zu sein. Nur ganz wenig verschnitten. Wahrscheinlich erstklassige Qualität. Das Labor wird das noch bestätigen. Erste Anzeichen deuten darauf hin, dass der, der ihn getötet hat, auch die Drogen hat mitgehen lassen.«

»Sie glauben, Drogen waren das Motiv für den Mord?«, fragte Garcia.

»Wer weiß das schon zu diesem Zeitpunkt?«, gab Ellison zurück.

»Wer hat die Sache gemeldet?«

»Ein völlig verschrecktes Mädchen. Hat keinen Namen genannt. Sie klang sehr jung.«

»Wann war das? Wann kam der Notruf rein?«

»Heute früh. Wir haben uns die Aufzeichnung angehört. Das Mädchen hat gesagt, sie wär eine Bekannte. Wahrscheinlich ist sie hergekommen, um ein bisschen Stoff zu schnorren. Von den Nachbarn, die bis jetzt befragt wurden, weiß keiner, wer diese junge *Bekannte* gewesen sein könnte.« Ellison hob die Brauen. »Die meisten haben den Mieter der Wohnung angeblich kaum gekannt. Niemand macht den Mund auf, und in einem Haus wie dem hier würde mich alles andere auch ziemlich wundern. Aber die Spurensicherung hat schon Fingerabdrücke von mehreren Personen sichergestellt. Wer weiß, vielleicht haben wir ja Glück.«

Hunters Blick erfasste innerhalb weniger Sekunden den

Raum. Nirgendwo Blutspuren. Im Wohnzimmer herrschte ein ziemliches Chaos, aber das war am Vortag, als sie Tito ihren Besuch abgestattet hatten, auch schon so gewesen. Es gab keine sichtbaren Anzeichen darauf, dass etwas verändert oder durchwühlt worden war. Die Kette innen an der Wohnungstür war intakt. Nichts deutete auf gewaltsames Eindringen hin.

»Seid ihr fertig da drinnen?«, fragte Corbí den Leiter des Teams von der Spurensicherung und deutete auf den winzigen Flur, der zum Bad und zum Schlafzimmer führte.

»Ja, wir haben so weit alles. Ihr könnt jetzt rein.«

Sie durchquerten das Wohnzimmer.

»Wir passen nicht alle zusammen da rein«, sagte Corbí, als sie die Badezimmertür erreicht hatten. »Ich habe immer gedacht, kein Bad kann kleiner sein als das in meiner Wohnung, aber da habe ich mich wohl geirrt. Gehen Sie ruhig, wir haben es ja schon gesehen.« Corbí und Ellison machten Platz für Hunter und Garcia.

Langsam stieß Hunter die Tür auf.

»Ach du Scheiße«, entfuhr es Garcia.

Hunter sagte nichts. Schweigend nahm er alles in sich auf.

Der Boden, die Wände und das Waschbecken in dem winzigen Badezimmer waren voller Blut. Arterielle Spritzmuster, die daher kamen, dass jemandem mit einem Messer Bauch oder Kehle aufgeschlitzt worden war. Tito war nackt. Er saß mit dem Rücken an der gekachelten Wand in der blutgetränkten Duschwanne auf dem Boden. Seine Beine waren gerade vor dem Körper ausgestreckt, die Arme hingen schlaff herunter. Sein Kopf war nach hinten gekippt, als betrachte er etwas an der Zimmerdecke. Nur, dass er keine Augen mehr hatte. Sie waren beide so tief in den Schädel gedrückt worden, dass sie kaum noch zu sehen waren. Ein Augapfel schien dabei geplatzt zu sein. Etwas, das wie blutige Tränen aussah, lief aus Titos Augenhöhlen, an den Ohren vorbei und seitlich an seinem kahlrasierten Kopf hinab. Sein Mund war geöffnet und zur Hälfte mit klumpig geronnenem Blut gefüllt. Ihm war die Zunge herausgerissen worden.

»Die Zunge haben wir in der Kloschüssel gefunden«, meldete sich Corbí von der Tür her.

Titos Kehle war über die gesamte Breite seines Halses aufgeschlitzt. Das Blut war ihm über Brust, Bauch und Beine gelaufen.

»Laut Spurensicherung«, warf Ellison ein, »gibt es keine sichtbaren Verletzungen an der Leiche, was bedeutet, dass er nicht zusammengeschlagen wurde. Er wurde einfach nur ins Bad gezerrt und wie ein Stück Vieh abgeschlachtet. Kein Blut irgendwo sonst in der Wohnung.«

»Drogen?«, fragte Garcia.

»Das wird die Autopsie zeigen, aber es würde mich nicht wundern, wenn er zur Tatzeit dicht wie ein U-Boot gewesen wäre. An dem kleinen Spiegel auf dem Tisch im Wohnzimmer sind Reste von Kokain.«

»Das Schlafzimmer ist ein Saustall«, redete Corbí weiter. »Es stinkt nach dreckiger Wäsche, ungewaschenen Körperteilen und Gras. Aber wenn ich mir den Rest der Wohnung so anschaue, glaube ich nicht, dass wir das dem Täter zu verdanken haben. Ich glaube, er hat aus freien Stücken wie ein Schwein gehaust. Außerdem haben wir Marihuana im Schlafzimmer gefunden, ein ganzes Kilo, zusammen mit ein paar Crack-Pfeifen. Wenn der Täter nach irgendwas gesucht hat, dann hat er es höchstwahrscheinlich in der kleinen silbernen Dose im Wohnzimmer gefunden, ob es nun Drogen waren oder nicht.« Er wartete, bis Hunter und Garcia das Bad verlassen hatten. »Ich werde Sie nicht fragen, was für Informationen Sie von diesem Tito haben wollten. Das ist Ihre Angelegenheit, und ich werde mich bestimmt nicht in die Ermittlungen von Kollegen einmischen, aber gibt es irgendwas, was Sie uns über das Opfer sagen können, das uns bei den Ermittlungen weiterhelfen könnte?«

Hunter war klar, dass er Corbí und seiner Partnerin gegenüber nicht Ken Sands' Namen erwähnen durfte. Corbí würde sofort die Fahndung nach ihm einleiten und überall die Fühler ausstrecken. Immer mehr Leute auf der Straße würden erfahren, dass Sands gesucht wurde, und folglich würde auch die Wahrscheinlichkeit steigen, dass dieser Wind davon bekam und untertauchte. Das durfte Hunter nicht riskieren. Er musste lügen.

»Leider kann ich Ihnen nichts weiter sagen«, antwortete er.

Corbí beobachtete aufmerksam Hunters Miene und Verhalten und sah darin nichts, was seine Antwort als Lüge entlarvt hätte. Falls es ein Pokerface war, dann war es das beste Pokerface, das Corbí je gesehen hatte. Er wandte sich an Ellison, die mit den Schultern zuckte.

»Also gut«, meinte Corbí und rückte sich die Krawatte zurecht. »Dann gibt es hier für Sie wohl nichts mehr zu sehen.«

70

Die Sonne draußen briet Menschen und Autos gleichermaßen. Garcia holte seine Sonnenbrille aus der Hemdtasche und rieb sich mit der Hand den Nacken. Als er sie wegzog, war sie klatschnass. Neben der Fahrertür stehend, schaute er über das Dach seines Honda Civic hinweg zu Hunter.

»Also, wenn Sands derjenige war, der Tito erledigt hat, dann sieht es nicht so aus, als wäre er unser Mann, oder?«

Hunter erwiderte den Blick seines Partners. »Und wieso nicht?«

»Völlig andere Handschrift, zum einen. Okay, er hat ihm die Zunge rausgerissen, aber verglichen mit dem Sadismus der Amputationen bei den anderen zwei Mordopfern ist das, was da oben passiert ist, der reinste Kindergeburtstag. Plus, es gab keine Skulptur und keine Schattenfiguren.«

Hunter stellte die Ellbogen aufs Autodach und verschränkte die Finger ineinander. Zum gegenwärtigen Zeitpunkt war er geneigt, Garcia zuzustimmen, aber noch gab es zu viele offene Fragen, und seine innere Stimme sagte ihm, dass es ein großer Fehler wäre, Ken Sands allzu früh als Verdächtigen auszuschließen. »Wenn du dir vergegenwärtigst, was wir bis jetzt über ihn wissen, glaubst du dann nicht, dass Sands intelligent genug wäre, um seine Vorgehensweise für eine Tat, die mit den anderen in keinerlei Zusammenhang steht, zu ändern?«

»In keinerlei Zusammenhang?« Garcia öffnete die Zentralverriegelung und stieg ein.

Hunter schwang sich auf den Beifahrersitz.

Garcia startete die Zündung und schaltete die Klimaanlage ein. »Was meinst du damit, in keinerlei Zusammenhang?«

Hunter lehnte sich von innen gegen die Beifahrertür. »Also. Lass uns mal für einen Moment lang annehmen, dass wir bis jetzt mit allem recht hatten und dass Ken Sands tatsächlich der Täter ist.«

»Okay.«

»Eine unserer Annahmen ist, dass Sands seine Opfer aus Rache tötet, nicht nur für sich selbst, sondern auch für seinen Jugendfreund Alfredo Ortega. So weit richtig?«

Garcia nickte. »Ja.«

»Okay, und wie passt Tito in dieses Racheszenario?«

Garcia sah einen Moment lang nachdenklich aus.

»Denk dran, Tito hat gesagt, er hätte während seiner Zeit in Lancaster nie mit Sands gesprochen. Es gab also keinen alten Zwist zwischen ihnen.«

Garcia kniff sich in die Unterlippe. »Er passt nicht rein.«

»Eben. Falls Sands unser Mann ist und er Tito umgebracht hat, dann nicht, weil Tito Teil seines ursprünglichen

Plans gewesen wäre, sondern wahrscheinlich deshalb, weil Tito sich nach ihm erkundigt hat. Auf die falsche Art oder bei den falschen Leuten.«

»Aber Mörder ändern doch normalerweise nicht ihre Handschrift, es sei denn, es kommt zu einer Eskalation.« Garcia deutete auf das Haus. »Und da ist das genaue Gegenteil passiert. Erst ist er geradezu bizarr sadistisch und kreativ, und jetzt ...«, er suchte nach einem passenden Ausdruck, »... einfach nur noch eklig.«

»Auch das hängt damit zusammen, dass Tito nicht Teil seines Racheplans war. Denk nach, Carlos. Für unseren Täter ist die Vorgehensweise von extremer Wichtigkeit – die Art, wie er seine Opfer zerstückelt, wie er ihre Körperteile danach wieder sorgfältig zusammenfügt und aus ihnen Skulpturen anfertigt, die jedes Mal ein anderes Schattenbild an die Wand werfen. Für ihn ist all das absolut unverzichtbar. Es hat nichts Beliebiges an sich, er macht das nicht bloß aus Spaß. Es ist genauso wichtig wie das Töten selbst und die Wahl seiner Opfer. Es ist elementarer Bestandteil seiner Rache. Und ich habe keinen Zweifel, dass es einen unmittelbaren Zusammenhang zwischen der Skulptur, dem Schattenbild und dem jeweiligen Opfer gibt. Der Täter hat nicht ohne Grund für Nicholson den Kojoten und den Raben gewählt und für Dupek einen Teufel, der auf vier Gestalten hinunterblickt.«

»Und Tito hatte mit all dem gar nichts zu tun«, sagte Garcia.

Hunter nickte.

»Aber wir sind uns immer noch nicht im Klaren darüber, was denn nun die wahre Bedeutung hinter den Schattenbildern ist«, fuhr Garcia fort. »Und wenn du recht hast und jedes Schattenbild in direkter Verbindung zum Opfer steht, dann gibt es da noch was, das in meinen Augen nicht schlüssig ist.«

»Nämlich?«

»Beim ersten Schattenbild hat der Mörder sehr auf Details geachtet, er hat die Gliedmaßen des Opfers so verformt und angeordnet, dass nicht viel Raum für Zweifel blieb. Du hast es selbst gesagt, durch den gebogenen, dicken Schnabel waren die meisten Vogelarten von vorneherein ausgeschlossen, so dass gar nicht mehr viele Möglichkeiten übrigblieben. Beim zweiten Schattenbild war er lange nicht so präzise. Man kann nicht erkennen, ob es ein menschliches Gesicht mit Hörnern ist, ein Teufel, eine Gottheit oder irgendein Tier. Die zwei stehenden Gestalten und die beiden liegenden könnten Menschen sein, aber sie könnten genauso gut auch was anderes sein. Warum macht er das? Warum ist er beim ersten Schattenbild so genau und beim zweiten dann nicht mehr?«

Hunter rieb sich mit beiden Händen übers Gesicht. »Mir fällt nur ein Grund ein: Relevanz.«

Garcia verzog den Mund und hob die Hände. »Relevanz?«

»Ich glaube, der Grund, weshalb unser Täter so viel Sorgfalt auf sein erstes Schattenbild verwendet hat, ist, dass es *wichtig* war. Er wollte, dass es bei der Identifikation des Bildes keinen Raum für Fehler gibt. Er wollte verhindern, dass wir denken, es handelt sich um einen Hund und eine Taube oder um einen Fuchs und eine Eule.«

Garcia dachte kurz darüber nach. »Aber beim zweiten spielte es nicht so eine große Rolle.«

»Genau«, sagte Hunter. »Die Einzelheiten des zweiten Bildes sind für die Interpretation weniger wichtig. Wahrscheinlich ist es ganz egal, ob der gehörnte Kopf ein Menschenkopf ist oder nicht. Darum ging es dem Täter nicht.«

»Worum dann?«

»Ich weiß es nicht ... noch nicht.« Hunter sah aus dem Fenster auf die zahlreichen Streifenwagen, die vor Titos Wohnhaus parkten. »Aber ich bin ganz und gar überzeugt, dass Ken Sands klug genug ist, seine Vorgehensweise zu ändern, um uns auf die falsche Fährte zu locken.«

71

Der Tag neigte sich dem Ende zu. Nathan Littlewood saß an seinem Schreibtisch, hörte die Tonbandaufzeichnung seiner letzten Sitzung ab und machte sich dazu Notizen. Seine psychotherapeutische Praxis lag in Echo Park, östlich von Hollywood und nordwestlich von Downtown L. A.

Littlewood war zweiundfünfzig Jahre alt, eins achtzig groß, auf klassische Art attraktiv und schlank – Letzteres verdankte er vor allem einer ausgewogenen Ernährung und drei Fitnessstudio-Besuchen pro Woche. Er war ein guter Therapeut, ein sehr guter sogar. Unter seinen Patienten gab es Jugendliche und Rentner, Singles und Paare, Normalsterbliche und eine Handvoll B-Prominente. Jede Woche entblößten sich Dutzende von Menschen vor ihm und ließen ihn an ihren intimsten Gedanken teilhaben.

Seine letzte Sitzung des Tages war vor einer halben Stunde zu Ende gegangen. Die Patientin hieß Janet Stark, eine junge Schauspielerin, die große Probleme mit ihrem Lebensgefährten hatte. In letzter Zeit war es zwischen ihnen immer häufiger über die banalsten Dinge zum Streit gekommen, überdies war sie fest davon überzeugt, dass er sie betrog. Und damit nicht genug: Sie hatte den Verdacht, dass er sie mit einem anderen *Mann* betrog.

Janet selbst hatte schon oft mit Frauen geschlafen und tat es immer noch. Sie machte keinen Hehl daraus, aber ihrer Ansicht nach war Bisexualität bei Frauen akzeptabel, bei Männern hingegen nicht.

Sie kam seit drei Wochen zu ihm und hatte, bei zwei Sitzungen pro Woche, insgesamt bisher sechs Sitzungen gehabt. Die ersten Flirtversuche hatten nicht lange auf sich warten lassen. Ab der zweiten Sitzung hatte sie angefangen, sich aufreizender zu kleiden – kürzere Röcke, tief ausgeschnittene Blusen, Push-up-BHs, sexy High Heels – ihr war jedes Mittel recht, um seine Aufmerksamkeit zu erregen. An diesem Tag war sie in einem knappen Sommerkleidchen, schwarzen, vorne offenen Ankle Boots von Christian Louboutin und »Ich will dich«-Make-up in die Praxis gekommen. Und ohne Unterwäsche. Als sie sich auf die Couch gelegt hatte, war ihr das Kleid die Oberschenkel hochgerutscht, und sie hatte die Beine auf eine Art und Weise gespreizt, dass absolut nichts mehr der Fantasie überlassen blieb.

Littlewood liebte Frauen, je nuttiger und perverser, desto besser. Aber er wusste auch, dass es keine gute Idee war, sich auf eine Affäre oder auch nur einen One-Night-Stand mit einer Patientin einzulassen. Solche Dinge blieben nie lange im Verborgenen. In einer Stadt wie Los Angeles reichte ein winziger Funke, und schon brannte alles lichterloh. Gerüchte hatten die Macht, Karrieren zu zerstören. Nein, dafür war Littlewood zu klug. Er holte sich seine Kicks woanders, und er zahlte gutes Geld dafür.

Littlewood war geschieden. Er hatte mit Mitte zwanzig geheiratet, aber die Ehe hatte nicht mal fünf Jahre gehalten. Die Konflikte waren praktisch gleich nach der Hochzeit losgegangen. Nach viereinhalb Jahren voller Zänkereien, echter Konflikte und sexueller Frustration befand sich ihre Ehe schließlich in einer derartigen Schieflage, dass beide Partner ernsthaften seelischen Schaden davontrugen. Eine Scheidung war der einzige Ausweg gewesen.

Er und seine Frau hatten einen gemeinsamen Sohn, Harry, der in Las Vegas Jura studierte. Nach seinen bitteren Erfahrungen mit der Ehe und einem langen, zermürbenden Scheidungsverfahren hatte Littlewood sich geschworen, niemals wieder zu heiraten. Und bislang hatte er nicht einmal mit dem Gedanken gespielt, seinen Schwur zu brechen.

Der Summer auf Littlewoods Schreibtisch ertönte. Er hielt sein Diktiergerät an und drückte den Knopf der Gegensprechanlage.

»Was gibt's, Sheryl?«

»Ich wollte nur fragen, ob Sie für heute noch was brauchen.«

Littlewood sah auf die Uhr. Es war lange nach Praxisschluss. Er hatte ganz vergessen, dass Janet Stark ihre Termine gerne so spät wie möglich legte.

»Ach, das tut mir leid, Sheryl, Sie hätten schon vor einer Stunde gehen sollen. Ich habe ganz die Zeit vergessen.«

»Das macht doch nichts, Nathan.« Littlewood hatte von Anfang an darauf bestanden, dass Sheryl ihn beim Vornamen nannte. »Das ist überhaupt kein Problem. Sind Sie sicher, dass ich nicht noch bleiben soll? Ich mache das gerne, wenn Sie wollen.«

Sheryl war seit etwas über einem Jahr Littlewoods Sekretärin und Sprechstundenhilfe, und die erotische Spannung zwischen ihnen hätte vermutlich eine Kleinstadt mit Strom versorgen können. Littlewood selbst ignorierte die gegenseitige Anziehung, wie offensichtlich sie auch sein mochte, und legte Sheryl gegenüber dieselbe Zurückhaltung an den Tag wie bei seinen Patientinnen. Sheryl hingegen hätte keine Sekunde gezögert, sich auf ein Signal von ihrem Chef hin die Kleider vom Leib zu reißen und mit ihm in die Federn zu springen.

»Nein, ich komme schon zurecht, Sheryl. Ich mache mir nur noch ein paar Notizen. Ich bleibe auch nicht mehr lange, maximal noch eine halbe Stunde. Fahren Sie ruhig nach Hause, wir sehen uns dann morgen.« Damit wandte sich Littlewood wieder der Tonbandaufnahme und seinen Notizen zu.

Er brauchte noch fünfunddreißig Minuten, bis alles zu seiner Zufriedenheit erledigt war. Als er in die Tiefgarage seines Bürogebäudes hinunterfuhr, parkten dort nur noch drei Autos. Sein eigenes stand in der hintersten Ecke unter einer defekten Neonröhre.

Obwohl seine Praxis gut lief, fuhr Littlewood einen silbernen 1998er Chrysler Concorde LXi. Er bezeichnete den

Wagen immer als Klassiker, was ihm den gutgemeinten Spott seiner Freunde einbrachte. Dass ein Auto alt war, so ihre einhellige Meinung, machte es noch lange nicht zu einem Klassiker.

Er schloss die Fahrertür auf und setzte sich hinters Steuer. Er hatte einen Bärenhunger, und ein starker Drink wäre auch nicht das Schlechteste. Außerdem hatte er sich den ganzen Tag über gegen erotische Attacken wehren müssen, und das hatte in ihm die Lust auf etwas anderes geweckt. Er wusste auch schon genau, wo er es bekommen würde.

Er drehte den Schlüssel im Zündschloss. Der Motor stotterte und röchelte wie ein sterbender Hund, sprang aber nicht an. Manchmal war sein alter Chrysler etwas bockig.

»Komm schon, Baby.« Er tätschelte das Armaturenbrett, trat dreimal das Gaspedal durch und versuchte es erneut.

Mehr Stottern, mehr Keuchen – und sonst nichts.

Vielleicht war es doch an der Zeit, sich ein neueres Modell zuzulegen.

Der nächste Anlauf.

»Jetzt komm schon, komm schon.«

Nichts.

»Verdammter Mist, das fehlt jetzt gerade noch!«

Erneut trat er mehrmals das Gaspedal durch.

Tschu, tschu, tschu, tschu, tschu.

Littlewood schlug mit geballten Fäusten aufs Lenkrad und unterdrückte einen Fluch, bevor er die Augen schloss und sich in den Sitz zurückfallen ließ. Wie es aussah, würde er sich ein Taxi rufen müssen.

Dies war der Moment, in dem er etwas spürte, was er noch nie zuvor gespürt hatte: eine Warnmeldung seines sechsten Sinns. Sie kam jedenfalls tief aus seinem Innern und ließ ihm beinahe das Blut in den Adern gefrieren. Jedes Haar an seinem Körper stand zu Berge.

Instinktiv riss er die Augen auf und sah in den Rückspiegel.

Aus der Dunkelheit des Rücksitzes starrten ihn zwei Augen an. Es waren die teuflischsten Augen, die er je gesehen hatte.

72

Hunter saß allein in seinem stockfinsteren Büro und starrte auf die Pinnwand. Es war spät, und alle waren nach Hause gegangen. In der Hand hielt er eine Taschenlampe, die er in unregelmäßigen Abständen an- und wieder ausknipste. Er versuchte, sein Gehirn zu überlisten.

Wenn Licht ins Auge fällt und auf die Netzhaut trifft, wird dort ein seitenverkehrtes und auf dem Kopf stehendes Bild erzeugt, das erst im Gehirn wieder richtig herum gedreht wird. Ist der Lichtreiz sehr kurz, ist das Gehirn bei seiner Interpretation des Bildes auf das angewiesen, was es in der kurzen Zeit am Objekt wahrgenommen hat. Dabei greift es auf etwas zurück, was die moderne Medizin als Ultrakurzzeitgedächtnis bezeichnet. Handelt es sich um ein Objekt, das dem Gehirn bereits bekannt ist, wie zum Beispiel einen Stuhl, so werden die Einzelheiten, die das Gehirn aufgrund des kurzen Lichtreizes nicht wahrnehmen kann, automatisch durch Inhalte aus dem Langzeitgedächtnis ergänzt – das Gehirn denkt »Sieht aus wie ein Stuhl«, also ruft es das Bild eines Stuhls in seiner Gedächtnis-Datenbank auf. Wird es jedoch mit einem unbekannten Objekt konfrontiert, hat es nichts, worauf es zurückgreifen kann. Diese Lücke muss es dann kompensieren, indem es sich umso mehr anstrengt, Einzelheiten aus dem eigentlichen Objekt zu extrahieren.

Genau das versuchte Hunter gerade: Er wollte sein Gehirn zwingen, etwas zu sehen, was es bisher noch nicht gesehen hatte.

Bislang ohne Erfolg.

»Ist das deine Version einer Privatdisco?«

Hunter wandte sich in die Richtung, aus der die Stimme gekommen war, und knipste die Taschenlampe an. In der Tür stand Alice mit ihrem Aktenkoffer in der Hand.

»Ich wusste gar nicht, dass du noch hier bist«, sagte er.

»Glaubst du etwa, du bist der einzige Workaholic?« Sie lächelte.

Hunter rutschte auf seinem Stuhl hin und her.

»Hast du was dagegen, wenn ich Licht mache?«

»Nur zu.« Er knipste seine Taschenlampe wieder aus.

Alice betätigte den Lichtschalter, bevor sie zur Pinnwand deutete. »Irgendwas Neues?« Er wusste, was sie meinte.

Hunter rieb sich die Augen mit Daumen und Zeigefinger und schüttelte den Kopf. »Nichts.«

Alice stellte den Aktenkoffer auf den Boden und lehnte sich gegen den Türrahmen. »Hast du Hunger?«

Hunter hatte den ganzen Tag noch nicht ein einziges Mal ans Essen gedacht, aber nun knurrte ihm wie aufs Stichwort der Magen. »Und wie.«

»Lust auf Italienisch?«

73

Das Campanile war ein rustikal-elegantes Restaurant in der South La Brea Avenue. Mit seinem Glockenturm, dem Springbrunnen im Innenhof und der angegliederten Bäckerei erinnerte es an ein Dorf am Mittelmeer.

»Ich wusste gar nicht, dass du das Lokal magst«, sagte Hunter, als er und Alice sich im Innenhof an einen Tisch setzten.

»Es gibt einiges, was du nicht über mich weißt.« Sie bedachte ihn mit einem angedeuteten Lächeln, aber weil sie nicht wollte, dass er zu viel in ihre Worte hineininterpretierte, fügte sie rasch hinzu: »Eine Zeitlang war ich ziemlich oft hier. Ich esse für mein Leben gern Italienisch, und der Koch ist ein Gott. Wahrscheinlich der beste in diesem Teil der Stadt.«

Hunter konnte ihr nicht widersprechen. »Aber jetzt kommst du nicht mehr so oft her?«

»Seltener als früher. Ich liebe nach wie vor italienische Küche, aber man wird nicht jünger, und ich muss wirklich aufpassen, was ich esse. Überflüssige Pfunde loszuwerden ist nicht mehr so leicht, wie es mal war.«

Hunter faltete seine Stoffserviette auseinander und legte sie sich in den Schoß. »Ich finde nicht, dass an dir viel Überflüssiges dran ist.«

Alice hielt inne und sah ihn mit einem seltsamen Ausdruck in den Augen an. »Hast du mir etwa gerade ein Kompliment gemacht?«

»Ja, aber es war nichts als die Wahrheit.«

Alice strich sich die Haare hinter die Ohren und schwang sie sich über die linke Schulter. Eine befangene, aber zugleich auch verführerische Geste.

Die völlig unbemerkt blieb.

»Sollen wir bestellen?«, fragte Hunter.

»Klar, warum nicht«, lautete Alices nicht gerade überschwängliche Antwort.

Sie bestellten beide Spaghetti. Hunter nahm seine à la Primavera, Alice entschied sich für die Spezialität des Küchenchefs, scharfe Fleischbällchen und sonnengetrocknete Tomaten. Sie teilten sich eine Flasche Rotwein und gaben sich Mühe, während des Essens nicht über den Fall zu sprechen.

»Wie kommt's, dass du nie geheiratet hast?« Diese Frage von Alice kam gegen Ende der Mahlzeit, als der Kellner ihnen gerade den letzten Wein einschenkte. »Wie ich schon sagte, in der Schule waren fast alle Mädchen in dich verknallt. Ein Mangel an Gelegenheit kann es also nicht gewesen sein.«

Hunter musterte Alice, während er einen Schluck von seinem Wein trank. Ihr Blick verriet lebhaftes Interesse, fast wie bei einem Reporter, der einer Story auf der Spur ist. »Es gibt bestimmte Dinge, die sich einfach nicht miteinander vertragen. Mein Beruf und das Eheleben zum Beispiel.«

Alice schürzte die Lippen und verzog dann den Mund. »Das ist so ziemlich die lahmste Begründung, die ich je gehört habe. Viele Polizisten sind verheiratet.«

»Stimmt, aber viele lassen sich auch wieder scheiden. Der berufliche Druck ist einfach zu groß.«

»Aber sie versuchen es wenigstens und verstecken sich nicht hinter einer faulen Ausrede. Was ist mit dem alten Sprichwort, dass es besser ist, geliebt zu haben und die Liebe zu verlieren, als nie geliebt zu haben?«

Hunter zuckte mit den Schultern. »Nie gehört.«

»Schwachsinn.«

Sein Lächeln verriet ihn.

»Was ist mit Carlos?« Alice ließ sich nicht von dem Thema abbringen. »Der ist doch auch verheiratet. Willst du etwa behaupten, dass seine Frau ihn früher oder später wegen seines Jobs verlassen wird?«

»Manche Menschen haben unheimlich viel Glück im Leben – oder zumindest genug, um den einen Menschen zu finden, der für sie bestimmt ist. Carlos und Anna sind ein Beispiel dafür. Ich glaube nicht, dass man irgendwo zwei Menschen findet, die besser zueinander passen. Ganz egal wie lange man sucht.«

»Und du hast so einen Menschen nie gefunden? Die eine, bei der du das Gefühl hattest, dass du für den Rest deines Lebens mit ihr zusammen sein willst?«

Schlagartig wurde Hunter von Erinnerungen überschwemmt. Bilder eines Gesichts ... der Klang eines Namens.

Er spürte, wie sich das Herz in seiner Brust erwärmte, doch dann, als die Erinnerungen immer heftiger auf ihn einströmten, wurde es eiskalt.

»Nein.« Hunter hielt ihrem Blick stand, auch wenn er sich sicher war, dass etwas in seinen Augen ihn verriet.

Alice bemerkte es. Zuerst war sein Blick voller Zärtlichkeit, dann wurde er plötzlich hart und eisig und gequält. Trotz aller Neugier sah sie ein, dass sie kein Recht hatte, ihm weitere Fragen zu stellen.

»Tut mir leid.« Sie brach den Blickkontakt ab und wechselte das Thema, ehe das Schweigen unangenehm werden konnte. »Zu dem zweiten Schattenbild hast du also noch nichts rausgefunden?«

»Nichts, nein.«

»Verrat mir mal eins. Glaubst du, dass wir das erste Bild richtig interpretiert haben? Dass der Täter uns damit wirklich sagen wollte, dass er Derek Nicholson für einen Lügner und Betrüger hält?« Sie hob die Hand, um Hunter davon abzuhalten, vorschnell zu antworten. »Ich weiß, dass wir uns erst dann hundertprozentig sicher sein können, wenn wir den Täter gefasst haben. Aber hast du das *Gefühl*, dass unsere Deutung richtig ist?«

Hunter ahnte bereits, worauf sie hinauswollte. »Ja.«

»Aber beim zweiten Schattenbild hast du Zweifel.«

»Ja.«

Alice nippte nachdenklich an ihrem Wein. »Carlos, du und ich, wir haben Ewigkeiten über der Skulptur und dem Schattenbild gebrütet, um rauszufinden, was es bedeutet. Ich glaube nicht, dass mehr dahintersteckt als das, was wir von Anfang an gesehen haben. Captain Blake ist derselben Meinung. Warum denkst du, dass wir falschliegen? Wieso sollte der Täter das Schattenbild nicht dazu benutzt haben, um uns mitzuteilen, dass er noch zwei weitere Opfer im Visier hat?«

Der Kellner kam an ihren Tisch, um das Geschirr abzuräumen. Hunter wartete, bis er sich, die Teller gekonnt auf den Armen balancierend, entfernt hatte.

»Meiner Ansicht nach ist der Sprung von der ersten zur zweiten Interpretation zu groß. Sie ergibt ganz einfach nicht viel Sinn.«

Alice machte große Augen. »Sinn? Was an diesem Fall ergibt schon einen Sinn, Robert? Wir haben es mit einem geistesgestörten Egomanen zu tun, der Leute in Stücke hackt und Skulpturen aus ihrem Fleisch macht, um uns irgendwelche verrückten Botschaften zu übermitteln. Wie um alles in der Welt kann man da von Sinn reden?«

Hunter warf hastig einen Blick zu den Nachbartischen, um zu sehen, ob jemand Alice gehört hatte. Vor lauter Erregung war ihre Stimme um einige Dezibel lauter geworden. Die anderen Gäste jedoch schienen weit mehr auf ihr Essen und ihren Wein konzentriert als auf die Unterhaltung Fremder. Er drehte sich wieder um.

»Für *uns* ergibt es keinen Sinn, weil wir ihn noch nicht entschlüsselt haben. Für den Täter aber schon. Sonst würde er es ja nicht machen.«

Alice dachte schweigend nach. »Das ist es, was du die ganze Zeit versuchst, oder? So zu denken wie er. Den Sinn zu sehen, den nur er sehen kann.«

»Tja, es ist schon eine Woche um. Bis jetzt habe ich wohl kläglich versagt.«

»Nein, das hast du nicht.« Sie legte eine Hand auf den Tisch, und ihre Fingerspitzen streiften dabei Hunters Handrücken. »Du hast viel mehr erreicht als erwartet. Wenn du nicht wärst, würden wir immer noch mit rauchenden Köpfen vor diesen Skulpturen sitzen.«

Hunter sah Alice an. »Hast du mir gerade ein Kompliment gemacht?«

»Nein, ich habe lediglich die Wahrheit gesagt. Aber was hast du eben damit gemeint, der Sprung zwischen der ersten und der zweiten Interpretation ist zu groß?«

»Würden Sie gerne einen Blick in die Dessertkarte werfen?« Der Kellner war wieder aufgetaucht.

Alice schüttelte den Kopf, ohne ihn anzusehen. Hunter schenkte ihm ein freundliches Lächeln.

»Ich glaube, wir sind nach der Hauptspeise schon voll. Wir haben keinen Platz mehr für Nachtisch, vielen Dank.«

»*Prego*«, erwiderte der Kellner und ging seiner Wege.

»Was für ein Sprung?«, beharrte Alice.

»Wenn wir mit unserer Deutung des ersten Schattenbildes richtigliegen, dann hat uns der Täter darin seine persönliche Meinung von Derek Nicholson mitgeteilt, richtig? Er hält ihn für einen Lügner.«

Alice lehnte sich auf ihrem Stuhl zurück. Ganz allmählich fügten sich die Gedanken in ihrem Kopf zusammen.

»Und wenn wir mit unserer Deutung des zweiten Bildes auch richtigliegen, dann hat uns der Killer darin eben *nicht* seine Meinung über Andrew Dupek mitgeteilt.«

Alice begriff. »Sondern über sich selbst – er ist ein zorniger Teufel, der auf seine Opfer herabschaut.«

Hunter nickte. »Ja, und mir fällt kein Grund ein, weshalb er das machen sollte. Es kommt mir einfach verkehrt vor. Der Täter will, dass wir seine Motive nachvollziehen. Dass wir verstehen, warum er diese Leute umbringt. Uns wissen zu lassen, dass er Nicholson für einen Lügner hält, weil er vielleicht von ihm hintergangen wurde, macht in dem Kontext Sinn.«

»Aber uns wissen zu lassen, dass er selbst ein Teufel ist, der auf Rache sinnt – das macht keinen Sinn?«

»Findest du, es macht einen?«

Sie hob für einen Moment die Augenbrauen. »Nein«, musste sie schließlich einräumen. »Also glaubst du, dass er mit dem zweiten Bild in Wirklichkeit etwas über Dupek aussagen will?«

»Möglich wär's.«

»Aber was? Dass Dupek ein Teufel war? Dass jemand ihn

gehörnt hat? Und was ist mit den anderen vier Gestalten, den zwei stehenden und den zwei liegenden? Was zum Geier bedeuten die?«

Darauf wusste Hunter keine Antwort.

74

Seine Lider flatterten wie die Flügel eines Schmetterlings – eines schwer verletzten Schmetterlings. Sie schienen eine Tonne zu wiegen, und so kostete es Nathan Littlewood mehrere Sekunden und gewaltige Kraftanstrengung, sie zur Hälfte zu öffnen und daran zu hindern, gleich wieder zuzufallen. Lichtsplitter bohrten sich in seine Augäpfel. Als er Luft holte, brannten seine Lungen, als hätte er Schwefelsäure eingeatmet. Was auch immer man ihm in den Hals gespritzt hatte, die Wirkung ließ allmählich nach.

Das Kinn sackte ihm auf die Brust. Sein Kopf war so schwer, dass er ihn nicht wieder heben konnte. So verharrte er eine ganze Weile. Erst dann fiel ihm auf, dass er, bis auf seine gestreiften Boxershorts, die ihm schweißgetränkt an der Haut klebten, nackt war. Ein weiterer Moment verstrich, bis er begriffen hatte, in was für einer Position er war. Er saß auf einem bequemen Leder-Bürosessel. Seine Hände waren hinter der Rückenlehne mit etwas Hartem, Dünnem gefesselt, das ihm in die Haut schnitt. Seine Füße befanden sich unterhalb der Sitzfläche einige Zentimeter über dem Boden. Auch sie waren zusammengebunden. Er hatte am ganzen Leib Schmerzen, als wäre er brutal zusammengeschlagen worden, und das Pochen in seinem Kopf machte ihn fast rasend.

Er spürte ein Ziehen in den Mundwinkeln, und plötzlich hatte er Angst, keine Luft mehr zu bekommen. Ein Husten explodierte mit ungeheurer Kraft in seiner Brust, doch wegen des festen Stoffknebels in seinem Mund konnte der Druck nicht entweichen. Das machte den Würgereiz nur noch stärker. Littlewood schmeckte Galle vermischt mit Blut, und aus dem Husten wurde ein verzweifelter Kampf gegen das Ersticken.

Atme durch die Nase, schoss es ihm durch den Kopf. Er versuchte sich darauf zu konzentrieren, aber er hatte Angst, und die Schmerzen vernebelten ihm die Sinne. Seine Selbstbeherrschung ließ ihn im Stich. Littlewood brauchte mehr Luft, er brauchte unbedingt mehr Luft. Instinktiv atmete er erneut tief durch den Mund ein. Dabei sog er die Mischung aus Galle und Blut, die sich unter seiner Zunge gesammelt hatte, in den Hals. Sie blockierte seine Luftröhre.

Nackte Panik.

Seine Augen rollten in ihren Höhlen zurück. Der Inhalt seines Magens schoss wie eine Rakete durch seine Speiseröhre nach oben, doch gleichzeitig war es für ihn, als geschehe alles in Zeitlupe. Sein Körper erschlaffte. Das Leben verließ ihn.

Er schmeckte den sauren Geschmack von Erbrochenem, und keinen Sekundenbruchteil später flutete eine warme, klumpige Flüssigkeit seinen Mund. Genau in diesem Moment gab sein Knebel nach und fiel herab, als hätte ihn jemand an seinem Hinterkopf durchgeschnitten.

Littlewood erbrach sich in seinen Schoß. Aber er konnte jetzt atmen. Das war die gute Nachricht.

Er hustete und spuckte lange und schnappte danach verzweifelt nach Luft, um seine Lungen mit Sauerstoff zu füllen und sich gleichzeitig zu beruhigen. Sein Körper zog sich wie in einem Krampf zusammen, als ihm zwei Dinge klar wurden. Erstens: Er war soeben um Haaresbreite dem Tod entronnen; zweitens: Er war trotzdem nach wie vor an einen Bürostuhl gefesselt und hatte keine Ahnung, was los war.

Eine Bewegung zu seiner Linken. Erschrocken riss Littlewood den Kopf herum. Da war jemand, aber wegen der Dunkelheit konnte Littlewood ihn nicht sehen.

»Hallo?«, sagte er. Seine Stimme war so schwach, dass er nicht wusste, ob jemand außer ihm selbst sie überhaupt hören konnte.

Noch ein paar verzweifelte Atemzüge. Er musste sich zusammenreißen.

»Hallo?«, versuchte er es erneut.

Keine Antwort.

Littlewood blickte sich um. Er sah eine Wand voller ledergebundener Bücher, auf der anderen Seite des Raums eine Stehlampe neben einem großen Schreibtisch. Sie war die einzige Lichtquelle im Raum. Er drehte sich nach rechts, und sein Blick fiel auf einen bequemen braunen Ledersessel. Wenige Meter davor die Behandlungscouch – *seine* Behandlungscouch. Er war in seiner eigenen Praxis.

»Deinem Gesichtsausdruck entnehme ich, dass dir inzwischen aufgegangen ist, wo du dich befindest.« Die Stimme klang ganz ruhig. Jemand trat aus den Schatten und blieb, an Littlewoods Schreibtisch gelehnt, etwa anderthalb Meter vor ihm stehen.

Littlewoods Blick fixierte die große Gestalt. Seine Verwirrung wurde immer größer.

»Wir sind hier in deiner Praxis. Vierter Stock. Dicke Fensterscheiben. Massive Wände. Vier Fenster, die alle nach hinten rausgehen. Draußen ist das große Wartezimmer, und erst von da aus kommt man zur Tür in den Flur.« Eine Pause und ein Schulterzucken. »Du kannst gerne schreien, aber niemand wird auch nur einen Piep hören.«

Erneut hustete Littlewood im Versuch, den widerlichen Geschmack in seinem Mund loszuwerden. »Ich kenne Sie.« Seine Stimme war leise und kratzig. In jedem seiner Worte schwang Furcht mit.

Erneut ein Schulterzucken, diesmal begleitet von einem Lächeln. »Nicht so gut wie ich dich.«

Littlewood war noch immer zu benommen. Ihm wollte kein Name zu dem Gesicht einfallen. »Was? Was soll das alles?«

»Zum Beispiel weißt du nicht, dass ich ... der Kunst fröne.« Eine wohlüberlegte Pause. »Und genau deswegen bin ich hier. Um ein Kunstwerk aus dir zu machen.«

»Was?« Erst jetzt sah Littlewood, dass die Gestalt vor ihm einen durchsichtigen Overall aus dicker Plastikfolie mit Kapuze und Latexhandschuhe trug.

»Aber eigentlich spielt es keine große Rolle, was du über mich weißt. Viel wichtiger ist, was ich über dich weiß.«

»Was?« Der Nebel der Verwirrung verdichtete sich, und Littlewood begann sich zu fragen, ob das alles vielleicht bloß ein schlimmer Traum war.

»Zum Beispiel«, fuhr die Gestalt fort, »weiß ich, wo du wohnst. Ich weiß von deiner schrecklichen Ehe damals. Ich weiß, wo dein Sohn studiert. Ich weiß, was du machst, wenn du mal ein bisschen Dampf ablassen willst. Ich weiß, was dich im Bett geil macht und wohin du gehst, um es dir zu besorgen. Je schmutziger, desto besser, ist es nicht so?«

Wieder musste Littlewood husten. Speichel lief ihm übers Kinn.

»Aber was am allerwichtigsten ist ... *Ich weiß, was du getan hast.*« Jetzt bebte die Stimme vor nackter Wut.

»Ich ... ich habe keine Ahnung, wovon Sie reden.«

Die Gestalt machte einen Schritt nach links, und im Licht der Stehlampe blitzte etwas auf dem Schreibtisch auf. Littlewood konnte nicht genau erkennen, was es war, er sah nur, dass es sich um mehrere Gegenstände aus Metall handelte. Eine schreckliche Angst erfasste jeden Zentimeter seines Körpers.

»Das macht nichts. Ich werde deine Erinnerung im Laufe des Abends auffrischen.« Ein abfälliges Lachen. »Und es wird für dich ein sehr, sehr langer Abend werden.« Die Gestalt nahm einen der Gegenstände vom Schreibtisch und kam damit auf Littlewood zu.

»Warten Sie. Wie heißen Sie? Kann ich bitte etwas Wasser haben?«

Die Gestalt blieb dicht vor Littlewood stehen und lachte höhnisch. »Was? Willst du allen Ernstes versuchen, mich mit deiner Psychologenscheiße zu manipulieren? Wie geht das noch? Warte mal ... ach ja ... *Appellieren Sie an die menschliche Seite des Aggressors, indem Sie ihn um etwas ganz Einfaches bitten, zum Beispiel ein Glas Wasser oder darum, die Toilette benutzen zu dürfen. Die meisten Menschen reagieren auf die Not anderer automatisch mit Verständnis und Anteilnahme.* Du willst mich mit meinem Namen anreden? Wer weiß, vielleicht rede ich dich ja mit deinem an – *was das Opfer in den Augen des Aggressors menschlicher erscheinen lässt. Es wird von einem bloßen Opfer zu einer Person, einem Individuum, das Gefühle und ein Herz hat. Zu jemandem, mit dem sich der Aggressor möglicherweise identifizieren kann. Zu jemandem, der außerhalb des gegebenen Kontextes dem Aggressor sehr ähnlich sein könnte, weil er wie er Freunde hat, eine Familie, alltägliche Sorgen und Nöte.*« Wieder ein Lachen. »Man muss an das Humane in uns appellieren, stimmt's? *In der Regel fällt es Menschen schwerer, jemandem ein Leid zuzufügen, zu dem sie eine persönliche Beziehung aufgebaut haben. Versuchen Sie daher, ihn in ein Gespräch zu verwickeln. Selbst eine scheinbar belanglose Unterhaltung kann eine große Wirkung auf die Psyche des Aggressors haben.*«

Littlewood sah auf. Entsetzen spiegelte sich in seinem Blick.

»Stell dir vor, ich habe dieselben Bücher gelesen wie du. Und ich kenne mich mit der Psychologie von Geiselnahmen aus. Bist du sicher, dass du die Nummer bei mir abziehen willst?«

Littlewood schluckte trocken.

»Das Gebäude ist leer. Wir haben Zeit. Vor morgen früh wird niemand auch nur draußen an deiner Tür vorbeilaufen. Vielleicht können wir uns unterhalten, während ich arbeite, was hältst du davon? Willst du es mal versuchen? Vielleicht ein bisschen Mitgefühl in mir wachkitzeln?«

In Littlewoods Augen brannten Tränen.

»Ich würde sagen, wir fangen jetzt an.«

Ohne weitere Vorwarnung packte die Gestalt Littlewoods nackte Brustwarze mit einer chirurgischen Zange, drehte und zog so heftig daran, dass sie fast abriss.

Littlewood stieß einen gellenden Schrei aus. Erneut spürte er, wie ihm die Galle in den Mund schoss.

»Ich hoffe wirklich, dass du unempfindlich bist. Das Ding hier ist nicht besonders scharf.« Die Gestalt hatte einen zweiten Gegenstand vom Tisch genommen, ein kleines gezacktes Messer. Es sah alt und stumpf aus.

»Aber schrei ruhig, wenn es weh tut.«

»O Gott, b…, b…, bitte tun Sie das nicht. Ich flehe Sie an, ich …«

Littlewoods nächste Worte verwandelten sich in einen markerschütternden Schrei, als die Gestalt begann, ihm langsam die Brustwarze abzuschneiden.

Littlewood war kurz davor, ohnmächtig zu werden. Er konnte nicht begreifen, was passierte. Er wollte um jeden Preis glauben, dass das, was ihm da gerade widerfuhr, nicht real war. Es *konnte* nicht real sein. Er musste sich in einer bizarren Traumwelt befinden. Das war die einzig logische Erklärung. Doch der Schmerz, der seine von Blut und Erbrochenem verschmierte Brust durchfuhr, war nur allzu real.

Die Gestalt legte das stumpfe Messer weg und betrachtete eine Zeitlang die blutende Wunde. Sie wartete, bis Littlewood sich wieder einigermaßen gefangen hatte.

»Sosehr ich das auch genossen habe«, verkündete die Gestalt, »ich glaube doch, dass ich jetzt gerne etwas anderes ausprobieren würde. Das könnte noch ein bisschen mehr weh tun.«

Die Worte weckten eine derart abgrundtiefe Furcht in Littlewood, dass sich sein ganzer Körper versteifte. Er spürte, wie die Muskeln in seinen Armen und Beinen so hart wurden, dass sie krampften und er völlig gelähmt dasaß.

Die Gestalt machte einen Schritt auf ihn zu.

Littlewood kniff die Augen zu, und obwohl er kein religiöser Mensch war, fing er an zu beten. Sekunden später stach ihm ein Geruch in die Nase. Ein unglaublich penetranter, beißender Geruch. Ein Geruch, bei dem er sich auf der Stelle wieder übergeben wollte. Doch in seinem Magen war nichts mehr, was er hätte erbrechen können.

Dem Geruch folgte fast augenblicklich ein unerträglicher Schmerz. Erst jetzt wurde Littlewood klar, dass seine Haut und sein Fleisch verbrannten.

75

Der Anruf erreichte Hunter vormittags auf dem Handy, als er gerade in seinen Wagen stieg. Er hatte erneut beide Tatorte besichtigt – Nicholsons Haus und Dupeks Boot. Noch immer war er auf der Suche nach etwas, von dem er nicht einmal wusste, ob es überhaupt existierte.

»Carlos, was gibt's?«, fragte er, das Handy am Ohr.

»Leiche Nummer drei.«

Als Hunter an dem viergeschossigen Bürogebäude in Silver Lake ankam, sah es dort aus wie bei einem Popkonzert: Eine riesige Menschenmenge hatte sich hinter der Polizeiabsperrung zusammengeschart. Und niemand würde sich auch nur einen Zentimeter vom Fleck bewegen, ehe er nicht wenigstens einen kurzen Blick auf etwas Schauerliches erhascht hatte.

Reporter und Fotografen lauerten im näheren Umkreis

wie ein Rudel ausgehungerter Wölfe. Sie lauschten auf jedes Gerücht, sammelten jede Information, derer sie habhaft werden konnten, und füllten die Lücken dazwischen mit ihrer eigenen Fantasie aus.

Die Polizeifahrzeuge, die kreuz und quer auf Straße und Gehweg geparkt waren, sorgten für ein Verkehrschaos. Drei Uniformierte versuchten verzweifelt, die Lage in den Griff zu bekommen. Mit den Worten, dass es nichts zu sehen gäbe, trieben sie die Passanten zum Weitergehen an und drängten Autofahrer, schneller zu fahren, wenn diese im Schritttempo vorbeirollten, um zu sehen, was los war.

Hunter ließ das Fenster herunter und zeigte einem der Uniformierten seine Dienstmarke. Der junge Officer nahm die Mütze ab, blinzelte in die Sonne und wischte sich mit der Hand den Schweiß von Stirn und Nacken.

»Sie können nach hinten in die Tiefgarage fahren, Detective. Die Spurensicherung und die anderen Detectives haben auch da geparkt. Nichts für ungut, aber noch mehr Autos hier vorne können wir echt nicht gebrauchen.«

Hunter bedankte sich bei dem Officer und fuhr weiter.

Die Tiefgarage war geräumig, allerdings sehr dunkel. Als Hunter seinen Buick in die Parklücke neben Garcias Toyota lenkte, sah er drei defekte Leuchtröhren. Was er nicht sah, waren Überwachungskameras, nicht einmal in der Einfahrt. Er stellte den Motor ab, stieg aus und blickte sich rasch um – eine große Halle aus Beton mit quadratischen Stützpfeilern, weißen Markierungen auf dem Boden und jeder Menge dunkler Ecken. In der Mitte der Tiefgarage befand sich ein rechteckiger Bau mit breiter Eisentür: der Aufgang. Von dort aus konnte man entweder den Fahrstuhl oder die Treppe nach oben nehmen. Hunter entschied sich für die Treppe. Auf dem Weg in den vierten Stock kam er an vier uniformierten Polizisten vorbei.

Durch die Treppenhaustür gelangte er in einen langen Flur, in dem geschäftiges Treiben herrschte – noch mehr Polizisten, in Uniform wie in Zivil, sowie Leute von der Spurensicherung.

»Robert«, rief Garcia ihm aus der Mitte des Flurs entgegen und streifte sich die Kapuze seines weißen Overalls vom Kopf.

Hunter ging zu seinem Partner. Mit Unmut nahm er die große Anzahl Menschen zur Kenntnis. »Was soll das? Steigt hier eine Party, oder was?«

»Viel fehlt nicht«, gab Garcia zurück. »Hier herrscht das totale Chaos.«

»Das sehe ich, aber wieso?«

»Ich bin gerade erst gekommen. Der ursprüngliche Notruf ging nicht an uns.«

Hunter stieg in seinen Overall. »Wie das?«

Garcia zog den Reißverschluss seines Overalls herunter und fischte sein Notizbuch aus der Tasche. »Das Mordopfer heißt Nathan Francis Littlewood – zweiundfünfzig Jahre alt, geschieden. Er hat hier seine psychotherapeutische Praxis. Seiner persönlichen Assistentin Schrägstrich Sprechstundenhilfe Sheryl Sellers zufolge, die den Toten heute Morgen entdeckt hat, war Littlewood gestern Abend noch in der Praxis, als sie so gegen halb acht gegangen ist.«

»Spät«, lautete Hunters Kommentar.

»Fand ich auch. Der Grund war, dass Littlewoods letzte Patientin bis sieben Uhr Sitzung hatte. Ms Sellers sagte, dass sie normalerweise immer dableibt, bis der letzte Patient gegangen ist.«

Hunter nickte.

»Sie hat die Leiche gefunden, als sie heute früh um halb neun zur Arbeit gekommen ist. Das Problem ist nur, dass sie bei dem Anblick – verständlicherweise – in Panik geraten ist. Einige Angestellte aus den anderen Büros hier im Gebäude waren schon am Arbeitsplatz. Sie haben die Schreie gehört und kamen sofort angelaufen. So schräg sich das auch anhört, unser Tatort wurde zur frühmorgendlichen Attraktion, bevor schließlich die Polizei eingetroffen ist.«

Hunter schloss seinen Overall. »Na großartig.«

»Wie gesagt, wir waren nicht die Ersten, die gerufen wurden«, fuhr Garcia fort. »Silver Lake fällt unter die Zuständigkeit des Central Bureau – Division Nordost. Zwei Detectives von da wurden hergeschickt. Als Dr. Hove ankam, hat sie einen Blick auf die Leiche geworfen und uns sofort angerufen. Leider gibt es eine ganze Armee von Leuten, die den Tatort verunreinigt haben.«

»Wo ist Hove jetzt?«

Garcia deutete mit einem Nicken in Richtung Praxis. »Drinnen.«

»Das ist also Ihr Partner?« Hinter Garcia tauchte ein Mann auf. Er war knapp unter eins achtzig groß, hatte kurze schwarze Haare, engstehende Augen und Augenbrauen, die so dick und buschig waren, dass sie wie haarige Raupen aussahen.

»Ja.« Garcia nickte. »Robert Hunter, Detective Jack Winstanley vom Central Bureau, Division Nordost.«

Sie gaben sich die Hand.

»Hunter ...« Winstanley zog für einen Moment die Brauen zusammen. »Ihr seid doch die Jungs, die in dem Polizistenmord ermitteln, stimmt's? Der vor ein paar Tagen draußen an der Marina. Das war ein Kollege vom South Bureau, oder?«

»Andrew Dupek«, sagte Hunter. »Genau.«

Winstanley rieb sich die Stelle zwischen den Raupenbrauen mit dem Zeigefinger. Hunter und Garcia wussten genau, was jetzt kommen würde.

»Reden wir hier von demselben Täter? Wurde der Cop auch zerstückelt wie das Opfer da drin?«

»Ich habe den Tatort noch nicht gesehen«, gab Hunter zurück.

»Kommen Sie mir doch nicht so. Wenn Sie hier auflaufen, um mir meinen Mord wegzunehmen, dann wissen Sie verdammt noch mal genau, womit wir es hier zu tun haben. Das da drinnen ist das Böse in Reinform.« Er deutete auf den Eingang zur Praxis. »Das Opfer wurde zerlegt wie eine Poularde. Und was zum Geier ist dieses widerwärtige Ding, das er auf dem Schreibtisch aufgebaut hat? Sind das Körperteile?«

Hunter und Garcia tauschten einen Blick. Es abzustreiten war sinnlos.

»Ja«, sagte Hunter. »Es ist höchstwahrscheinlich derselbe Täter.«

»Heilige Muttergottes.«

76

Obwohl der erste Raum im Wesentlichen als Wartebereich diente, war er eingerichtet wie ein Wohnzimmer – ein bequemes Sofa, zwei einladende Sessel, ein niedriger Tisch aus Glas und Chrom, ein langfloriger ovaler Teppich und an den Wänden gerahmte Bilder. In einer Ecke, halb verborgen, stand der Anmeldetresen. Er war geschickt so platziert, dass er nicht zu sehr auffiel. Zwei Kriminaltechniker verrichteten schweigend ihre Arbeit. Hunter sah, dass die Tür zur Praxis keine Alarmsicherung hatte, auch schien sie nicht aufgebrochen worden zu sein. Überwachungskameras gab es, soweit er sehen konnte, nicht. Auch keine Schuhabdrücke auf Teppich oder Auslegware. Zusammen mit Garcia ging er zur Tür auf der anderen Seite des Raums, rechts neben der Anmeldung.

Wie schon bei den zwei vorherigen Tatorten war auch hier das Erste, was Hunter beim Öffnen der Tür sah, das Blut – große Lachen bedeckten den Teppichboden, dünne arterielle Spritzmuster zogen sich kreuz und quer über Wände und Möbel. Hunter und Garcia verharrten einen Moment lang im Türrahmen, als hätte das Grauen dessen, was in diesem

Raum passiert war, ein Kraftfeld geschaffen, das sie am Weitergehen hinderte.

Das, was von Littlewoods verstümmeltem Körper übrig war, saß auf einem blutgetränkten Bürostuhl mit Rollen, etwa zweieinhalb Meter von einem großen Rosenholz-Schreibtisch entfernt. Die Leiche hatte weder Arme noch Beine – sie war lediglich ein entstellter, über und über mit schmierigem, dunkelrotem Blut bedeckter Torso samt Kopf. Der Mund stand offen, wie mitten in einem Schrei erstarrt, den niemand mehr gehört hatte. Die Menge an dunkel geronnenem Blut, das aus dem Mund gelaufen war und nun Kinn und Brust verklebte, verriet Hunter, dass der Täter Littlewood die Zunge entfernt hatte. Sein Oberkörper war von tiefen Schnittwunden übersät – ein klares Indiz dafür, dass er gefoltert worden war. Die linke Brustwarze war abgeschnitten worden. Aufgrund des vielen Blutes konnte Hunter es nicht genau erkennen, aber die Haut um die rechte Brustwarze sah irgendwie merkwürdig aus. Beide Lider waren geöffnet. Das rechte Auge blickte starr vor Entsetzen geradeaus, das linke fehlte; wo es gewesen war, befand sich jetzt nur noch eine leere dunkle Höhle. Trotz der Hitze im Zimmer gefror Hunter das Blut in den Adern.

Sein Blick wanderte langsam die zweieinhalb Meter von der Leiche zum Schreibtisch. Computerbildschirm, Bücher und alles andere, was sich zuvor darauf befunden hatte, lagen nun in einem unordentlichen Haufen am Boden. Der Mörder hatte den Schreibtisch als Bühne für sein neuestes makabres Kunstwerk auserkoren.

Littlewoods Arme waren an den Ellbogen durchtrennt worden. Die Unterarme waren einander gegenüber an den beiden Schmalseiten des Schreibtischs aufgestellt. Die Handgelenke schienen gebrochen. Zeige- und Mittelfinger beider Hände waren zu einem V gespreizt, die übrigen Finger, mit Ausnahme der Daumen, waren bei beiden Händen abgeschnitten worden.

Die Mittelhandknochen oberhalb der Zeigefinger waren ausgerenkt, so dass an der Stelle eine widerliche Beule entstanden war, die sich wie ein Geschwulst unter der Haut abzeichnete. Die Handgelenke waren zur Innenseite der Unterarme hin abgewinkelt. Bei der linken Hand waren Zeige- und Mittelfinger lang ausgestreckt, so dass die Fingerspitzen die Tischplatte berührten. Von weitem sah es so aus, wie wenn Kinder Fingermännchen spielen: Die zum V geformten Finger waren die Beine, die Hand der dazugehörige Körper. Der linke Daumen war am Gelenk ausgekugelt und ein Stück nach vorn gebogen.

Bei der rechten Hand berührten die Finger ebenfalls die Tischplatte, allerdings hatte der Mörder hier jeweils die Endglieder abgeschnitten und so die »Beine« verkürzt. Genau wie bei der anderen Hand war auch hier der Daumen am Gelenk ausgekugelt und nach vorn gedrückt worden, zusätzlich musste das Daumenendglied gebrochen worden sein, denn die Daumenspitze zeigte seltsam verdreht zur Zimmerdecke.

Hunter blickte auf, um zu überprüfen, ob der verrenkte Daumen auf etwas Bestimmtes deutete. Nichts. An der Decke waren ein paar Blutspritzer zu sehen, aber das war auch schon alles.

Littlewoods Beine befanden sich nicht auf dem Schreibtisch, sie lagen in der Nähe des Monitors auf dem Fußboden – allerdings nur die Stümpfe, die Füße fehlten. Aus dem rechten Oberschenkel war ein Stück herausgeschnitten. Darüber hinaus schienen die Beine nicht Teil der Skulptur zu sein.

Etwas war diesmal neu, anders als zuvor: Die Skulptur bestand nicht ausschließlich aus abgetrennten Körperteilen, vielmehr hatte der Täter sein Werk durch einen Bürogegenstand ergänzt. Ein kleines Stück von einer der Schreibtischecken entfernt, in einem Abstand von etwa neunzig Zentimetern zu Littlewoods linker Hand – der Hand mit den längeren »Beinen« –, lag ein Buch auf der Tischplatte. Es war dick mit festem Einband, die Seiten blutgetränkt. Der Buchdeckel war aufgeklappt. Drei von Littlewoods abgetrennten Fingern waren auf rätselhafte Art und Weise im Buch platziert worden.

Hunter runzelte nachdenklich die Stirn. Irgendetwas stimmte da nicht.

Er trat näher an den Schreibtisch heran und erkannte, dass es sich gar nicht wirklich um ein Buch handelte, sondern um eine Schachtel, die lediglich als Buch getarnt war. Von weitem sah die Attrappe täuschend echt aus.

Aus der Nähe stellte Hunter nun auch fest, dass die Finger, die in der Buchattrappe lagen, zurechtgeschnitzt und verbogen worden waren. Zwei hingen über die Seiten, der dritte war schräg gegen den Rand der Schachtel gelehnt, so dass die Fingerkuppe oben herausragte. Die Schachtel selbst war mit Blut gefüllt.

Littlewoods rechter Arm mit den kürzeren »Beinen« auf der anderen Schreibtischseite war mit Blick zum Bücherregal in der Ecke aufgestellt worden. Etwa fünfzig Zentimeter vor dem Arm lagen die aus dem Oberschenkel herausgeschnittenen Fleischstücke.

Dr. Hove und Mike Brindle, der Leiter der Kriminaltechnik, standen rechts neben dem Schreibtisch. Sie hatten beim Eintreten der zwei Detectives gerade im Flüsterton miteinander gesprochen.

Hunter blieb stehen. Genau wie bei den vorherigen Skulpturen wirkte auch hier das Ensemble aus Gliedmaßen und Blut auf den ersten Blick vollkommen sinnlos. Die Kombination mit einem Bürogegenstand machte das Ganze noch verwirrender. Er trat einen Schritt nach rechts und beugte sich vor, um die Buchattrappe genauer in Augenschein zu nehmen.

»Es ist definitiv derselbe Täter«, stellte Dr. Hove fest. »Und bei diesem Opfer hat er sich wieder was ganz Neues einfallen lassen.«

Hunter sah nicht in ihre Richtung.

»Was meinen Sie damit?«, fragte Garcia.

Die Rechtsmedizinerin entfernte sich ein paar Schritte vom Schreibtisch. »Sein erstes Opfer hat der Täter mit Medikamenten vollgepumpt, um Herzschlag und Blutfluss zu regulieren, damit es ihm nicht zu schnell verblutet. Aber er hat ihm kein Betäubungsmittel gegeben. Er hat zwar versucht, es so lange wie möglich am Leben zu halten, aber aufgrund seiner schlechten gesundheitlichen Konstitution ist es trotzdem relativ schnell gestorben. Beim zweiten Opfer, Sie erinnern sich, hat der Täter eine andere Methode angewandt.«

»Das durchtrennte Rückenmark«, sagte Garcia.

»Genau. Der Täter hat seinem Opfer die Schmerzempfindung genommen, indem er jede sensible Funktion des Körpers einfach ausgeschaltet hat. Seine Qualen waren anderer – seelischer – Natur. Es musste hilflos mit ansehen, wie ihm nacheinander all seine Gliedmaßen vom Körper abgetrennt wurden. Er hat sich buchstäblich beim Sterben zugesehen, ohne etwas dabei zu fühlen.«

»Und hier?«, wollte Hunter wissen.

Dr. Hove wandte den Blick ab, als fürchte sie sich davor, auch nur daran zu denken.

77

Mike Brindle kam um den Schreibtisch herum auf die beiden Detectives zu. Er war Ende vierzig, hochaufgeschossen und dünn wie ein Hering, mit einem Schopf dichter, graumelierter Haare und einer spitzen Nase. Er hatte schon bei mehr Fällen mit Hunter und Garcia zusammengearbeitet, als er zählen konnte. »Wir sind uns ziemlich sicher, dass das Opfer schon tot war, als es zerstückelt wurde, Robert«, erklärte er anstelle von Dr. Hove.

Hunter betrachtete den geschundenen Torso auf dem Lederstuhl. »War das Absicht?«

Brindle nickte. »So wie es aussieht, ja.«

Garcia wirkte einen Moment lang perplex.

»Soweit wir hier vor Ort feststellen konnten, hat der Täter ihn erst so lange wie möglich gefoltert, bevor er mit der Amputation der größeren Gliedmaßen begonnen und damit das Risiko eines zu hohen Blutverlusts in Kauf genommen hat. Es gibt zahlreiche kleinere Schnittwunden an Torso und Extremitäten. Tief genug, um starke Schmerzen zu verursachen, aber nicht tödlich. Die linke Brustwarze scheint mit einem nicht sehr scharfen Messer abgeschnitten worden zu sein. Die rechte weist schwere Verbrennungen auf.«

Jetzt wurde Hunter klar, weshalb die Haut um die rechte Brustwarze herum so anders ausgesehen hatte. Die ledrige Textur der Haut war Folge einer Brandverletzung, allerdings sah die Wunde nicht so aus, als sei Feuer die Ursache gewesen.

»Die Menge des ausgetretenen Blutes lässt den Schluss zu, dass die kleineren Schnitte dem Opfer zugefügt wurden, als es noch am Leben war«, fuhr Brindle fort.

»Aber hier ist unheimlich viel Blut«, wandte Garcia ein. »Das stammt doch nicht alles von den kleinen Schnittwunden.«

»Nein«, räumte Dr. Hove ein. »Die Autopsie wird uns den genauen Tathergang verraten, aber wenn ich spekulieren müsste, würde ich sagen, dass der Täter sein Vergnügen bis zum Letzten ausgereizt hat, bevor er seinem Opfer die erste Extremität abgetrennt hat – allem Anschein nach das rechte Bein. Zu diesem Zeitpunkt hat das Herz des Opfers höchstwahrscheinlich noch geschlagen. Trotzdem gibt es einen ganz entscheidenden Unterschied zu den bisherigen Opfern. Bei denen hat der Täter alles unternommen, um ein frühzeitiges Verbluten zu verhindern – Medikamente, Naturheilmittel, umstochene und ligierte Gefäße ...« Sie schüttelte den Kopf, während ihr Blick wie ferngesteuert zum Toten auf dem Stuhl glitt. »Das war diesmal anders.«

»Die Amputationen bei den ersten beiden Opfern waren sauber durchgeführt«, ergänzte Brindle. »Die hier nicht. Die Formspuren am Gewebe und das wenige, was wir durch eine erste Untersuchung der Knochen feststellen konnten, deuten darauf hin, dass die Amputationen mit unglaublicher Brutalität vorgenommen wurden. Er hat eher gehackt als geschnitten. Die Arme ...« Er hielt inne und rieb sich mit einer behandschuhten Hand über Nase und Mund. »Bei den Armen sieht es so aus, als hätte der Täter sie zunächst teilweise abgeschnitten, dann die Geduld verloren und sie einfach ausgerissen.«

Garcias Augen weiteten sich ein Stück.

»Zweifellos war das Opfer zu diesem Zeitpunkt bereits tot«, beeilte sich Dr. Hove hinzuzufügen.

Hunter richtete den Blick auf den Fußboden und die verschiedenen Schuhabdrücke. »Wurde irgendwas angefasst?«

Dr. Hove hob verzagt die Schultern. »Das LAPD hat versucht, jeden neugierigen Angestellten im Gebäude ausfindig zu machen, der auf die glorreiche Idee gekommen war, einen Blick hier ins Zimmer zu werfen. Bis jetzt haben alle beteuert, sie hätten nichts angerührt. Dasselbe gilt für die Detectives und Uniformierten, die hier waren. Aber letztlich lässt sich die Frage wohl nicht mit absoluter Sicherheit beantworten.« Sie wandte sich der Skulptur zu. »Wir haben keine Möglichkeit, festzustellen, ob irgendwas am ursprünglichen Aufbau verändert wurde.« Das Erwartungsvolle in ihrem Ton entging Hunter nicht. »Ich habe mir den Schatten noch nicht angesehen«, setzte sie hinzu. »Das ist Ihre Baustelle.«

Garcia sah Hunter an, wie um zu fragen: *Und? Wie wollen wir es angehen?*

Hunter wusste, dass es unmöglich war, die Skulptur zu bewegen, ohne Kleinigkeiten zu verändern. Wie er Alice erklärt hatte, war der Täter beim Anfertigen seiner ersten Skulptur überaus akribisch gewesen, während er auf die zweite deutlich weniger Mühe verwandt hatte. Hunter konnte nicht wissen, was der Täter ihnen mit dieser dritten Skulptur mitteilen wollte. Er wusste nur eins, nämlich dass ihnen die Zeit mit Riesenschritten davonlief. Sie konnten nicht darauf warten, dass ihnen das kriminaltechnische Labor wieder eine Nachbildung anfertigte.

»Hat jemand eine Taschenlampe?«, fragte er in die Runde.

»Hier.« Brindle reichte ihm eine mittelgroße Maglite.

»Na, dann wollen wir mal«, sagte Hunter. Er nahm die Taschenlampe entgegen und musterte Littlewoods verstümmelte Leiche auf dem Stuhl. Am zweiten Tatort hatte der Mörder den Kopf des Toten genau in dem Winkel zur Skulptur platziert, aus der der Lichtstrahl kommen musste, damit man sein Kunstwerk so sah wie von ihm beabsichtigt. Eins von Littlewoods Augen fehlte, das andere jedoch starrte geradeaus zum Schreibtisch. Das musste ein Hinweis sein. Hunter sah erneut zu Boden.

»Wurde alles schon fotografiert, Doc?« Es würde ihm nicht gelingen, dieselbe Perspektive einzunehmen wie Littlewoods einäugiges, totes Starren, ohne dabei in Blut zu treten oder womöglich sogar den Stuhl ein Stück beiseitezuschieben.

Dr. Hove musste nicht nachhaken. Sie war Hunters Blick gefolgt und wusste, weshalb er fragte. »Ja, keine Sorge«, antwortete sie.

Die Jalousien waren bereits heruntergelassen. Brindle löschte die gleißenden Tatortlampen, und Hunter nahm seinen Platz unmittelbar vor der Leiche ein. Er achtete darauf, die Taschenlampe genau entlang Littlewoods Blickachse auszurichten.

Es schien, als würden alle zur selben Zeit tief Luft holen.

Hunter wappnete sich. Dann schaltete er die Taschenlampe ein.

78

Die anderen hatten sich um Hunter geschart. Garcia stand rechts von ihm, Dr. Hove und Brindle links. Alle Blicke waren auf den Schatten gerichtet, der hinter der Skulptur an der Wand erschien. Brindle trat nervös von einem Fuß auf den anderen.

»Abgefahren«, hauchte er. Als Dr. Hove ihm von dem Schattenbild erzählt hatte, hatte er sich das Ganze ziemlich unheimlich vorgestellt; aber es jetzt mit eigenen Augen zu sehen war noch etwas ganz anderes. Es war lange her, dass er sich an einem Tatort so gegruselt hatte.

Instinktiv kniffen alle die Augen zusammen und starrten angestrengt auf die Wand. Niemand musste fragen. Dies war das bislang eindeutigste Schattenbild – keine seltsamen Tiere, keine gehörnten Kreaturen.

Der Arm links auf dem Schreibtisch warf einen Schatten, der einer stehenden Person ähnlich sah. Der nach vorn geschobene Daumen stellte einen Arm dar, der ausgerenkte Mittelhandknochen bildete den Kopf. Alles zusammen ergab das Bild einer menschlichen Gestalt, die entweder ging oder stand und dabei auf etwas zeigte. Der Schatten der aufgeklappten Buchattrappe sah aus wie ein großer Behälter mit Deckel. Aufgrund der fehlenden Tiefenwirkung erweckte es den Anschein, als befände sich dieser Behälter in unmittelbarer Nähe der Gestalt, auch wenn sie in Wirklichkeit fast einen Meter entfernt war. Insgesamt sah es so aus, als zeige jemand mit dem Arm auf eine große Kiste mit Deckel.

Das Einzige, was ihnen Rätsel aufgab, waren die Finger, die zurechtgeschnitzt und in der Schachtel platziert worden waren. Ihre Schatten glichen auf geradezu unheimliche Weise einem liegenden Menschen. Der Schatten des am Rand lehnenden Fingers bildete den Kopf, die zwei anderen Finger, die seitlich aus der Schachtel hingen, sahen aus wie ein Arm und ein Bein. Der Rest des Körpers war unsichtbar, als läge er in der Schachtel. Hunter fühlte sich an jemanden erinnert, der sich gemütlich in der Badewanne aalt, den Kopf und einen Fuß am Wannenrand abgestützt und dabei entspannt einen Arm baumeln lässt.

Garcia war der Erste, der etwas sagte. »Sieht aus wie jemand, der auf jemand anderen zeigt, der in einer Kiste liegt und schläft oder ... ein Bad nimmt oder so.«

Brindle nickte langsam. »Ja, finde ich auch. Aber warum zeigt der eine?«

»Das ist Teil des Rätsels«, belehrte ihn Garcia. »Wir müssen nicht nur den Winkel finden, aus dem die Skulptur betrachtet werden soll, sondern das Bild auch noch richtig interpretieren.«

»Sagt Ihnen das was?«, wandte sich Dr. Hove an Hunter. »Passt das in irgendeiner Weise zu den anderen Bildern?«

Hunter starrte an die Wand. »Ich weiß nicht genau, und ich möchte lieber nichts dazu sagen, bis ich es mir gründlicher angesehen habe.«

»Irgendwie faszinierend«, meinte Brindle und neigte den Kopf erst zur einen, dann zur anderen Seite, wie um das Bild aus verschiedenen Perspektiven zu betrachten.

»Bestimmt hat der Täter genau das beabsichtigt«, sagte Garcia. »Also, wir müssen jetzt dasselbe machen wie auf Dupeks Boot: den Schatten fotografieren. Wir müssen die Tatortleuchten dahin rücken, wo jetzt die Taschenlampe ist, auf die Weise brauchen wir kein Blitzlicht.«

»Kein Problem«, sagte Brindle und ging zu einer der Tatortleuchten in der Ecke.

»Moment noch«, sagte Hunter mit gerunzelter Stirn. Etwas stimmte nicht. Er schaltete die Taschenlampe aus und drehte sich um. Sein Blick suchte das Zimmer vom Fußboden bis zur Decke ab.

»Was ist denn?«, fragte Garcia.

»Irgendwie kommt mir das nicht richtig vor.«

»Was kommt dir nicht richtig vor?«

»Das Bild. Es ist unvollständig.«

Garcia, Dr. Hove und Brindle sahen einander verwundert an. Keiner schien zu wissen, was Hunter meinte.

»Unvollständig? Inwiefern?«, fragte Dr. Hove.

Hunter schaltete die Taschenlampe ein. Erneut tauchte an der Wand hinter der Skulptur das Schattenbild auf. »Was sehen Sie?«

»Dasselbe wie eben«, lautete Hoves Antwort. »Das, was Carlos beschrieben hat. Eine Gestalt, die vor irgendeinem Behälter steht, in dem jemand liegt. Möglicherweise eine Badewanne. Warum, was sehen Sie denn?«

»Genau dasselbe.«

Verdutzte Blicke.

»Und wieso sagst du dann, dass was fehlt?«, wollte Garcia wissen. Er war es gewohnt, dass Hunter Dinge sah, die niemand sonst sehen konnte – dass er Fragen stellte, wo es niemandem sonst einfiel zu fragen. Sein Verstand gab sich nie zufrieden. Er musste immer tiefer graben, selbst wenn alles vollkommen offensichtlich war.

»Das Bild des Behälters entsteht durch die Schachtel auf dem Tisch. Die Gestalt, die darin liegt, durch die abgetrennten Finger.«

»Logisch«, sagte Garcia. »Und das Bild von dem, der davorsteht, kommt von der Hand.«

»Also gut«, sagte Hunter. »Aber aus dieser Perspektive haben wir kein Schattenbild von der zweiten Hand.«

Alle Blicke gingen zum rechten Arm am anderen Ende des großen Schreibtischs. Es war der mit den kürzeren »Beinen«, vor dem die Stücke von Littlewoods Oberschenkel lagen.

»Die beiden Arme stehen zu weit auseinander«, fuhr Hunter fort. »Der Lichtkegel ist nicht breit genug.«

»Vielleicht gehört der andere Arm ja gar nicht zur Skulptur«, meinte Brindle.

Hunter schüttelte den Kopf. »Ich sehe ein, dass die abgetrennten Beine und Füße nicht dazugehören, aber der Arm ganz bestimmt. Er steht nicht ohne Grund auf dem Schreibtisch.« Erneut hielt Hunter im Raum Ausschau. Als sein Blick auf ein Regal voller dicker Bücher links vom Schreibtisch fiel, stutzte er. Auf dem dritten Regalbrett von unten, in gleicher Höhe wie die Schreibtischplatte, hatte der Mörder Littlewoods herausgerissenes Auge auf einem liegenden Buch platziert, so dass es geradewegs zur zweiten Skulptur schaute.

»Zwei voneinander unabhängige Bilder«, sagte Hunter.

Alle Blicke folgten ihm.

»Da leck mich doch einer«, murmelte Garcia.

Hunter ging zum Bücherregal, hielt die Taschenlampe auf Höhe des blutigen Augapfels und schaltete sie ein.

79

Es dauerte weniger als fünf Minuten, die Tatortleuchten neu zu positionieren und Fotos von den zwei Skulpturen – oder den zwei Teilen der Skulptur – zu schießen. Dann konnten die Leiche sowie die abgetrennten Gliedmaßen für den Transport vorbereitet werden.

Hunter und Garcia überließen Dr. Hove und Mike Brindle wieder ihrer Arbeit und zogen sich ins Nachbarbüro zurück. Es gehörte einem Steuerberater, aber nun war es vorübergehend von der Polizei in Beschlag genommen worden. Hier saß auch Littlewoods Sekretärin Sheryl Sellers, die die Leiche am Morgen entdeckt hatte. Schon seit über einer Stunde wartete sie in Gesellschaft einer Polizistin. Sie wollte nicht aufhören zu schluchzen und zitterte am ganzen Leib. Die Polizistin hatte ihr praktisch mit Gewalt ein Glas Zuckerwasser einflößen müssen.

Sheryl hatte bereits einige Fragen von Detective Winstanley und seinem Partner beantwortet, als diese an den Tatort gekommen waren. Seitdem saß sie stumm im Büro des Steuerberaters und starrte mit leerem Blick die Wand an. Das Angebot, mit einem Psychologen zu reden, hatte sie abgelehnt. Sie sagte, sie wolle einfach nur so schnell wie möglich nach Hause.

Als Hunter und Garcia das Büro betraten, nickte Hunter der Polizistin diskret zu. Diese erwiderte die Geste und verließ den Raum.

Sheryl saß auf einem braunen, leicht ramponierten Zweisitzer-Sofa. Auf ihren zusammengepressten Knien stand ein halb ausgetrunkenes Glas Wasser, das sie mit beiden Händen fest umklammert hielt. Ihr Körper war verkrampft, und sie saß ganz vorne auf der Sofakante. Durch die Tränen war ihr Augen-Make-up verlaufen, aber sie hatte sich nicht die Mühe gemacht, es wegzuwischen. Das Weiße ihrer Augen war gerötet, so heftig hatte sie geweint.

»Ms Sellers«, sagte Hunter und ging vor ihr in die Hocke, um ihren Blick einzufangen. Er achtete darauf, dass er sich ein wenig unterhalb ihrer Augenhöhe befand, damit er nicht zu bedrohlich wirkte.

Es dauerte mehrere Sekunden, bis sie den vor ihr kauernden Mann wahrnahm. Hunter wartete, bis sich ihre Blicke trafen.

»Wie geht es Ihnen?«, erkundigte er sich.

Sie atmete langsam durch die Nase ein. Hunter bemerkte das Zittern ihrer Hände.

»Möchten Sie vielleicht ein frisches Glas Wasser?«

Sie registrierte die Frage nicht sofort. Irgendwann blinzelte sie. »Haben Sie auch was Stärkeres?«, fragte sie mit dünner, wackliger Stimme.

Hunter schenkte ihr ein flüchtiges Lächeln. »Kaffee?«

»Noch stärker?«

»Starken Kaffee?«

Ihre Miene erhellte sich ein winziges bisschen. Unter anderen Umständen hätte sie vermutlich geschmunzelt. Stattdessen hob sie lediglich die Schultern und nickte einmal.

Hunter erhob sich, trat zu Garcia und raunte ihm etwas ins Ohr, woraufhin dieser den Raum verließ. Hunter ging wieder vor Sheryl in die Hocke.

»Mein Name ist Robert Hunter. Ich bin beim LAPD. Ich weiß, dass Sie heute schon mit einigen Polizisten reden mussten. Sie haben mein volles Mitgefühl für das, was hier passiert ist. Und was Sie heute Morgen sehen mussten.«

Sheryl schien die Aufrichtigkeit seiner Worte zu spüren. Ihr Blick ging zurück zum Glas in ihren Händen.

»Ich weiß, dass Sie es schon getan haben, und es tut mir leid, dass ich Sie jetzt bitten muss, es noch mal zu tun, aber könnten Sie mir vielleicht schildern, was seit gestern Abend passiert ist? Angefangen bei Dr. Littlewoods letzter Sitzung bis zu Ihrer Ankunft hier heute Morgen?«

Langsam und mit bebender Stimme wiederholte Sheryl Sellers das, was sie bereits Winstanley und seinem Kollegen gesagt hatte. Hunter hörte ihr zu, ohne sie zu unterbrechen. Ihre Schilderung stimmte mit dem überein, was er bereits gehört hatte.

»Ich bin wirklich auf Ihre Hilfe angewiesen, Ms Sellers«, sagte Hunter, als sie geendet hatte. Ihr Schweigen ermunterte ihn, fortzufahren. »Dürfte ich Sie fragen, wie lange Sie schon für Dr. Littlewood arbeiten?«

Erneut sah sie ihn an. »Ich habe letztes Jahr im Frühling angefangen. Also seit etwas über einem Jahr.«

»Können Sie sich noch daran erinnern, ob Dr. Littlewood in letzter Zeit nach einer Sitzung mit einem seiner Patienten nervös oder unruhig gewirkt hat?«

Sie überlegte einen Augenblick. »Nicht, dass ich wüsste. Nach einer Sitzung oder kurz vor Praxisschluss war er eigentlich immer gleich: aufgeräumt, entspannt, zu Scherzen aufgelegt ...«

»Ist einer seiner Patienten jemals während einer Sitzung wütend oder gewalttätig geworden?«

»Nein, nie. Wenigstens nicht, seit ich hier arbeite.«

»Ist Ihnen bekannt, ob Dr. Littlewood je von einem seiner Patienten bedroht wurde?«

Sheryl schüttelte den Kopf. »Soweit ich weiß, nicht. Falls ja, dann hat Nathan mir gegenüber nie was davon erwähnt.«

Hunter nickte. »In Dr. Littlewoods Praxis haben wir eine als Buch getarnte Schachtel gefunden. Wissen Sie, was ich meine?«

Sie nickte, aber in ihren Augen lag keine Furcht. Das bestätigte, was Hunter bereits geahnt hatte: Als Sheryl am Morgen die Tür zu Littlewoods Praxis geöffnet hatte, waren ihr nur seine verstümmelte Leiche auf dem Stuhl und das viele Blut aufgefallen. Das hatte ausgereicht, um sie in Panik zu versetzen. Alles andere hatte sie nur unbewusst wahrgenommen. Die Skulptur auf dem Schreibtisch hatte sie höchstwahrscheinlich gar nicht gesehen. Statt die Praxis zu betreten, war sie weggerannt, um Hilfe zu holen.

»Wissen Sie zufällig, ob Dr. Littlewood eine solche Buchattrappe in seiner Praxis hatte? Schwarzweiß mit dem Titel *Das Unterbewusstsein*?«

Sheryl runzelte die Stirn. Sie schien die Frage ein wenig sonderbar zu finden. »Ja. Sie stand auf dem Schreibtisch. Aber er hat sie nie als Geheimversteck benutzt. Er hat immer sein Handy und seine Autoschlüssel reingelegt, wenn er im Büro war.«

Hunter machte sich ein paar Notizen in seinem Büchlein. »Gehe ich recht in der Annahme, dass jeder Patient, der einen Termin bei Dr. Littlewood haben wollte, diesen zunächst bei Ihnen vereinbaren musste?«

Sie nickte.

»Das galt auch für neue Patienten?«

Wieder ein Nicken.

Sheryls Blick ging zur Tür, als Garcia mit einem Becher

Kaffee in der Hand eintrat. Lächelnd reichte er ihn an Sheryl weiter. »Ich hoffe, der ist stark genug«, sagte er.

Sie nahm den Becher entgegen und trank einen großen Schluck, ohne sich darum zu kümmern, ob der Kaffee vielleicht noch zu heiß war. Das war zwar nicht der Fall, allerdings fiel ihr sofort der unverkennbare Beigeschmack auf. Verwundert hob sie den Kopf.

»Einer von denen da draußen ist Ire«, klärte Garcia sie auf. »Der einzige Kaffee, den er machen kann, ist Irish Coffee.« Er zuckte die Achseln. »Also habe ich ihm gesagt, er soll einen machen.« Erneut lächelte er. »Balsam für die Nerven.«

Ihre Mundwinkel verzogen sich auf jeder Seite etwa drei Millimeter nach oben – das beste Lächeln, das sie in ihrer Situation zustande brachte. Hunter wartete, während Sheryl noch zwei Schlucke trank. Danach wurden ihre Hände ein wenig ruhiger. Sie blickte Hunter an.

»Ms Sellers, ich weiß, dass Dr. Littlewood viel zu tun hatte. Können Sie mir sagen, ob er in den letzten zwei oder drei Monaten neue Patienten angenommen hat?«

Ihr Blick ruhte weiterhin auf Hunter, verlor aber ein wenig an Fokus, während sie sich zu erinnern versuchte. »Ja, es waren drei neue Patienten, glaube ich. Ich müsste in meinen Unterlagen nachsehen. Ich kann es Ihnen nicht genau sagen. Ich kann gerade nicht klar denken.«

Hunter nickte verständnisvoll. »Ich nehme mal an, die Unterlagen befinden sich auf Ihrem Computer?«

Sheryl nickte.

»Es ist wirklich sehr wichtig, dass wir rausfinden, wie viele neue Patienten Dr. Littlewood in den letzten Monaten angenommen hat, wie oft sie zu ihm gekommen sind und wer sie waren.«

Sheryl zögerte. »Ich kann die Namen nicht rausgeben. Das sind vertrauliche Informationen.«

»Sie sind eine ganz hervorragende Bürokraft, Ms Sellers«,

sagte Hunter mit ruhiger Stimme. »Und ich weiß genau, was Sie meinen. Ich sehe vielleicht nicht so aus, aber ich bin selbst Psychologe. Ich kenne die berufsethischen Grundsätze und weiß, was sie bedeuten. Das, worum ich Sie bitte, widerspricht diesen Grundsätzen nicht. Sie werden auf keinen Fall Dr. Littlewoods Vertrauen missbrauchen. Die Vorgänge innerhalb der Sitzungen sind vertraulich, und darum geht es uns auch gar nicht. Ich muss lediglich wissen, wer die neuen Patienten waren. Es ist wirklich sehr wichtig.«

Sheryl nippte erneut an ihrem Kaffee. Sie hatte von den ethischen Grundsätzen der Psychologen gehört, war aber selbst keine Psychologin, ihnen also strenggenommen auch nicht verpflichtet. Und wenn sie irgendetwas dazu beitragen konnte, den Mann zu finden, der Nathan diese schrecklichen Dinge angetan hatte – bei Gott, dann würde sie es tun.

»Ich brauche meinen Rechner«, sagte sie endlich. »Aber ich kann da nicht noch mal reingehen. Das schaffe ich einfach nicht.«

»Kein Problem«, sagte Hunter mit einem Nicken zu Garcia. »Wir holen Ihnen den Rechner her.«

80

Minuten nachdem Hunter und Garcia in ihrem Büro eingetroffen waren, kam Captain Blake zur Tür hereingerauscht. Alice Beaumont war bereits da.

»Diesmal war der Tote ein Psychotherapeut?«, fragte Blake. Sie las von einem Blatt Papier ab, das sie bei sich hatte.

»Stimmt«, sagte Garcia. »Nathan Littlewood, zweiundfünfzig Jahre alt, geschieden, allein lebend. Seine Exfrau wohnt mit ihrem neuen Ehemann in Chicago. Sie haben ein gemeinsames Kind, Harry Littlewood, wohnhaft in Las Vegas. Er geht da aufs College. Nathan selbst hat sein Examen an der UCLA gemacht. Ist seit fünfundzwanzig Jahren Mitglied im Berufsverband der Psychologen. Seit achtzehn Jahren betreibt er eine Praxis in Silver Lake. Er wohnt in einer Dreizimmerwohnung in Los Feliz, die werden wir uns später noch ansehen. In seiner Praxis hatte er hauptsächlich mit ganz alltäglichen psychischen Problemen zu tun – Depressionen, Beziehungskrisen, mangelnde Selbstachtung, Unzulänglichkeitsgefühle und so weiter.«

Captain Blake hob die Hand, um Hunters Redefluss zu stoppen. »Sekunde mal. Was ist mit Aufträgen von der Polizei? Hat er das LAPD jemals bei einem Fall beraten?«

»So weit waren wir auch schon, Captain«, gab Garcia zurück, der emsig auf seiner Computertastatur tippte. »Falls ja, dann könnte sich eine Verbindung zu den anderen beiden Toten ergeben, was wiederum die Theorie eines Rachemotivs stärken würde. Wir überprüfen das, aber dazu müssen wir Unterlagen aus fünfundzwanzig Jahren durchackern, und überhaupt erst an diese Unterlagen zu kommen ist nicht so einfach, wie es sich vielleicht anhört. Wir sind gerade erst vom Tatort zurück, aber ich habe schon ein kleines Team zusammengestellt, das sich darum kümmern soll.«

Captain Blakes fragender Blick wanderte zu Alice. Die war darauf vorbereitet.

»Ich habe die Infos eben erst bekommen«, sagte sie. »Ich habe also noch nicht mit den Nachforschungen angefangen, aber wenn Nathan Littlewood jemals in irgendeiner Weise an einer polizeilichen Ermittlung beteiligt war, werde ich das rausfinden.«

Captain Blake trat zur Pinnwand und betrachtete aufmerksam die neuen Tatortfotos. Der Unterschied fiel ihr sofort ins Auge. »Der Körper ist voller Schnittwunden und Blutergüsse. Wurde er gefoltert?«

»Ja«, sagte Hunter. »Wir müssen noch auf das Ergebnis

der Autopsie warten, aber Dr. Hove hat die Vermutung geäußert, dass der Täter sein Opfer gequält hat, bis es starb, erst dann fing er an, die Gliedmaßen abzutrennen.«

Blake war sofort ganz Ohr. »Aus welchem Grund?«

»Das wissen wir nicht.«

»Bei seinen ersten beiden Opfern hat der Täter doch nichts dergleichen getan. Die Amputationen *waren* die Folter. Warum ist das hier auf einmal anders?«

»Wir wissen es nicht, Captain«, sagte Hunter erneut. »Es könnte sein, dass sich seine Wut hochschaukelt, aber am wahrscheinlichsten ist, dass er individualisiert.«

»Und das bedeutet was genau?«

»Dass jedes seiner Opfer neue, ganz eigene Empfindungen in ihm wachruft. Diese Empfindungen werden sehr wahrscheinlich durch die Reaktionen des Opfers beeinflusst. Manche Opfer sind zu verängstigt, um Widerstand zu leisten. Andere kooperieren mit dem Täter oder versuchen, auf ihn einzureden, weil sie denken, dass sie sich dadurch irgendwie einen Vorteil verschaffen können. Wieder andere begehren vielleicht auf, schreien oder wehren sich ... sie tun alles, nur nicht aufgeben. Jeder Mensch reagiert anders auf Angst und Gefahr.«

»Und die Reaktion dieses Opfers hat den Täter vielleicht so richtig in Rage gebracht«, schloss Captain Blake.

Hunter nickte. »Sofern er Gelegenheit und Nerven hatte, hat Littlewood garantiert versucht, als Psychologe mit dem Täter zu sprechen. Ihn von seinem Vorhaben abzubringen. Vielleicht hat der Täter seine Art in irgendeiner Weise als herablassend empfunden und ist explodiert. Wir wissen nicht, was vor dem Mord passiert ist, Captain. Wir wissen nur, dass bei dieser Tat deutlich mehr Wut im Spiel war als bei den letzten beiden.«

»Mehr Wut?« Captain Blake betrachtete die Tatortfotos der vorangegangenen Morde. »Wie ist das denn überhaupt noch möglich?«

»Die Schnitte und Hämatome am Körper der Leiche deuten darauf hin, dass der Täter das Leiden seines Opfers so weit wie möglich in die Länge ziehen wollte. Er wollte einen qualvollen Tod, und das wäre unmöglich gewesen, wenn er zu früh mit den Amputationen begonnen hätte. Littlewoods Sekretärin hat das Büro gegen neunzehn Uhr dreißig verlassen. Wir haben noch keine endgültige Bestätigung, aber ich vermute, dass der Täter kurze Zeit später zugeschlagen hat. Wenn das stimmt, dann standen ihm mindestens zehn Stunden zur Verfügung.« Hunter deutete auf das Foto von Littlewoods verstümmelter Leiche auf dem Stuhl. »Und die meisten davon hat er genutzt, um ihn zu foltern.«

»Und niemand hat einen Mucks gehört?«

»Es ist ein kleines Gebäude mit kleinen Büros«, erklärte Garcia. »Fast alle waren schon nach Hause gegangen. Als Letzter ein Grafikdesigner aus dem ersten Stock, der um Viertel nach acht Feierabend gemacht hat. Es gibt keine Überwachungskameras im Gebäude.«

»Falls sich Dr. Hoves Verdacht bewahrheitet«, fuhr Hunter fort, »hat der Täter seine Vorgehensweise bei den Amputationen ebenfalls geändert.«

»Was soll das heißen?«

»Bei den ersten beiden Opfern waren die Eingriffe ziemlich professionell durchgeführt«, antwortete Garcia. »Beim dritten nicht. Dr. Hove meinte, es gebe Anzeichen auf Hacken und Reißen. Das Werk eines Metzgers, nicht das eines Chirurgen.«

Captain Blake stieß besorgt den Atem aus. »Okay, und was zum Henker sagt uns die neue Skulptur? Ich nehme mal an, es gibt auch diesmal wieder ein Schattenbild?«

»Nein«, sagte Garcia.

»Was?«

»Es gibt zwei.«

81

Captain Blake sah ihre beiden Detectives scharf an. Es lag kein Erstaunen in ihrem Blick. Bei allem, was sie von diesem Killer gewohnt war, konnte sie so schnell nichts mehr überraschen.

»Wir sind uns nicht ganz sicher, ob es zwei Skulpturen sind oder eine Skulptur, die aus zwei Teilen besteht«, sagte Garcia. »Und der Täter hat diesmal noch in anderer Hinsicht was Neues ausprobiert. Er hat einen Bürogegenstand in sein Werk integriert.« Er schilderte, was sie auf Nathan Littlewoods Schreibtisch vorgefunden hatten. Währenddessen studierten Captain Blake und Alice schweigend die Fotos der neuen Skulptur. Als Garcia erklärte, der Täter habe seinem Opfer ein Auge ausgerissen, scheinbar allein zu dem Zweck, ihnen zu demonstrieren, aus welcher Perspektive ein Teil der Skulptur zu betrachten sei, spürte Alice ein sehr unangenehmes Rumoren in der Magengrube.

»Diesen Teil hier haben wir uns zuerst angesehen«, sagte Garcia, wobei er auf das entsprechende Foto deutete. »Und das ist dabei rausgekommen.« Er pinnte das Foto vom ersten Schattenbild direkt darunter.

Captain Blake und Alice traten einen Schritt näher.

»Und was um alles in der Welt soll das darstellen?«, fragte Blake. Sie war unüberhörbar aufgebracht. »Person A sieht Person B beim Baden zu? Ist der Killer jetzt zum Spanner mutiert?«

»Vielleicht zeigt es jemanden, der in einer Kiste liegt«, meinte Hunter.

»Das wollte ich auch gerade sagen«, pflichtete Alice Hunter bei. »Was du über die Detailgenauigkeit der zweiten Skulptur gesagt hast, finde ich nachvollziehbar. Sie war nicht so hoch wie bei der ersten – aber immer noch hoch.« Sie zeigte auf das Foto. »Das da ist keine Badewanne. Der Behälter hat einen Deckel.« Sie verglich es mit dem Foto der eigentlichen Skulptur. »Wenn der Täter gewollt hätte, dass wir eine Badewanne sehen, hätte er den Deckel ja einfach abreißen können.«

Hunters Überlegung war genau dieselbe gewesen. Wenn der Deckel Teil der Skulptur war, gab es dafür auch einen Grund.

»Meinetwegen. Dann haben wir eben Person A, die Person B dabei zusieht, wie sie in einer Kiste liegt«, korrigierte Captain Blake ihre ursprüngliche Behauptung. »Und? Irgendwelche Ideen, was das bedeuten könnte?«

»Vorerst nicht«, räumte Hunter ein.

»Also *noch* ein völlig unverständlicher Hinweis? Noch ein Teil in diesem Puzzle aus endlos vielen Teilen?«

Hunter sagte nichts.

Captain Blake trat einen Schritt zurück. Sie war sichtlich erregt. »Und was ist mit dem zweiten Bild?«

Unter Zuhilfenahme der Tatortfotos erläuterte Garcia, dass die Skulpturen an jeweils entgegengesetzten Enden des Schreibtischs aufgebaut worden waren. Durch geschickte Platzierung von Littlewoods Kopf sowie seines herausgerissenen Auges hatte der Täter wie ein Regisseur die richtigen Einfallswinkel des Lichts vorgegeben, durch die sich die Schattenbilder offenbarten.

»Das hier ist das Schattenbild vom zweiten Teil.« Garcia pinnte das nächste Foto an die Wand.

Da die zweite Skulptur der ersten sehr ähnlich sah, verwunderte es nicht weiter, dass auch ihre Schatten beinahe identisch waren. Zweifellos stellte auch das zweite Schattenbild eine Person dar, nur dass besagte Person, da der Killer ihre »Beine« durch Abtrennen der Fingerendglieder verkürzt hatte, entweder wesentlich kleiner war als die erste oder aber auf dem Boden kniete. Die Position des Daumens – im Gelenk nach vorn geschoben und mit gebrochener, nach oben verdrehter Kuppe – ließ es so aussehen, als zeige die Person mit erhobenem Arm gen Himmel. Auf dem Boden unmittelbar vor der Figur lagen mehrere große, nicht näher identifizierbare Gegenstände. Ihre Schatten stammten von den Fleischstücken, die der Täter aus Littlewoods Schenkel herausgeschnitten hatte.

»Jetzt reicht es mir aber«, bellte Captain Blake in das angespannte Schweigen hinein. »Er macht sich über uns lustig, das ist doch sonnenklar. Was zum Teufel soll das sein? Ein Zwerg? Ein Kind? Jemand, der kniet? Betet? Zum Himmel zeigt?« Sie richtete ihre Aufmerksamkeit noch einmal auf das erste Schattenfoto. »Also, da hätten wir erstens jemanden, der jemand anderem dabei zusieht, wie der in einer Kiste liegt. Und zweitens ...«, sie stach mit dem Finger auf das zweite Foto ein, »einen Zwerg, ein Kind oder jemanden, der kniet, als würde er beten. In welchem Zusammenhang steht das mit dem Toten?«

Die anderen wussten, dass es sich um eine rein rhetorische Frage handelte.

»Ich sage Ihnen was ...«, fuhr Blake fort, ohne jemandem die Gelegenheit zu geben, vielleicht doch noch zu antworten. »Nichts. Er führt uns an der Nase herum, mit seinen Tieren, seinen gehörnten Monstern, seinen Botschaften an der Wand, seinen Rocksongs und jetzt mit diesem Mist hier. Er stiehlt uns die Zeit, weil er ganz genau weiß, dass wir uns stundenlang die Köpfe darüber zerbrechen, was dieser ganze Humbug zu bedeuten hat.« Sie machte eine fahrige Handbewegung in Richtung Pinnwand. »Derweil läuft er herum, plant seinen nächsten Mord, beobachtet sein nächstes Opfer und lacht sich scheckig über uns. Schattenfiguren? *Wir* sind hier die, die einen Schatten haben, weil wir uns von diesem Kerl manipulieren lassen. Wir sind Marionetten, und er bringt uns zum Tanzen.«

82

Am Nachmittag hatte sich Hunter, unterstützt von Garcia und Captain Blake, der versammelten Presse gestellt, die ihm eher wie ein Erschießungskommando vorkam. Reporter hatten sämtliche Angestellte aus Nathan Littlewoods Bürohaus befragt, und die Geschichten, die sie zu hören bekommen hatten, reichten von Zerstückelung und Enthauptung bis hin zu blutigen Voodoo-Ritualen und Kannibalismus. Eine Frau hatte sogar das Wort *Vampir* in den Mund genommen.

Hunter, Garcia und Captain Blake taten ihr Bestes, die Reporter davon zu überzeugen, dass keine dieser Schauergeschichten den Tatsachen entsprach. Trotzdem stand eins fest: Es würde nicht mehr lange dauern, bis die Kunde von einem neuen Serienmörder an die Öffentlichkeit gelangte.

Nach der Pressekonferenz machten sich Hunter und Garcia daran, die Namen der neuen Patienten zu überprüfen, die Littlewoods Sekretärin ihnen genannt hatte. In den vergangenen drei Monaten hatte Nathan Littlewood aufgrund seines recht vollen Terminplans lediglich drei neue Patienten annehmen können – Kelli Whyte, Denise Forde und David Jones.

Kelli Whyte und Denise Forde waren beide seit knapp einem Monat bei Littlewood in Behandlung und hatten bislang jeweils vier Sitzungen gehabt. David Jones hatte vierzehn Tage zuvor angerufen, um sich wegen eines Termins zu erkundigen. Er war Anfang der Woche zum ersten Mal bei Littlewood gewesen. Sheryl sagte, Jones sei ein großer Mann gewesen, vielleicht eins achtundachtzig oder eins neunzig, mit breitem Kreuz und weder dick noch dünn. Viel mehr konnte sie Hunter nicht über ihn sagen. Zu seiner ersten Sitzung sei Jones einige Minuten zu spät gekommen, außerdem habe er offenkundig großen Wert darauf gelegt, sein

Äußeres zu verbergen. Er habe eine Sonnenbrille getragen und sich eine Baseballkappe tief in die Stirn gezogen; Sheryl zufolge war dies allerdings bei ihren Patienten nichts Ungewöhnliches, schon gar nicht, wenn sie aus Hollywood kamen.

Über Kelli Whyte fand Hunter heraus, dass sie fünfundvierzig Jahre alt war, sich unlängst hatte scheiden lassen und in Hancock Park lebte. Sie leitete eine Aktienmakler-Firma, die ihren Sitz im Finanzbezirk von Downtown L. A. hatte. Seit ihrer Scheidung vor einem halben Jahr hatte sie Schwierigkeiten mit der Bewältigung ihres Alltags.

Denise Forde war eine siebenundzwanzigjährige Systemanalytikerin, die in South Pasadena lebte und bei einem Softwareentwickler in Silver Lake angestellt war. Alles, was er bislang über sie in Erfahrung gebracht hatte, war, dass sie extrem introvertiert war, unter geringem Selbstwertgefühl litt und nur wenige Freunde hatte.

Weder Kelli noch Denise kamen in Hunters Augen als Verdächtige in Betracht. David Jones hingegen gab ihnen Rätsel auf. Die Adresse, die Sheryl in ihren Akten gefunden hatte, war falsch. Sie gehörte zu einem kleinen Sandwichladen in West Hollywood. Über die Handynummer, die er als Kontakt angegeben hatte, war niemand zu erreichen. Dazu kam, dass der Name David Jones zu häufig war, als dass man den Mann ohne weiteres hätte aufspüren können. Eine erste Recherche ergab, dass allein in Downtown Los Angeles fünfundvierzig Männer dieses Namens gemeldet waren. Hunter hatte ohnehin keinen Zweifel, dass es sich um ein Alias handelte. Er war sich absolut sicher, dass der Täter bereits vor der Mordnacht in Littlewoods Büro gewesen sein musste. Er war viel zu gründlich, als dass er die Räumlichkeiten nicht im Voraus hätte auskundschaften wollen. Er hatte gewusst, dass Littlewoods Bürokomplex über Nacht leer stand. Er hatte gewusst, dass es im Gebäude keine nennenswerten Sicherheitsvorkehrungen gab und er weder Wachpersonal noch Kameras fürchten musste. Er hatte auch gewusst, dass es ein Kinderspiel werden würde, sich Zutritt zum Gebäude zu verschaffen. Und vor allem hatte er gewusst, dass er, um seine Skulptur zu vervollständigen, nicht selbst eine Schachtel mitbringen musste. Er hatte gewusst, dass Littlewood eine entsprechende Buchattrappe besaß. Außerdem war der Täter dreist und arrogant: Er hätte in jedem Fall vor der Tat Littlewood in seiner Praxis gegenübersitzen wollen, und wenn auch nur aus reinem Vergnügen. Wie ließ sich das besser bewerkstelligen, als wenn man sich als Patient tarnte? Die Anonymität zu wahren wäre nicht weiter schwierig gewesen. Vielleicht hatte Captain Blake tatsächlich recht, und der Täter spielte mit ihnen wie mit Marionetten.

83

Es war schon spät, als das Telefon auf Hunters Schreibtisch klingelte. Widerstrebend riss er sich von der Pinnwand mit den Fotos los und griff nach dem Hörer.

»Robert, ich habe noch ein paar Ergebnisse für Sie«, kam Dr. Hoves müde Stimme aus der Leitung.

Hunter sah auf die Uhr. Er war erstaunt über die fortgeschrittene Uhrzeit. Schon wieder hatte er alles um sich herum vergessen. »Sie arbeiten noch, Doc?« Er bedeutete Garcia, ebenfalls seinen Hörer abzunehmen.

»Sie müssen gerade reden. Ich wette, Carlos ist auch noch im Büro.«

»Ja, ich bin hier«, sagte Carlos und verzog wie ertappt das Gesicht.

»Sie werden den Kerl nicht fangen, wenn vorher bei Ihnen im Gehirn sämtliche Sicherungen durchschmoren, Robert. Das müsste Ihnen doch klar sein.«

»Wir wollten sowieso gerade Schluss machen.«
»Wer's glaubt.«
Hunter grinste. »Also, was können Sie uns berichten?«
Hunter und Garcia hörten, wie am anderen Ende Papier raschelte. »Wie erwartet wurden dem Opfer sämtliche Schnitte und Hämatome am Torso *ante mortem* zugefügt. Ich würde den Todeszeitpunkt auf irgendwann zwischen drei und fünf Uhr morgens festlegen.«
»Dann hätte der Täter danach noch mindestens drei Stunden Zeit gehabt, seine Skulptur fertigzustellen«, sagte Hunter.
»Richtig. Wie die zwei ersten Opfer ist auch Littlewood im Endeffekt an multiplem Organversagen aufgrund von massivem Blutverlust gestorben. In erster Linie waren es Herz und Nieren. Außerdem hatte er Verbrennungen an der rechten Brustwarze, am Oberkörper, an den Armen, im Genitalbereich und am Rücken. Ich habe übrigens rausgefunden, dass sie von einem Glätteisen stammen.«
»Was?«
»Manchmal werden sie auch als Haarglätter bezeichnet.«
»Ich weiß, was ein Glätteisen ist, Doc. Aber sind Sie sicher?«
»So gut wie. Die Brandwunden sind sehr ebenmäßig, quasi symmetrisch, und haben gerade Ränder. Die Verbrennungen an der Brustwarze haben mich auf die Idee gebracht. Die Spitze der Warze ist nicht verbrannt. Die Verbrennungen befinden sich nur an den Seiten, als hätte der Täter die Warze vom Körper weggezogen und dann mit einer heißen Zange umfasst.«
Garcia knirschte mit den Zähnen und legte sich den linken Arm quer über die Brust.
»Die Verbrennungen stammen von etwa drei Zentimeter breiten Platten. Das ist eine Standardgröße, sie kommt bei vielen Geräten vor. Als der Täter mit der Folter fertig war, ist er zu den Amputationen übergegangen. Das linke Bein

wurde als Erstes abgenommen. Das Opfer war zu dem Zeitpunkt gerade noch am Leben. Das beantwortet auch die Frage, weshalb so viel Blut am Tatort gefunden wurde. Ich hatte ja schon darauf hingewiesen, dass der Täter diesmal nicht daran interessiert war, die Blutung zu stoppen. Es wurden keine Arterien oder Venen abgeklemmt oder abgebunden. Der Täter hat sein Opfer einfach verbluten lassen, und aus dem Grund glaube ich auch nicht, dass uns die Tox-Untersuchung irgendwelche nennenswerten Ergebnisse liefern wird. Zumindest wird sie keine Mittel nachweisen, die die Herzrate gesenkt haben.«

»Aber vielleicht andere Drogen?«, fragte Hunter, dem Dr. Hoves zögerlicher Tonfall aufgefallen war.

»Vielleicht. Ich habe ein winziges Hämatom an der rechten Halsseite des Toten gefunden. Eine Einstichstelle. Sieht so aus, als hätte der Täter ihm etwas injiziert, wir wissen nur noch nicht, was.«

Hunter kritzelte ein paar Notizen auf ein Blatt Papier.

»Und wir hatten recht damit, dass der Täter diesmal nicht auf die Qualität der Amputationen geachtet hat«, fuhr Dr. Hove fort. »Das Instrument, das er verwendet hat, war dasselbe wie immer …«

»Ein elektrisches Tranchiermesser«, schob Garcia dazwischen.

»M-hm. Aber diesmal hat er es eher wie ein Metzger benutzt, er hat gehackt und gesägt, als würde er einen Braten schneiden. Außerdem habe ich keine Markierungen auf der Haut gefunden wie bei den anderen Opfern. Dem Täter war die korrekte Einschnittstelle egal.«

»Er kommt immer mehr in Schwung«, meinte Garcia.

»Darüber hinaus haben wir Fesselmarken an Handgelenken, Unterarmen und Fußknöcheln gefunden. Im Gegensatz zu den anderen beiden Opfern wurde dieses Opfer also fixiert. Noch eine Abweichung von der ursprünglichen Vorgehensweise. Die Fesseln konnten am Tatort allerdings nicht sichergestellt werden.« Mehr Papierrascheln. »Der für die Skulptur verwendete Draht ist der gleiche wie bisher, dasselbe gilt für das Haftmittel – Sekundenkleber. Wie erwartet hat die Spurensicherung in der Praxis und im Wartebereich Fingerabdrücke von mehreren Personen gefunden.«

»Die Reinigungskraft kam zweimal pro Woche«, sagte Hunter. »Zum letzten Mal war sie vor zwei Tagen da, morgen früh wäre sie wieder dran gewesen. Wir werden die Fingerabdrücke auf jeden Fall überprüfen, aber ich bin mir ziemlich sicher, dass sie von den Patienten stammen.«

Dr. Hove seufzte. »Mehr kann ich Ihnen von der Autopsie nicht berichten.«

»Danke, Doc.«

»Irgendwelche Fortschritte bei den neuen Schattenbildern? Gibt es eine Verbindung zu den anderen zweien?«

»Wir sind am Ball, Doc«, gab Hunter zurück. Diesmal war es seine Stimme, die müde klang.

»Aus reiner Neugier – sagen Sie mir Bescheid, wenn Sie was rausfinden?«

»Wird gemacht. Ach, übrigens, Littlewoods Sekretärin hat mir gesagt, dass er die Buchattrappe als Aufbewahrungsort für seine Autoschlüssel und sein Handy benutzt hat, wenn er in der Praxis war. Hat die Spurensicherung die zufällig gefunden?«

»Einen Moment.« Etwa fünfzehn Sekunden verstrichen. »Nein, sie stehen nicht im Verzeichnis. Ich habe es hier vor mir liegen. Allerdings haben sie seine aktuellen Handyrechnungen sichergestellt. Er hat sie in der Schreibtischschublade aufbewahrt.«

»Die könnten uns weiterhelfen. Würden Sie uns die rüberschicken?«

»Kein Problem, Sie bekommen sie gleich morgen früh. Okay, ich für meinen Teil fahre jetzt nach Hause, trinke ein schönes Glas Wein und gönne mir meinen wohlverdienten Schlaf«, verkündete Dr. Hove.

»Klingt sehr vernünftig«, sagte Garcia, wobei er Hunter mit einem stechenden Blick fixierte.

»Schon gut, Sie haben ja recht, Doc«, sagte Hunter und nickte Garcia zu. »Wir brauchen alle ein bisschen Ruhe, sonst platzt uns noch der Kopf.«

»Den Obduktionsbericht maile ich Ihnen noch schnell. Die Laborergebnisse bekommen Sie dann, sobald sie mir vorliegen. Aber Sie kennen das ja, es kann gut sein, dass es noch einen oder zwei Tage dauert, selbst mit Eilantrag.«

»Das macht nichts, Doc. Vielen Dank, dass Sie sich so reinhängen.«

84

Eleesha Holt erwachte zu den ersten Sonnenstrahlen. Einen Wecker brauchte sie nicht, ihre innere Uhr war so fein abgestimmt wie ein Schweizer Präzisionschronograph. An diesem Morgen allerdings blieb sie, statt wie sonst sofort aus dem Bett zu springen, noch zehn Minuten liegen und starrte an die Decke ihres kleinen Schlafzimmers. Sie dachte an den langen Tag, der ihr bevorstand, und mit einem Mal überkam sie ein Gefühl tiefer Traurigkeit und Ohnmacht. Langsam kroch sie aus dem Bett, schleppte sich ins Bad und unter die warme Dusche.

Nach dem Duschen wickelte sich Eleesha ein Handtuch um die Haare und schlüpfte in ihren hellgelben Bademantel. Sie wischte am beschlagenen Spiegel eine runde Stelle frei und betrachtete sich lange darin. Ihre eingefallenen Augen, die stumpfe Haut und das zurückgehende Zahnfleisch waren die Ergebnisse einer von Alkohol und Drogen zerstörten Jugend. Die Narbe an der linken Wange war die Quittung dafür, dass sie mit zu vielen Männern und Frauen geschlafen hatte, von denen einige zur Gewalt neigten – und dieser Neigung auch nachgaben. Normalerweise verbarg ihre dunkle Haut die schwarzen Ringe unter ihren Augen. Ihre Haare hatten den natürlichen Glanz und ihre Spannkraft verloren, aber mit ein bisschen Geduld und einem sehr heißen Lockenstab konnte sie immer noch einiges aus ihnen herausholen, wenn es nötig war.

Eleesha trat vom Spiegel zurück, öffnete ihren Bademantel und ließ ihn zu Boden fallen. Zögerlich fuhr sie sich mit der Hand über den Bauch. Ihre Fingerspitzen berührten die drei alten Stichwunden. Tränen brannten in ihren Augen. Hastig griff sie wieder nach ihrem Bademantel und verjagte die Erinnerungen an ein früheres Leben aus ihrem Kopf.

Nach einem schnellen Frühstück kehrte Eleesha ins Schlafzimmer zurück, wo sie sich ein wenig schminkte und dann Jeans, ein langärmeliges T-Shirt sowie ihre bequemen Alltagsschuhe anzog, bevor sie sich auf den Weg zur U-Bahn machte. Von ihrer Wohnung in Norwalk aus waren es nur vier Stationen bis nach Compton, inklusive einmal Umsteigen am Bahnhof Imperial / Wilmington.

Um diese Zeit herrschte am U-Bahnhof Norwalk noch nicht viel Betrieb. Eleesha wusste, dass ihr, sollte sie so leichtsinnig sein und zur morgendlichen Stoßzeit loszugehen, eine höllische Fahrt bevorstand: Gedränge auf dem Bahnsteig, überfüllte Züge und nicht der Hauch einer Chance auf einen Sitzplatz. Nein, da kam sie lieber eine halbe Stunde zu früh ins Büro, als zur Rushhour dem Wahnsinn des öffentlichen Nahverkehrs zu trotzen. Sie hatte sowieso immer genügend Arbeit auf dem Schreibtisch.

Eleesha war nie aufs College gegangen. Sie hatte die Schule in der achten Klasse abgebrochen, aber ihre persönliche Geschichte machte sie in dem, was sie tat, zur Expertin. Eleesha arbeitete in der Sozialberatungsstelle der Stadt Los Angeles. Die Sozialberatungsstelle bot Hilfe und Unterstützung bei Fällen von häuslicher Gewalt, Drogenmissbrauch, psychischen Störungen, Gewalt gegen Frauen oder zerrütteten Familien.

Eleesha betreute vornehmlich drogenabhängige Frauen, Opfer häuslicher Gewalt und Prostituierte, die aus dem Milieu aussteigen wollten. Ihre Arbeitstage waren lang, kräftezehrend und geprägt vom Frust und Leiden anderer Leute. Sie hatte schon so vielen Frauen geholfen, ihnen einen Ausweg aus ihrem bisherigen Leben gezeigt, nur um dann mit ansehen zu müssen, wie sie nach ein paar Monaten wieder genau dort landeten, wo sie angefangen hatten. Aber hin und wieder gelang es ihr eben doch, ein Mädchen von der Straße zu holen und dafür zu sorgen, dass sie nicht wieder abrutschte. Ein paar der Frauen, die sie betreut hatte, hatten sogar gute Jobs gefunden, eine Familie gegründet und sich ein neues Leben aufgebaut, fernab von Ausbeutung und Sucht. Diese Fälle waren es, die alle Mühe aufwogen.

Eleesha stieg in die U-Bahn und suchte sich einen Platz im hinteren Teil des Wagens. Zwei Plätze rechts von ihr saß ein attraktiver Mann um die dreißig im marineblauen Anzug. Er hielt einen Pappbecher mit Kaffee in der Hand, der so riesig war, dass er vermutlich mehrere Liter fasste. Als Eleesha sich hinsetzte, nickte er ihr freundlich zu. Sie erwiderte den Gruß und ließ ein Lächeln folgen. Der Mann wollte zurücklächeln, als er die Narbe auf ihrer Wange bemerkte. Hastig wandte er den Blick ab und tat so, als suche er etwas in seiner Aktentasche.

Eleeshas Lächeln erlosch. Sie konnte schon nicht mehr zählen, wie oft ihr das passiert war. Sie tat so, als würde es ihr nichts ausmachen, aber tief in ihrem verletzten Innern bildete sich jedes Mal eine neue Wunde.

In Lakewood, der nächsten Station, stiegen mehrere Leute zu. Eine junge Frau setzte sich Eleesha gegenüber. Sie trug einen hellbraunen Hosenanzug, beigefarbene Wildlederpumps mit flachen Sohlen und hatte einen Aktenkoffer aus Leder bei sich. Der Mann neben Eleesha hatte seinen Kaffee ausgetrunken, und nachdem er sich die Krawatte zurechtgerückt hatte, schenkte er der Frau sein strahlendstes Lächeln. Die Frau jedoch nahm ihn nicht einmal wahr, sondern holte, kaum dass sie sich gesetzt hatte, eine Tageszeitung aus ihrem Aktenkoffer. Eleesha konnte sich ein Schmunzeln nicht verkneifen.

Während die Frau es sich bequem machte und sich in ihre Zeitung vertiefte, erregte etwas auf der Titelseite Eleeshas Aufmerksamkeit. Sie kniff die Augen zusammen, um die Schlagzeile entziffern zu können. TOTENKÜNSTLER FORDERT DRITTES OPFER. Eleesha beugte sich ein Stück nach vorn und schaute noch angestrengter hin. Im ersten Absatz des Artikels war von einem sadistischen Serienmörder die Rede, der seinen Opfern Arme und Beine ausgerissen und groteske Skulpturen aus Menschenfleisch am Tatort zurückgelassen hatte. Möglicherweise seien auch Kannibalismus und schwarzmagische Rituale im Spiel gewesen. Eleesha verzog angewidert den Mund, las aber weiter.

Bei der nächsten Zeile wirbelten die Erinnerungen durch ihren Kopf wie ein Tornado.

Nein, dachte sie, *das kann er unmöglich sein.*

Erst jetzt sah sie die Fotos unterhalb der Textspalten. Ihr Herz fing an zu stottern, und jeder Zweifel löste sich in Luft auf.

85

»Haben Sie das Geschmiere hier gesehen?«, ereiferte sich Captain Blake, als sie in Hunters und Garcias Büro gestürmt kam. Dazu wedelte sie mit einer Ausgabe der *LA Times*.

Sowohl Hunter und Garcia als auch Alice Beaumont hatten den Artikel bereits gelesen. Altbewährten Praktiken des Sensationsjournalismus folgend, hatte die *LA Times* sogar einen Spitznamen für den Mörder erfunden. Sie nannte ihn – durchaus treffend – den »Totenkünstler«.

Es gab auch Fotos, insgesamt vier. Eins zeigte das Gebäude, in dem Nathan Littlewoods Leiche aufgefunden worden war, die anderen drei waren Porträts der Mordopfer. Der Artikel schloss mit der Bemerkung, dass, selbst nachdem »drei hochangesehene Mitbürger« (ein Staatsanwalt mit Krebs im Endstadium; ein ehemaliger Detective; ein Psychotherapeut) einem der bestialischsten Killer zum Opfer gefallen waren, die die Stadt Los Angeles in den letzten Jahrzehnten gesehen hatte, die Polizei immer noch im Dunkeln tappe wie ein Rudel nachtblinder Hunde. Es gebe keinerlei handfeste Hinweise.

»Ja, haben wir«, antwortete Hunter.

»Nachtblinde Hunde?« Blake schleuderte die Zeitung auf Hunters Schreibtisch. »Herrgott noch mal, haben die überhaupt ein Wort von dem verstanden, was wir ihnen gestern auf der Pressekonferenz gesagt haben? Die stellen uns als inkompetente Trottel hin. Und das Schlimmste ist, dass sie recht haben. Drei Mordopfer in zwei Wochen, und wir haben – Schattenfiguren!« Captain Blake drehte sich zu Alice um. »Und wenn Sie mit Ihrer Deutung der zweiten Skulptur richtigliegen, gibt es jetzt ein Opfer weniger auf der Liste. Mit anderen Worten, es ist nur noch eins übrig.« Sie strich sich mit beiden Händen die Haare hinter die Ohren und holte tief Luft. »Gibt es schon irgendeine Verbindung zwischen dem dritten Opfer und den ersten zwei?«

»Nein«, sagte Alice. Sie klang ziemlich niedergeschlagen. »Ich habe nichts gefunden, was Nathan Littlewood mit irgendeiner polizeilichen Ermittlung in Verbindung bringen könnte. Er hat das LAPD nie bei einem Fall beraten, nie vor Gericht ausgesagt, und er war auch nie als Geschworener tätig. Ich arbeite, so schnell ich kann. Im Moment versuche ich gerade rauszufinden, ob er vielleicht eins der Opfer von Nicholsons oder Dupeks Fällen psychologisch betreut hat. Falls ja, ließe sich womöglich dadurch eine Verbindung zu Ken Sands herstellen. Leider ist es ziemlich schwierig, an Informationen über Littlewoods ehemalige Patienten ranzukommen. Damit hatte ich nicht gerechnet. Aber nur weil wir bis jetzt noch nicht fündig geworden sind, heißt das nicht, dass Nathan Littlewood nichts mit Ken Sand oder Alfredo Ortega zu tun hatte.«

»Traumhaft«, keifte Blake. »Mit anderen Worten, wenn das neueste Mordopfer nicht in die einzige Theorie passt, die Sie sich bis dato zusammenreimen konnten – nämlich Ken Sands' Rachefeldzug –, dann ist alles, was wir vorzuweisen haben, eine Handvoll heiße Luft.« Captain Blake wandte sich an Hunter. »Vielleicht wird es allmählich Zeit, dass Ihr Superhirn eine neue Idee ausspuckt, Robert. Der Polizeichef und der Bürgermeister haben mir nämlich vor zwanzig Minuten erst eine Gardinenpredigt gehalten. Sie haben keine Lust, länger zuzusehen, wie dieser ›Totenkünstler‹ die Stadt in Angst und Schrecken versetzt und der Polizei auf der Nase herumtanzt. In Bezirksstaatsanwalt Bradleys Augen ist die ganze Ermittlung schon jetzt ein Fiasko, und ich möchte lieber nicht wiederholen, was er über die zuständigen Detectives gesagt hat. Dieser Artikel hier hat das Fass endgültig zum Überlaufen gebracht. Wenn wir nicht innerhalb der nächsten vierundzwanzig Stunden irgendeine verwertbare Spur vorweisen können, sind wir den Fall los.«

»Was?« Garcia sprang von seinem Stuhl auf.

»Begreifen Sie denn nicht? Uns steht die Scheiße bis zum Hals. Der erste Mord ist acht Tage her, und obwohl wir alle rund um die Uhr schuften, haben wir noch nichts in der Hand. Wenn wir morgen früh nicht mit irgendwas Konkretem aufwarten können, wird der Bezirksstaatsanwalt das FBI bitten, die Ermittlungen zu übernehmen. Wir werden ihnen dann nur noch zuarbeiten.«

»Ihnen zuarbeiten?«, wiederholte Garcia. »Wie? Indem wir ihnen den Hintern abputzen? Kaffee für sie kochen?«

Hunter hatte bereits einige Jahre zuvor in einem Fall mit dem FBI zusammengearbeitet, und es war eine durch und durch unangenehme Erfahrung gewesen. Er hielt sich zurück, aber es kam für ihn überhaupt nicht in Frage, das Kindermädchen für die Feds zu spielen oder ihnen seinen Fall auf dem Silbertablett zu servieren.

»Nachdem die Story an die Öffentlichkeit gelangt ist, hat das FBI sich beim Polizeichef, beim Bürgermeister, beim Bezirksstaatsanwalt und bei mir gemeldet und uns Hilfe angeboten. Sie haben gesagt, und ich zitiere: ›Denken Sie daran, wir sind hier, falls Sie uns brauchen.‹ Im Übrigen bin ich von all denen, die ich gerade aufgezählt habe, die Einzige, die der Ansicht ist, dass wir sie *nicht* brauchen.«

»Das ist doch alles ein riesiger Haufen Mist, Captain.«

»Liefern Sie mir was Konkretes, oder finden Sie sich damit ab, dass wir in vierundzwanzig Stunden diejenigen sein werden, die bis zum Hals in ebendiesem Misthaufen stecken und für die FBI-Fritzen die Schaufeln schwingen.«

86

Am späten Nachmittag war der blaue Himmel über Los Angeles dunklen, drohenden Wolken gewichen. Sie kündigten das erste Unwetter des Sommers an.

Hunter erreichte Los Feliz, ein hügeliges Viertel nördlich von East Hollywood, gerade als in der Ferne der erste Donner rollte. Garcia war zu Nathan Littlewoods Praxis gefahren. Er wollte erneut einige der Angestellten aus den Nachbarbüros befragen und sich noch einmal am Tatort umsehen.

Littlewoods Wohnung lag im zehnten Stock eines vierzehnstöckigen Hochhauses an der Ecke Los Feliz Boulevard und Hillhurst Avenue. Hunter hatte sich von Littlewoods Sekretärin den Zweitschlüssel geben lassen. Die Eingangshalle war groß, hell, blitzsauber und einladend. Hinter einem halbrunden Empfangstresen saß der Pförtner, ein etwa sechzigjähriger Afroamerikaner mit akkurat getrimmtem Ziegenbärtchen. Als Hunter durch die Halle ging und den Fahrstuhlknopf drückte, hob er den Blick von seinem Taschenbuch.

»Besuchen Sie jemanden?«, fragte er, ohne aufzustehen.

»Nein, Sir«, antwortete Hunter und hielt seine Marke in die Höhe. »Ich bin beruflich hier.«

Das machte den Pförtner hellhörig. Er ließ sein Buch sinken. »Gab es einen Einbruch, von dem ich nichts weiß?« Er begann auf seinem kleinen Tresen in einigen Papieren zu wühlen. »Hat jemand den Notruf gewählt?«

»Nein, es gab keinen Einbruch, Sir. Niemand hat die Polizei verständigt. Es ist reine Routine.« Mehr sagte Hunter nicht. Die Fahrstuhltüren öffneten sich, und er trat ein.

Der Flur im zehnten Stock war lang, breit und gut beleuchtet. Es roch dezent nach exotischem Lufterfrischer. Die Wände waren cremeweiß mit hellbraunen Sockelleisten, der Teppichboden beige mit einem Muster aus Dreiecken. Apartment Nummer 1011 lag am Ende des Flurs. Von Shelby Sellers wusste Hunter, dass Littlewood keine Alarmanlage in seiner Wohnung hatte. Er sperrte die Tür auf und drehte langsam am Knauf. Vor ihm lag eine dunkle Diele.

Hunter schaltete seine Taschenlampe ein und leuchtete den kleinen Raum vom Flur aus ab. An einer Wand hing ein mittelgroßer Spiegel, darunter stand eine schmale, transparente Konsole mit einer leeren Holzschale darauf. Wahrscheinlich legte Littlewood dort seine Schlüssel ab, wenn er nach Hause kam. Links vom Spiegel waren drei hölzerne Kleiderhaken an der Wand befestigt. Am letzten Haken hing ein grauer Blazer.

Hunter stieß die Tür vollständig auf, trat ein und betätigte den Lichtschalter. Von der Diele aus gelangte man geradeaus in eine kleine Küche und links in ein mittelgroßes Wohnzimmer.

Rasch griff Hunter in die Taschen des grauen Blazers. Alles, was er darin fand, war eine Kreditkartenquittung für ein Essen in einem Chinarestaurant. Das Datum war von voriger Woche. Der Adresse auf der Quittung zufolge befand sich das Restaurant nur einen Straßenblock entfernt.

Hunter steckte die Quittung in die Blazertasche zurück und drang vorsichtig bis in die Mitte des Wohnzimmers vor. Er sah sich gründlich um. An der südlichen Wand stand ein großer Plasmafernseher auf einem schwarz glänzenden Medienschrank. In dem Fach unter dem Fernseher befanden sich ein DVD-Player sowie ein Satelliten-Receiver, rechts daneben eine Mikro-Stereoanlage. Die restlichen Regale des Schranks waren mit CDs und DVDs angefüllt. Außer dem Medienschrank gab es noch einen Esstisch für vier Personen, ein luxuriöses schwarzes Ledersofa und zwei passende Sessel, einen Couchtisch mit Glasplatte, eine Massivholz-Anrichte sowie ein großes, aus allen Nähten platzendes Bücherregal. Das Zimmer war nicht unordentlich, allerdings auch nicht übermäßig aufgeräumt. Es gab weder typisch weibliche noch typisch männliche Einrichtungselemente. *Neutral, durchschnittlich* waren die Worte, die sich Hunter aufdrängten. Die zugezogenen Vorhänge füllten den Raum mit dunklen Schatten.

Hunter sah nur ein einziges gerahmtes Foto, das halb hinter einigen CDs verborgen auf dem glänzenden Medienschrank stand. Das Bild zeigte Littlewood, wie er einen etwa achtzehnjährigen Jungen umarmte. Der Junge trug einen Talar in den Farben seiner Schule, und sowohl er als auch Littlewood trugen ein breites, stolzes Lächeln im Gesicht. Hunter hatte zwei ganz ähnliche Bilder von sich und seinem Vater zu Hause stehen – eins nach bestandenem

Highschool-Abschluss, das andere nach dem College-Examen.

»Wonach um alles in der Welt suchst du eigentlich, Robert?«, murmelte er.

87

Blitze zuckten durch die Dunkelheit, und Sekundenbruchteile später ließ ein gewaltiges Donnerkrachen das Haus erzittern. Dann öffnete der Himmel seine Schleusen. Regen peitschte gegen die Fensterscheiben.

Hunter blieb noch eine Zeitlang im Wohnzimmer und durchstöberte einige Schubladen und Regale, fand jedoch nichts, was ihm weitergeholfen hätte. Auch die Küche offenbarte nichts Bemerkenswertes: bunt zusammengewürfeltes Geschirr und Besteck, ausreichend für höchstens vier Personen, sowie ein halb leerer Kühlschrank. Ein kleiner Flur verband das Wohnzimmer mit dem Rest des Apartments. Von diesem Flur gingen zwei Zimmer ab, eins links, etwa auf der Hälfte, und ein weiteres ganz am Ende rechts. Das Bad befand sich ebenfalls rechts, unmittelbar gegenüber dem ersten Zimmer.

Hunter ging weiter. Er beschloss, mit dem Schlafzimmer anzufangen. Es war groß und behaglich und verfügte über ein eigenes Bad. Ein Doppelbett mit hölzernem Kopfteil stand an der Wand. Es gab einen kleinen Schreibtisch, einen Wandschrank für Kleider und eine hohe Kommode. Auch hier keine Spur weiblichen Einflusses und keine Fotos – nichts Kostbares, keine Erinnerungsstücke. Hunter nahm alles genau in Augenschein. Im Kleiderschrank herrschte vorbildliche Ordnung. Die Hälfte des Platzes war für Anzüge und Oberhemden reserviert. Schuhe gab es lediglich vier

Paar, zwei davon waren Turnschuhe. Krawatten und Gürtel hatten ihre eigene kleine Aufhängevorrichtung. Hunter fasste in sämtliche Anzugtaschen – nichts.

Der Regen wurde stärker und trommelte gegen die Fenster wie böse Geister, die Einlass begehrten. Im Minutentakt zuckten Blitze über den Himmel.

Hunter suchte weiter. Die Kommode enthielt T-Shirts, Jeans, Pullover, Unterwäsche, Socken und zwei Flaschen Davidoff Cool Water.

Als Nächstes warf er einen Blick in den Papierkorb neben Littlewoods Schreibtisch. Darin lag nichts bis auf Reklamezettel und ein paar Einwickelpapiere von Schokoriegeln. Der Laptop auf dem Tisch war passwortgeschützt. Hunter war sich nicht sicher, ob sie darauf etwas finden würden, was ihnen bei der Durchsuchung von Littlewoods Dienstcomputer helfen würde, aber sie mussten alles versuchen. Er würde den Laptop an Brian Doyle von der IT-Abteilung weitergeben. Das Bad war noch weniger aufsehenerregend als das Schlafzimmer.

Hunter blieb am Fenster stehen und sah einen Augenblick lang zu, wie der Regen auf Los Angeles niederging. Ein Blitz mit fünf Ästen erhellte den Himmel. Wie es aussah, würde er noch eine ganze Weile hier festsitzen.

Er verließ das Schlafzimmer, ging durch den Flur und betrat das Zimmer hinter dem Bad. Es war klein, aber ordentlich und diente vermutlich als Gästezimmer. Das Hauptmöbelstück war ein schmales Bett mit Eisengestell, rechts daneben stand ein kleiner Nachttisch. Ein Kleiderschrank nahm eine gesamte Wand ein. Auch in diesem Zimmer waren die Vorhänge zugezogen, aber der Stoff war ein anderer als im Wohnzimmer. Schwerer und dichter. Er ließ weder Licht noch Schatten herein.

Hunter öffnete die Vorhänge nicht, sondern näherte sich dem Bett und strich mit der Hand über die Laken – frisch bezogen. Dann sah er in der Schublade des Nachttischchens nach. Nichts. Vollkommen leer. Hunter schloss die Schublade wieder, ging zum Kleiderschrank und öffnete die Schiebetüren. Im Innern sah es aus wie auf einem Flohmarkt. Altes Gerümpel stapelte sich – ein Staubsauger, Bücher, Zeitschriften, Lampen, einige verschlissene Mäntel, ein künstlicher Weihnachtsbaum sowie mehrere Kartons.

»Oh«, sagte Hunter und machte einen Schritt zurück. »Einer von denen, die nichts wegwerfen können.«

Er richtete seine Aufmerksamkeit auf die Kartons, die rechts am Boden des Schranks übereinandergestapelt waren, und zog den untersten heraus. Er war relativ schwer. Hunter stellte ihn aufs Bett und nahm den Deckel ab. Der Karton war voll mit alten Langspielplatten. Aus purer Neugier sah Hunter sich einige an – frühe Mötley-Crüe-Alben, die New York Dolls, Styx, Journey, .38 Special, Kiss, Led Zeppelin, Rush ... Hunter schmunzelte. *Sieh an. Littlewood war in jungen Jahren ein Metalhead.*

Er hielt inne, als ihm plötzlich eine Idee kam. Rasch ging er alle LPs im Karton durch. Das Album *The Real Thing* von Faith No More, das den Song enthielt, den der Killer auf Dupeks Boot hatte laufen lassen, war nicht darunter.

Hunter kehrte zum Schrank zurück und zog einen weiteren Karton heraus. Dieser war voll mit alten Fotos – sehr alten Fotos. Hunter griff sich wahllos eine Handvoll heraus und begann sie durchzusehen. Erneut musste er schmunzeln. Auf den Bildern sah Nathan Littlewood unglaublich jung aus. Er war vielleicht achtzehn oder neunzehn, mehrere Kilos leichter und hatte zurückgekämmte, schulterlange Haare. Das verstoßene Mitglied einer Garagen-Band.

Hunter langte tiefer in die Kiste und nahm sich einen weiteren Stapel vor. Diesmal waren es Hochzeitsfotos. Littlewood trug darauf einen eleganten dunklen Anzug und machte einen durch und durch glücklichen Eindruck. Die Braut war knapp zehn Zentimeter kleiner als er und hatte Augen, die man ganz lange ansehen wollte. In ihrem Hochzeitskleid sah sie wunderschön aus und strahlte vor Freude genau wie ihr Mann.

Die nächsten Fotos, die Hunter aus dem Karton fischte, waren keine Hochzeitsbilder, obwohl Littlewood darauf etwa im selben Alter sein musste. Hunter hatte bereits mehrere von ihnen angeschaut und beiseitegelegt, als er plötzlich stutzte.

»Moment mal.« Er hielt eins der Fotos etwa dreißig Zentimeter von sich weg und kniff die Augen zusammen. Er dachte angestrengt nach. Sein Gedächtnis arbeitete fieberhaft und durchsuchte wie ein Computer alle Bilder, die er innerhalb der letzten zwei Wochen zu Gesicht bekommen hatte. Kaum hatte es die Verbindung gefunden, als eine Welle Adrenalin bis in den letzten Winkel seines Körpers rauschte.

88

Erneut krachte ein Donnerschlag. Alice fuhr auf ihrem Stuhl zusammen. Sie mochte keinen Regen, und sie hasste Gewitter.

»Meine Güte.«

Sie presste die Hände gegeneinander, hob sie an den Mund und blies auf ihre Daumen, als versuchte sie zu pfeifen. Das machte sie immer, wenn sie sich fürchtete. Diese Angewohnheit hatte sie schon als Kind gehabt.

Alice hatte den ganzen Nachmittag im Büro verbracht. Wie eine Besessene hatte sie Datenbanken durchforstet und Hintertürchen von zugangsbeschränkten Online-Systemen geknackt, weil sie nach einer wie auch immer gearteten Verbindung zwischen den drei Mordopfern suchte. Bislang ohne Erfolg. Ein Zusammenhang zwischen Littlewood und

Ken Sands hatte sich ebenfalls noch nicht aufgetan, allerdings machte sie diese Arbeit nicht erst seit gestern. Dass sie noch keine Verbindung gefunden hatte, bedeutete nicht, dass es keine gab.

Ein Blitz zuckte über den Himmel. Alice kniff die Augen zu und hielt den Atem an. Blitze machten ihr keine Angst, aber sie wusste, dass auf den Blitz unweigerlich der Donner folgte, und wenn sie Donner hörte, war sie buchstäblich vor Schreck wie gelähmt.

Das dumpfe Grollen kam einen Herzschlag später, und diesmal schien es gar nicht wieder aufhören zu wollen. Es dauerte mehrere Sekunden an, und Alice war machtlos gegen die Erinnerungen, die auf sie einströmten. Ihre Augen füllten sich mit Tränen.

Mit elf Jahren, während eines Besuchs bei ihren Großeltern in Oregon, war Alice einmal in ein schweres Gewitter geraten.

Ihre Großeltern lebten auf einer Farm in der Nähe von Cottage Grove. Die Gegend war traumhaft schön, eine weite Landschaft voller Wälder, Seen und friedlicher Ruhe. Alice spielte für ihr Leben gern im Freien. Sie liebte es, ihrem Großvater zu helfen, wenn er die Tiere versorgte, vor allem beim Melken der Kühe, beim Einsammeln der Eier im Hühnerhaus oder beim Schweinefüttern. Aber am allerliebsten spielte sie mit Nosey, dem dreijährigen schwarz-weißen Beagle ihrer Großmutter. In der Regel verbrachte sie den Großteil ihrer Zeit bei den Großeltern damit, Nosey auf dem Arm herumzutragen, mit ihm zu kuscheln oder draußen herumzutollen.

An einem Tag im Juni waren ihre Eltern zusammen mit ihrem Großvater zum Einkaufen in die Stadt gefahren. Alice blieb mit der Großmutter zu Hause. Während Großmutter Gellar das Abendessen zubereitete, ging Alice mit Nosey nach draußen. Beide spielten besonders gern bei den »buschigen Bäumen«, wie Alice den kleinen Ulmenhain am

Hang des Hügels unterhalb des Hauses immer nannte. Ihre Eltern hatten ihr wiederholt verboten, alleine dort spielen zu gehen, doch Alice hatte ihren eigenen Kopf und schenkte solchen Verboten keine allzu große Beachtung.

Alice wusste nicht, wie lange sie schon mit Nosey zwischen den Bäumen herumgelaufen war, aber es musste eine ganze Weile gewesen sein, denn ohne dass sie etwas davon mitbekommen hätte, hatte sich der Himmel zu einem Schwarz verfinstert, in dem nur noch wenige blaue Flecken zu sehen waren. Auch den sich langsam ausbreitenden Geruch feuchter Erde nahm sie nicht wahr.

Der erste Blitz am Himmel ließ Alice erstarren. Erst jetzt fiel ihr der starke Wind auf, und sie merkte, wie kalt es plötzlich geworden war. Als direkt über ihr ein Donnerschlag ertönte, von dem die Erde unter ihren Füßen erbebte, brach sie in lautes Weinen aus. Nosey begann sich wie toll zu gebärden. Unter lautem Gebell rannte er umher, als hätte man ihm die Augen verbunden.

Alice wusste nicht, was sie tun sollte, also weinte sie einfach immer weiter und kauerte sich unter dem erstbesten Baum zusammen. Wieder und wieder rief sie Noseys Namen, aber der hörte einfach nicht. Er befand sich gerade auf halbem Weg von einem Baum zum nächsten, als ein weiterer Blitz wie ein feuriger Hammer über den Himmel zuckte. Sein Ziel war die große Metallplakette an Noseys Halsband. Mit weit aufgerissenen Augen, den rechten Arm ausgestreckt, schrie Alice dem kleinen Hund zu, er solle zu ihr kommen, aber er hatte keine Chance. Der Blitz schlug in die Plakette ein und ließ Nosey eine scheinbare Ewigkeit lang nicht mehr los. Wie ein Pingpong-Ball wurde der kleine Hundekörper hoch in die Luft geschleudert. Als er wieder zur Erde fiel, rührte er sich nicht mehr. Seine Augen waren milchig weiß und die Zunge, die ihm schlaff aus dem Maul hing, schwarz wie Teer. Trotz des starken Regens konnte Alice Rauch von Noseys Fell aufsteigen sehen.

Es dauerte fast ein Jahr, bis die Alpträume endlich nachließen; noch heute hatte Alice panische Angst vor Gewitter. Sogar das Blitzlicht von Fotoapparaten erschreckte sie.

Unwetter in Los Angeles dauern für gewöhnlich nicht länger als eine Dreiviertelstunde oder eine Stunde, aber dieses tobte nun schon seit fast anderthalb Stunden und machte keine Anstalten, sich zu verziehen.

Alice hatte jede Menge Arbeit vor sich, aber sie hielt es nicht länger am Computer aus. Ihre Finger gehorchten ihr einfach nicht. Also beschloss sie, stattdessen Unterlagen durchzugehen. Wenige Stunden zuvor waren die Handyrechnungen samt Einzelgesprächsaufstellung, die die Spurensicherung in Nathan Littlewoods Praxis sichergestellt hatte, mit der Hauspost eingetroffen. Sie waren das Erste, worauf ihr Blick fiel, als sie sich suchend auf ihrem Schreibtisch umschaute.

Sie hatte etwa zehn Minuten damit verbracht, Littlewoods meistgewählte Nummern anzustreichen, als ihr etwas ins Auge sprang, das sie das Gewitter draußen vergessen ließ.

»Augenblick mal«, murmelte sie und begann hektisch in den Unterlagen zu wühlen, die sich auf ihrem Schreibtisch türmten. Als sie das Gesuchte entdeckt hatte, blätterte Alice die Seiten durch und las jede einzelne Zeile.

Da. Sie hatte es gefunden.

89

Der Regen hatte eine Stunde zuvor endlich aufgehört, auch die Wolken hatten sich inzwischen verzogen. Der Himmel allerdings blieb dunkel, denn in der Zwischenzeit war der Abend angebrochen.

Es waren zu viele Fotos im Karton, als dass Hunter sie alle

an Ort und Stelle hätte durchsehen können. Ein Foto hatte bereits einen Verdacht in ihm geweckt, der sein Herz schneller schlagen ließ. Er musste unbedingt zurück ins Büro, und den Karton mit den Fotos würde er mitnehmen.

Ehe er Littlewoods Wohnung verließ, warf Hunter noch einen Blick in die anderen zwei Kartons im Kleiderschrank des Gästezimmers. Sie enthielten jede Menge Krimskrams, jedoch nichts, was Hunter als relevant erachtet hätte.

Garcia saß an seinem Schreibtisch, als Hunter das Büro betrat. Von Alice weit und breit keine Spur.

»Alles klar?«, fragte Hunter, dem auffiel, wie müde sein Partner wirkte.

Garcia blies die Backen auf und stieß dann langsam die Luft aus. »Detective Corbí vom South Bureau hat angerufen.«

»Der Detective, der die Ermittlungen in Titos Mordfall leitet?«

»Genau der. Und rate mal, was er gesagt hat. Sie haben gerade das Ergebnis eines DNA-Tests reinbekommen. Im Bad wurde eine Wimper gefunden. Treffer. Die DNA stimmt mit der von Ken Sands überein.«

Hunter stellte die Kiste mit Fotos auf seinem Schreibtisch ab. »Eine Wimper?«

»Ja. Damit hat sich die Theorie, Ken Sands könnte sowohl Titos Mörder als auch unser Totenkünstler sein, wohl mehr oder weniger erledigt. Der Totenkünstler hat dreimal einen blutigen Tatort hinterlassen, aber bis auf das, von dem er wollte, dass wir es finden, gab es keinerlei Spuren. Nicht mal ein Stäubchen. Falls Ken Sands also tatsächlich unser Mann ist, wie kommt es dann, dass er in Titos Wohnung auf einmal so unvorsichtig war?«

Garcia wartete Hunters Antwort nicht erst ab. »Aber vielleicht *war* er gar nicht unvorsichtig. Vielleicht hat er schlicht und einfach etwas übersehen.«

Hunters Neugier war geweckt.

»Wimpern fallen nicht so leicht aus wie andere Körperhaare. Ich habe das nachgeprüft«, erklärte Garcia. »Der Mensch verliert zwischen vierzig und einhundertzwanzig Haare pro Tag. Wimpern hingegen haben eine durchschnittliche Lebensdauer von einhundertfünfzig Tagen, bevor sie ausfallen. Um solche Eventualitäten machen sich die meisten Verbrecher keine Sorgen, egal wie vorsichtig sie sonst sind. Das heißt, falls Titos Mörder nicht gerade eine Schutzbrille getragen hat, war es tatsächlich ein Versehen.«

»Was hast du Corbí gesagt?«

»Nichts. Ich habe ihm nach wie vor nicht verraten, dass wir Sands im Zusammenhang mit dem Totenkünstler-Fall suchen. Ich habe ihn nur gebeten, mich über jede weitere Entwicklung auf dem Laufenden zu halten. Aber jetzt lässt es sich natürlich nicht mehr vermeiden: Die Fahndung nach Sands ist draußen.«

Hunter nickte. »Ja. Aber du erinnerst dich doch noch an Titos Wohnung, oder? Wie verdreckt sie war? Da hat seit Monaten niemand saubergemacht. Das heißt, die Wimper beweist zwar, dass Sands in der Wohnung war, aber ohne Augenzeugen, die ihn in der Mordnacht dort gesehen haben, oder ein Geständnis können sie sich eine Verurteilung abschminken. Sands braucht bloß zu behaupten, dass er Tito zu einem früheren Zeitpunkt besucht hat.«

Garcia wusste, dass sein Partner recht hatte.

»Konntest du in Littlewoods Praxis irgendwas Neues in Erfahrung bringen?«

Garcia strich sich mit beiden Händen die Haare aus dem Gesicht. »Rein gar nichts.« Er sah auf seine Armbanduhr und kniff sich dann ein paarmal verärgert in die Nase.

Hunter konnte Garcias Frust nur allzu gut nachvollziehen. »Wo steckt Alice?«

»Keine Ahnung. Sie war nicht hier, als ich zurückkam. Was ist das da?« Mit dem Kopf deutete Garcia zur Kiste auf Hunters Schreibtisch.

»Die habe ich aus Littlewoods Wohnung mitgebracht. Alte Fotos.«

Garcia hob eine Braue.

Doch vorerst ließ Hunter die Kiste stehen und ging stattdessen zur Pinnwand. Diesmal galt seine Aufmerksamkeit allein den Fotos der Skulpturen. Er studierte sie eine Zeitlang aufmerksam, als sähe er sie zum ersten Mal.

»Was ist denn jetzt?«

Keine Antwort.

»Robert!«, rief Garcia. »Hast du in Littlewoods Apartment irgendwas gefunden? Oder in der Kiste da?«

Hunter griff nach einem Foto und nahm es ab. »Wir müssen runter zu Captain Blake, bevor sie Feierabend macht.«

90

Captain Blake telefonierte gerade, als Hunter und Garcia an ihre Tür klopften.

»Herein«, rief sie, nachdem sie eine Hand über die Muschel gelegt hatte. Als die beiden eintraten, signalisierte sie ihnen, Platz zu nehmen.

Sie blieben stehen.

»Es ist mir völlig gleich, wie Sie das regeln, Wilks, Hauptsache, Sie regeln es. Sie sind der leitende Ermittler, also leiten Sie, verdammt noch mal!« Captain Blake knallte den Hörer auf und kniff sich in die Nasenwurzel, während sie für einen Moment lang die Augen schloss.

Hunter und Garcia warteten schweigend.

»Okay.« Mit einem Stöhnen sah Captain Blake zu ihnen auf. »Bitte sagen Sie mir, dass Sie wenigstens den Hauch einer Spur haben.«

Hunter griff sich in die Brusttasche und zog ein altes,

zehn mal fünfzehn Zentimeter großes Foto heraus, das er Blake auf den Schreibtisch legte.

»Was ist das?«, fragte sie.

»Der Hauch einer Spur«, gab Hunter ohne einen Anflug von Sarkasmus zurück. »Ich habe es in Nathan Littlewoods Wohnung gefunden.«

Garcia trat einen Schritt vor und reckte den Hals.

Captain Blake nahm das Foto in die Hand und starrte es mehrere Sekunden lang an. »Und was zum Geier soll ich hier sehen, Robert?«

»Darf ich mal, Captain?« Garcia streckte die Hand nach dem Foto aus.

Sie gab es ihm. Dann ließ sie sich schwer gegen die Lehne ihres Bürostuhls sinken.

Die Aufnahme war nicht besonders gut, aber sie zeigte eindeutig einen dünnen Mann Mitte zwanzig, der mit einer Flasche Bier in der rechten Hand neben einem Baum stand. Es war ein klarer, sonniger Tag, und der Mann trug kein Oberteil. Seine Haare waren dunkel und lockig. Er grinste und hatte die Bierflasche in Richtung Kamera ausgestreckt, als bringe er gerade einen Toast aus. Garcia hatte ihn schnell erkannt.

»Ein sehr junger Nathan Littlewood«, stellte er fest.

Captain Blake sah Hunter gänzlich unbeeindruckt an. »Kaum verwunderlich, da Sie das Bild in seinem Apartment gefunden haben.«

»Nicht er«, sagte Hunter. »Der andere Mann auf dem Bild.«

Captain Blake warf noch einmal einen Blick auf das Foto in Garcias Hand, dann sah sie Hunter an, als hätte dieser den Verstand verloren. »Reden wir von *diesem* Bild hier? Falls ja, dann sollten Sie vielleicht mal einen Termin beim Augenarzt vereinbaren, Robert. Da ist nur eine Person zu sehen.«

Garcia suchte bereits den Bildhintergrund nach weiteren Personen ab. Er kannte Hunter gut genug, um zu wissen, dass er etwas gesehen haben musste, was den meisten Menschen entgangen wäre. Aber da war niemand. Littlewood stand ganz alleine neben dem Baum. Im Hintergrund war nichts als Landschaft.

»Schau genau hin«, drängte Hunter.

Jetzt fiel Garcia der Teil eines Arms am rechten Bildrand auf. Aufgrund der Nähe zur Kamera war er unscharf, trotzdem war klar zu erkennen, dass er am Ellbogen abgewinkelt war. Der Großteil des Unterarms befand sich außerhalb des Bildausschnitts.

»Du meinst den Arm?«, fragte Garcia.

Hunter nickte. »Sieh ihn dir an.« Er beobachtete Garcia, wie dieser sich erneut auf das Foto konzentrierte. Seine Miene schlug von Verwirrung in Zweifel in Erstaunen um, und dann endlich fiel der Groschen.

»Da leck mich doch einer«, sagte er und sah Hunter mit großen Augen an.

»Nein, leck *mich* doch einer«, entgegnete Captain Blake und nahm beide Detectives mit ihrem Laserblick ins Visier. Ihre Stimmlage kletterte um mehrere Töne in die Höhe. »Ist Ihnen vielleicht aufgefallen, dass ich auch noch hier sitze? Was *ist* mit dem Arm?«

Garcia stellte sich vor den Schreibtisch und hielt ihr das Foto hin. »Das ist nicht irgendein x-beliebiger Arm.« Die Bemerkung war an Hunter gerichtet. »Deswegen hast du dir oben auch noch mal die Fotos von den Skulpturen angeschaut.«

Hunter nickte, bevor er das Bild, das er von der Pinnwand genommen hatte, auf den Schreibtisch legte. Es zeigte mehrere Gliedmaßen, die nebeneinander auf einem Stahltisch lagen. Er deutete auf einen der beiden Arme auf dem Foto. Genauer, auf eine Stelle im oberen Bereich des Trizeps.

»Sehen Sie die da?«, fragte er.

Captain Blake reckte den Hals und kniff die Augen zusammen. »Ja, sehe ich. Was ist das?«

»Muttermale«, antwortete Garcia und legte das Bild, das er in der Hand hielt, daneben. »Pigmentflecken.« Er wies auf die identische Ansammlung sechs kleiner, seltsam geformter dunkelroter Flecken am Trizeps der Person, die versehentlich ins Bild geraten war. Obwohl der Arm nur verschwommen zu sehen war, bestand kein Zweifel: Sie waren genau gleich.

91

Captain Blake saß noch eine Weile da, ohne sich zu rühren, und starrte das Foto auf ihrem Schreibtisch an. Sie wusste, dass Muttermale ebenso einzigartig waren wie Fingerabdrücke. Die Wahrscheinlichkeit, dass zwei Menschen genau dasselbe Muttermal haben, liegt bei ungefähr eins zu vierundsechzig Millionen. Nicht einmal eineiige Zwillinge weisen dieselben Muttermale auf. Dass zwei Individuen gleich sechs Muttermale gemeinsam hatten, so wie der Cluster, den sie nun betrachtete, war so gut wie ausgeschlossen.

»Mit anderen Worten, das hier ist ...« Sie stach mit dem Finger auf den unscharfen Oberarm.

»Andrew Dupek«, sagte Garcia. »Das zweite Mordopfer.«

In Blakes Augen glomm ein Funke auf. »Sie haben sich also gekannt?«

»Sieht ganz danach aus«, sagte Hunter. »Wenigstens früher mal.«

Sie drehte das Bild um – nichts. »Wann wurde das aufgenommen?«

»Wir können es zur Analyse ins Labor schicken, aber aus Nathan Littlewoods Aussehen und der Tatsache, dass er vor siebenundzwanzig Jahren geheiratet hat und auf dem Foto noch keinen Ehering trägt, kann man wohl schließen, dass das Foto zwischen siebenundzwanzig und dreißig Jahre alt ist.«

Garcia nickte zustimmend.

Captain Blake lehnte sich erneut auf ihrem Stuhl zurück. Sie dachte ganz offensichtlich über etwas nach. Dann hob sie abrupt den Kopf, drehte sich nach rechts und sah an beiden Detectives vorbei zur Bürotür. »Wo ist die Frau von der Staatsanwaltschaft?«

Garcia zuckte mit den Schultern.

»Ich habe sie seit heute Morgen nicht gesehen«, sagte Hunter.

»Nun, es sieht ja wohl so aus, als könnte sie richtiggelegen haben.« Captain Blake erhob sich. »Vielleicht hat unser Täter tatsächlich einen ganz bestimmten Plan. Das war es doch, was sie aus dem Schattenbild am zweiten Tatort herausgelesen hat, oder? Zwei Opfer abgehakt, zwei stehen noch aus.« Blake umrundete ihren Rosenholz-Schreibtisch. »Also, inzwischen hat er bereits sein drittes Opfer getötet. Wir wissen jetzt, dass sich zwei der Opfer kannten, und daran, dass sich auch Derek Nicholson und Andrew Dupek zumindest flüchtig gekannt haben, besteht wohl auch kein Zweifel, allein schon aufgrund ihrer Berufe. Haben wir eine Ahnung, ob Nicholson auch zum dritten Mordopfer Kontakt hatte? Gehörte er damals zum selben Freundeskreis?«

Hunter massierte sich mit der linken Hand den Nacken. »Ich habe die Information seit gerade mal einer Stunde, Captain. Ich hatte noch keine Zeit, ihr weiter nachzugehen. Aber natürlich werden wir uns damit befassen. Oben in unserem Büro steht ein Karton voll mit alten Fotos, der uns möglicherweise noch mehr Hinweise liefern kann. In jedem Fall haben wir jetzt eine ganz neue Perspektive.«

»Ich würde sagen, das ist definitiv der Hauch einer Spur, Captain«, setzte Garcia hinzu.

Wirklich froh war Captain Blake angesichts dieser neuen Entwicklung zwar noch nicht, aber Garcia hatte recht, es war ein Fortschritt. Sie sah auf die Uhr und öffnete die Tür. »Na, dann suchen Sie mal weiter. Und geben Sie mir sofort Bescheid, wenn Sie was finden. Ich muss mir jetzt den Polizeichef und den Bezirksstaatsanwalt zur Brust nehmen.«

92

Hunter verbrachte den Großteil der Nacht damit, sämtliche Fotos aus dem Karton durchzusehen. Er fand weitere Hochzeitsbilder, alte Urlaubsschnappschüsse, diverse Bilder von Nathan Littlewood im Kreis seiner Freunde und Verwandten sowie eine große Zahl Fotos von Littlewoods einzigem Sohn Harry. Seine Geburt, die ersten Schritte, Einschulung, Schulabschluss, die erste Prom – Littlewood hatte jedes bedeutende Ereignis im Leben seines Sohnes festgehalten, bis zu dem Tag, an dem dieser von zu Hause ausgezogen war. Er war ein stolzer Vater, so viel stand fest.

Doch mehrstündiges Suchen führte Hunter schließlich zu der Einsicht, dass Andrew Dupek auf keinem weiteren Bild auftauchte. Ein unscharfer Arm am Rand eines alten Fotos, erkennbar allein anhand einer Ansammlung von Muttermalen am Trizeps – das war alles, was sie hatten.

Hunter hatte jedes Gesicht auf jedem Bild mit einem Vergrößerungsglas studiert. Er war sich relativ sicher, dass keins davon Derek Nicholson gehörte, aber »relativ sicher« war nicht sicher genug. Er würde sich mit Nicholsons Töchtern Olivia und Allison in Verbindung setzen und fragen, ob sie ihm ein Bild von ihrem Vater mit Anfang zwanzig geben konnten, damit er etwas zum Vergleichen hatte. Vielleicht hatte Nicholson ja zu jenen Menschen gezählt, die sich im Alter stark verändern.

Als Hunter endlich einschlief, war es kurz vor fünf Uhr

morgens. Um acht Uhr zweiundzwanzig war er bereits wieder wach. Die Narbe in seinem Nacken juckte wie verrückt. Er duschte ausgiebig in der Hoffnung, der warme Wasserstrahl, den er sich geschlagene fünf Minuten in den Nacken prasseln ließ, würde den Juckreiz lindern.

Fehlanzeige.

Als Hunter eine Stunde später ins Büro kam, saß Garcia mit vornübergebeugten Schultern an seinem Schreibtisch und las aufmerksam etwas am Bildschirm. Er hob den Kopf, als Hunter die Fotokiste mit Schwung auf dem Schreibtisch absetzte.

»Was gefunden?«, fragte er hoffnungsvoll und deutete zur Kiste.

»Nein, mehr gab es nicht. Ich habe mir jedes einzelne Bild und jedes Gesicht genau angesehen. Das Foto aus dem Park ist das einzige. Falls Nathan Littlewood auch Derek Nicholson gekannt hat, liegt der Beweis dafür nicht in diesem Karton.«

»Mag sein. Aber beweisen tut das noch nichts. Ich habe vier Leute darauf angesetzt, die suchen wie die Wahnsinnigen nach allem, was Nicholson mit Littlewood in Verbindung bringen könnte. Ich habe ihnen gesagt, sie sollen fünfundzwanzig bis dreißig Jahre zurückgehen.«

Hunter nickte.

Garcia stand auf und trat zur Kaffeekanne in der Ecke. »Nur um ganz sicherzugehen, habe ich einen Kollegen von der Bildtechnik gebeten, die Muttermale von dem Foto aus Littlewoods Wohnung mit denen vom Autopsiefoto zu vergleichen. Es gibt absolut keinen Zweifel: Größe, Abstand zueinander, Verteilung, alles ist exakt gleich. Das ist definitiv Dupeks Arm.«

Garcia musste nicht erst fragen, der Schlafmangel stand seinem Partner ins Gesicht geschrieben: Ohne Aufforderung goss er zwei Becher mit schwarzem Kaffee voll und reichte einen davon an Hunter weiter.

»Ratet mal, was ich rausgefunden habe«, rief Alice, als sie mit einem stolzen Lächeln im Gesicht zur Tür hereinwirbelte.

Hunter und Garcia drehten sich zeitgleich zu ihr um.

»Sie haben sich gekannt!«

93

Sie war frisch geschminkt und sorgfältig frisiert. Rock und Bluse hatten nicht die kleinste Knitterfalte. Trotzdem sah Alice übernächtigt aus. Ihre Augen waren es, die sie verrieten. Man konnte fast sehen, wie sehr sie vor Müdigkeit brannten.

Weder Hunter noch Garcia sagte ein Wort.

Alice stellte den Aktenkoffer auf ihren Schreibtisch. »Sie haben sich gekannt«, wiederholte sie. »Andrew Dupek und Nathan Littlewood haben sich gekannt.«

Hunter hatte Alice seit dem Morgen des Vortags nicht zu Gesicht bekommen. Sie war auch am Nachmittag nicht mehr im Büro aufgetaucht. Von ihnen konnte sie die Information folglich nicht haben, und da sie aufgekratzt klang, als würde sie ihm und Garcia eine große Neuigkeit verkünden, war es offensichtlich, dass sie von dem Foto aus Littlewoods Wohnung nichts wusste.

»Das wissen …«, begann Garcia, aber Hunter schnitt ihm das Wort ab.

»Wie hast du das rausgefunden?«

Ihr Lächeln wurde noch breiter. Alice holte zwei Blatt Papier aus ihrem Aktenkoffer. »Das ist ein Auszug aus Nathan Littlewoods Handyrechnungen.« Sie reichte Hunter das erste Blatt. »Sie sind gestern reingekommen, während ihr beide weg wart. Und die Nummern hier …«, sie reichte ihm das zweite Blatt, »... stammen aus Andrew Dupeks Gesprächsnachweisen, die wir uns besorgt haben.«

Hunter musste nicht lange suchen. Alice hatte die betreffenden Nummern angestrichen. Eine ganz bestimmte Telefonnummer tauchte dreimal auf Dupeks und zweimal auf Littlewoods Liste auf.

»Das ist die Nummer einer Escort-Dame. Unabhängig, ohne Agentur«, sagte Alice. »Sie haben beide dieselbe gebucht.«

Alles, was sie dafür erntete, waren skeptische Blicke.

»Escort-Dame?«, sagte Garcia.

»Ganz genau. Sie nennt sich Nicole.« Alice hielt inne und hob den rechten Zeigefinger. »Oder besser gesagt ... Sklavin Nicole. Sie bedient eine sehr erlesene Klientel.«

Garcia stellte seinen Kaffeebecher ab. »Okay, ich sehe ja ein, dass wir der Sache nachgehen sollten, wenn Dupek und Littlewood beide dasselbe Callgirl bestellt haben, aber daraus kann man doch nicht automatisch ableiten, dass sie sich kannten.«

»Sie ist kein Callgirl«, korrigierte Alice ihn. »Sie ist eine devote Escort-Dame. Sie bietet eine hochspezialisierte Dienstleistung an. Ihre Worte, nicht meine.«

»Du hast mit ihr gesprochen?« Garcia war baff.

»Gestern Abend.« Alice nickte.

Damit hatten sie nun wirklich nicht gerechnet.

»Hört zu, ich wusste doch, dass ihr beide unterwegs wart. Ich bin gestern erst ziemlich spät am Nachmittag über die Information gestolpert, und statt rumzusitzen und zu warten, habe ich eben beschlossen, selbst ein bisschen zu ermitteln. Wie es der Zufall wollte, hatte sie an dem Abend noch Zeit für ein Treffen, und ich konnte mit ihr reden.«

»Wie hast du sie denn zum Reden gebracht?« Garcia wusste aus Erfahrung, dass es nicht leicht war, jemanden aus dem Milieu zu einer Aussage zu bewegen.

»Ich konnte ihr glaubhaft versichern, dass ich weder ein

Cop noch eine Reporterin bin, und ich habe ihr mein Ehrenwort gegeben, dass ich nichts von dem, was sie mir sagt, jemals gegen sie verwenden würde.«

»Und das hat funktioniert?«

»Na ja, natürlich gibt es da noch andere Mittel und Wege, die einem Polizisten nicht zur Verfügung stehen.«

»Du hast sie bezahlt«, schloss Garcia.

»Das klappt immer«, gab Alice unumwunden zu. »Was glaubst du denn, wie die Bezirksstaatsanwaltschaft ihre Informanten bei der Stange hält, mit Donuts und heißer Milch? Sie ist eine devote Escort-Dame. Normalerweise verdient sie ihr Geld mit ganz anderen Sachen. Sich fürs Reden bezahlen zu lassen war garantiert ihr bisher leichtester Job. Außerdem hat sie von mir noch eine Du-kommst-aus-dem-Gefängnis-frei-Karte gekriegt. Ich habe ihr gesagt, wenn sie mal einen Anwalt braucht, soll sie mich anrufen. Für jemanden in ihrer Berufsgruppe ist das doch ein verlockendes Angebot.«

Dagegen konnte Garcia nichts einwenden. »Und worüber habt ihr geredet?«

»Davon könnt ihr euch selbst überzeugen.« Alice holte ein Diktiergerät aus dem Aktenkoffer und legte es auf Hunters Schreibtisch. »Ich mache so was nicht zum ersten Mal.« Sie zwinkerte den beiden zu.

Neugierig kamen Hunter und Garcia näher.

»Es kann losgehen«, sagte Alice. »An der Stelle hier habe ich ihr gerade Andrew Dupeks Bild gezeigt.« Sie drückte auf Play.

»Ach ja, Paul, der ist Stammkunde bei mir. Bucht mich so ungefähr einmal im Monat, manchmal mehr, manchmal weniger.«

Die Stimme, die aus dem winzigen Lautsprecher drang, war feminin und sinnlich und stammte von einer Frau in den Zwanzigern; allerdings hatte sie einen harten Beiklang, wie man es bei jemandem aus dem Milieu nicht anders erwartete.

»Paul?«, kam Alices Frage aus dem Lautsprecher.

»So nennt er sich. Klar weiß ich, dass keiner meiner Kunden seinen richtigen Namen benutzt. Aber er hat mir gesagt, er heißt Paul, also sag ich Paul zu ihm. So läuft das eben.« Eine kurze Pause folgte. *»Er mag's gern hart.«*

»Hart?«

»Fesseln, knebeln, manchmal verbindet er mir die Augen und schlägt mich ein bisschen ... Sie wissen schon, er lässt halt gern den harten Kerl raushängen.« Nicole lachte rau. *»Keine Sorge, ich hab auch meinen Spaß dabei.«*

Hunter vermutete, dass die letzte Bemerkung eine Reaktion auf Alices bestürzte Miene war.

»Kommt er zu Ihnen?«

»Manchmal. Manchmal bin ich auch bei ihm auf seinem Boot. Oder er mietet ein professionelles Verlies. Es gibt ein paar in L. A. Da ist die Ausstattung besser.«

»Und seit wann ist er schon Ihr ... Kunde?«

»Seit ein paar Jahren.«

»Wann haben Sie sich zuletzt getroffen?«

»Ist noch gar nicht so lange her.«

»Könnten Sie etwas genauer werden?«

Wieder eine kurze Pause, während im Hintergrund gekramt und geraschelt wurde. Hunter vermutete, dass Nicole in ihrer Handtasche oder in einer Schublade nach etwas suchte.

»Vor etwas über fünf Wochen, am 13. Mai.«

»Okay, und was ist mit dem Mann hier?«

Alice hielt die Aufzeichnung an. »Als Nächstes habe ich ihr ein Foto von Nathan Littlewood gezeigt«, erklärte sie, ehe sie das Tonband weiterlaufen ließ.

»Ja, der kommt auch zu mir ... hin und wieder. Nicht so oft wie Paul. Nennt sich Woods.« Ein lebhaftes Lachen folgte. *»Überschätzt sich da ein bisschen, wenn Sie wissen, was ich meine, aber der Name gefällt ihm, also von mir aus.«*

»Mochte der es auch gerne ... hart?«

Nicoles raues, kehliges Lachen klang wie das einer viel älteren Frau. *»Alle meine Kunden mögen es hart, Lady. Deswegen kommen sie ja zu mir und gehen nicht für zwei Dollar die Stunde zu irgendeiner x-beliebigen Nutte aus West Hollywood. Bei mir kriegen sie was fürs Geld.«*

An dieser Stelle schüttelte Alice leicht den Kopf. Offenbar ging es über ihren Verstand, wie sich eine Frau gegen Bezahlung beschimpfen und misshandeln lassen konnte.

»Und wann haben Sie ihn zuletzt gesehen?«

Mehr Seiten wurden umgeblättert. *»Zu Beginn des Monats, am Zweiten.«*

»Ich zeige Ihnen noch ein paar Bilder.« Alice sah zu Hunter und Garcia und formte stumm »Derek Nicholson« mit den Lippen.

»Äh, nee, den hab ich noch nie gesehen.«

»Sind Sie sicher?«

Mehrere Sekunden Schweigen. *»Ja, ganz sicher.«*

»Der war also nie Kunde bei Ihnen?«

»Hab ich doch grad gesagt.«

»Okay, eine Frage noch. Wissen Sie zufällig, ob Paul und Woods sich kannten? Haben die beiden Sie mal zusammen gebucht oder so was Ähnliches?«

»Nee, Gruppensex mache ich nicht. Das ist mir zu heftig. Das machen meine Kunden auch gar nicht mit. Wenn die mich buchen, wollen sie mich für sich allein haben.« Erneut ein kehliges Lachen. *»Aber klar, die kannten sich. Wegen Paul ist Woods überhaupt erst zu mir gekommen. Als Paul vor ein paar Jahren die ersten Male bei mir war, hat er gesagt, er hat einen Freund, der mich wahrscheinlich auch gern mal treffen würde. Ich hab ihm gesagt, er soll ihm halt meine Nummer geben. Eine Woche später hat dann Woods angerufen.«*

94

Nachdem Alice das Diktiergerät ausgeschaltet hatte, brachte Hunter sie auf den neuesten Stand und berichtete ihr, was er tags zuvor in Nathan Littlewoods Wohnung gefunden hatte. Sie konnte ihre Enttäuschung darüber, dass ihre bahnbrechende Entdeckung letzten Endes gar nicht so bahnbrechend war, nicht verbergen. Doch trotz allem hatte sie etwas sehr Wichtiges herausgefunden. Anhand des Fotos aus Littlewoods Wohnung konnten sie lediglich beweisen, dass Andrew Dupek und Nathan Littlewood sich vor etwa dreißig Jahren gekannt hatten. Alice hingegen hatte entdeckt, dass sie auch kurz vor ihrem Tod noch miteinander zu tun hatten, und das war eine nicht unbedeutende Tatsache. Zu alten Bekannten, seien es Schulkameraden, Kommilitonen, Nachbarn, Kollegen, verlor man schnell den Kontakt. Dass Dupek und Littlewood irgendwann einmal vor dreißig Jahren einen Nachmittag lang zusammen Bier im Park getrunken hatten, bedeutete noch lange nicht, dass sie Freunde gewesen waren. Alices Entdeckung aber bewies genau das – und mehr noch: dass die beiden immer noch befreundet gewesen waren.

»Ich habe mir sämtliche Telefonrechnungen angesehen«, sagte Alice. »Es gab keinen direkten Kontakt zwischen Dupek und Littlewood, wenigstens nicht telefonisch. Aber wie Sie ja wissen, haben viele Leute mehr als ein Handy, und manchmal ist das zweite ein Wegwerfhandy.«

»Was ist mit Derek Nicholson?«

»Ich habe die halbe Nacht in seinen Einzelgesprächsnachweisen gesucht«, antwortete Alice. »Ich bin sechs Monate zurückgegangen, noch vor die Krebsdiagnose. Weder Dupeks noch Littlewoods Handynummer taucht irgendwo bei ihm auf. Und seine Nummer steht auch nicht auf ihren Rechnungen.«

Gegen Ende des Nachmittags bekam Garcia einen vorläufigen Bericht von seinem Recherche-Team. Bislang hatten sie die Schul- und Collegeakten sowie frühere Meldeadressen der Mordopfer überprüft. Sie hatten nichts gefunden, was den Schluss zuließe, dass die drei sich aus der Nachbarschaft, von Schule oder Studium her gekannt hatten. Garcia bat sie weiterzusuchen – nach Mitgliedschaften in Fitnessclubs oder Vereinen, nach allem, was in irgendeiner Weise schriftlich dokumentiert wurde; allerdings war ihm klar, dass diese Dokumente, selbst wenn es sie einmal gegeben hatte, inzwischen vielleicht nicht mehr aufzufinden wären.

Die Sonne war untergegangen, und ein weiterer frustrierender Tag neigte sich dem Ende zu.

Hunter stieß an seinem Schreibtisch einen müden Seufzer aus. Er stellte die Ellbogen auf die Tischplatte und ließ das Gesicht in die Hände sinken. Zum zigsten Mal war er seine Notizen sowie sämtliche Tatortfotos durchgegangen. Die Schattenbilder kamen ihm sinnloser vor denn je. In seinem Schädel pochte ein Schmerz, der, das wusste er, so schnell nicht wieder verschwinden würde. Sein Kopf schwirrte vor tausend Fragen, und die Antworten schienen in unerreichbarer Ferne.

Was war in den Schatten zu sehen? Ein Kojote und ein Rabe, die einen Lügner entlarven sollten? Ein Teufel, der auf seine vier Opfer herabblickte? Eine Gestalt, die auf jemanden zeigte, der in einer Kiste lag? War es ein Sarg? Sollte das Bild eine Beerdigung darstellen? Sah deshalb das nächste Schattenbild aus wie eine Gestalt, die kniend betete? Oder war es ein Kind? Und wie um alles in der Welt hingen die einzelnen Bilder zusammen?

»Was trinken?«, fragte Garcia von seinem Schreibtisch her.

»Hm?« Hunter hob den Kopf und blinzelte mehrmals.

»Wollen wir was trinken gehen?« Garcia warf einen Blick auf seine Uhr und erhob sich. »In dem Büro hier kriegt man

Beklemmungen, außerdem könnte ich schwören, dass ich vor zwei Minuten gesehen habe, wie dir Rauch aus den Ohren kommt. Wir brauchen beide eine Pause. Lass uns was trinken gehen, vielleicht einen Happen essen, und dann legen wir uns schlafen. Morgen sind wir dann wieder frisch.«

Hunter fiel nichts ein, was dagegen sprach. Hätte er Sicherungen im Hirn gehabt, wären die meisten schon vor geraumer Zeit durchgebrannt. Achselzuckend schaltete er seinen Rechner aus.

»Ja. Was trinken. Das klingt jetzt genau richtig.«

95

Die Bar 107 hatte die wahrscheinlich geschmackloseste Innenausstattung in ganz Downtown Los Angeles. Sie lag nur einen Block vom PAB entfernt. Die aus vier Räumen bestehende Retro-Kneipe mit Wänden, die roter waren als das kommunistische Russland, vinylbezogenen Sitznischen und Shabby-Chic-Dekor wurde von vielen für ihre riesige Auswahl an Cocktails und Scotch geschätzt.

Die Bar war gut besucht, aber nicht brechend voll. Hunter und Garcia setzten sich ans hintere Ende der langen lackierten Theke und bestellten je einen zehn Jahre alten Aberlour.

»Sehr gute Wahl«, lobte die Barfrau mit einem einladenden Lächeln. Ihre blonden Haare waren zu einem unordentlichen Knoten hochgesteckt, und die Art, wie ihr einige Strähnen in den Nacken fielen, hatte etwas überaus Anziehendes.

Hunter nahm einen Schluck von seinem Scotch und ließ ihn im Mund kreisen, damit der Hauch von Sherry zur Geltung kam, mit dem der Aberlour aromatisiert war. Der Sherry hob den Geschmack des Whiskys, ohne dass dieser dadurch zu stark nach Wein schmeckte.

Schweigend beobachtete Garcia, wie ein Mann und eine Frau, beide gut gekleidet, an die Bar traten und rasch hintereinander zwei Tequilas tranken. Das Strahlen in ihren Gesichtern verriet ihm, dass sie etwas zu feiern hatten. Dem Mann war anzusehen, dass er die Frau begehrte, aber vermutlich kam er bei ihr nie zum Zug. Ob er an diesem Abend endlich Glück haben würde?

»Wie geht's Anna?«, erkundigte sich Hunter.

Garcia riss sich von der Betrachtung des fremden Paars los. »Ach, ihr geht's gut. Sie hat gerade wieder mit irgendeiner komischen Diät angefangen. Du weißt schon – dies nicht, jenes nicht, keine Kohlehydrate nach sieben Uhr abends ...« Er schnitt eine Grimasse.

»Das hat sie doch gar nicht nötig.«

»Mir musst du das nicht sagen. Ich versuche ihr das immer wieder klarzumachen. Aber sie hört nicht auf mich.« Er lachte kurz auf. »Sie hört auf niemanden.« Er verstummte und nippte an seinem Whisky. »Sie fragt übrigens andauernd nach dir. Wie es dir geht und so.«

»Ich war erst vor drei Wochen zum Abendessen bei euch.«

»Ich weiß, aber du kennst sie doch. Und sie weiß genau, wenn ich nicht gut schlafe, bedeutet das höchstwahrscheinlich, dass du überhaupt nicht schläfst. Sie macht sich Sorgen, Robert. So ist sie nun mal gestrickt.«

Hunters Lächeln war voller Zärtlichkeit. »Ja, ich weiß. Sag ihr, es geht mir gut.«

»Mache ich doch, aber sie weiß es besser.« Garcia begann die Ecken seiner Papierserviette nach innen zu falten. »Und sie versteht nicht, wieso du keine Beziehung hast.«

Hunter kratzte sich unter dem rechten Ohr. Er fühlte dort eine kleine, schmerzende Beule unter der Haut. Ein Stresspickel. Besser, er ließ ihn in Ruhe. »Ja, ich weiß. Sie versucht ständig, mich mit irgendwelchen Freundinnen zu verkuppeln.«

Garcia lachte. »Und du drückst dich immer darum. Aber ganz ehrlich, vielleicht hat sie ja nicht ganz unrecht.«

Hunter sah seinen Partner mit unergründlicher Miene an.

Garcia hielt dem Blick stand. »Sie mag dich wirklich sehr gern. Alice, meine ich.«

»Was?« Hunter hatte keine Ahnung, woher Garcia diese Idee hatte.

»Du weißt doch, dass sie dich mag, oder?«

Hunter musterte Garcia einen Augenblick lang. »Und woher weißt *du* das?«

»Weil ich Augen im Kopf habe. Um das zu merken, muss man kein Detective sein. Tu doch nicht so, als wärst du blind, Robert.«

Ohne etwas zu sagen, griff Hunter nach seinem Glas.

»Im Ernst, sie mag dich. So wie sie dich ansieht, wenn du gerade nicht hinguckst. So wie sie dich ansieht, *wenn* du hinguckst. Das erinnert mich an früher, auf der Schule. Du weißt schon, wenn man auf jemanden stand, aber man hat sich nicht getraut, was zu sagen. Ich weiß das, weil ich selber schüchtern war. Ich habe Ewigkeiten gebraucht, um Anna anzusprechen.« Garcia wartete ab. »Vielleicht solltest du mit ihr mal was trinken gehen. Oder sie zum Abendessen einladen. Sie ist echt nett. Hübsch, intelligent, ehrgeizig ... mir fällt kein Grund ein, weshalb ein alleinstehender Mann nicht mit ihr ausgehen sollte. Und ich will dir ja nicht zu nahe treten, aber Anna hat recht, eine Beziehung würde dir wirklich guttun.«

»Danke, Dr. Love, ich bin zufrieden, so wie die Dinge sind.«

»Ich weiß, dass du zufrieden bist. Ich merke doch, wie die Frauen dich ansehen.« Jedes Mal, wenn die Barfrau an ihnen vorüberging, blieb ihr Blick einen Moment lang an Hunter hängen. Das war sowohl Hunter als auch Garcia aufgefallen. »Versteh mich nicht falsch, ich will hier nicht den Heiratsvermittler spielen. Dafür tauge ich nicht, und dein Privatleben geht mich ja auch gar nichts an. Ich sage nur, dass du Alice mal auf einen Drink einladen solltest. Um sie außerhalb des Büros kennenzulernen – das, wenn ich die Bemerkung hinzufügen darf, mit Fotos von Leichen dekoriert ist. Wer weiß? Vielleicht funkt es ja zwischen euch.«

Hunter ließ den Whisky in seinem Glas kreisen. »Soll ich dir was Komisches erzählen?«, fragte er. »Wir kennen uns von früher.«

»Wer? Du und Alice?«

Hunter nickte.

»Was? Echt?«

Wieder ein Nicken.

»Woher?«

Hunter erzählte es ihm.

»Na, wenn das kein Zufall ist. Dann war sie auch ein Wunderkind? Jetzt komme ich mir ganz schön dämlich vor.«

Lächelnd trank Hunter seinen Scotch aus. Auch Garcia leerte sein Glas.

»Ich will nicht über den Fall reden«, sagte Garcia, »weil ich gleich nach Hause fahre, aber soll ich *dir* mal was Komisches erzählen? Ich bin allergisch gegen Puppentheater, einschließlich Schattentheater. Schon seit meiner Kindheit.«

»Wirklich?«

»Ich weiß, das ist total albern, aber ich fand diese Puppen immer irgendwie unheimlich. Nichts hat mich so gegruselt wie Puppentheater. Und in der fünften Klasse hatten wir diesen Klassenlehrer, der uns gezwungen hat, jeden gottverdammten Monat ein Puppentheaterstück aufzuführen. Entweder ich musste die Puppen bedienen oder mit dem Rest der Klasse dasitzen und zuschauen.« Er lachte voller Unbehagen. »Wer weiß? Vielleicht ist der Mörder ja mein alter Lehrer, der mich in den Wahnsinn treiben will.«

Hunter erhob sich schmunzelnd. »Schön wär's. Das würde uns die Sache bedeutend erleichtern.«

96

An diesem Abend war Hunter so erledigt, dass ihn keine Hyposomnie der Welt am Schlafen gehindert hätte. In seiner Wohnung nahm er erneut eine warme Dusche und schenkte sich noch ein Glas Single Malt ein. Gegen Kopfschmerzen und müde Muskeln half das besser als jede Medizin.

Er ging zum Sofa, ohne im Wohnzimmer das Licht einzuschalten. Er hatte keine Lust, die verblichene Tapete, den ausgetretenen Teppich und die schäbigen Möbel zu sehen.

Hunter konnte sich gar nicht mehr daran erinnern, wann er zum letzten Mal den Fernseher eingeschaltet hatte. Er sah nur sehr selten fern, aber jetzt brauchte er etwas, um sich abzulenken, egal wie trivial es war. Etwas, das wenigstens in dieser einen Nacht seine Gedanken davon abhielt, sich selbständig zu machen und unablässig um den Fall zu kreisen. Er musste dringend abschalten. Obwohl er für sein Leben gerne las, regten Bücher seinen Verstand eher an, wohingegen Fernsehen ihn betäubte.

Auf der Suche nach einer Sportsendung oder einem Cartoon zappte er durch die Kanäle. Ohne Kabel- und Satellitenfernsehen war die Auswahl begrenzt. Schließlich entschied er sich für die Wiederholung eines alten Wettkampfs der Word Wrestling Federation. Leidlich unterhaltsam, aber nicht aufregend genug, um ihn dauerhaft wach zu halten. Ganz allmählich entspannten sich Körper und Geist, und er fiel in einen unruhigen Schlaf.

Es dauerte nicht lange, bis die Alpträume anfingen. Sie kamen in Schüben – ein leerer Raum, kahle Ziegelwände, eine einzelne trübe Glühbirne, die an einem Kabel von der Decke hing. Ihr Licht war schwach, und die Ecken des Raumes lagen im Dunkeln. Alles war so real, dass er sogar den Geruch wahrnahm – feucht, schimmlig, nach Schweiß, Erbrochenem und Blut. In seinem Traum war er lediglich der Zuschauer, vor dessen Augen sich die Handlung abspielte. Er hatte keine Möglichkeit einzugreifen.

Zuerst sah er Garcia, der bewusstlos auf einem fleckigen Metalltisch lag, während eine Gestalt ihn langsam mit einem Küchenmesser zerteilte. Sosehr er sich auch bemühte, Hunter konnte das Gesicht der Gestalt nicht erkennen.

Ein Wimpernschlag, und das Opfer auf dem Metalltisch verwandelte sich. Jetzt bearbeitete der gesichtslose Killer nicht mehr Garcia, sondern dessen Frau Anna mit dem Messer. Ihre verzweifelten Schreie hallten endlos von den Wänden wider.

Hunter zuckte im Schlaf.

Erneuter Szenenwechsel. Diesmal war das Opfer Alice Beaumont, und die Zerstückelung ging wieder von vorne los. Auf dem Fußboden stand das Blut. Hunter konnte nichts tun. Er musste zusehen, wie Menschen, die er kannte, Menschen, die ihm viel bedeuteten, abgeschlachtet wurden wie in einem zweitklassigen Splatter Movie.

Dann begann der Killer, die abgetrennten Gliedmaßen wie Knetmasse zu verformen, er bearbeitete und gestaltete sie zu grotesken Skulpturen. Hunter hörte sein ausgelassenes Lachen, als wäre er ein Kind, das sich über sein neuestes Spielzeug freut.

Jäh riss Hunter die Augen auf, als hätte ihn jemand wachgerüttelt. Stirn und Nacken waren nass von kaltem Schweiß. Er lag in seinem Wohnzimmer auf der Couch. Der Fernsehapparat war noch eingeschaltet, inzwischen lief ein alter Schwarzweißfilm. Aus irgendeinem Grund hatte sich Hunter während des Alptraums an etwas erinnert, was Garcia in der Bar zu ihm gesagt hatte, und sein Gehirn hatte eine aberwitzige Verbindung gezogen.

Er sprang auf und sah zur Uhr – acht Minuten nach sechs. Er hatte fast sechseinhalb Stunden geschlafen. Trotz des schrecklichen Traums waren die Kopfschmerzen verflogen, sein Verstand war klar und ausgeruht. Er musste sofort ins Büro. Er konnte gar nicht fassen, dass er nicht schon früher darauf gekommen war.

97

Als Garcia im PAB ankam, saß Hunter bereits seit etwa anderthalb Stunden vor der Pinnwand mit den Fotos. Im verzweifelten Bemühen, eine Antwort auf die Fragen zu finden, mit denen sein Verstand ihn unablässig bombardierte, hatte er bereits Dutzende von Möglichkeiten durchgespielt. Er war noch nicht so weit, dass er sämtliche offenen Fragen beantworten konnte, aber es hatte sich ein Szenario herauskristallisiert, das ihm schlüssiger erschien als alle anderen, und nun brannte er darauf zu erfahren, was die anderen von seiner Idee hielten.

Captain Blake war die Letzte, die sich zu ihnen ins Büro gesellte. Alice war fünf Minuten vor ihr eingetroffen.

»Ich habe eine Theorie entwickelt«, verkündete Hunter und lenkte ihre Aufmerksamkeit auf die Pinnwand. Dort hatte er einige Fotos anders angeordnet. »Bitte habt Geduld und lasst mich ausreden, auch wenn es zuerst vielleicht ein bisschen absurd klingt.«

Captain Blake verzog den Mund. »Wir haben es mit einem Mörder zu tun, der seine Opfer zerstückelt und Skulpturen und Schattenbilder aus ihren Gliedmaßen macht, Robert. Jede Theorie, die solche Handlungen zu erklären versucht, muss wenigstens ansatzweise absurd sein. Ich denke nicht, dass irgendeiner von uns was anderes erwartet. Schießen Sie los.«

»Also«, begann Hunter. »Wir alle wissen ja, wie viel Zeit und Mühe wir darauf verwendet haben, die Bedeutung hinter den Skulpturen und den Schattenbildern zu verstehen. Seit dem dritten Mordopfer vor drei Tagen – und damit auch der dritten Skulptur und dem dritten Schattenbild – haben wir jede nur erdenkliche Kombination ausprobiert. Carlos und ich haben sogar versucht, die Bilder nicht einzeln, sondern als Teile eines übergeordneten Ganzen zu betrachten.«

Garcia nickte. »Wir dachten, dass die Bilder vielleicht zusammen ein anderes, größeres Bild ergeben. Die Sache kam uns ja von Anfang an wie ein Puzzlespiel vor, also wollte der Täter vielleicht, dass wir genau das machen: alle Teile, die er uns gegeben hat, an den richtigen Platz legen, damit ein Bild daraus wird.«

Captain Blake hob interessiert eine Braue.

»Ein Reinfall, Captain.« Garcia erstickte ihre aufkeimende Hoffnung mit einem Kopfschütteln. »Egal wie wir die einzelnen Bestandteile miteinander kombiniert haben, es ist nichts dabei rausgekommen. Jede Skulptur wirft ein eigenständiges, in sich vollständiges Schattenbild. Sie gehören nicht zusammen.«

Hunter nickte wie zur Bestätigung. »Genau. Wir sind zu dem Schluss gelangt, dass die Bilder voneinander unabhängig und nicht Teile eines größeren Bildes sind.«

»Okay«, sagte Blake. »Dann haben Sie sich also wieder darauf konzentriert, die Bedeutung der einzelnen Bilder zu ermitteln.«

»Ja«, sagte Hunter. »Aber nachdem wir gestern erfahren haben, dass das zweite und das dritte Opfer, Andrew Dupek und Nathan Littlewood, sich kannten – möglicherweise schon seit ihrer Jugend –, habe ich angefangen, neue Möglichkeiten in Betracht zu ziehen.«

»Und zwar?«, fragte Captain Blake.

»Carlos hat gestern Abend was zu mir gesagt. Es hat erst heute Nacht im Schlaf bei mir richtig klick gemacht, dabei hätte ich eigentlich schon viel früher darauf kommen müssen.«

»Was habe ich denn gesagt?«

»Dass du Puppentheater nie leiden konntest. Und du hast mir von eurem Klassenlehrer aus der Fünften erzählt.«

Captain Blakes Blick wurde drohend.

Garcia hob die Schultern, als wäre es keine große Sache. »Ich hatte früher Angst vor Puppen. Habe ich eigentlich immer noch.«

»Was ist mit deinem Klassenlehrer aus der Fünften?«, fragte Alice neugierig.

»Er hat ein Theaterprojekt ins Leben gerufen, und wir mussten jeden Monat ein Puppentheater aufführen.« Garcia kratzte sich nervös die linke Wange. »Mann, hab ich die Stunden gehasst. Und den Lehrer erst. Ich habe das ganze Schuljahr gehasst.«

»Und genau das ist der Punkt, den ich bis dahin überhaupt noch nicht in Betracht gezogen hatte«, sagte Hunter.

»Von welchem Punkt reden Sie, Robert?«, fragte Captain Blake. »Ich glaube nicht, dass irgendeiner von uns versteht, was Sie meinen.«

»Ein Theater, Captain. Ein Puppentheater.« Hunter stellte sich neben die Nachbildung der Skulptur aus Derek Nicholsons Schlafzimmer. »Im Theater werden Puppen nur zu einem Zweck benutzt.«

Die Verwirrung in den Mienen der anderen wurde nicht merklich geringer.

»Um ein Stück aufzuführen?«, fragte Alice.

»Um eine Geschichte zu erzählen«, sagte Garcia eine Sekunde später.

Hunter lächelte triumphierend. »Genau.«

98

Captain Blake warf einen flüchtigen Blick zu Garcia und Alice; auch sie schienen Hunters Gedankengang noch nicht ganz nachvollzogen zu haben.

Hunter wartete nicht ab, dass ihn jemand um Aufklärung bat. »Ich glaube, wir waren die ganze Zeit auf dem richtigen Weg, wir sind nur in die falsche Richtung gegangen. Es *gibt* ein übergeordnetes Ganzes.« Er wies auf die Pinnwand. »Nur ist es kein Bild. Und die Schattenfiguren selber waren der entscheidende Hinweis darauf.« Hunter räusperte sich, bevor er weitersprach. »Ich glaube, dass der Täter ein Theaterstück inszeniert. Wie ein Puppenspieler. Er erzählt uns eine Geschichte, Szene für Szene.«

Verblüfftes Schweigen.

Zeitgleich wandten sich alle von Hunter ab und den Fotos an der Pinnwand zu. Alice biss auf ihrer Unterlippe herum. Hunter war schon aufgefallen, dass sie das immer tat, wenn sie hochkonzentriert war. Er sah seinen Kollegen an, wie sehr sie sich bemühten, ihm zu folgen.

»Ich zeige euch, was ich meine. Fangen wir mit dem ersten Bild an.« Er löschte das Licht, schaltete seine Taschenlampe ein und richtete den Strahl auf die Nachbildung der Skulptur aus Derek Nicholsons Schlafzimmer. An der Wand dahinter wurden die Schatten von Hund und Vogel sichtbar.

»Das erste Bild haben wir als einen Kojoten und einen Raben gedeutet. Ich bin mir sicher, dass Alice uns die korrekte Interpretation der zwei Tiere geliefert hat – sie symbolisieren einen Lügner, jemanden, der andere hintergeht. Ich glaube auch, dass es richtig war, das Bild direkt auf das erste Mordopfer zu beziehen. In den Augen des Mörders war Derek Nicholson ein Lügner.«

»Ja, darüber sind wir uns doch alle einig«, warf Captain Blake ein.

Hunter schaltete das Licht wieder ein. Als Nächstes zeigte er auf das Foto des Schattenbildes, das sie von der Skulptur auf Andrew Dupeks Boot gemacht hatten. »Das zweite Bild haben wir meines Erachtens teilweise richtig und teilweise falsch interpretiert.« Er nickte Alice zu. »Ich glaube, dass Alice mit ihrer Vermutung auch diesmal wieder ins Schwarze getroffen hat: Der Täter verfolgt einen konkreten Plan. Er hat es auf ganz bestimmte Personen abgesehen. Er sucht sich seine Opfer nicht willkürlich aus. Zu dem Zeitpunkt, als er diese Skulptur gemacht hat, hatte er bereits zwei Menschen getötet, Nicholson und Dupek. Wir dachten, dass die zwei liegenden Gestalten genau das darstellen sollten.« Er deutete auf die entsprechende Stelle im Bild. »Und es sah für uns so aus, als stünden noch zwei weitere Namen auf seiner Liste, repräsentiert durch die zwei stehenden Gestalten.«

Captain Blake trat näher zur Pinnwand. »Und Sie glauben, das war falsch?«

»Ja und nein. Ich glaube nicht, dass die zwei, die am Boden liegen, die ersten beiden Mordopfer symbolisieren. Aber unabhängig davon weisen die zwei stehenden Gestalten vielleicht trotzdem darauf hin, dass es zum Zeitpunkt des Mordes an Dupek noch zwei weitere Namen auf der Todesliste des Täters gab.«

Garcia spitzte nachdenklich die Lippen. »Und was sollen die zwei Gestalten auf dem Boden *dann* darstellen?«

»Einen Kampf.«

Erneut trat für einen kurzen Moment Schweigen ein. Alle starrten angestrengt auf das Bild, während sie versuchten, darin zu sehen, was Hunter gesehen hatte.

»Okay, ich erkläre euch, was das ganze Bild meiner Meinung nach zu bedeuten hat«, sagte Hunter schließlich und lenkte die allgemeine Aufmerksamkeit wieder auf sich. »Stellt euch eine Gruppe von vier Freunden vor. Sagen wir, diese Freunde sind Nicholson, Dupek, Littlewood und noch eine weitere Person, die wir nicht kennen. Die Freunde gehen zusammen was trinken oder auf eine Party oder was weiß ich. Sie meinen es ein bisschen zu gut mit dem Alkohol, und es kommt zu Handgreiflichkeiten, wie das bei jungen Männern manchmal so ist. Vielleicht sind sie auch high, jedenfalls geraten sie irgendwie in Streit, entweder mit einem Unbeteiligten oder mit einem Mitglied aus der Clique. Der Streit eskaliert und wird zu einer Schlägerei. Kann sein, dass es anfangs nur ein Spaß war ...«, abermals deutete Hunter auf die zwei Gestalten, die am Boden übereinanderlagen, »... aber am Ende war es keiner mehr.«

Garcia lauschte jedem Wort und kniff sich dabei nachdenklich ins Kinn. So langsam begann er zu ahnen, worauf sein Partner hinauswollte. Dann kam schlagartig die Erleuchtung.

»Sie haben ihn umgebracht«, sagte er.

Das Schattenbild, das er unzählige Male betrachtet hatte, nahm mit einem Mal eine ganz neue Bedeutung an. »Die Schlägerei ist aus dem Ruder gelaufen«, fuhr er eifrig fort. »Der Rest der Gruppe stand daneben und hat zugesehen, oder vielleicht haben sie auch alle mitgemacht. Ein Tritt gegen die Schläfe reicht, einmal stolpern, der Kopf knallt unglücklich gegen die Bordsteinkante oder gegen eine Wand, und die Schlägerei endet ... in einer Tragödie.«

Hunter nickte. »Wahrscheinlich war es gar keine Absicht, aber ich denke auch, dass jemand dabei ums Leben gekommen ist. Zumindest ist das meine Theorie.«

Captain Blake betrachtete das Foto und ließ sich Hunters Ausführungen durch den Kopf gehen. Auch ihr kam es so vor, als hätte sich das Schattenbild mit einem Mal komplett verwandelt.

»Aber dann fehlt hier entweder jemand, oder wir haben uns in der Anzahl vertan«, gab Alice nun zu bedenken.

»Wie meinen Sie das?«, wollte Blake wissen.

»Als wir uns das Schattenbild zum ersten Mal angesehen

haben, wussten wir, dass der Täter bereits zwei Menschen getötet hatte, und wir sind davon ausgegangen, dass er es noch auf zwei weitere abgesehen hat, symbolisiert durch die beiden stehenden Gestalten. Wenn das Bild tatsächlich zwei Leute darstellen soll, die sich prügeln, während der Rest der Gruppe zusieht, und wenn, wie Robert eben vorgeschlagen hat, einer dieser Leute dabei ums Leben gekommen ist, dann bleiben nur drei Personen übrig. Nämlich der, der die Schlägerei überlebt, und die zwei, die danebenstehen und zuschauen.« Sie hielt drei Finger in die Höhe. »Wir haben jetzt drei Opfer – Nicholson, Dupek und Littlewood. Das würde doch bedeuten, dass der Mörder schon alle erwischt hat. Er hat seine Liste abgearbeitet.«

»Du vergisst ihn hier.« Hunter zeigte auf die größte Gestalt im Bild, den gehörnten Teufelskopf, der auf das Geschehen herabschaute. »Ursprünglich dachtest du, die Gestalt repräsentiert den Täter, weißt du noch? Als eine Art Dämon. Ich glaube, das stimmt nicht. Ich glaube, dass der Täter bei jedem Mord die Skulptur und das Schattenbild dazu benutzt hat, um etwas über das jeweilige Opfer auszusagen. Wir haben diese Skulptur hier nicht ohne Grund auf Dupeks Boot gefunden. Ich würde sagen, der Teufel steht für Dupek.«

»Warum?«, wollte Blake wissen.

»Vielleicht um anzudeuten, dass Dupek der Anführer der Gruppe war oder die Schlägerei angezettelt hat. In jeder Gruppe gibt es einen, der als Kopf des Ganzen fungiert. Einer, dem alle folgen. Vielleicht war Dupek derjenige, der den Streit vom Zaun gebrochen hat. Oder er hat, statt die Schlägerei zu beenden, die anderen angestachelt, weiterzumachen.«

Eine unbehagliche Stille trat ein.

Hunter ließ den anderen Zeit, über seine Theorie nachzudenken.

»Vielleicht ist die betreffende Person ja auch gar nicht tot«, meinte Alice schließlich. »Vielleicht hast du recht, und es gab einen Kampf, aber das Opfer ist nicht gestorben, sondern körperlich oder geistig behindert. Vielleicht ist er jetzt nach all den Jahren wieder aufgetaucht und will endlich Rache nehmen.«

Hunter schüttelte den Kopf. »Nein, das Opfer ist gestorben.«

»Woher willst du das so genau wissen?«

»Weil der Täter es uns selbst gesagt hat.«

99

Hunter lenkte ihre Aufmerksamkeit nun auf die Fotos der letzten beiden Schattenbilder aus Nathan Littlewoods Praxis.

»Am letzten Tatort hat uns der Täter zwei Schattenbilder hinterlassen«, erklärte er. »Und ich glaube, wir haben sie in der falschen Reihenfolge betrachtet. Eigentlich ist das hier das erste.« Er zeigte auf das Bild von Littlewoods rechter Hand, das einer knienden Gestalt mit erhobenem Arm glich. Vor der Gestalt lagen undefinierbare Gegenstände auf dem Boden. Deren Schatten stammte von den Fleischstücken, die der Täter aus Littlewoods Oberschenkel herausgeschnitten hatte.

Garcia erschauerte. Eine Empfindung, die sich anfühlte wie ein Stromschlag, begann hinten in seinem Nacken und breitete sich mit rasender Geschwindigkeit in seinem Körper aus. Hunter musste es ihm nicht erklären. Er sah es auch so.

»O mein Gott«, sagte er und neigte den Kopf ein Stück zur Seite. »Uns war nie so richtig klar, weshalb der Mörder uns zwei Bilder am Tatort hinterlassen hat. Und vor allem hatten wir Schwierigkeiten, das zweite Bild zu deuten. Es hat ausgesehen wie jemand, der am Boden kniet und betet oder so ähnlich, und vor ihm liegt irgendwas. Aber das stimmt gar nicht.« Er holte tief Luft und hielt sie lange an, bevor er sie langsam wieder ausstieß. »Das da ist jemand, der eine Leiche zerlegt.«

Garcias Worte hallten durch den Raum wie ein wild gewordener Gummiball, der wieder und wieder von den Wänden zurückgeworfen wurde.

Captain Blake stand da wie angewurzelt. Einen Augenblick lang vergaß sie zu blinzeln. »Sie meinen also, dass diese Gruppe von Freunden in eine Schlägerei geraten ist, jemanden totgeprügelt hat und die Leiche dann zerlegt hat, um sie verschwinden zu lassen?«

Hunter nickte und deutete auf das letzte Schattenbild, das eine Person darzustellen schien, die eine zweite, in einer Kiste liegende Person betrachtete.

»Sie haben den zerstückelten Körper in irgendein Behältnis gelegt und ihn dann aus dem Weg geräumt«, sagte Alice und stieß einen schweren Seufzer aus. Auf einmal war die Bedeutung der beiden Bilder glasklar.

Hunter wartete ab. Er musterte die beunruhigten Gesichter der anderen. Fast eine Minute verstrich, ehe Captain Blake erneut das Wort ergriff.

»Was meinen Sie, wie lange ist das her?«

»Über den Daumen gepeilt, dreißig Jahre. Es muss passiert sein, als Nicholson, Dupek und Littlewood noch jung waren, ziemlich jung – Teenager, vielleicht auch Anfang zwanzig. Vermutlich vor Littlewoods Heirat. Die war vor siebenundzwanzig Jahren.«

»Die naheliegende Erklärung wäre also, dass unser Mörder zu dem Opfer in irgendeiner persönlichen Beziehung stand und nun auf Rache sinnt«, resümierte Captain Blake.

»So ist es«, pflichtete Hunter ihr bei.

»Aber warum erst jetzt?«

»Weil unser Mörder bis vor ein paar Monaten gar nicht wusste, was damals passiert ist«, sagte Hunter.

Plötzlich rutschten in Garcias Kopf auch die letzten Puzzleteile an ihren Platz. »Nicholson«, rief er. Er ging zu seinem Schreibtisch zurück, nahm sein Notizbuch und blätterte hastig darin.

Captain Blake und Alice drehten sich zu ihm um.

»Hier steht es. Derek Nicholsons Pflegerin Amy Dawson hat ausgesagt, er hätte ihr gegenüber mal erwähnt, dass er sich mit jemandem aussprechen will. Ihm die Wahrheit über irgendetwas sagen. Und dass es, egal wie viel Gutes man im Leben tut, Fehler gibt, die einen bis in den Tod verfolgen.« Er warf das Notizbuch zurück auf den Tisch. »Genau *das* muss er damit gemeint haben. *Das* ist der Fehler, der ihn sein Leben lang verfolgt hat.« Sein Blick ging zu Hunter. »Die Person, die ihn besucht hat. Der Mann, den wir noch nicht identifizieren konnten.«

Hunter nickte.

»Amy hat gesagt, Nicholson hätte nach seiner Krebsdiagnose nur von zwei Personen Besuch bekommen«, erklärte Garcia an Captain Blake und Alice gewandt. »Bezirksstaatsanwalt Bradley war der eine, aber den zweiten Besucher haben wir nie identifiziert. Er muss unser Mörder sein. Nicholson hat ihm gebeichtet, was damals geschehen ist. Er wollte das Geheimnis nicht mit ins Grab nehmen.«

»Und ein paar Wochen später wurde er ermordet«, sagte Captain Blake. »Der Beginn des Rachefeldzugs.«

»Wenn du recht hast«, wandte Alice sich an Hunter, als ihr ein weiterer Zusammenhang klar wurde, »dann muss Nicholson schon früher mit unserem Täter befreundet gewesen sein oder ihn zumindest gekannt haben. Sonst hätte er ihn ja nicht zu sich nach Hause einladen können, um sein Gewissen zu erleichtern. Und deswegen war er in den Augen des Täters auch ein Lügner.« Sie schüttelte den Kopf. »Oder besser noch ein Verräter. Der Täter hat sich von ihm verraten gefühlt. Genau wie das Schattenbild es uns gesagt hat.«

Hunter nickte.

»Im nächsten Schattenbild«, fuhr sie fort, »hat der Täter Andrew Dupek als den Anführer der Gruppe gebrandmarkt – als den, der über die anderen bestimmt hat.«

Wieder ein Nicken.

»Und Nathan Littlewood war derjenige, der die Leiche beseitigen musste.«

»Ich glaube nicht, dass er sie beseitigt hat«, widersprach Hunter. »Ich glaube, er hat sie bloß zerstückelt und in irgendeinen Behälter gepackt. Ich glaube, derjenige, der den Behälter letztlich hat verschwinden lassen, ist der Letzte auf der Liste unseres Täters. Das vierte Mitglied der Gruppe. Das nächste Opfer.«

Schweigen, während alle die Information verarbeiteten.

»Aber wie gesagt.« Hunter massierte sich den Nacken. »Im Moment ist das alles nichts weiter als eine aberwitzige Theorie. Ich habe keinen einzigen Beweis dafür.«

»Aberwitzig oder nicht, es scheint doch alles zusammenzupassen«, sagte Captain Blake, dann wandte sie sich erneut den Fotos an der Pinnwand zu. »Außerdem würde das auch erklären, wieso unser Täter seine Opfer zerstückelt. Er zahlt es ihnen mit gleicher Münze heim – Auge um Auge. Wie du mir, so ich dir.«

Sie schwieg kurz, während sie sich alles durch den Kopf gehen ließ. Seit dem ersten Mord waren zehn Tage vergangen, und angesichts ihrer momentanen Lage war sie bereit, sich an jeden Strohhalm zu klammern. Ganz abgesehen davon, dass sie es hasste, mit dem FBI zusammenzuarbeiten.

»Okay, die Theorie ist plausibel, und sie ergibt mehr Sinn als alles, was wir bisher hatten. Bleiben wir erst mal dabei. Wir setzen ein Team darauf an, die Biografien unserer drei Opfer zu durchleuchten. Wenn es diesen Freundeskreis tatsächlich gegeben hat, will ich wissen, wer die vierte Person ist. Wenn Sie das FBI kontaktieren müssen, um an bestimmte Informationen zu kommen, dann tun Sie es. Ich kann die

Feds nicht besser leiden als Sie, aber sie verfügen nun mal über mehr Ressourcen als wir und können viele Informationen schneller beschaffen. Sagen Sie dem Team, das für Derek Nicholson zuständig ist, sie sollen noch gründlicher suchen. Wir müssen wissen, wer dieser Besucher war. Sprechen Sie noch mal mit den beiden Pflegerinnen. Und stellen Sie ein weiteres Team zusammen, das nach allen Mordfällen sucht, bei denen die Opfer zerstückelt und in einen Koffer, einen Container, eine Streichholzschachtel oder weiß der Henker was gelegt wurden. Ich weiß, es besteht die Möglichkeit, dass die Leiche nie gefunden wurde, aber *wenn* sie gefunden wurde und wenn Sie tatsächlich richtigliegen« – diese Worte waren an Hunter gerichtet –, »dann kennen wir unseren Killer, sobald wir das Opfer kennen.«

100

Die nächsten vierundzwanzig Stunden vergingen wie im Flug. Alle arbeiteten so schnell und so hart sie konnten. Trotzdem ergab sich nur wenig Neues.

Aufgrund ihrer Erfahrung im Umgang mit Datenbanken hatte Alice sich bereit erklärt, die Suche nach alten Fällen von in Behältern aufgefundenen zerstückelten Leichen zu übernehmen. Leider stieß sie dabei ziemlich schnell an Grenzen. Sie war in der digitalen Welt zu Hause. Solange eine Information irgendwo online gespeichert war, konnte sie sie finden. Doch sobald man nach Unterlagen zu einem Ereignis suchte, das mehrere Jahre vor Einführung digitaler Datenbanken stattgefunden hatte, wurde das Ganze zu einem Glücksspiel. Falls irgendwann einmal ein unterbezahlter Angestellter mit der geisttötenden Aufgabe betreut worden war, die relevanten Fallakten vom Papier in den Computer zu übertragen, würde Alice sie auch aufspüren, ganz egal, wo sie sich befanden. Dessen war sie sich absolut sicher. Wenn die Akten allerdings noch in irgendeinem dunklen Archivkeller lagen, würden sie dort aller Wahrscheinlichkeit nach auch bleiben. Angesichts fehlender Geldmittel und Personalknappheit würden die meisten Behörden es niemals schaffen, ihre alten Aktenbestände komplett zu digitalisieren.

Hunter und Garcia fuhren ein drittes Mal zu Amy Dawson. Sie hatte die Titelseiten der Zeitungen und die Fotos der drei Mordopfer gesehen. Es war ihr unbegreiflich, wieso ein Serienmörder es auf Mr Nicholson abgesehen haben könnte.

Hunter befragte sie erneut zu Nicholsons Bemerkung über seine geplante Aussprache, aber auch diesmal musste Amy ihn enttäuschen. Mehr habe Nicholson dazu nicht gesagt, und er habe auch keine Namen genannt. Sie wusste weder, welche Wahrheit er habe beichten wollen, noch waren ihr weitere Einzelheiten zum geheimnisvollen Besucher eingefallen.

Das Gespräch mit Melinda Wallis, der Pflegeschülerin, die Nicholsons Leiche gefunden hatte, gestaltete sich als deutlich schwieriger. Nach den Vorfällen war sie zurück ins Haus ihrer Eltern gezogen. Diese wohnten in La Habra Heights, einer ländlich geprägten Ortschaft in einem Tal an der Grenze zwischen Orange County und Los Angeles County. Trotz Hunters psychologischer Erfahrung erwies es sich als fast unmöglich, sie zu vernehmen. Das Trauma, das sie durch den Anblick von Nicholsons Leiche erlitten hatte, das Wissen, einem kaltblütigen Mörder ganz nahe gekommen zu sein, und die blutige Botschaft, die dieser für sie an die Wand geschrieben hatte, hatten sich tief in ihrem Bewusstsein und Unterbewusstsein festgesetzt. Selbst eine jahrelange Therapie – die ihre Familie im Übrigen nicht bezahlen konnte – würde sie nicht wieder in den Menschen zurückverwandeln, der sie davor gewesen war. Melinda war auf tragische Weise zu einem weiteren Opfer des Totenkünstlers geworden.

101

Vor ihrer Rückkehr ins PAB mussten Hunter und Garcia noch einen letzten Zwischenstopp einlegen: Allison Nicholsons Wohnung im unmittelbar südlich von Beverly Hills gelegenen Pico-Robertson.

Derek Nicholsons jüngere Tochter wohnte in einem luxuriösen Drei-Zimmer-Apartment in der begehrten Hillcrest-Siedlung, die neben dem berühmten Hillcrest Country Club lag. Hunter hatte zuvor beide Nicholson-Töchter telefonisch verständigt und sich für Viertel nach sieben mit ihnen in Allisons Wohnung verabredet.

Die Hillcrest-Siedlung sah eher nach teurer Hotelanlage aus als nach einer gewöhnlichen Wohnsiedlung. Die Bewohner genossen den Luxus eines großen Fitness-Centers mit Cardio-Bereich, Trockensauna, zwei Schwimmbecken, zwei Spas, riesigen Palmen, Wasserfällen, einem Außenkamin mit Loungebereich und Grillplätzen. Nachdem Hunter und Garcia sich beim Wachmann am elektronisch gesicherten Tor angemeldet hatten, beschrieb dieser ihnen den Weg zum Besucherparkplatz.

Der Pförtner in der Eingangshalle von Allisons Apartmentgebäude begleitete Hunter und Garcia zum Fahrstuhl und teilte ihnen mit, dass Miss Nicholsons Wohnung im obersten Stockwerk lag.

Die Opulenz, die beim Tor begonnen hatte, erreichte in Allisons Wohnung ihren Höhepunkt. Das Wohnzimmer hatte annähernd die Ausmaße eines Basketballfelds und war mit Böden von Karndean, prächtigen Kronleuchtern, Perserteppichen und sogar einem Kamin aus Granit ausgestattet. Die Möbel waren fast allesamt Antiquitäten, und an den Wänden hingen teure Gemälde. Trotzdem war die Einrichtung geschmackvoll, und die Wohnung wirkte sehr gemütlich.

Allison bat beide Detectives mit einem höflichen, wenngleich traurigen Lächeln herein. Ihre dunkelbraunen Augen waren von Kummer gezeichnet. Überhaupt hatte ihre Schönheit stark unter der Trauer gelitten, allerdings sah Olivia nicht weniger mitgenommen aus. Allison trug noch ihre Bürokleidung – ein perfekt sitzendes Kostüm kombiniert zu einer grauen Rüschenbluse mit V-Ausschnitt. Nur die Pumps hatte sie abgestreift. Ohne Schuhe maß sie etwa einen Meter fünfundsechzig.

»Bitte, setzen Sie sich doch«, sagte sie und deutete auf zwei hellbraune Chesterfield-Ledersessel.

Olivia stand am Fenster. Sie hatte sich die langen Haare zurückgekämmt und am Nacken mit einer Spange zusammengefasst.

»Es tut uns leid, dass wir Sie stören«, sagte Hunter und nahm Platz. »Wir machen es kurz.« Er legte den Schwestern die Fotos von Dupek und Littlewood vor, die auf der Titelseite der *LA Times* abgedruckt gewesen waren. Weder Allison noch Olivia konnten bestätigen, dass ihr Vater mit einem der zwei anderen Mordopfer befreundet gewesen war. Weder die Bilder noch die Namen sagten ihnen etwas.

»Wer sind diese Leute?«, wollte Olivia wissen.

»Bekannte Ihres Vaters«, antwortete Hunter. »Zumindest waren sie es vor langer Zeit. Wir wissen nicht genau, ob sie nach wie vor Kontakt hatten.«

Allison stand ihre Verwirrung ins Gesicht geschrieben.

»Vor langer Zeit?«, fragte Olivia weiter. »Wie lange denn?«

»Ungefähr dreißig Jahre«, gab Garcia ihr Auskunft.

»Was?« Allisons Blick ging von den zwei Detectives zu ihrer Schwester und dann zurück zu Garcia. »Damals war ich noch nicht mal auf der Welt. Was haben mein Vater und irgendwelche Freunde von vor dreißig Jahren mit dieser Sache zu tun?«

»Wir glauben, dass die Morde nicht willkürlich verübt wurden, sondern der Täter es auf eine ganz bestimmte Gruppe von Freunden abgesehen hat«, erklärte Hunter.

»Eine ganz bestimmte Gruppe von Freunden?«, echote Olivia. »Wie viele waren es denn?«

»Wir glauben, es waren mindestens vier.«

Hunters Worte hingen einen Moment lang in der Luft.

»Wieso?« Olivia trat näher. »Wieso ist ein Mörder hinter diesen Leuten her?«

»Wir wissen es nicht genau.« Hunter hielt es nicht für sinnvoll, Olivia und Allison von seiner Theorie zu erzählen.

»Und Sie glauben, dass der Mörder noch mal zuschlagen wird.«

Hunter sah etwas in Olivias Augen aufblitzen.

Weder er noch Garcia beantworteten die Frage.

»Sie glauben also, dass es der Mörder auf eine ganz bestimmte Personengruppe abgesehen hat«, fasste Olivia zusammen. »Aber Sie wissen nicht genau, wie viele Personen es sind. Es handelt sich um Männer, die vor dreißig Jahren befreundet waren, von denen Sie allerdings nicht wissen, ob sie immer noch befreundet sind. Ja, Sie wissen nicht einmal, warum der Mörder es auf sie abgesehen hat. Unterm Strich wissen Sie so gut wie gar nichts, oder?«

Hunter sah, dass Allison kurz davor war, in Tränen auszubrechen. Ihm war das Sideboard hinter den Chesterfield-Sesseln aufgefallen, auf dem eine kleine Galerie unterschiedlich großer gerahmter Fotos stand. Es waren allesamt Bilder ihrer Familie.

»Sagen Sie, hätten Sie zufällig ein Bild von Ihrem Vater,

als er noch jünger war, das wir uns ausborgen könnten?«, wandte Hunter sich an Allison. »Das würde uns wirklich sehr helfen. Sie bekommen es zurück.«

Allison nickte. »Ich habe ein altes Hochzeitsfoto.« Sie deutete zum Sideboard, neben dem ihre Schwester Aufstellung bezogen hatte.

Olivia drehte sich um und betrachtete die Bilder. Sie zögerte. Wieder schien sich irgendeine Emotion in ihr zu regen. Schließlich griff sie nach einem Bild und starrte es einen Moment lang an, ehe sie es an Hunter weiterreichte. Das zehn mal fünfzehn Zentimeter große Foto zeigte Derek Nicholson mit seiner Frau. Ihr strahlendes Lächeln verriet, wie glücklich sie waren. Allison sah ihrer Mutter sehr ähnlich, vor allem die Augenpartie. Hunter versuchte sich an das Foto von Nicholson zu erinnern, das bei ihnen im Büro lag. Es war ein Jahr vor der Krebsdiagnose aufgenommen worden. Bis auf den fliehenden Haaransatz und die obligatorischen Fältchen hatte er sich nicht sehr stark verändert.

Als sie wieder in Garcias Wagen saßen und dieser gerade den Schlüssel im Zündschloss umdrehte, klingelte Hunters Handy – *Anrufer unterdrückt*.

»Detective Hunter«, meldete er sich.

»Detective, hier ist Tammy von der Hotline. Ich habe hier jemanden in der Leitung, der mit den Detectives vom Totenkünstler-Fall sprechen möchte.«

Hunter wusste, dass das Team von der Hotline angehalten war, alle unseriösen Anrufer abzuwimmeln. Jedes Mal, wenn sich die Nachricht eines neuen spektakulären Falls verbreitete, bekamen sie Dutzende Anrufe pro Tag – von Menschen, die auf eine Belohnung aus waren, von Betrunkenen, Junkies, Lügnern, Spinnern, Schwindlern, Leuten, die nach Aufmerksamkeit suchten, oder solchen, die der Polizei einfach nur auf die Nerven gehen wollten. Ging es um einen Serienmörder, stieg die Anzahl auf das Zehnfache, und es gingen tagtäglich Hunderte, manchmal sogar Tausende von

Anrufen in der Zentrale ein. Dies war der erste Anruf seit Beginn der Ermittlungen, der von der Hotline zu ihnen durchgestellt wurde.

»Sie sagt, sie hat Informationen«, setzte Tammy hinzu.

»Was für Informationen?«, fragte Hunter und machte gleichzeitig Garcia ein Zeichen, noch nicht loszufahren.

Tammy räusperte sich. »Sie behauptet, alle drei Mordopfer gekannt zu haben.«

102

Das schmuddelige Café lag an der Ecke Ratliffe Street und Gridley Road in Norwalk im Südosten von Los Angeles. Alle Tische bis auf einen waren besetzt. An einem Platz mit Blick auf die Fensterfront saß eine Afroamerikanerin Anfang fünfzig. Auf ihrem Tisch stand eine Tasse Kaffee, die sie, halb ausgetrunken, beiseitegeschoben hatte. In den fünfzehn Minuten, die sie nun schon hier wartete, war sie bereits zweimal kurz davor gewesen, einfach aufzustehen und zu gehen. Sie wusste immer noch nicht, ob sie vielleicht aus einer Mücke einen Elefanten machte, aber der Zufall schien ihr zu groß, um einfach *nur* ein Zufall zu sein.

Sie hatte die beiden gesehen, lange bevor sie das Café betraten. Schon als sie draußen den Wagen parkten. Einen Cop konnte sie immer noch aus einer Meile Entfernung erkennen. Sie blickte auf, als sie zur Tür hereinkamen, und Hunter sah ein Gesicht, das vor langer Zeit einmal hübsch gewesen sein musste, nun aber eingefallen und abgekämpft wirkte. An ihrer linken Wange hatte die Frau eine lange dünne Narbe, die zu verbergen sie sich keinerlei Mühe gab. Ihre Blicke trafen sich flüchtig.

»Jude?«, fragte Hunter, als er an ihren Tisch trat. Er wusste, dass sie nicht wirklich so hieß, aber es war der Name, den sie ihm am Telefon genannt hatte.

Die Frau nickte und schaute ihnen forschend ins Gesicht.

»Ich bin Detective Hunter, und das ist Detective Garcia. Dürfen wir uns zu Ihnen setzen?«

Sie erkannte Hunters Stimme von dem kurzen Telefonat wieder, das sie vor etwas weniger als einer halben Stunde geführt hatten. Ihre Antwort bestand aus einem kaum wahrnehmbaren Schulterzucken.

»Möchten Sie vielleicht noch einen Kaffee?«, bot Hunter ihr an.

Sie schüttelte den Kopf. »Ich muss morgen früh raus und hab heute sowieso schon zu viel Kaffee getrunken.« Ihre Stimme war ein wenig rau, fast sinnlich, aber trotzdem fest. Sie trug ein weißes Oberteil mit Rundhalsausschnitt und einer aufgestickten roten Rose über der linken Brust. Ihr Parfüm hatte einen zarten Duft, jedoch mit einer würzigen Basisnote, etwas Herbes und Exotisches wie Nelken oder Sternanis.

»Was kann ich den Herren bringen?«, erkundigte sich die übergewichtige Kellnerin, die zu ihnen an den Tisch gekommen war.

»Sind Sie ganz sicher?«, fragte Hunter noch einmal und lächelte in Judes Richtung.

Jude nickte.

»Dann zwei Kaffee, schwarz, ohne Zucker«, bat Hunter die Kellnerin.

Diese nickte und begann am Nebentisch die Teller abzuräumen.

Eine Zeitlang saßen sie und schwiegen. Sobald die Kellnerin in der Küche verschwunden war, sah Jude über den Tisch zu Hunter und Garcia. »Okay, ich hab's Ihnen ja schon am Telefon gesagt, ich weiß nicht, ob es wichtig ist, aber es geht mir jetzt schon seit zwei Tagen im Kopf rum. Ich glaube nicht an Zufälle, wissen Sie?«

Hunter legte seine gefalteten Hände auf den Tisch. Er wusste, dass es das Klügste war, sie einfach reden zu lassen und keine Fragen zu stellen.

»Vor zwei Tagen bin ich mit der U-Bahn zur Arbeit gefahren, wie immer«, begann sie. »Ich lese nicht gern Zeitung, schon gar nicht die *LA Times*. Da steht einfach zu viel Müll drin, und davon hab ich in meinem Leben schon so genug. Na ja, egal, jedenfalls saß mir diese Frau gegenüber, und die hatte eine Zeitung dabei. Beim Durchblättern hab ich zufällig die Schlagzeile auf der Titelseite gesehen.« Sie schürzte die Lippen und schüttelte rasch den Kopf. »Zuerst hab ich mir nichts weiter dabei gedacht. Wieder mal ein Mörder, der L. A. unsicher macht – na und? Aber dann hab ich eins der Fotos gesehen und bin stutzig geworden.«

Die Kellnerin kam mit zwei Tassen schwarzem Kaffee an ihren Tisch zurück.

»Welches Foto?«, fragte Garcia, als die Kellnerin außer Hörweite war.

»Von einem der Opfer.« Jude beugte sich vor und stützte die Ellbogen auf den Tisch. »Der Typ namens Andrew Dupek.«

Garcia nickte gemessen. »Was war mit dem Foto? Wieso sind Sie darauf aufmerksam geworden?«

»Eigentlich war es mehr der Name. Ich hab den Namen wiedererkannt.« Jude bemerkte den leisen Zweifel in Garcias Miene. »In der Schule hatte ich mal was mit einem Jungen namens Fabian Nowak«, erklärte sie. »Seine Familie kam aus Polen.« Ein wehmütiges Lächeln flog über ihr Gesicht. Ihre Zähne waren fleckig und kariös. »Der war echt ein netter Kerl. Und Sie wissen ja, wie man in dem Alter ist, oder? Unheimlich neugierig. Ich hab ihn die ganze Zeit gelöchert, er soll mir beibringen, wie man verschiedene Sachen auf Polnisch sagt.« Sie neigte den Kopf ein wenig nach links und sagte ganz nüchtern: »Hauptsächlich Schimpfwörter. An die meisten kann ich mich immer noch erinnern.«

Garcias Verwirrung wuchs, auch wenn er versuchte, sich nichts anmerken zu lassen.

»Dupek heißt ›Arschloch‹ auf Polnisch.«

»Im Ernst?« Garcia warf Hunter einen Blick zu.

»Ich wusste das auch nicht.«

»Das stimmt wirklich«, bekräftigte Jude. »Und deswegen hab ich mir das Foto näher angeschaut. Er sah natürlich älter aus. Seine Haare waren grau, aber das Gesicht hätte ich überall wiedererkannt. Es war derselbe Typ. Danach hab ich mir auch die Fotos von den anderen zwei Ermordeten angesehen, und dann ist mir alles wieder eingefallen. Sie sahen anders aus als damals, älter, aber je länger ich hingesehen hab, desto sicherer war ich mir. Ich hab sie alle drei gekannt.«

Hunter hatte seinen Kaffee noch nicht angerührt. Er beobachtete aufmerksam Judes Mimik und Körpersprache. Kein Zucken, keine plötzlichen Pupillenbewegungen, kein nervöses Fummeln. Falls sie log, log sie sehr gut.

»Obwohl, gekannt ist vielleicht zu viel gesagt«, setzte Jude hinzu. »Ich wurde von ihnen zusammengeschlagen.«

103

Die Worte trafen Hunter und Garcia mit der Wucht einer Steinlawine. Ihnen blieb beinahe die Luft weg.

Garcia musste sich schütteln, um den Ausdruck der Fassungslosigkeit loszuwerden, zu dem sein Gesicht erstarrt war. »Sie wurden von ihnen zusammengeschlagen?«

Zum ersten Mal unterbrach Jude den Blickkontakt zu den Detectives. Sie starrte in ihre halbvolle Kaffeetasse. »Ich bin nicht stolz auf mein Leben, aber ich schäme mich auch nicht dafür. Jeder hat irgendwann mal Dinge gemacht, die er im Nachhinein lieber nicht gemacht hätte.« Sie hielt kurz inne, um sich zu sammeln. Hunter und Garcia ließen ihr die Zeit, die sie brauchte. »Als ich noch viel jünger war, bin ich unten am Hollywood Boulevard, am hinteren Ende des Strip, auf den Strich gegangen.«

Das östliche Ende des berühmten Hollywood Boulevard galt einst als der bekannteste Rotlichtbezirk von Los Angeles.

»Ich war neu in der Gegend. Eigentlich war mein Stammplatz drüben in Venice Beach, aber damals war auf dem Strip mehr los. Wenn man die Kondition hatte, konnte man richtig gut Kasse machen.« Es lag keinerlei Scham in ihren Worten. Sie konnte ihre Vergangenheit nicht ändern, und sie trug sie mit großer Würde. »Wie auch immer, jedenfalls bin ich eines Abends zu diesem Typen ins Auto gestiegen. Es war schon ziemlich spät, nach Mitternacht, glaub ich. Er sah ganz gut aus, und er war irgendwie witzig. Er ist mit mir zu einer Wohnung in Griffith Park gefahren, aber was er mir vorher nicht gesagt hatte, war, dass da noch drei andere Kerle auf mich warteten.«

Judes Blick ging an den beiden Detectives vorbei in die Ferne, als versuche sie, die Zukunft zu sehen.

»Ich hab ihnen gleich gesagt, dass ich keinen Gruppensex mache, nicht für alles Geld der Welt.« Sie verstummte und griff nach ihrem kalten Kaffee.

»Aber das hat sie nicht gekümmert«, sagte Hunter.

»Nein, hat's nicht«, sagte sie, nachdem sie einen Schluck getrunken hatte. »Sie waren alle auf irgendwelchen Drogen und haben die ganze Zeit Alkohol getrunken. Aber das Schlimme war nicht, mit vier besoffenen Männern Sex zu haben. Das Schlimme war, dass sie es auf die harte Tour mochten.« Sie hielt inne und dachte noch einmal über ihre Worte nach. »Na ja, zwei von ihnen jedenfalls. Als sie mit mir fertig waren, hatte ich so viele blaue Flecke, dass ich eine Woche lang nicht arbeiten konnte.«

Es war sinnlos, Jude zu fragen, ob sie zur Polizei gegangen war. Sie arbeitete auf der Straße, und es war die traurige

Wahrheit, dass die Polizei ihr vermutlich gar nicht zugehört hätte. Womöglich wäre sie noch wegen Prostitution verhaftet worden.

»Aber so was passiert nun mal in dem Job«, sagte Jude in schicksalsergebenem Tonfall und ohne jede Bitterkeit. »Das ist heute auch nicht anders. Das war eben das Risiko, wenn man auf eigene Rechnung arbeiten wollte. Ich war vorher auch schon verprügelt worden, und zwar schlimmer. So ist das halt. Wenn man auf der Straße arbeitet, weiß man nie, was für ein Sack das Fenster runterkurbelt und dich mitnimmt.«

Mit »auf eigene Rechnung« meinte Jude, dass sie keinen Zuhälter gehabt hatte. Zuhälter boten ihren Mädchen Schutz. Wenn ein Freier handgreiflich wurde oder sich weigerte zu zahlen, bekam er dafür die Quittung in Form von gebrochenen Beinen oder Schlimmerem. Das Problem war nur, dass die Mädchen für einen Hungerlohn arbeiten mussten. Zuhälter kassierten achtzig bis neunzig Prozent von dem, was die Mädchen verdienten, manchmal sogar noch mehr.

»Der Fahrer«, fuhr Jude fort. »Der, der mich mitgenommen und zu seinen Freunden gebracht hat – das war der Typ auf dem Foto in der Zeitung. Dupek. Das Arschloch.«

»Er hat Ihnen gesagt, wie er heißt?«, fragte Garcia.

»Nein, aber als er auf mir lag und mir mit seinen dicken Pfoten ins Gesicht geschlagen hat, hab ich einen oder zwei von den anderen gehört, wie sie ihn angefeuert haben. Erst dachte ich, das ist ein Witz oder so. Dass sie ihn aus Spaß ›Arschloch‹ auf Polnisch nennen. Aber dann ist mir klargeworden, dass das ja gar nicht sein kann. Ich weiß noch, wie ich gedacht hab: Er ist nicht das einzige Arschloch hier im Raum. Wenn du einen Namen hörst, während jemand dich vergewaltigt und verdrischt, dann vergisst du den nicht so schnell.«

»Und bei den anderen beiden sind Sie sich auch ganz

sicher? Ich meine die anderen Fotos, die Sie in der Zeitung gesehen haben – von Derek Nicholson und Nathan Littlewood?«

»Ihre Namen hab ich an dem Abend nicht gehört. Aber ich kann mich noch an die Gesichter erinnern. Ich hab extra nicht die Augen zugemacht. Ich wollte ihnen nicht die Genugtuung gönnen und ihnen meine Angst zeigen. Ich weiß ja, dass solche Männer darauf abfahren. Wenn die Frau Angst hat und unterwürfig ist. Aber ich hab mir an dem Abend Mühe gegeben, mich nicht zu unterwerfen, wenigstens nicht im Kopf. Ich hab ihnen direkt in die Augen gesehen, während sie mich vergewaltigt haben. Jedem Einzelnen von ihnen.« Jude sah zu Garcia auf. »Also: Ja, ich bin mir ganz sicher, dass die anderen beiden Typen aus der Zeitung an dem Abend auch dabei waren.«

Hunter musterte sie weiterhin aufmerksam. In ihrer Stimme schwang Wut mit, aber es war eine alte Wut über etwas, das lange zurücklag. Ein Berufsrisiko, wie sie gesagt hatte. Sie hatte damit abgeschlossen.

»Sie sagten, zwei der vier waren brutaler als die anderen«, sagte Hunter. »Welche zwei waren das, wissen Sie das noch?«

Jude fuhr sich mit der Hand durchs Haar. Ihr Blick ging wieder zu Hunter. »Und ob. Arschloch und dieser Littlewood. Das waren die Einzigen, die mich geschlagen haben. Die anderen beiden hatten zwar auch Sex mit mir, aber sie waren nicht so brutal. Ich glaub sogar, dass sie ihren Kumpels gesagt haben, sie sollen es ein bisschen ruhig angehen lassen.«

Hunter starrte auf die Wachstuchdecke, während er über Judes Worte nachdachte. In seiner Kindheit und Jugend war er dem Phänomen oft begegnet und als Erwachsener auch: Gruppendruck. Es gab ihn überall, selbst innerhalb des LAPD. Menschen taten Dinge, die sie nicht guthießen oder nicht tun wollten, nur um dazuzugehören. Das reichte von ganz gewöhnlichen Dingen wie Rauchen über Mobbing bis hin zu gefährlichen, brutalen Verbrechen – sogar Mord.

»Wie lange ist das jetzt her?«, fragte Hunter.

»Achtundzwanzig Jahre«, sagte Jude. »Ein paar Monate danach bin ich weg von der Straße.«

104

Einen Moment lang sagte keiner ein Wort. Jude hatte soeben den Beweis geliefert, dass sich Derek Nicholson, Andrew Dupek und Nathan Littlewood tatsächlich gekannt hatten und regelmäßig zusammen unterwegs gewesen waren. Außerdem schien Hunters Theorie nun auch in dem Punkt bestätigt, dass die Gruppe tatsächlich noch ein viertes Mitglied gehabt hatte.

»Sind Sie ganz sicher, dass Sie sich an keine weiteren Namen erinnern können?«, fragte Hunter schließlich und brach damit das Schweigen.

Jude fuhr sich mit der Zunge über die spröde Unterlippe. »Darüber zerbrech ich mir den Kopf, seit ich die Bilder in der Zeitung gesehen hab und mir klargeworden ist, wer die drei sind. Das war so ein Abend, den man so schnell wie möglich wieder vergessen möchte. Eigentlich hab ich seit Jahren nicht mehr dran gedacht. Wie gesagt, ich bin davor schon von vielen anderen Arschlöchern verdroschen worden.« Sie griff nach ihrer Handtasche. »Mehr wollte ich gar nicht sagen. Keine Ahnung, ob Ihnen das irgendwie weiterhilft, aber wenigstens bin ich es jetzt losgeworden und kann hoffentlich wieder schlafen.«

»Eine Sache noch«, sagte Hunter, bevor Jude aufstehen konnte. »Haben Sie die vier je wiedergesehen? Oder einen von ihnen?«

Jude blickte auf ihre knochigen Hände herab. Ihr hellrosa Lack war an jedem Nagel abgeblättert. »Ich hab Arschloch danach noch mal gesehen, ein paar Monate später. Ich hab Ihnen ja gerade gesagt, dass ich noch im selben Jahr ausgestiegen bin.«

»Wo haben Sie ihn gesehen?« Die Frage kam von Garcia.

»Am selben Ort, unten am Hollywood Boulevard. Er hat ein anderes Mädchen aufgegabelt.« Sie stutzte kurz und machte ein Geräusch, das sich anhörte wie ein gedämpftes Auflachen. »Hm.«

»Gibt es noch was?« Hunter hatte ihren Gesichtsausdruck richtig gedeutet.

Jude schwieg, während sie ihr Gedächtnis nach einer alten Erinnerung durchforstete. Sie legte die Handtasche wieder weg. »Da war dieses Mädchen, das gerade am Strip angefangen hatte. Roxy hat sie sich genannt. Sie war neu, deswegen haben die anderen Mädchen sie von den guten Plätzen weggejagt. Ich hab ihr gesagt, sie kann mit an meiner Ecke stehen.« Jude legte den Kopf schief. »Ich wusste ja, wie schwer es auf dem Strich sein kann, vor allem wenn man neu ist. Ich wollte ihr halt ein bisschen helfen. Sie war nett. Nicht atemberaubend hübsch, aber ganz niedlich. Allerdings ziemlich dünn. Ich hab ihr gesagt, sie braucht ein bisschen Speck auf den Rippen. Männer mögen Kurven, das ist nun mal eine Tatsache. Aber ihr größtes Problem war, dass sie total nervös war und keine Ahnung hatte, wie sie richtig stehen soll.«

Weder Hunter noch Garcia sagten etwas. Jude erklärte es ihnen trotzdem.

»Auf dem Strich muss man sich richtig präsentieren, und das hängt alles davon ab, wie man steht und wie man guckt. Wenn man falsch dasteht, wird man nie angesprochen. So funktioniert das eben. Na ja, nach einer Stunde oder so hat sie mir leidgetan. Ich hab ihr einen Kaffee spendiert und beschlossen, ihr ein paar Tipps zu geben. Das war ihr erster

Abend auf dem Strich. Sie hat mir gesagt, dass sie alles versucht hat, aber nirgendwo einen Job kriegt. Sie war völlig am Ende, deswegen hat sie irgendwann beschlossen, anschaffen zu gehen. Aber sie war kein Junkie. Einen Drogenabhängigen erkenne ich auf den ersten Blick.«

Hunter und Garcia wussten, dass Prostitution und Drogenmissbrauch meistens Hand in Hand gingen.

Erneut blickte Jude auf ihre Hände. »Sie war nicht deshalb am Ende, weil sie Drogen brauchte. Wenigstens nicht *die* Art von Drogen.«

Hunter sah sie fragend an.

»Sie hat mir erzählt, dass sie ein krankes Kind zu Hause hat. Sie brauchte Geld für Medikamente. Sie hatte richtig Angst um ihr Kind. Hat gesagt, dass sie es nur einen Abend machen müsste, vielleicht auch zwei, dann hätte sie genug für die Medikamente zusammen.« Jude schüttelte den Kopf, wie um die Erinnerung zu vertreiben. »Na ja, ich hab ihr jedenfalls ein paar Tricks gezeigt, und dann sind wir zurück zu meinem Platz an der Ecke.«

»Verstehe«, sagte Garcia. »Und dann?«

»Später an dem Abend hatte ich einen Freier – eine schnelle Nummer um die Ecke, zwanzig Minuten. Als ich zurückkam, hab ich gesehen, wie sie gerade in einen Wagen gestiegen ist. Sie hat mir zugewinkt, als sie an mir vorbeigefahren sind, und da hab ich gesehen, wer am Steuer sitzt. Dupek, das Arschloch. Ich hab noch versucht, sie anzuhalten, aber der Wagen fuhr zu schnell.«

»Und was ist dann passiert?«, fragte Hunter.

»Keine Ahnung. Sie ist an dem Abend nicht mehr wiedergekommen.« Jude zuckte mit den Schultern. »Am Abend danach auch nicht. Jedenfalls nicht an meine Ecke. Ich hab mir ein bisschen Sorgen gemacht. Ich dachte, vielleicht ist ihr das Gleiche passiert wie mir. Dass dieselben vier Scheißkerle über sie hergefallen sind. Ich hab ja gesagt, es hat danach eine Woche gedauert, bis ich wieder arbeiten konnte, und ich war viel kräftiger als sie. Ich hab sie nie wiedergesehen. Aber vielleicht hat sie nach der Nacht auch aufgehört. Hoffe ich wenigstens. Sie hat gesagt, sie bräuchte es nur ein Mal zu machen. Oder sie hat Schiss bekommen. Das ist häufig so bei den Neuen. Sobald sie ihren ersten gewalttätigen Freier kriegen – und den kriegen früher oder später alle –, stellen sie fest, dass der Strich doch nicht das Richtige für sie ist. Arschloch und seine Freunde hab ich danach auch nicht wiedergesehen.«

Hunter wollte noch mehr wissen. »Hat diese Roxy Ihnen jemals gesagt, wie ihr Kind heißt?«

»Bestimmt, aber ich hab's vergessen. Das ist achtundzwanzig Jahre her.« Erneut machte Jude Anstalten, aufzustehen und zu gehen.

Hunter erhob sich ebenfalls und hielt ihr eine Visitenkarte hin. »Falls Ihnen noch was einfällt, einer der Namen zum Beispiel, würden Sie mich bitte anrufen? Egal um welche Uhrzeit.«

Jude sah Hunters Karte an, als wäre sie giftig. Nach langem Zögern nahm sie sie schließlich und verließ das Café.

Hunters einziger Gedanke war, dass er sich geirrt hatte. Das Schattenbild von Andrew Dupeks Boot stellte keine Schlägerei dar. Sondern eine Vergewaltigung.

105

Es war nach zehn Uhr abends, als Hunter in seine Wohnung zurückkam. Er fand keinen Schlaf. Sein Gehirn konnte einfach nicht abschalten. Statt dagegen anzugehen, nahm er sich noch einmal den Karton voller Fotos aus Littlewoods Wohnung vor. Er breitete sie im Wohnzimmer auf dem Fußboden aus und verglich sie mit dem Hochzeitsfoto, das Allison ihm überlassen hatte. Er wusste ja bereits, dass die Mordopfer einander gekannt hatten, und wenn Derek Nicholson auf einem der Fotos zu finden war, dann vielleicht auch das bislang unbekannte vierte Mitglied der Gruppe.

Nach einer Stunde auf den Knien mit einer Lupe vor dem Auge ließ Hunter es sein. Er war müde. Seine Beine taten weh, und er brauchte dringend Schlaf. Seine Augen brannten, Nacken und Schultern waren verspannt. Aber noch immer arbeitete sein Verstand verbissen weiter.

Er hörte, wie das Pärchen nebenan von einer ihrer zahlreichen Kneipentouren zurückkam. Türen wurden geknallt, dann folgte betrunkenes Gemurmel.

»Ich muss mir dringend neue Nachbarn zulegen.« Hunter lachte leise, bevor er sich wieder den Fotos der Schattenbilder zuwandte. Die neuen Informationen, die sie im Laufe der letzten Stunden zutage gefördert hatten, wirbelten in seinem Kopf herum.

Auf der anderen Seite der Wand war Kichern und Stöhnen zu hören. »O nein, nicht das«, knurrte Hunter. »Bitte nicht im Wohnzimmer.«

Das Stöhnen wurde lauter.

»Verdammt!« Jeden Moment würde das dumpfe Pochen gegen die Wand losgehen. Er verschränkte die Finger und legte sich die Hände auf den Kopf, während er versuchte, sich erneut auf die Bilder am Fußboden zu konzentrieren.

Je länger er darüber nachdachte, desto logischer erschien es ihm. Nicholson, Dupek, Littlewood und der Vierte im Bunde, wer auch immer er gewesen war, hatten eine Frau vergewaltigt. Gut möglich, dass es das Mädchen war, von dem Jude ihnen erzählt hatte – Roxy –, oder eine andere Prostituierte. Aber was war mit dem Opfer geschehen? Hatte die Sache einen schlimmen Ausgang genommen? War sie tot?

Die lauten Geräusche von nebenan störten Hunter längst nicht mehr. Er war ganz in seiner eigenen Welt. Systematisch ging er alle bekannten Fakten des Falls durch.

Er war so in Gedanken, dass es eine ganze Weile dauerte, bis das Klingeln des Telefons zu ihm durchdrang. Er blinzelte zweimal und sah sich im Zimmer um, als wisse er im ersten Moment nicht, wo er war. Sein Handy lag neben dem Drucker auf dem Tisch. Es fing erneut an zu klingeln, und Hunter klappte es auf, ohne einen Blick auf das Display zu werfen.

»Detective Hunter.«

»Detective, hier ist noch mal Jude. Wir haben uns heute unterhalten.«

»Ja, natürlich.« Hunter war überrascht, doch seine Stimme verriet nichts.

»Tut mir leid, dass ich so spät anrufe, aber mir ist tatsächlich noch was eingefallen. Eigentlich wollte ich bis morgen früh warten, aber es geht mir nicht aus dem Kopf, und ich kann nicht schlafen. Sie haben gesagt, dass ich mich jederzeit melden kann, wenn mir noch was einfällt.«

»Ja, auf jeden Fall. Das macht überhaupt nichts«, sagte Hunter nach einem Blick auf die Uhr. »Was ist Ihnen noch eingefallen?«

»Ein Name.«

Die Muskeln in Hunters Nacken versteiften sich. »Der vierte Mann?«

»Nein. Ich hab Ihnen doch gesagt, dass ich an dem Abend keinen anderen Namen gehört hab.« Eine kurze Pause. »Aber mir ist der Name von Roxys Kind wieder eingefallen. Wissen Sie noch? Ich hab Ihnen gesagt, dass sie ein paar Mal davon gesprochen hat.«

»Ja, ja.«

Jude nannte Hunter den Namen, woraufhin dieser die Stirn in Falten legte. Ein ungewöhnlicher Name, aber gleichzeitig klang er irgendwie vertraut.

Jude legte auf. Sie war froh, dass sie angerufen hatte, und hoffte, die Sache jetzt endlich abhaken zu können. Sie wollte wieder ruhig schlafen.

Hunter legte sein Handy zurück auf den Tisch. Der Name, den Jude ihm genannt hatte, ließ ihm keine Ruhe. Er beschloss, die Datenbank des LAPD zu durchsuchen. Vielleicht kannte er ihn von dort.

Hunter schaltete seinen Laptop ein. Während er darauf wartete, dass das Gerät hochfuhr, fiel sein Blick erneut auf die am Boden liegenden Fotos. Er hielt inne, und plötzlich spürte er, wie sich eine unangenehme Kälte in seiner Magengrube ausbreitete.

Er konnte sich die Datenbankabfrage sparen. Ihm war soeben eingefallen, wo er den Namen schon einmal gehört hatte.

106

Hunter schlief nicht. Stattdessen verbrachte er den gesamten Rest der Nacht damit, auf der Jagd nach weiteren Hinweisen sein Gedächtnis zu malträtieren. Die bloße Möglichkeit, dass er richtigliegen könnte, flößte ihm Angst ein.

Er musste noch einmal bei Olivia oder Allison vorbeifahren. Er brauchte eine letzte Information. Aber es war noch zu früh, um unangemeldet bei anderen Leuten vor der Haustür zu stehen. Also griff er nach seinem Handy und wählte Alices Nummer. Sie nahm nach dem dritten Klingeln ab.

»Robert, alles in Ordnung?« Sie klang verschlafen.

»Kannst du mir einen Gefallen tun?«

»Äh ... okay. Was denn für einen?«

»Könntest du dich in die Datenbank der kalifornischen Sozialbehörden hacken?«

Eine verwirrte Pause.

»Ja, das dürfte nicht weiter schwierig werden.«

»Kannst du es jetzt gleich machen, von zu Hause aus?«

»Sicher, sobald ich meinen Rechner angeworfen habe.« Wieder eine Pause. »Dir ist schon klar, dass du mich bittest, eine Straftat zu begehen, oder?«

»Von mir erfährt niemand was, versprochen.«

Alice lachte. »Mich musst du nicht überzeugen. Das ist schließlich mein Spezialgebiet.«

»Also gut. Ich erkläre dir, was du für mich rausfinden sollst.«

Olivia Nicholson wollte gerade frühstücken, als Hunter bei ihr klingelte. Ohne allzu viel zu verraten, erklärte er ihr, dass sie in der Nacht neue Informationen erhalten hätten und er ihr dazu noch einige Fragen stellen müsse.

Ihr Gespräch erwies sich als kurz, aber ergiebig. Olivia sagte ihm, dass ihres Wissens der älteste Freund ihres Vaters der Bezirksstaatsanwalt von Los Angeles, Dwayne Bradley, gewesen sei.

107

Es war später Nachmittag, als das Telefon auf Garcias Schreibtisch klingelte. Von seinem Partner hatte er den ganzen Tag über weder etwas gesehen noch gehört, was allerdings nicht weiter ungewöhnlich war.

»Detective Garcia, Morddezernat I.« Er lauschte mehrere Sekunden lang schweigend.

Die Furchen, die danach auf seiner Stirn erschienen, waren so tief, als sei sie von einem Auto überrollt worden. »Nicht im Ernst ... Wo? ... Sind Sie sicher? ... Okay, bleiben Sie, wo Sie sind, behalten Sie das Haus im Auge, und wenn irgendwas passiert, melden Sie sich sofort bei mir.« Garcia legte auf und rannte nach unten zu Captain Blakes Büro. Fünf Minuten später wählte er Hunters Handynummer. Sein Partner antwortete gleich beim ersten Klingeln.

»Robert, wo steckst du?«

»Ich sitze in meinem Wagen und warte. Ich habe da so einen Verdacht, dem ich nachgehen will.«

»Was für einen Verdacht?«

»Das ist zu kompliziert, um es dir jetzt zu erklären.« Hunter hatte die Ungeduld in Garcias Stimme bereits wahrgenommen. »Was gibt's denn?«

»Halt dich fest, das glaubst du nicht. Eins unserer Teams hat den Jackpot geknackt. Sie haben einen Hinweis zu Ken Sands reinbekommen. Anscheinend arbeitet der für einen albanischen Drogenring. Wir wissen, wo er sich jetzt in diesem Moment aufhält.«

»Wo denn?«

»Irgendwo in Pomona. Ich habe die Adresse hier.«

Pomona war weit weg.

»Captain Blake hat uns grünes Licht gegeben«, fuhr Garcia fort. »Im Moment peitschen sie gerade den Durchsuchungsbeschluss durch.«

»Wie lange, bis ein SWAT-Team vor Ort sein kann?«

»In fünf bis zehn Minuten ist das Team einsatzbereit. Ich habe schon jemanden an der Hand, der uns sämtliche Informationen über das Gebäude liefern kann, einschließlich Grundriss. In fünfzehn, maximal zwanzig Minuten können wir mit dem Briefing für den Zugriff anfangen.«

Hunter sah auf seine Uhr. »So schnell schaffe ich es nicht, Carlos. Ich bin am anderen Ende der Stadt, und seit zwanzig Minuten ist Rushhour. Schick mir die Adresse, wir treffen uns in Pomona.«

Hunter legte auf. Genau in dem Moment setzte sich das Auto, dem er den ganzen Morgen über gefolgt war, wieder in Bewegung.

»Mist«, fluchte er, ließ den Motor an und trat aufs Gas.

108

Der fensterlose Raum lag im Untergeschoss des PAB. Vier der fünf Mitglieder des SWAT-Teams saßen wie in der Schule zu zweit nebeneinander an kleinen Tischen. Der fünfte hatte einen Tisch für sich allein. Sie trugen schwarze Kampfanzüge und kugelsichere Westen, die hinten in weißer Sprühfarbe mit SWAT beschriftet waren. Ihre schwarzen Helme hatten sie neben sich auf den Tischen liegen. Ihre Blicke richteten sich auf ihren Teamleiter am Rednerpult, Jack Fallon. Garcia und Captain Blake standen links neben ihm.

»So, meine Herren, alles mal herhören«, eröffnete Fallon mit befehlsgewohnter Stimme das Briefing. Sofort wurde es mucksmäuschenstill im Raum. Auf einen Knopfdruck von ihm erschien auf einem weißen Schirm zu seiner Rechten das Foto, das Hunter aus dem Gefängnis bekommen hatte. »Dieser reizende Zeitgenosse hier hört auf den Namen Ken Sands. Dies ist das aktuellste Foto, das wir von ihm haben, es wurde vor sechs Monaten bei seiner Entlassung aus dem kalifornischen Staatsgefängnis Lancaster aufgenommen.«

»Sieht nach einem der üblichen Drecksäcke aus, Cap«, warf Lewis Robinson, eins der Teammitglieder, ein. Seine Kollegen lachten.

»Mag sein«, sagte Fallon und lenkte die allgemeine Aufmerksamkeit wieder auf sich. »Genau deswegen sitzen wir hier. Sands ist Hauptverdächtiger in einem Mehrfachmord. Seine Akte zeigt, dass er sehr gewaltbereit, sehr gefährlich und offenbar auch noch sehr intelligent ist. Es besteht die Möglichkeit, dass er der gesuchte Serienmörder ist – der Totenkünstler, von dem wir alle in der Zeitung gelesen haben.«

Ein unbehagliches Gemurmel erhob sich im Raum.

»Ich muss euch also nicht erst sagen, dass dieser Mann tierisch krank im Kopf ist.« Abermals betätigte Fallon den

Knopf, und Sands' Foto machte dem Grundriss eines eingeschossigen Hauses Platz. »Das hier ist der Aufenthaltsort unserer Zielperson in Pomona. Unseren Informationen zufolge befindet er sich momentan in diesem Haus.«

Der Grundriss zeigte ein Haus mit drei Schlafzimmern, eins davon mit angeschlossenem Bad, einem Wohnzimmer, einem Esszimmer, einem Badezimmer sowie einer großen Küche.

»Ist er allein im Haus, Cap?«, wollte Neil Grimshaw wissen. Er war der Jüngste im Team und erst seit einer Woche dabei. Dies war sein erster großer Einsatz. Er wirkte angespannt, hatte sich aber gut im Griff.

»Wie es aussieht, befindet sich mindestens noch eine weitere Person im Haus«, antwortete Fallon mit einem Blick zu Garcia.

»Das ist unser jetziger Informationsstand«, bestätigte dieser. »Ein Detective vom LAPD observiert das Haus und versucht so viel wie möglich in Erfahrung zu bringen.«

»Wissen wir, ob die zweite Person im Haus gefährlich ist?«, fragte Robinson.

»Nein, das wissen wir nicht«, lautete Garcias Antwort.

»Sind die beiden bewaffnet?«

»Wissen wir auch nicht.«

»Wissen wir, in welchem Zimmer sich die Zielperson aufhält?«

»Diese Information steht uns momentan nicht zur Verfügung.«

»Scheiße, ist das hier eine Quizshow, oder was?«, empörte sich Robinson. »Da können wir ja gleich mit verbundenen Augen reinspazieren. Was wissen wir *denn*?«

»Sämtliche Informationen befinden sich in den Mappen vor euch auf den Tischen«, schaltete Fallon sich ein. »Das ist alles, was wir haben, und damit werden wir arbeiten. Deswegen sind wir das SWAT-Team. Hast du ein Problem damit, Robinson?«

»Ich mach mir nur ein bisschen Sorgen, dass ich in ein Objekt reingehen soll, in dem sich eine unbekannte Anzahl bewaffneter Personen befindet, und ich habe null Informationen, was ihre Feuerkraft angeht, und so gut wie null Informationen über alles andere, Cap.«

»Oh, das tut mir aber leid«, erwiderte Fallon in einem Ton, als spräche er mit einem Zweijährigen. »Ich wollte dir keine Angst einjagen. Möchte der kleine Hosenschisser lieber hierbleiben? Wir rufen dich dann beim nächsten Mal an, wenn wir das Marshmallow-Monster in der Cupcake-Fabrik hochnehmen wollen. Das wird auch ganz bestimmt nicht gefährlich, Ehrenwort.«

Alle brachen in schallendes Gelächter aus.

»Also, bei diesem Zugriff müssen wir auf der Hut sein«, fuhr Fallon fort. Erneut wurde es still. »Sands hat höchstwahrscheinlich Verbindungen zu einem albanischen Drogenring, und ich muss euch nicht sagen, wozu diese Jungs fähig sind. Wir gehen kein Risiko ein. Erst schießen, dann fragen. Ich will drei Teams zu je zwei Mann, einer geht vor, der andere sichert – dieselben Partner wie immer. Grimshaw, du bist bei mir. Wir haben das Überraschungsmoment auf unserer Seite. Sands weiß nicht, dass wir kommen, das heißt, wir müssen schnell sein. Packen wir zusammen, meine Herren. Wir haben einen Drecksack festzunehmen.«

109

Als sie Pomona erreichten, war bereits die Dämmerung über Los Angeles hereingebrochen, und der Wind hatte stark aufgefrischt. Das Haus lag am Ende einer abgeschiedenen Straße in einer ruhigen Wohngegend. Das SWAT-Team, Garcia und zwei weitere Polizeifahrzeuge parkten am oberen

Ende der Straße. Den restlichen Weg gingen sie zu Fuß. Für den Augenblick war ihre stärkste Waffe das Überraschungsmoment. Unter keinen Umständen wollten sie diesen Vorteil verspielen, indem sie die Personen im Haus auf ihr Kommen aufmerksam machten.

Während der Fahrt nach Pomona hatte Jack Fallon seinem Team den Plan für den Zugriff näher erklärt. Ein Zweierteam sollte durch die Hintertür in der Küche ins Haus eindringen; ein anderes würde sich die vordere Eingangstür vornehmen; das dritte Team würde durch die Verandatür auf der linken Hausseite kommen, von der aus man direkt ins große Schlafzimmer gelangte. Das LAPD würde den näheren Umkreis sichern, für den Fall, dass Ken Sands durch ein Fenster zu flüchten versuchte.

Der Detective, der das Haus observierte, wusste nichts Neues zu berichten. Alle Fenster und Vorhänge waren geschlossen – ein Zustand, der schon den ganzen Tag andauerte und weiteres Auskundschaften unmöglich machte. In den letzten zwei Stunden hatte niemand das Haus verlassen oder betreten.

Von Hunter fehlte jede Spur. Garcia hatte erneut versucht, ihn anzurufen, nachdem sie das PAB verlassen hatten, aber sein Partner hatte nicht abgenommen.

»*Status-Check*«, ertönte Fallons Stimme laut und deutlich in Garcias Ohrstöpsel.

»*Team Alpha in Position*«, kam augenblicklich die Antwort vom ersten Team. »*Aber wir sind blind. Irgendein Hindernis unter der Tür. Wir können die fiberoptische Kamera nicht einführen. Keine Ahnung, wie es drinnen aussieht.*«

»*Team Beta in Position*«, meldete sich das zweite Team. »*Ebenfalls blind wie eine Fledermaus. Kein Sichtkontakt.*«

Offenbar hatten die Hausbewohner die Ritzen unter sämtlichen Türen verstopft. »*Okay, wir gehen trotzdem rein*«, entschied Captain Fallon. »*Ist das LAPD in Position?*«

»Wir sind so weit«, meldete Garcia nach kurzer Rückfrage

per Funk. Noch einmal hielt er nach seinem Partner Ausschau – vergebens. »Durchsuchungsbeschluss liegt vor, wir haben grünes Licht. Sind Sie sicher, dass Sie ohne Kameras reingehen wollen?«

Fünf angespannte Sekunden verstrichen.

»*Wir haben keine andere Möglichkeit. Oder wollen Sie vorher anklopfen und fragen?*«

Keine Reaktion von Garcia.

»*Dachte ich's mir doch. Okay, alle Teams, ich will, dass ihr euer Bestes gebt. Es läuft so, wie wir es besprochen haben. Das Überraschungsmoment ist nach wie vor auf unserer Seite. Jede Ecke sichern, verstanden?*«

»*Roger.*«

»*Alpha, Beta – auf eins: drei ... zwei ... eins.*«

Alle drei Teams verfügten über Schrotflinten mit barrikadebrechender Munition. Durch sie ließen sich versperrte Türen zwar lauter, aber dafür wesentlich schneller öffnen als mit Rammböcken.

Garcia hörte es fünfmal in rascher Folge laut knallen – dann war die Hölle los.

Fast zeitgleich betraten die drei Teams das Haus. Lewis Robinson und sein Partner Antonio Toro bildeten Team Alpha. Sie befanden sich hinter dem Haus.

Die Hintertür führte direkt in die Küche. Toro schoss das Schloss auf, Robinson trat die Tür ein und rückte ins Haus vor. Dort sah er sich einem großen, muskelbepackten Mann gegenüber, der in der Mitte der Küche an einem quadratischen Tisch saß. Er hatte einen Haufen kleiner, mit weißem Pulver gefüllter Plastiktütchen vor sich liegen und eine Uzi-Maschinenpistole in unmittelbarer Reichweite. Der Knall überraschte ihn, aber nach einer Schrecksekunde fuhr er von seinem Stuhl hoch und griff nach der Uzi. Er sah sich nach der vermeintlichen Bedrohung um, riss die Waffe hoch und krümmte den dicken Finger um den Abzug.

»*Qij ju!*«, brüllte er auf Albanisch, als er den ersten Mann in Schwarz durch die Tür kommen sah. Er würde sich auf keinen Fall widerstandslos festnehmen lassen. Das Wort »aufgeben« gehörte nicht zu seinem Vokabular.

Robinson wollte ihm zurufen, er solle die Waffe fallen lassen, erkannte die Gefahr aber gerade noch rechtzeitig. Die Augen des Albaners blitzten vor Wut und Entschlossenheit.

Schießen oder erschossen werden.

Ohne zu zögern, drückte Robinson ab. Seine Heckler & Koch MP5 Maschinenpistole hustete zweimal. Dank Schalldämpfer und Infraschallmunition war das Geräusch nicht lauter als das Niesen eines Babys. Beide Kugeln trafen den Albaner in die Brust. Er taumelte rückwärts, Blut färbte sein weißes T-Shirt rot. Er verzog vor Schmerz das Gesicht, als sein ganzer Körper von Muskelkrämpfen erfasst wurde. Sein Finger krallte sich um den Abzug der Uzi. Eine Salve löste sich, Kugeln schlugen hinter Robinson und Toro in Wand und Decke ein. Eins der Projektile verfehlte Toros Stirn nur um wenige Millimeter.

Die Männer hatten Ken Sands' Foto auf der Fahrt nach Pomona gründlich studiert. Sie waren sicher, dass sie ihn erkennen würden, trotz Bart und langer Haare.

Der Mann in der Küche war jemand anders.

110

Team Beta bestand aus Charlie Carrillo und Oliver Mensa. Sie waren durch die Vordertür ins Haus eingedrungen. Mensa war der Erste gewesen, der die barrikadebrechenden Geschosse abgefeuert hatte, folglich war Carrillo als Erster im Haus. Das Wohnzimmer war groß, aber spärlich möbliert – eine alte Couch, ein Esstisch für vier Personen, zwei Sessel und ein Fernseher auf einer Holzkiste. Auf der

Couch saß mit Blick zur Tür ein großer dünner Mann mit blonden Haaren. Er schien high zu sein. Neben ihm lag eine Sig Sauer P226 X-Five Halbautomatik.

Als er den Lärm hörte, machte der Mann einen Satz in die Höhe wie ein Esel, der versucht, seinen Reiter abzuwerfen. Im ersten Moment schien sein Blick leer und orientierungslos, doch dann war es, als hätte jemand einen Zauberstab vor seinem Gesicht geschwenkt, durch den er augenblicklich wieder klar im Kopf wurde. Sein Blick wurde scharf, und er machte Anstalten, nach seiner Waffe zu greifen.

»O nein«, sagte Carrillo. Er hatte den roten Ziellaser seiner MP5 auf die Stirn des Mannes gerichtet. »Glaub mir, Freundchen, so schnell bist du nicht.«

Die Hand des Mannes erstarrte mitten in der Bewegung, während er überlegte, was er tun sollte. Er wusste, dass eine hastige Bewegung ausreichte, um dafür zu sorgen, dass sein Gehirn quer übers ganze Wohnzimmer verteilt würde. In seinen Augen loderte die Wut.

Mensa kam blitzschnell von der Tür herein. Noch während er mit gezogener Waffe das Zimmer nach weiteren Gefahren absuchte, trat er zum Dünnen und nahm die Sig Sauer P226 vom Sofa.

»Auf den Boden, Hände auf den Rücken, sofort«, befahl Carrillo.

Der Dünne rührte sich nicht.

Carrillo machte einen Schritt auf ihn zu. Sie hatten keine Zeit zum Diskutieren oder dazu, Befehle zu wiederholen. Der Lauf seiner Waffe war nur noch Zentimeter vom Gesicht des Dünnen entfernt. Er packte ihn bei den Haaren und zerrte ihn zu Boden. Dann stemmte er ein Knie zwischen die Schulterblätter des Mannes, drückte sein Gesicht herunter und fixierte Hände und Füße mit speziellen Einweg-Fesseln aus Kunststoff.

Die ganze Aktion hatte nicht einmal fünf Sekunden gedauert.

»*Qij ju, ju ndyrë derr!*«, schrie der Mann, kaum dass Carrillo aufgestanden war und der Druck auf seinen Nacken nachließ. Er zappelte und wand sich wie ein Fisch auf dem Trockenen. Nützen würde es ihm nichts, egal wie stark er war.

Carrillo warf einen Blick auf das Gesicht des Mannes.

Es war nicht Ken Sands.

111

Hunter fuhr nicht nach Pomona. Er hatte spontan beschlossen, stattdessen weiter seiner Spur nachzugehen. Seit dem Telefonat mit Garcia waren beinahe zwei Stunden vergangen. Die Fahrt hatte ihn zunächst nach Woodland Hills, in den südwestlichen Teil des San Fernando Valley, geführt und dann zu einem verlassenen Abbruchhaus am Rande von Canoga Park.

Das Wetter hatte erneut gewechselt. Hunter roch Regen in der Luft. Er parkte seinen Wagen außer Sichtweite und ging vorsichtig zu Fuß weiter. In der abendlichen Dunkelheit brauchte er für die Strecke vier Minuten.

Er kam an ein halb verfallenes Eisentor, durch das er auf den von Unkraut überwucherten Betonvorplatz eines verdreckten Industriegebäudes gelangte. Es schien sich um eine leerstehende Lagerhalle zu handeln, sie war alt, doch die Wände machten noch einen stabilen Eindruck. Die wenigen Fenster, die Hunter entdecken konnte, waren zerbrochen, befanden sich allerdings weit oben direkt unterhalb des Giebeldachs – zu hoch, als dass man ohne Leiter hätte hinaufgelangen können.

Hunter ging hinter einem rostigen Müllcontainer in Deckung und beobachtete das Gebäude einige Minuten lang.

Nichts regte sich. Also fuhr er fort, es in sicherer Entfernung zu umrunden. Auf der Rückseite angekommen, sah er den schwarzen Pick-up. Denselben Pick-up, dem er schon den ganzen Tag lang gefolgt war.

So leise wie möglich schlich Hunter im Schutz der Dunkelheit näher.

Erst als er den Pick-up erreicht hatte, erkannte er den Umriss einer etwa zweieinhalb Meter breiten eisernen Schiebetür in der hinteren Wand des Gebäudes. Sie stand offen, und die Lücke war groß genug, dass Hunter hindurchschlüpfen konnte, ohne die Tür weiter aufschieben zu müssen. Ein Glück – der rostzerfressene Mechanismus wäre bestimmt nicht gerade leise gewesen.

Er betrat die Lagerhalle, blieb kurz stehen und lauschte. Es war vollkommen finster. Nur durch die zerborstenen Fensterscheiben unter dem Dach konnte Licht hereindringen, und in einer mondlosen Nacht nutzte dies Hunter herzlich wenig. Es roch nach Urin und Verfall. Die Luft war abgestanden und stickig und stach ihm beim Einatmen in Hals und Nase.

Es war nichts zu hören, also wagte er es, seine Taschenlampe einzuschalten. Der etwa fünfundzwanzig mal fünfundzwanzig Meter große Raum hatte lediglich eine weitere Tür. Sie war aus angelaufenem blaugrauem Stahl und befand sich direkt gegenüber am anderen Ende der Halle. Der Betonboden war übersät mit leeren Flaschen, benutzten Kondomen, Glasscherben, Spritzen und anderem Unrat, den Obdachlose und Junkies zurückgelassen hatten. Hunter bemühte sich, nicht hineinzutreten, als er langsam auf die Stahltür zuschlich. Auch sie stand offen, allerdings nur einen Spaltbreit. Um sich hindurchzuzwängen, würde er sie ein Stück weiter aufschieben müssen. Jenseits der Tür sah er ein fahles Licht schimmern.

Er schaltete seine Taschenlampe wieder aus, wartete kurz, bis sich seine Augen an die Düsternis gewöhnt hatten, entsicherte seine Heckler & Koch USP .45 Tactical und machte sich bereit, die Tür aufzustoßen. Genau in diesem Moment hörte er aus dem nächsten Raum ein durchdringendes mechanisches Surren wie von einer kleinen Kettensäge oder einem Elektromesser, unmittelbar gefolgt von dem markerschütternden Schrei eines Mannes.

Das Spiel war aus. Zum Teufel mit der Heimlichkeit.

Hunter stieß die Tür auf und trat mit gezogener Waffe ein. Dieser Raum war deutlich kleiner als der erste, vielleicht sechs Meter im Quadrat. Das blasse Licht, das ihn erhellte, kam von zwei batteriebetriebenen Stehlampen, die nebeneinander im Abstand von einem Meter zur hinteren Wand aufgebaut worden waren. Zwischen den Lampen stand ein Metallstuhl, der aussah wie ein Behandlungsstuhl im Krankenhaus.

Auf dem Stuhl saß ein nackter, an Füßen und Händen gefesselter Mann. Er war Anfang fünfzig, hatte dicke Backen, ein spitzes Kinn und dichtes, graues Haar. Er hob den Kopf und sah Hunter mit Verzweiflung in den Augen an.

Es dauerte eine Weile, bis Hunter ihn wiedererkannt hatte. Sie waren sich schon mindestens einmal begegnet, auf irgendeiner offiziellen Veranstaltung, höchstwahrscheinlich bei der Verleihung der LAPD-Ehrenmedaillen im letzten Jahr. Sein Name lautete Scott Bradley, und er war der jüngere Bruder von Dwayne Bradley, dem Bezirksstaatsanwalt von Los Angeles. Doch nicht nur das – Hunter kannte auch die Person, die mit einem elektrischen Tranchiermesser in der Hand hinter dem Stuhl stand.

Er hatte einen Verdacht gehabt. Trotzdem wollte er seinen Augen kaum trauen.

112

Captain Fallon und Frischling Neil Grimshaw bildeten SWAT-Team Gamma. Ihre Aufgabe war es, durch die große Glastür auf der Veranda ins Schlafzimmer einzudringen. Da die Vorhänge zugezogen waren, gab es keinerlei Möglichkeit, festzustellen, ob sich Menschen im Zimmer aufhielten, wie viele es waren und ob sie Waffen trugen. Sie mussten ihren Trumpf ausspielen: Überrumpelung durch Schnelligkeit.

Grimshaw sprengte das Schloss an der Tür mit einem einzigen Schuss. Scherben flogen durch die Luft, der Holzrahmen krachte. Noch bevor der Regen aus Glas und Holzsplittern zu Boden geprasselt war, hatte Fallon bereits die Tür aufgetreten und war ins Schlafzimmer gestürmt. Mit geübtem Blick erfasste er die Lage. Links ein begehbarer Kleiderschrank, direkt vor ihm an der Wand eine Doppelmatratze, rechts auf einer Kommode ein tragbarer Fernseher, auf dem Fußboden ein großer Spiegel mit Dutzenden Linien eines weißen Pulvers darauf, bei dem es sich nur um Kokain handeln konnte. Auf der Matratze, mit dem Rücken zu Fallon, kniete ein nackter Mann mit struppigem Pferdeschwanz. Das lustvolle Stöhnen der zierlichen Blondine, die vor ihm lag und ihm die Beine um die Hüften geschlungen hatte, verwandelte sich rasch in verschreckte Schreie. Sie war allerhöchstens achtzehn.

Der Mann drehte sich nicht einmal um. Die Beine des Mädchens noch um die Hüften, rollte er nach links und griff nach der Uzi, die neben der Matratze an der Wand lehnte.

Weit kam er nicht.

Fallon betätigte den Abzug seiner MP5, die Waffe gab ein einziges leises Keuchen von sich. Der Schuss traf den Mann in den Handrücken, als seine Finger nur noch wenige Zentimeter von der Uzi entfernt waren. Die Kugel zerschmetterte

Knochen und Sehnen, eine Fontäne aus Blut schoss in die Luft und landete im Gesicht der Blonden.

Der Schmerzensschrei des Mannes klang wie das Aufjaulen eines verletzten Tieres. Er riss den Arm zurück und presste ihn sich an die Brust, wodurch noch mehr Blut auf das Mädchen und die Matratze tropfte.

»Bewegen ist keine gute Idee«, sagte Fallon. Sein Laser zielte genau auf den Hinterkopf des Mannes.

Mittlerweile war auch Grimshaw im Zimmer. Sein Laserzielgerät malte einen roten Punkt auf die Brust der Blonden. Vor lauter Konzentration merkte er nicht, wie hinter ihm die Tür des angrenzenden Badezimmers aufgestoßen wurde.

Der Gewehrschuss war ohrenbetäubend und traf Grimshaw direkt in den Rücken. Die MP5 flog ihm aus der Hand. Er wurde nach vorn geschleudert und ging zu Boden.

Fallon hatte die Gefahr bereits im Voraus gespürt und angefangen sich umzudrehen, aber er war nicht schnell genug. Wie in Zeitlupe sah er, wie eine Rauchwolke aus der Mündung der 12-kalibrigen Schrotflinte kam und Grimshaw in den Rücken getroffen wurde. Der Rest lief rein automatisch ab. Fallon war der beste Nahschütze der gesamten SWAT-Einheit des LAPD. Es war eine Situation, wie er sie schon in Tausenden von Simulationen und Hunderten von Einsätzen durchgespielt hatte.

Der Lauf der Flinte schwenkte zu ihm herum. Er sah dem Schützen eine Millisekunde lang in die Augen, zögerte jedoch nicht. Er feuerte zwei Schüsse ab. Beide Kugeln trafen die Zielperson im Abstand von wenigen Millimetern in die Mitte der Stirn, traten am Hinterkopf wieder aus und hinterließen dort ein Loch von der Größe eines kleinen Apfels. Gehirnmasse, Blut und Knochensplitter spritzten an die Wand.

Das Mädchen, das die Schrotflinte abgefeuert hatte, sah noch jünger aus als die Blonde, die unter dem Pferdeschwanz-Typen auf der Matratze lag. Ihr Gesicht wirkte so unschuldig wie das eines Kindes, mit Grübchen und Sommersprossen auf den Wangen. Als sie nach vorn auf die Knie sackte, war bereits alles Leben aus ihren traurigen, glasigen Augen gewichen. Trotzdem blieb ihr Blick starr auf Fallon gerichtet, bis sie schließlich vornüberkippte und zu Boden fiel.

Der Mann auf der Matratze nutzte den Zwischenfall, um erneut nach seiner Uzi zu greifen, doch da er seine linke Hand nicht benutzen konnte, musste er den gesamten Oberkörper herumdrehen und versuchen, sie mit der rechten zu packen. Seine Finger schlossen sich um die Waffe, aber aus der Position, in der er sich nun befand, konnte er nicht feuern. Um Fallon in der Schusslinie zu haben, musste er sich erst wieder in die andere Richtung drehen.

Er war nicht schnell genug. Kaum hatte er sich ein Stück bewegt, zielte Fallon bereits wieder auf ihn.

»Fallen lassen«, brüllte Fallon, doch der Mann kümmerte sich gar nicht darum. Mit einem Aufschrei des Zorns wirbelte er herum. Er wollte Blut sehen.

Erneut drückte Fallon ab, auch diesmal waren es zwei Schüsse. Beide trafen den Mann in die rechte Schulter, wo sie ihm Schlüsselbein und Schulterblatt zertrümmerten, bevor er mit der Uzi zielen konnte. Sein Arm erschlaffte augenblicklich.

Die Blonde unter ihm war inzwischen über und über mit seinem Blut bedeckt. Sie stieß einen spitzen Angstschrei aus, der in ihrer Kehle festgesessen hatte, seit das Mädchen aus dem Bad tot zusammengebrochen war. Dann begann sie wie von Sinnen zu kreischen.

Pferdeschwanz ließ die Waffe fallen und brach auf dem blonden Mädchen zusammen. Dieses strampelte und zappelte unter ihm, um sich zu befreien.

Ohne den Mann oder die Blondine auf der Matratze aus den Augen zu lassen, stieg Fallon über die Leiche des Mädchens hinweg und ging zielstrebig zum Bad. Es war leer.

»Mann am Boden!«, rief er in sein Helmmikrofon.

Zwei Sekunden später wurde die Tür zum Schlafzimmer aufgerissen. Team Alpha kam hereingestürmt, unmittelbar gefolgt von Team Beta. Jeder zielte mit seiner Waffe in eine andere Zimmerecke.

Fallon gab Entwarnung. »Zimmer gesichert.«

»Haus komplett sicher«, meldete Toro daraufhin von der Tür her.

Der gesamte Zugriff hatte dreiunddreißig Sekunden gedauert. Leider war er in ein Blutbad ausgeartet.

Während Robinson und Toro das Pärchen auf der Matratze ins Visier nahmen, kümmerte sich Fallon um den am Boden liegenden Grimshaw.

»Grimshaw!«, rief er, als er neben ihm auf die Knie ging.

Keine Reaktion. Grimshaws Hals war voller Blut.

»Scheiße«, fauchte Fallon und nahm Grimshaws Kopf in die Hände. »Warum bist du nicht ins Bad gegangen? Ich hatte hier doch alles im Griff, Junge.«

Fallon fühlte Grimshaws Puls.

Nichts.

Eine Schrotflinte vom Kaliber 12 verschießt Garben aus Bleikugeln. Sobald die Ladung den Lauf verlassen hat, beginnt sie zu streuen. Das bedeutet, dass sich die Kraft der Treibladung auf die einzelnen Schrotkugeln verteilt und die Geschossenergie stark abnimmt. Für Distanzschüsse sind Schrotflinten daher nicht geeignet, aber die große Zahl der Projektile macht sie zur idealen Waffe im Häuser- oder Straßenkampf. Durch Zufall hatte das Mädchen hoch gezielt, so dass der Großteil der Schrotkugeln Grimshaws schusssichere Weste verfehlt und ihn am Hals getroffen hatte. Dort hatten sie Haut, Muskeln, Arterien und Venen zerfetzt. Blut lief aus seinen Wunden wie aus einem aufgedrehten Wasserhahn.

»Wir brauchen einen Arzt hier drin!«, schrie Fallon in sein Mikrofon, während er bereits mit der Herzmassage begann. Er wollte nicht wahrhaben, was er bereits wusste. Sie konnten nichts mehr für ihn tun.

»Verdammte Scheiße!«, brüllte Fallon, ohne Grimshaws leblosen Körper loszulassen. Grimshaws Augen waren noch geöffnet.

Team Beta war zwischenzeitlich zur Matratze gegangen, wo das blonde Mädchen immer noch nicht aufgehört hatte zu schreien. Robinson warf einen Blick auf den Mann, der blutüberströmt über ihr lag.

Sie hatten ihre Zielperson.

113

»Lassen Sie die Waffe fallen, Detective«, befahl der Totenkünstler, während er Hunter tief in die Augen sah und gleichzeitig Scott Bradley das Elektromesser an die Kehle presste.

Hunter rührte sich nicht. Er hielt die Waffe fest in der Hand.

»Sind Sie sicher, dass Sie dieses Spiel spielen wollen, Robert? Ich bin nämlich mehr als bereit dazu.« Erneut wurde das elektrische Messer eingeschaltet, und sein Surren vibrierte durch die Halle wie das Geräusch von tausend Zahnarztbohrern.

Scott litt solche Todesangst, dass ihm nur ein schwaches Wimmern über die Lippen kam. Er verlor die Kontrolle über seine Blase.

Noch immer bewegte Hunter sich nicht.

»Wie Sie wollen.« In einer blitzschnellen Bewegung packte der Totenkünstler Scotts rechte Hand und machte sich mit dem Messer über den Zeigefinger her. Mit erschreckender Leichtigkeit durchschnitten die Klingen Fleisch und Knochen. Der Finger purzelte zu Boden wie eine tote Made. Blut spritzte auf.

Scott stieß einen rauen Schrei aus und versuchte noch die Hand wegzuziehen, aber es war zu spät. Wo kurz zuvor noch ein Finger gewesen war, befand sich jetzt nur noch eine blutende Wunde. Scott sah aus, als wäre er kurz davor, das Bewusstsein zu verlieren.

»Schon gut!«, rief Hunter und hob in einer Geste der Kapitulation die linke Hand. »Also gut, Sie haben gewonnen.« Er sicherte seine Pistole und legte sie auf den Boden.

Der Totenkünstler schaltete das Messer ab. »Schieben Sie sie mit dem Fuß von sich weg. Und zwar weit weg.«

Hunter tat wie ihm befohlen und versetzte seiner Waffe einen Tritt. Sie schlitterte über den Betonboden und prallte schließlich neben dem Totenkünstler gegen die Wand.

»Die Ersatzwaffe auch.«

»Ich habe keine.«

»Ach, wirklich?« Erneut wurde das Messer eingeschaltet.

»Neeeeiiin!«, schrie Scott.

»Ich habe wirklich keine!«, brüllte Hunter über den Lärm hinweg. »Ich trage keine Ersatzwaffe!«

»Also gut. Dann ziehen Sie sich aus ... langsam. Legen Sie die Kleider ab und werfen Sie sie zur Seite. Die Unterwäsche können Sie anbehalten.«

Hunter gehorchte widerspruchslos.

»Und jetzt legen Sie sich auf den Boden. Gesicht nach unten, Arme und Beine auseinander.«

Hunter wusste, dass ihm keine Wahl blieb. Für ihn und Scott lief langsam, aber sicher die Zeit ab.

»Wissen Sie was?«, sagte der Totenkünstler, während er einen Mullverband um Scotts Hand wickelte. »Ich habe nie daran gezweifelt, dass Sie dahinterkommen. Ich wusste von Anfang an, dass es Ihnen irgendwann gelingen wird, sich alles zusammenzureimen. Dass Sie die wahre Bedeutung hinter den Skulpturen erkennen. Ich habe nur nicht damit gerechnet, dass es so schnell geht. Nicht bevor ich die Sache abgeschlossen habe. Nicht ohne das letzte noch fehlende

Stück. Wie haben Sie das gemacht? Wie sind Sie darauf gekommen?«

Hunter stützte das Kinn auf den Betonboden und sah ihr geradewegs in die Augen.

Olivia, Derek Nicholsons älteste Tochter, trat hinter dem Metallstuhl hervor. Sie war ganz in Schwarz gekleidet, und darüber trug sie einen Overall aus wasserfestem Material, den sie bis zum Kinn geschlossen hatte. Als sie sich die Kapuze des Overalls vom Kopf streifte, sah Hunter, dass sie eine schwarze Badekappe aus Silikon trug. Ihre Schuhe schienen ihr mehrere Nummern zu groß zu sein. Hunter dachte an das, was Brindle über die Schuhabdrücke in Dupeks Bootskajüte gesagt hatte – dass die Gewichtsverteilung bei jedem Schritt anders gewesen war, was entweder bedeutete, dass der Täter humpelte oder absichtlich Schuhe in der falschen Größe getragen hatte.

Olivia hielt nach wie vor das Elektromesser in der Hand.

»Ihre Vorstellung war wirklich überzeugend«, sagte Hunter, der sich an den Tag erinnerte, als er ihr zum ersten Mal im Haus ihres Vaters begegnet war. »Ihr Verhalten ... die Tränen ... das unkontrollierte Zittern ... die Verzweiflung in Ihrer Stimme ... ich habe Ihnen das alles abgekauft.«

Olivia zuckte mit keiner Wimper. »Also, wie sind Sie darauf gekommen?«

Hunter schluckte. Er würde jede Sekunde nutzen. »Durch eine Freundin Ihrer Mutter.«

Er sah, dass die Worte Olivia wie ein Peitschenhieb trafen.

Sie erstarrte. Zorn und Trauer kämpften in ihren Augen. Es dauerte einen Moment, bis sie sich wieder gefangen hatte. »Was für eine Freundin?«

»Jemand, den sie früher kannte. Ich weiß ihren richtigen Namen nicht. Sie hat sich Jude genannt.«

»Was hat sie Ihnen gesagt?«

Hunter hustete. »Nicht viel.«

Olivia wartete, doch Hunter schwieg. »Besser, Sie reden weiter, sonst fange ich an zu schneiden.«

»Sie hat sich bei uns gemeldet, weil sie uns etwas über die Mordopfer sagen wollte. *Ihre* Opfer.«

»Was war mit denen?«

»Sie ist früher von ihnen vergewaltigt und zusammengeschlagen worden. Von der ganzen Gruppe. Genau wie Ihre Mutter.«

Hunter sah, wie Olivias Gesicht vor Wut glühte. Ihre funkelnden Augen richteten sich auf Scott, der trotz seiner Todesangst und der unerträglichen Schmerzen wie gebannt zuhörte.

»Wir haben die Schattenbilder interpretiert«, schob Hunter hastig hinterher, um sie von Scott abzulenken. »Aber wir haben sie falsch interpretiert ... zumindest teilweise.«

Sein Plan ging auf. Olivia wandte ihre Aufmerksamkeit wieder Hunter zu.

»Es hat eine Weile gedauert, bis wir rausgefunden hatten, was der Kojote und der Rabe bedeuten. Sie wollten uns damit sagen, dass Ihr Vater ein Lügner ist.«

»Er war nicht mein Vater!«, spie Olivia voller Verachtung.

»Natürlich«, sagte Hunter rasch. »Entschuldigung. Sie wollten uns mitteilen, dass Derek Nicholson ein Lügner und Verräter ist.«

»Genau das war er ja auch.« Ihre Stimme bebte vor Wut. »Ich war drei Jahre alt, als meine Mutter starb. Ich wurde achtundzwanzig Jahre lang betrogen. Dressiert wie ein kleines Hündchen, damit ich seine Lügen glaube.«

»Auch das tut mir leid«, sagte Hunter und hielt einen Moment lang inne. Sein überdehnter Hals begann allmählich weh zu tun. »Allerdings haben wir Ewigkeiten gebraucht, um dahinterzukommen, dass Sie uns mit den Bildern eine Geschichte erzählen wollten, Szene für Szene, wie in einem Puppentheater.«

Scott sah ihn verwirrt an.

Olivia schwieg.

»Und wir haben Ihre zweite Skulptur und das dazugehörige Schattenbild falsch gedeutet«, fuhr Hunter fort. »Wir haben Dutzende von Interpretationen durchgespielt, und letzten Endes war ich überzeugt, dass Sie einen Kampf darstellen wollten. Eine Gruppe junger Männer, die zusammen auf die Piste gegangen sind, sich betrunken und Drogen genommen haben. Eines Tages sind sie in eine Schlägerei geraten, die Sache ist aus dem Ruder gelaufen, und jemand hat dafür mit seinem Leben bezahlt. Außerdem dachten wir, dass Sie uns sagen wollten, Andrew Dupek sei der Anführer dieser Gruppe gewesen.«

»Er war ein Schwein«, sagte Olivia voller Abscheu.

»Aber in Wirklichkeit ging es gar nicht um eine Schlägerei«, sagte Hunter. »Sie wollten nicht zwei Leute darstellen, die am Boden liegen und sich prügeln, während der Rest der Gruppe zuschaut. Sie wollten darstellen, wie jemand *vergewaltigt* wird, während der Rest der Gruppe zuschaut.«

»Sie haben nicht zugeschaut. Sie haben mitgemacht.« Ihre Augen verdunkelten sich wie vor einem aufkommenden Sturm.

»Sie war eine Nutte vom Straßenstrich.« Endlich brachte Scott genügend Kraft auf, um sich zu Wort zu melden. »Andy hat sie an irgendeiner dunklen Ecke am Sunset Strip aufgegabelt. Sie hatte es doch darauf angelegt. Das war ihr Job: Sie hat sich für Geld ficken lassen. Was hat das mit Vergewaltigung zu tun?«

Olivia wirbelte so schnell herum, dass sie vor Hunters Augen fast verschwamm, und rammte Scott die Faust ins Gesicht. Seine Unterlippe platzte auf, und erneut flogen Blutstropfen durch den Raum.

»Du hältst dein Maul, bis ich dir sage, dass du sprechen darfst, du erbärmlicher Sack Scheiße.«

Hunter zuckte.

»Und Sie rühren sich nicht, bis ich es Ihnen erlaube.«

»Tue ich nicht.«

Die Lage wurde immer brenzliger.

»Also, ich höre«, sagte Olivia schließlich. »Wie haben Sie rausgefunden, dass es eine Vergewaltigung war?«

»Jude hat früher auch auf dem Strich gearbeitet. Wir haben uns mit ihr getroffen, und sie hat uns erzählt, dass sie einmal zu Dupek ins Auto gestiegen ist. Er ist mit ihr an einen abgeschiedenen Ort gefahren, wo die anderen drei auf sie gewartet haben. Sie haben sie geschlagen und vergewaltigt.« Hunter musste sich räuspern. »Dann hat sie uns noch von einer Frau erzählt, die sie damals gekannt hat. Roxy.« Er riskierte einen Blick, um Olivias Reaktion zu beobachten. Es war klar, dass sie den Namen kannte, auch wenn sie nichts sagte. Hunter sprach weiter. »Roxy hat Jude gesagt, sie sei keine Prostituierte. Dass sie so was noch nie gemacht hätte, aber dass sie keinen anderen Ausweg mehr wüsste. Sie hatte nämlich ein krankes Kind zu Hause und konnte die Medikamente nicht bezahlen. Sie hatte vor, eine Nacht lang anschaffen zu gehen, um Geld zu verdienen. Sie hat sich für ihr Kind geopfert.« Hunter fixierte Scott. »Sie war keine Nutte. Sie hat es nicht darauf angelegt, und sie hat sich nicht für Geld ficken lassen. Sie war verzweifelt, sie wusste keinen anderen Ausweg, und sie hatte Angst um ihr Kind.«

Olivia stiegen die Tränen in die Augen. »Ich hatte früher Asthma. Ich weiß noch, dass ich als kleines Kind fürchterliche Anfälle hatte. Mit der Zeit ist es besser geworden.«

»Jude hat uns erzählt, dass Roxy auch zu Dupek ins Auto gestiegen ist. Sie hat noch versucht, sie aufzuhalten, kam aber zu spät. Danach hat sie Roxy nie wiedergesehen.«

»Sie hieß Sandra«, sagte Olivia. »Sandra Ellwood. Ich bin Olivia Ellwood.« Sie zog sich wieder hinter Scotts Stuhl zurück und machte sich dort an etwas zu schaffen.

Hunter konnte nicht sehen, was es war.

»Sag's ihm«, befahl sie Scott durch zusammengebissene Zähne und fuchtelte ihm mit dem Messer vor dem Gesicht herum. »Sag ihm, wie es passiert ist.« Ein Beben ging durch ihren Körper.

Scott starrte sie mit großen Augen an.

Wieder bewegte sie sich blitzschnell. Ehe Scott reagieren konnte, hatte Olivia seinen kleinen Finger gepackt und ihn so weit zurückgebogen, dass der Knochen brach. Das Knacken war so laut, dass selbst Hunter es hören konnte. Scott schrie vor Schmerz auf, und Olivia schlug ihm erneut ins Gesicht. »Sag's ihm, oder ich breche dir jeden Knochen im Leib, bevor ich anfange, dich in deine Einzelteile zu zerlegen.«

114

Scott Bradleys angsterfüllter, wirrer Blick zuckte von Olivia zu Hunter und dann zurück zu Olivia. »Bitte«, sagte er. »Ich habe Familie. Ich habe eine Frau und zwei Töchter.«

Olivia schlug ihn zum dritten Mal ins Gesicht. »Und ich hatte eine Mutter.«

Scott sah etwas in ihren Augen, das er noch nie bei einem Menschen gesehen hatte. Etwas, das ihm mehr Angst machte als alles andere in seinem bisherigen Leben. Seine Lippe war angeschwollen. Er schluckte einen Mundvoll blutigen Speichel hinunter und kämpfte gegen den Drang an, sich zu übergeben. Dann sprach er.

»Wir kannten uns aus den Bars und Clubs in West Hollywood«, begann er. »Damals, als wir noch regelmäßig auf die Piste gegangen sind. Wir haben uns oft durch Zufall getroffen, und nach einer Weile sind wir dann zusammen losgezogen. Andy hat den Vorschlag gemacht. Er hat gesagt, er würde irgendwo eine Nutte aufgabeln und sie an einen abgeschiedenen Ort bringen. Wir sollten uns da versteckt halten und auf sie warten ...« Er wandte den Blick ab.

»Red weiter«, befahl Olivia.

»Andy war beim LAPD, frisch von der Polizeischule. West Hollywood war sein Revier. Er wusste, welche Frauen keinen Zuhälter hatten und Freiwild waren.«

Hunter schloss die Augen und atmete aus. Bei Frauen, die nicht unter dem Schutz eines Zuhälters standen, hatte die Gruppe, für den Fall, dass es mal hässlich wurde, keine Konsequenzen fürchten müssen.

»An einem Abend hat Andy uns diese dürre Schl...« Scott unterbrach sich rechtzeitig. »Dieses dürre Ding angeschleppt. Eigentlich war sie ganz hübsch. Andy hat gesagt, sie heißt Roxy. Sie ...« Bei der Erinnerung daran schüttelte er den Kopf. »Sie hat richtig Schiss gekriegt, als sie uns gesehen hat.« Er blickte zu Boden.

»Und das hat euch gefallen, stimmt's?«, sagte Olivia. »Auf so was seid ihr abgefahren, oder? Wenn ihr ihnen ansehen konntet, wie viel Angst sie hatten.«

Scott erwiderte nichts.

Hunter ließ Olivia nicht aus den Augen. Sie stand noch immer hinter Scotts Stuhl. Sie hatte Hunters Pistole vom Boden aufgehoben, und er sah, wie sie sie entsicherte. Ihnen allen lief die Zeit davon.

»An dem Abend ist irgendwie alles schiefgelaufen ... richtig schief«, fuhr Scott fort. »Wir hatten alle ... unseren Spaß. Außer Derek, Derek Nicholson. Der hatte keine Lust. Vielleicht weil er heiraten wollte, oder es lag daran, dass diese Roxy uns die ganze Zeit angefleht hat, wir sollen ihr bitte nicht weh tun ...«

Hunter wusste, dass Roxys Beschwörungen den sadistischen Trieb in den Männern nur noch mehr angefacht hatten. Je mehr sie sich fürchtete, desto größer wurde ihre Erregung.

»... Sie hat uns immer wieder gesagt, dass sie eine kranke Tochter hat.« Scott verstummte. Schweigen senkte sich über den Raum, und einen Moment lang war jeder seinen eigenen Gedanken überlassen.

Olivia war diejenige, die es brach. »Erzähl ihm, was schiefgelaufen ist.«

»Wir waren alle high und betrunken. Nathan ist ziemlich grob mit ihr gewesen. Wir haben gar nicht gemerkt, wann es passiert ist, aber auf einmal atmete sie nicht mehr.«

»Hast du sie auch geschlagen?«

»Derek und ich haben nichts gemacht. Nur Andy und Nathan.«

Olivias Blick wanderte zu Scotts Hand, als dächte sie darüber nach, ihm einen weiteren Finger zu brechen.

»Sie haben sie ein bisschen rangenommen, ja, aber nicht zu heftig. Das war halt einfach ihr Ding. Derek und ich haben bloß zugesehen, das schwöre ich. Wir standen nicht auf so was. Das hat uns nicht angemacht.«

Genau das waren Derek Nicholsons Worte gewesen, als er Olivia alles gebeichtet hatte.

»Vielleicht hat sie sich den Kopf angeschlagen oder so«, fuhr Scott fort. »Von ein paar Ohrfeigen kann sie jedenfalls nicht gestorben sein.«

Olivia warf einen kurzen Blick zu Hunter, bevor sich ihre Aufmerksamkeit wieder auf Scott richtete. »Red weiter.«

Scott spuckte einen Mundvoll Blut aus. »Als wir gemerkt haben, dass sie tot war, sind wir in Panik geraten. Wir wussten nicht, was wir tun sollten. Keiner von uns konnte noch klar denken – zu viel Alkohol und Acid. Ich habe vorgeschlagen, sie einfach liegen zu lassen und abzuhauen, aber Andy hat gesagt, dass das nicht geht. Die Cops würden alle möglichen Spuren im Zimmer und an der Leiche finden, und wir würden alle in den Knast wandern. Wir könnten versuchen, sauberzumachen, aber eine Garantie gäbe es nicht. Und dann hatte Andy eine Idee.«

Hunter spürte, wie sich sein Magen zusammenzog. Er wusste genau, was für eine Idee das gewesen war.

»Andy ist losgefahren und hat Plastikfolie, ein Fleischerbeil, eine dicke, lange Kette, Vorhängeschlösser und eine

Werkzeugkiste aus Metall besorgt. Sie war groß, aber nicht groß genug, um eine ganze Leiche drin unterzubringen.« Scott verstummte erneut und sah zu Boden.

»Nicht aufhören«, sagte Olivia sofort. »Sag ihm, was du gemacht hast.«

»Ich habe gar nichts gemacht«, protestierte er.

Olivia schlug ihm mit der flachen Hand ins Gesicht. Die Wunde an seiner Unterlippe platzte noch weiter auf und begann heftig zu bluten.

Ein Zittern ging durch Scotts Körper, und er musste mehrmals hintereinander tief Luft holen, um sich wieder zu beruhigen.

»Sag es ihm.«

»Nathan hat damals in Teilzeit in einer Fleischerei ausgeholfen, er konnte ziemlich gut mit einem Beil umgehen«, sagte Scott.

Olivia zeigte keinerlei Regung. Sie kannte die Geschichte bereits.

»Derek und ich konnten nicht zuschauen. Wir sind rausgegangen, während Andy und Nathan alles klargemacht haben. Derek war total fertig. Er hat sich Sorgen gemacht wegen der Tochter dieser Schl... Frau – was jetzt aus ihr werden würde und so weiter. Er hat mehr an sie gedacht als an uns. Weil er als Kind seine Mutter verloren hatte oder so ähnlich. Er wollte zur Polizei gehen, aber er wusste, dass wir dann alle für lange, lange Zeit hinter Gitter wandern würden. Er hatte sein Jurastudium so gut wie abgeschlossen, war verlobt und wollte nächsten Monat heiraten. Er wollte sein Leben nicht wegwerfen. Und außerdem, wenn er zu den Cops gegangen wäre, hätte Andrew ihn umgebracht. Er hätte uns alle umgebracht, das hat er selbst gesagt.« Scott hielt einen Moment lang inne. »Als Andy und Nathan fertig waren, war nichts mehr zu sehen. Da stand nur noch die Kiste mit der Kette und den Vorhängeschlössern. Mein Vater hatte ein Boot, und ich hatte die Schlüssel dazu. Ich musste rausfahren, so weit weg von der Küste wie möglich, und die Kiste ins Meer werfen. Andy ist mitgekommen, die anderen sind nach Hause gefahren. Die Kiste war schwer. Wir wussten, sie taucht nie wieder auf.«

Das letzte Opfer, dachte Hunter. *Der, der die Leiche beseitigt hat.*

»Derek sollte die Handtasche und die Papiere der Frau verschwinden lassen.« Scotts Blick kehrte zu Olivia zurück. »So hat er Sie wohl ausfindig gemacht. Er hat die Tasche nie weggeworfen. Er hat all ihre Sachen behalten.«

Olivia zeigte keine Reaktion.

»Nach der Nacht haben wir uns dann immer seltener gesehen. Wir haben uns irgendwie aus den Augen verloren. Jeder hat sein Leben weitergelebt. Und wir haben dichtgehalten.«

»Nicht alle von euch«, sagte Olivia. Dann schlug sie Scott den Griff von Hunters Pistole auf den Hinterkopf, und er verlor erneut das Bewusstsein.

115

Hunter veränderte seine Position am Boden, und Olivia zielte mit der Pistole auf seinen Kopf. »Lassen Sie das, Detective. Glauben Sie mir, ich kann schießen. Und auf diese Distanz treffe ich auch. Wenn es irgendetwas gibt, was mein Va...«, sie räusperte sich aufgebracht, »was Derek mir beigebracht hat, dann, wie man eine Waffe abfeuert.«

»Mein Nacken tut weh. Ich habe ihn nur gedehnt.«

»Lassen Sie's.«

»Schon gut, ich lasse es.«

Olivia machte einige Schritte nach links. »Sie haben mir immer noch nicht verraten, wie Sie mir auf die Schliche gekommen sind. Ich weiß jetzt, dass Sie rausgefunden haben, was ich Ihnen mit meinen Schattenbildern sagen wollte. Aber woher wussten Sie, dass ich es war?«

»Nachdem ich Judes Geschichte gehört hatte, hat es in meinem Kopf angefangen zu arbeiten, und mir kam der Verdacht, dass ich das zweite Schattenbild falsch interpretiert hatte. Es war keine Schlägerei, sondern eine Gruppenvergewaltigung. Ich wusste zu dem Zeitpunkt noch nicht, dass Roxy Ihre Mutter war, aber ich habe vermutet, dass es damals außer Jude und Roxy noch andere Frauen gab. Die auch Kinder hatten, genau wie Roxy. Und dass eines dieser Kinder die Wahrheit erfahren hatte. Aus dem ersten Schattenbild, das Sie uns hinterlassen hatten, konnte man eindeutig ableiten, dass besagtes Kind durch Derek Nicholson von der Sache erfahren haben musste. Eine Beichte auf dem Sterbebett.«

Olivia lachte zornig auf. »Er konnte damit leben, aber nicht damit sterben. Wie grotesk ist denn so was?«

Hunter wusste, dass es viele Menschen gab, die ihr Leben lang eine schwere Schuld mit sich herumtrugen; doch diese Schuld auch mit ins Grab zu nehmen, dazu waren nur die allerwenigsten bereit.

»Wenn Derek Nicholson dieses Kind zu sich nach Hause bestellt hat, um ihm die Wahrheit zu gestehen«, fuhr Hunter fort, »dann musste das zwangsläufig bedeuten, dass er es irgendwie über die Jahre hinweg im Auge behalten hatte – dass er wusste, wer dieses Kind war und wo es sich aufhielt. Ich habe alle Möglichkeiten durchgespielt, und dann hat Jude mich gestern Nacht noch mal angerufen. Ihr war der Name von Roxys Kind wieder eingefallen – Levy.«

Olivia fuhr zusammen.

»Zuerst dachte ich, es wäre der Nachname oder vielleicht ein Jungenname. Er kam mir irgendwie bekannt vor, und als ich mir dann das Hochzeitsfoto von Nicholson und seiner Frau noch mal angeschaut habe, das Ihre Schwester mir gegeben hat, wusste ich plötzlich wieder, wo ich ihn schon mal gehört hatte. Es war ein Kosename. Allison hat Sie so genannt, neulich in Ihrer Wohnung. Ein eher ungewöhnlicher Kosename für jemanden, der Olivia heißt – aber es war *Ihr* Kosename.«

In Olivias Gesicht erschien ein wehmütiges Lächeln. »Meine Mutter hat mich immer Levy genannt, nie Liv oder Ollie. Ich mochte den Namen. Er war irgendwie anders. Allison war die Einzige, die mich so genannt hat.«

»Danach habe ich mir Ihren Werdegang angeschaut. Sie haben Medizin studiert.«

Olivia zuckte mit den Schultern. »An der UCLA. Irgendwann habe ich gemerkt, dass es nicht das Richtige für mich ist. Aber das Wissen hat sich als ganz nützlich erwiesen.«

Danach versank sie wieder in Schweigen, also sprach Hunter weiter.

»Ich habe jemanden angerufen, der sich Zugang zur Datenbank der kalifornischen Sozialbehörden verschaffen konnte. Auf diese Weise habe ich rausgefunden, dass Nicholson Sie während seines ersten Ehejahres adoptiert hat. Eine etwas merkwürdige Entscheidung für ein junges Paar, das, soweit bekannt, keinerlei Schwierigkeiten hatte, eigene Kinder zu bekommen. Im Gegenteil, Nicholson hat Sie adoptiert, als seine Frau bereits mit ihrer ersten Tochter schwanger war – mit Allison.«

»Dann wissen Sie ja auch, dass er mich nur aus schlechtem Gewissen adoptiert hat. Wegen dem, was er getan hatte.« Die Wut war in Olivias Stimme zurückgekehrt. »Er hat sich schuldig gefühlt, weil er zu der Gruppe von Tieren gehört hat, die meine Mutter vergewaltigt und getötet haben. Weil er einfach dabei zugesehen und nichts unternommen hat. Weil er hinterher nicht zur Polizei gegangen ist.«

Hunter sagte nichts.

»Wie sollte ich damit weiterleben, Robert, können Sie mir das verraten? Ich hatte nämlich keine Ahnung. Er hat mich auf seinem Sterbebett zu sich gerufen, um mir mitzuteilen, dass mein ganzes Leben eine Lüge war. Dass er und seine Frau mich nicht adoptiert haben, weil sie mir Liebe und Fürsorge schenken wollten, sondern um an mir ihre Schuld abzuarbeiten.«

»Ich denke nicht, dass Dereks Frau von dem Vorfall wusste«, sagte Hunter.

»Das spielt doch überhaupt keine Rolle!«, spie Olivia wutentbrannt. »Er hat sie überredet, mich bei sich aufzunehmen. Er hat ihr gesagt, meine Mutter wäre ein Junkie gewesen und hätte mich verlassen. Er hat ihr gesagt, ich wäre ein armes kleines Ding, das niemand haben wollte, das niemand liebhätte. Dabei gab es doch jemanden, der mich liebhatte, und es gab jemanden, der mich wollte – bis sie sie mir weggenommen haben! *Er* war derjenige, der mich nicht wollte. Er wollte bloß die Schuld loswerden, die ihn im Innern zerfressen hat. Ich war seine tägliche Wohlfühlpille, seine Anti-Schuld-Medizin. Er musste mich nur ansehen, und schon fand sein krankes Herz Frieden. Er konnte sich sagen, dass alles gut war, weil er dem Kind dieser armen Hure ein besseres Leben ermöglichte. Aber wissen Sie was? Ich wollte dieses bessere Leben nie haben. Ich war vorher glücklich. Ich habe meine Mutter geliebt. Und er hat mir eingeredet, dass sie mich nicht haben wollte. Dass sie einfach abgehauen ist. Achtundzwanzig Jahre lang habe ich sie dafür gehasst, dass sie mich im Stich gelassen hat!«

Endlich erkannte Hunter, was hinter Olivias unglaublicher Brutalität stand: verdrängter Hass. Sie hatte ihre Mutter achtundzwanzig Jahre lang für etwas gehasst, das diese nicht getan hatte. Sobald sie die Wahrheit herausgefunden und begriffen hatte, dass sie ihr ganzes Leben lang belogen worden war, hatte dieser Hass auf einmal neue Nahrung erhalten – und ein neues Ziel.

In achtundzwanzig Jahren konnte sich sehr viel Hass anstauen.

Eine Träne lief Olivias Wange hinab, und bei den nächsten Worten zitterte ihre Stimme.

»Ich kann mich noch an sie erinnern – an meine Mutter. Wie schön sie war. Ich weiß noch, wie wir jeden Abend, bevor ich ins Bett musste, Schattentheater gespielt haben. Sie war unglaublich geschickt. Sie konnte *alles* nachmachen – Tiere, Menschen, Engel ... einfach alles. Wir hatten nicht viel Geld, deswegen hatte ich nie richtiges Spielzeug. Unser Schattentheater *war* mein Spielzeug. Wir haben stundenlang dagesessen und uns Geschichten ausgedacht. Alberne kleine Theaterstücke an die Wand geworfen. Kerzenlicht und unsere Hände, mehr haben wir dafür nicht gebraucht. Wir waren glücklich.«

Hunter schloss einen Moment lang die Augen. Deswegen hatte sie die abgetrennten Gliedmaßen ihrer Opfer zu Schattenbildern geformt – als makabren Tribut an ihre Mutter. Auch dies war ein Weg gewesen, ihrem Zorn Ausdruck zu verleihen.

»*Er* hat nie mit mir gespielt, wissen Sie?«, sagte Olivia kopfschüttelnd. »Als ich noch klein war, ist er nie mit mir in den Park gegangen oder auf den Spielplatz. Er hat mir nie vorgelesen oder mich auf seinen Schultern reiten lassen oder so getan, als würden wir zusammen Tee trinken, so wie andere Väter. Ich habe immer ganz allein Schattentheater gespielt.«

Hunter ließ sie weiterreden. Er wusste nicht, was er sagen sollte.

»Nachdem er es mir gesagt hat, bin ich nach Hause gefahren und habe drei Tage lang nur geheult. Ich hatte keine Ahnung, wie ich weitermachen sollte. Mein ganzes Leben war eine Lüge gewesen, eine gute Tat, damit mein Vater nachts ruhig schlafen konnte. Ich habe nie die Liebe bekommen, die ein Kind verdient hat. Nur von meiner Mutter. Und jetzt wusste ich, dass alle vier, die sie damals in Stücke gehackt und ins Meer geworfen haben wie Abfall – dass diese vier

Menschen inzwischen Familie hatten, eine Karriere ... dass sie für das, was sie getan hatten, nicht einen Funken Scham oder Reue empfanden. Und dass sie nie ihre gerechte Strafe erhalten hatten. Das war das Allerschlimmste.«

Hunter wusste, dass es nur wenige Menschen gab, die an dem, was Olivia widerfahren war, nicht innerlich zerbrochen wären. Und dass selbst diese Menschen für immer gezeichnet wären.

»Sie wissen genauso gut wie ich, dass mir Dereks Geständnis nichts genützt hätte, um diese Schweine vor Gericht zu bringen. Es ist vor achtundzwanzig Jahren passiert, und ich hatte keine Beweise, nur das Wort eines Sterbenden. Die Polizei hätte nichts unternommen und auch die Staatsanwaltschaft nicht oder sonst jemand. Niemand hätte mir geglaubt. Ich hätte einfach weiterleben müssen wie bisher, so wie ich die letzten achtundzwanzig Jahre gelebt hatte.« Sie schüttelte den Kopf. »Das konnte ich nicht. Hätten Sie das gekonnt?«

Hunter dachte an die Zeit zurück, kurz nachdem sein Vater in der Bank of America niedergeschossen worden war. Er war damals noch nicht bei der Polizei gewesen. Aber er konnte sich noch gut an seinen Zorn erinnern. Ein Zorn, der immer noch in ihm schlief. Und Polizist hin oder her, sollte er jemals denen begegnen, die seinen Vater auf dem Gewissen hatten, würde er sie töten – ohne einen Augenblick des Zögerns.

»Ich war so kurz davor, mich umzubringen.« Olivias Worte katapultierten Hunter zurück ins Hier und Jetzt. »Und dann ist mir eins klargeworden: Wer sich selbst töten kann, der kann töten. So einfach ist das. Und ich habe mir geschworen, dass ich selbst für Gerechtigkeit sorgen würde, ganz egal, was auch geschieht. Für meine Mutter. Sie hat Gerechtigkeit verdient.«

Ihr Blick geisterte ziellos durch den Raum.

»Die Idee ist mir wie im Traum gekommen. Als wäre

meine Mutter da gewesen und hätte mir gesagt, was ich tun soll. Als hätte sie mir den Weg gezeigt. Mein Va...« Wieder flackerte dieser unbändige Zorn in ihren Zügen auf. »Derek Nicholson hatte ein Faible für Mythologie. Er las ständig irgendwelche Bücher darüber und warf mit Zitaten um sich. Da fand ich es nur angemessen, aus ihm ein mythologisches Symbol zu machen.« Sie zog den Schlitten von Hunters Waffe zurück und lud sie durch.

Es war Zeit für den letzten Akt.

116

Erneut sah Hunter zu Olivia hoch. Er würde niemals an sie herankommen, ohne dass sie es vorher bemerkte und auf ihn schoss. Der Raum war zu groß, und sie war zu weit entfernt, als dass er irgendeine Bedrohung für sie dargestellt hätte. Außerdem hatte er zu lange mit gespreizten Armen und Beinen auf dem Boden gelegen. Seine Muskeln würden ihm nicht auf Anhieb gehorchen, wenigstens nicht mit der nötigen Schnelligkeit.

»Möchten Sie jetzt auch noch die letzte Skulptur sehen?«, fragte Olivia. »Das letzte Schattenbild? Den Schluss meines kleinen Lehrstücks über die Gerechtigkeit?«

Hunter stützte das Kinn auf. Er sah erst sie an und dann Scott, der nach wie vor bewusstlos war. »Olivia, tun Sie es nicht. Das muss doch nicht sein.«

»O doch! Achtundzwanzig Jahre lang hat Derek Nicholson sein Herz beruhigt, indem er sich der armen Hurentochter angenommen hat. Achtundzwanzig Jahre lang haben diese Schweine ungestraft ihr Leben gelebt. Jetzt bin ich an der Reihe, etwas für mein Herz zu tun, solange ich noch eins habe. Stehen Sie auf«, befahl sie.

Hunter zögerte.

»Ich habe gesagt, aufstehen.« Sie zielte mit der Pistole auf ihn.

Langsam, mit schmerzenden Muskeln und Gelenken, kam Hunter auf die Füße.

»Gehen Sie da rüber.« Sie deutete zur linken Wand, auf eine Stelle bei den Stehlampen. »Stellen Sie sich mit dem Rücken gegen die Wand.«

Hunter tat, was sie von ihm verlangte.

»Sehen Sie die Taschenlampe auf dem Boden, rechts von Ihnen?«

Hunter sah nach unten und nickte.

»Heben Sie sie auf.«

Seine eigene Maglite steckte in seinem Gürtel. Er gehorchte trotzdem.

»Halten Sie sie auf Brusthöhe und schalten Sie sie ein.«

Hunter zögerte erneut. Was hatte sie vor?

»Ich musste improvisieren«, erklärte Olivia. »Eigentlich hatte ich etwas wesentlich Furchterregenderes und Schmerzhafteres geplant – mein großes Finale –, aber angesichts der veränderten Umstände muss es auch so gehen. Ich hoffe, es gefällt Ihnen. Schalten Sie die Taschenlampe ein«, wiederholte sie.

Hunter hob die Taschenlampe an die Brust und schaltete sie ein.

Olivia trat beiseite. Hinter ihr saß Scott auf seinem Stuhl, immer noch ohnmächtig. Sein Kopf war nach hinten gekippt, so dass er seine Kehle entblößte, und sein Mund stand offen, als wäre er im Sitzen eingeschlafen und würde jeden Augenblick anfangen zu schnarchen. Olivia hatte an einer der Stehlampen einen etwa sechzig Zentimeter langen, dünnen Draht befestigt, der auf Höhe von Scotts Kopf waagerecht abstand. Am Ende des Drahts steckte Scotts abgetrennter Zeigefinger.

Im ersten Moment wusste Hunter nicht, was sie damit bezwecken wollte – bis er den Schatten sah, den die Installation an die Wand warf. Man erkannte deutlich das Profil von Scotts zurückgeneigtem Kopf mit offenem Mund, als stoße er einen Schrei aus. Der abgetrennte Finger am Draht sah einem verformten Zylinder ähnlich. Er war leicht nach unten geneigt und zeigte auf Scotts Kopf, direkt in seinen geöffneten Mund.

In dem Moment erreichte sie der Lärm weit entfernter Polizeisirenen. Hunter hatte vor dem Betreten der Lagerhalle Verstärkung angefordert, doch dem Klang nach zu urteilen, würde es mindestens noch drei bis fünf Minuten dauern, bis sie eintraf. Zu lange.

Olivia musterte Hunter. In ihrer Miene lag eine seltsame Ruhe. »Ich wusste, dass sie kommen würden«, sagte sie und zielte erneut mit der Waffe auf ihn. »Aber ob Sie noch am Leben sein werden, wenn sie hier eintreffen, hängt davon ab, wie schnell Sie das letzte Bild enträtseln können.«

Hunter ließ die Waffe nicht aus den Augen.

»Nicht mich anschauen. Den Schatten.«

Hunter musste sich zwingen, ihr zu gehorchen. Er konzentrierte sich. Auf den ersten Blick sah der Schatten aus wie jemand, der den geöffneten Mund unter eine Art Spender hielt, um daraus zu trinken. Hatte sie etwa vor, Scott etwas einzuflößen? Ihn auf diese Weise zu töten? Aber das wäre eine erhebliche Abweichung von ihrer bisherigen Vorgehensweise. In Hunters Kopf wirbelten die Gedanken wild durcheinander.

Der Schuss, der sich aus der Waffe in Olivias Händen löste, war laut wie eine Explosion. Die Kugel schlug wenige Zentimeter von Hunters Kopf entfernt in die Wand ein. Unwillkürlich zuckte er zusammen und ließ die Taschenlampe fallen.

»Kommen Sie, Robert«, mahnte Olivia. »Sie sind doch angeblich so schlau. Ein erfahrener Ermittler. Können Sie nicht unter Druck arbeiten?«

Die Sirenen wurden lauter.

»Die Schatten«, sagte sie. »Sehen Sie sich die Schatten an. Sagen Sie mir, was sie bedeuten. Ihre Zeit läuft ab.«

Hunter bückte sich und hob die Taschenlampe wieder auf. Er starrte angestrengt die Wand an, konnte aber nichts erkennen. Was zum Teufel sollte das Bild darstellen?

Bang!

Der zweite Schuss ging noch näher an seinem Gesicht vorbei. Putzsplitter flogen in alle Richtungen. Einige streiften Hunters Wange und rissen ihm die Haut auf. Er spürte ein Stechen und dann warmes Blut, das aus den Wunden sickerte, doch er hielt die Taschenlampe fest umklammert. Sein Blick war und blieb auf das Schattenbild gerichtet.

»Ich garantiere Ihnen, Detective, der nächste Schuss trifft ins Ziel.« Sie machte einen Schritt auf ihn zu.

Hunters Gehirn haderte mit der Erkenntnis, dass er vielleicht in wenigen Sekunden sterben würde, während es gleichzeitig versuchte, verschiedene Interpretationen des Schattenbildes gegeneinander abzuwägen.

Aus dem Augenwinkel nahm er wahr, wie Olivia erneut die Waffe hob.

Er konnte nicht denken.

Dann sah er es.

117

»Eine Aufnahme!«, rief er, als Olivias Finger sich schon um den Abzug krümmte. Das Bild stellte keinen Getränkespender dar, sondern Scott, wie er in ein Mikrofon sprach. »Sie haben alles aufgenommen. Während er geredet hat, haben Sie ihn auf Band aufgezeichnet. Ein Geständnis.«

Olivia ließ die Waffe sinken. Fast hätten sich ihre Lippen

zu einem Lächeln verzogen. Sie hob die linke Hand, um Hunter den winzigen Digitalrekorder zu zeigen. »Ich habe sie alle aufgenommen. Ich habe jeden Einzelnen gezwungen, mir zu schildern, was damals passiert ist. Die Geschichten gleichen sich aufs Haar. Hier drauf habe ich ihre Stimmen, wie sie mir erzählen, dass sie meine Mutter der Reihe nach geschlagen und vergewaltigt haben, bevor sie sie in Stücke hackten, ihre Leiche in eine Kiste steckten und sie ins Meer warfen. Alle bis auf Andrew Dupek. Sein Kiefer war gebrochen, er konnte nicht sprechen. Aber das alles spielt jetzt keine Rolle mehr.«

Hunter wusste nichts zu sagen.

Scott murmelte etwas Unverständliches. Seine Lider begannen zu zucken.

»Fangen Sie«, rief Olivia und warf Hunter das Aufnahmegerät zu. Er fing es in der Luft auf und starrte es einen Moment lang zweifelnd an, bevor er wieder zu ihr blickte.

»Sie können es behalten«, sagte sie.

»Vielleicht hilft es«, erwiderte Hunter, »aber ich will ganz ehrlich zu Ihnen sein. Unser Rechtssystem ist alles andere als perfekt. Wahrscheinlich werden Sie damit nicht allzu viel erreichen, Olivia.«

»Ich weiß. Ich habe schon alles erreicht, was ich erreichen wollte. Ich habe meine Genugtuung bekommen.« Sie deutete auf den Rekorder in Hunters Hand. »Ich habe überlegt, es an die Presse zu schicken, damit die Sache aufgedeckt wird. Nicht meinetwegen – ich weiß, womit ich jetzt zu rechnen habe –, sondern für meine Mutter.« Olivia wischte sich eine Träne aus dem Augenwinkel, bevor sie ihr die Wange hinabrollen konnte. »Sie hat Gerechtigkeit verdient. Machen Sie damit, was Sie für richtig halten.« Sie legte Hunters Pistole auf den Boden und stieß sie mit dem Fuß zu ihm hin.

»Verhaften Sie dieses bekloppte Miststück!«, kreischte Scott auf seinem Stuhl. »Und holen Sie mich hier raus, Sie Vollidiot!« Er begann wild zu zappeln. »Diese Schlampe hat mir einen Finger abgeschnitten, haben Sie das nicht gesehen? Ich sorge dafür, dass du auf den elektrischen Stuhl kommst, hörst du mich, du Miststück? Mein Bruder wird dich vor Gericht in Stücke reißen wie deine Mutter, die Hure!«

Diesmal war Hunter schneller als Olivia. Der kraftvoll ausgeführte Fausthieb traf Scott genau an der Schläfe. Scott sackte zusammen und war still.

»Er redet zu viel«, meinte Hunter achselzuckend zu Olivia. Dann sagte er: »Ihnen ist klar, dass ich Sie festnehmen muss. Das ist meine Pflicht als Detective. Aber ich werde Ihnen keine Handschellen anlegen.«

Diesmal war Olivia diejenige, die verwirrt aussah.

»Ich nehme Sie jetzt mit. Sie können hocherhobenen Hauptes hier rausgehen.« Hunter warf einen Blick auf Scott Bradley. »Aber *dem* Mistkerl da lege ich definitiv Handschellen an.«

Die Wut war aus Olivias Augen verschwunden. »Sie sind ein guter Mensch, Robert, und ein guter Polizist. Aber ich habe das alles von Anfang an geplant. Für meine Geschichte gibt es nur ein Ende. Den Director's Cut. Und der beinhaltet keine Festnahme.«

Hunter sah, wie sie sich etwas von der Größe eines Vierteldollarstücks in den Mund warf. Sah, wie ihr Kiefer sich anspannte, und hörte ein Knacken, als sie es zerbiss und dann hinunterschluckte. Er stürzte zu ihr, aber Olivia war bereits zusammengebrochen. Sie hatte das Fünfzigfache der tödlichen Dosis Cyanid geschluckt.

Als das LAPD die Lagerhalle stürmte, hatte ihr Herz längst aufgehört zu schlagen.

118

Die nächsten anderthalb Stunden verbrachte Hunter im Gespräch mit Garcia, Captain Blake und Alice. Er musste ihnen haarklein berichten, was sich seit dem vergangenen Abend zugetragen hatte.

»Ich muss gestehen«, meinte Alice zu Hunter. »Als du mich angerufen und mir gesagt hast, ich soll mich in die Datenbank der Sozialbehörden einhacken und nach Adoptionsunterlagen für Olivia Nicholson suchen, fand ich das ziemlich eigenartig. Trotzdem bin ich nie auf die Idee gekommen, sie könnte eine Verdächtige sein. Das Einzige, was mir bei meinen Recherchen komisch vorkam, war, wie schnell die Adoption damals über die Bühne gegangen ist. Die kalifornischen Adoptionsgesetze sind relativ lax«, fuhr sie erklärend fort. »Die einzige Voraussetzung ist, dass der Adoptierte mindestens zehn Jahre jünger sein muss als der Adoptierende. Derek Nicholson hatte gerade sein Jura-Examen gemacht. Er hatte Freunde an wichtigen Stellen. Er kannte überhaupt viele Leute.«

»Richter«, sagte Garcia.

»Unter anderem. Mit den richtigen Beziehungen und seinem juristischen Fachwissen hat er es geschafft, alles innerhalb von kürzester Zeit abzuwickeln. In der Regel dauert eine Adoption in Kalifornien zwischen sechs Monaten und einem Jahr. Derek Nicholson hat weniger als neunzig Tage gebraucht, um alle notwendigen Unterlagen zu beschaffen und anerkennen zu lassen. Es wurden keine Fragen gestellt, alles hatte scheinbar seine Ordnung.«

»Man muss das Gesetz kennen, um es zu umgehen«, merkte Hunter an.

»Das ist wahr«, pflichtete Alice ihm bei. »Und wenn man einflussreiche Freunde hat, ist alles möglich.«

»Okay, aber woher hast du gewusst, dass Olivia sich

heute Abend ihr nächstes Opfer holen würde?«, fragte Garcia.

»Gewusst habe ich es nicht. Ich hatte lediglich einen Verdacht, also habe ich es mit einem kleinen Bluff probiert.« Hunter fuhr sich mit den Fingerspitzen über die zwei Wunden auf seiner linken Wange. Einen Verband hatte er abgelehnt.

»Einem kleinen Bluff?«, fragte Captain Blake.

»Ich bin heute früh bei Olivia vorbeigefahren, unter dem Vorwand, dass ich neue Informationen hätte und ihr noch ein paar Fragen stellen müsste. Als Garcia und ich gestern Abend bei Olivia und ihrer Schwester zu Besuch waren, habe ich sie um ein altes Foto von ihrem Vater gebeten. Allison hatte ein Hochzeitsfoto im Wohnzimmer stehen, allerdings war Olivia diejenige, die es mir gegeben hat. Als sie es in der Hand hatte und es sich angeschaut hat, habe ich etwas in ihren Augen bemerkt – eine sehr starke Emotion, die ich zu dem Zeitpunkt noch für Trauer gehalten habe. Als ich heute Morgen dann noch mal bei ihr war, habe ich ihr das Bild zurückgegeben, und da war genau derselbe Ausdruck. Aber es war keine Trauer. Es war irgendwas viel Tiefersitzendes, viel Schmerzhafteres.« Hunter rieb sich flüchtig die Augen. »Also habe ich sie ganz spontan gefragt, ob ihr Vater mit ihr oder ihrer Schwester früher manchmal Schattentheater gespielt hat.«

»Und hast ihr damit zu verstehen gegeben, dass wir die wahre Bedeutung hinter den Skulpturen kennen«, konstatierte Alice.

Hunter nickte. »Aber Olivia ist ganz ruhig geblieben. Sie hat sich nichts anmerken lassen, nur so getan, als fände sie die Frage seltsam. Dann wollte ich noch von ihr wissen, ob ihre *Mutter* jemals mit ihr Schattentheater gespielt hätte, und dabei hat ihre Fassade für einen ganz kurzen Moment angefangen zu bröckeln. Ihr Blick hat sich verschleiert, und ihr Gesicht wurde ganz weich und zärtlich, bevor es dann plötzlich so hart wurde, wie ich es bis dahin überhaupt nicht von ihr kannte. Da habe ich beschlossen, es darauf ankommen zu lassen. Ich habe behauptet, dass es in der Nacht eine entscheidende Wende bei den Ermittlungen gegeben hätte. Wir wären jetzt sicher, dass der Täter nur noch einen weiteren Namen auf seiner Todesliste hätte. Ich habe ihr gesagt, dass wir den Namen dieses letzten Opfers innerhalb der nächsten vierundzwanzig Stunden herausfinden würden. Und ab dann würde er rund um die Uhr unter Polizeischutz stehen.«

Garcia schmunzelte. »Mit anderen Worten: Falls du mit deinem Verdacht recht hattest und sie tatsächlich der Totenkünstler war, hattest du ihr damit durch die Blume mitgeteilt, dass sie innerhalb der nächsten vierundzwanzig Stunden zuschlagen muss, wenn sie ihr letztes Opfer noch erwischen will. Du hast sie unter Zugzwang gesetzt.«

Ein erneutes Nicken von Hunter. »Aber ich hatte keine Zeit, zurück ins PAB zu fahren und einen Antrag auf Observierung zu stellen. Es gab ja nicht mal stichhaltige Gründe dafür. Ein vager Verdacht und ein Kosename – mehr hatte ich nicht in der Hand.«

»Also haben Sie beschlossen, die Dienstvorschrift – wieder mal – Dienstvorschrift sein zu lassen, und sich kurzerhand selbst zum Ein-Mann-Observierungs-Team ernannt«, stellte Captain Blake fest, aber es lag kein Tadel in ihrer Stimme.

»Nur für vierundzwanzig Stunden«, räumte Hunter ein.

»Und was hat sie gemacht?«, wollte Alice wissen.

»Den Großteil des Tages hat sie nicht mal das Haus verlassen.«

»Wahrscheinlich musste sie einen neuen Plan austüfteln«, meinte Captain Blake.

»Als sie dann schließlich doch aufgebrochen ist, ist sie nach Woodland Hills gefahren, wo sie sich auf einem Parkplatz mit Scott Bradley getroffen hat. Er ist von seinem Wagen in ihren umgestiegen.«

Alle runzelten verwirrt die Stirn.

»Meine Vermutung ist, dass Olivia schon seit längerem Kontakt zu Scott hatte. Er ist verheiratet, hat aber eine Schwäche für schöne Frauen, erst recht, wenn sie ihm sagen, dass sie devot sind. Olivia wusste genau, womit sie ihn ködern konnte. Ich bin mir sicher, sie war seit Tagen an ihm dran.«

»Das erklärt auch die veränderte Vorgehensweise«, warf Garcia ein. »Alle vorherigen Morde fanden an Orten statt, an denen sich die Opfer sicher fühlten – bei Nicholson zu Hause, auf Dupeks Boot, in Littlewoods Praxis. Scott Bradley hatte eine Frau und zwei Töchter, das machte es schwierig, ihn zu Hause zu töten. Ein eigenes Büro besaß er auch nicht. Er war Aktienbroker und hat in einem Großraumbüro gearbeitet.«

Hunter nickte zustimmend.

»Also hat sie ihn angerufen und gesagt, dass sie ihn an dem Abend sehen will«, sagte Alice. »Bestimmt hat er sofort alles stehen und liegen lassen.«

»Sie hatte nie vor, lebend aus der Sache rauszukommen, oder? Auch wenn wir sie nicht gefasst hätten.« Diese Feststellung kam von Captain Blake. »Es stand von vorneherein fest, dass sie nicht ins Gefängnis gehen würde. Sie wusste, dass sie die Sache nicht überleben würde.«

Hunter schwieg.

»Indem Derek Nicholson ihr alles gebeichtet hat«, sagte Alice, »hat er sie seelisch vernichtet. So eine Wahrheit – das war mehr, als sie ertragen konnte. Wenn man aus heiterem Himmel erfährt, dass man sein ganzes Leben lang belogen worden ist, dass die eigene Mutter brutal ermordet, zerstückelt und wie Müll entsorgt wurde – und wenn einem dann noch gesagt wird, wer die Täter waren, man aber gleichzeitig weiß, dass sie niemals für ihr Verbrechen bestraft wurden und auch keine Strafe mehr zu erwarten haben, was tut man dann? Wie soll man jemals wieder ein normales Leben führen, wenn man dieses Wissen mit sich rumträgt? Für sie wäre jeder Tag eine Qual gewesen, ganz egal ob im Gefängnis oder in Freiheit.«

»Olivia hat ihr Leben geopfert, damit ihrer Mutter Gerechtigkeit widerfährt«, sagte Hunter. »Eine Gerechtigkeit, die unser Rechtssystem ihr niemals hätte geben können. Letzten Endes haben diese vier Männer die Mutter *und* die Tochter getötet.«

Ein beklommenes Schweigen senkte sich über sie.

»Ich weiß ja, dass wir nur unsere Pflicht getan haben«, meinte Captain Blake schließlich mit einem Kopfschütteln. »Aber vielleicht hätten wir uns damit nicht ganz so beeilen sollen. Ich für meinen Teil hätte nichts dagegen gehabt, wenn es Olivia Nicholson gelungen wäre, alle vier zu beseitigen. Absolut nichts. Scott Bradley, dieses Schwein, ist noch mal mit einem blauen Auge davongekommen – beziehungsweise mit einem abgeschnittenen Finger. Verdient hätte er weit Schlimmeres. Er behauptet übrigens, Sie hätten ihn bewusstlos geschlagen.«

Da Hunter nichts sagte, fuhr Blake fort. »Wenn Sie mich fragen, hat es sich so abgespielt: Er war in einem emotionalen Ausnahmezustand, darunter kann die Realitätswahrnehmung schon mal ein bisschen leiden. In Wirklichkeit hat er sich bloß *eingebildet*, Sie hätten ihn geschlagen.« Sie hielt inne, und ihr Blick ging durch den Raum. »Ja, die Erklärung klingt für mich absolut plausibel.«

Als Nächstes berichtete Garcia von den Ereignissen in Pomona. Ken Sands befand sich in Polizeigewahrsam, und Garcia würde Detective Ricky Corbí anrufen, der die Ermittlungen im Mordfall Tito leitete, um ihn davon zu unterrichten. Sands war sein Hauptverdächtiger.

119

Es war schon mitten in der Nacht, als Hunter endlich den Papierkram erledigt hatte. Er ging nach unten und legte alles auf Captain Blakes Schreibtisch, damit sie es am nächsten Morgen durchgehen konnte.

Sein Handy klingelte, und er fischte es aus seiner Hosentasche.

»Detective Hunter.«

»Robert. Ich bin's, Alice.«

Hunter war so sehr mit seinen Berichten beschäftigt gewesen, dass er gar nicht mitbekommen hatte, dass Alice schon vor Stunden ihre Sachen zusammengepackt hatte und gegangen war.

»Ich wollte nur anrufen, um zu sagen, wie sehr ich mich über unser Wiedersehen gefreut habe«, sagte sie. »Und dass die Arbeit mit dir ein Erlebnis war.«

»Ja, ich habe mich auch gefreut, dich wiederzusehen.«

»Auch wenn du dich nicht an mich erinnern konntest.«

Hunter zögerte kurz. »Sag mal, du schaust aber ab und zu vorbei, oder? Du arbeitest doch noch für die Staatsanwaltschaft?«

»Ja, ich arbeite noch für die Staatsanwaltschaft.«

Befangenes Schweigen.

Hunter sah auf die Uhr. »Hast du gerade zu tun? Wollen wir vielleicht was trinken gehen?«

»Jetzt?« Das Erstaunen in Alices Stimme war nicht der späten Stunde geschuldet.

»Klar. Ich bin hier so gut wie fertig. Und ich könnte wirklich einen Drink vertragen.«

Zögern.

»Und die Gesellschaft«, fügte er hinzu.

»Klar, wir können gerne was trinken gehen.«

Hunter lächelte. »Wie wär's, wenn wir uns im Edison treffen, das ist im Higgins Building an der Ecke Second und Main?«

»Ja, das kenne ich. In einer halben Stunde?«

»Bis gleich.« Hunter legte auf.

Draußen auf der Straße blieb er an der Ecke South Broadway und West First Street stehen und beobachtete einen Moment lang den Verkehr. Er berührte die Wunden an seiner Wange, ehe er den Blick senkte und den Umschlag betrachtete, den er in der Hand hielt. Er war an Michelle Howard, die Chefredakteurin der *LA Times*, adressiert. Sie hatte einige Jahre zuvor selbst für Schlagzeilen gesorgt, als sie öffentlich bekannt hatte, als junges Mädchen Opfer einer Gruppenvergewaltigung geworden zu sein. Die Täter waren nie gefasst worden.

Hunter hatte weder Garcia noch Captain Blake noch Alice oder sonst jemandem von dem digitalen Aufnahmegerät erzählt, das Olivia ihm gegeben hatte. Er holte es aus seiner Tasche und starrte es lange an, bevor er es in den Umschlag fallen ließ, ihn zuklebte und in den Briefkasten steckte, vor dem er stehen geblieben war.

Jetzt war seine Arbeit getan.

Dann ging er weiter, Richtung Second und Main.

Chris Carter

I Am Death. Der Totmacher

Thriller

Aus dem Englischen von Sybille Uplegger

Vor dem Los Angeles International Airport wird eine brutal zugerichtete Leiche gefunden. In ihrem Hals steckt ein Zettel mit einer Botschaft: Ich bin der Tod. Profiler Robert Hunter ist der Einzige, der den Täter finden kann. Bald fasst er einen Verdächtigen. Doch da taucht eine weitere Leiche auf. Hunter hat den Falschen. Und der Mörder hat gerade erst begonnen …

Lesen Sie auf den nächsten Seiten, wie der Roman beginnt …

1

»Tausend Dank, dass du so kurzfristig kommen konntest, Nicole«, sagte Audrey Bennett, als sie die Tür zu ihrem weißen zweigeschossigen Haus im Upper Laurel Canyon, einer wohlhabenden Wohngegend in den Hollywood Hills von Los Angeles, öffnete.

Nicole antwortete mit einem freundlichen Lächeln.

»Ist doch überhaupt kein Problem, Mrs Bennett.«

Nicole Wilson war in Evansville, Indiana, geboren und aufgewachsen und sprach mit einem unverwechselbaren Midwestern-Akzent. Mit ihren eins sechzig war sie eher klein geraten, und ihr Gesicht taugte nicht gerade als Material für Modemagazine, aber sie war immer freundlich und verfügte über ein bezauberndes Lächeln.

»Komm rein, komm rein«, bat Audrey und bedeutete Nicole einzutreten. Sie schien sehr in Eile zu sein.

»Tut mir leid, dass ich ein bisschen spät dran bin«, sagte Nicole und kam ins Haus, während sie gleichzeitig einen Blick auf ihre Armbanduhr warf. Es war kurz nach halb neun.

Audrey lachte. »Ich glaube, du bist so ziemlich die einzige Person in ganz Los Angeles, die sich dafür entschuldigt, wenn sie nicht mal zehn Minuten zu spät kommt. Alle anderen, die ich kenne, finden das eher elegant.«

Nicole lächelte, wirkte aber nach wie vor ein wenig unglücklich. Sie legte immer größten Wert auf Pünktlichkeit.

»Das ist ein wunderschönes Kleid, Mrs Bennett. Haben Sie heute Abend was Besonderes vor?«

Audrey schürzte die Lippen und verzog das Gesicht. »Abendessen bei einem Richter.« Sie beugte sich zu Nicole herunter. Die nächsten Worte sagte sie im Flüsterton. »Das wird soooo langweilig.«

Nicole kicherte.

»Oh, hallo, Nicole«, grüßte James, Audreys Mann, der gerade die geschwungene Treppe aus dem ersten Stock herunterkam. Er trug einen eleganten dunkelblauen Anzug mit einer gestreiften Seidenkrawatte und dem dazu passenden Einstecktuch, dessen oberer Rand ein kleines Stückchen aus der Brusttasche seines Sakkos herausschaute. Seine karamellblonden Haare waren wie immer streng nach hinten gekämmt, keine Strähne wagte es, aus der Reihe zu tanzen.

»Bist du dann so weit, Schatz?«, wandte er sich an seine Frau, ehe er flüchtig auf seine Patek Philippe sah. »Wir müssen los.«

»Ja, ich weiß, James, ich komme gleich«, antwortete Audrey, bevor sie sich noch einmal an Nicole wandte. »Josh schläft schon«, erklärte sie ihr. »Er hat den ganzen Tag getobt und gespielt – zum Glück, um acht war er nämlich so erledigt, dass er vor dem Fernseher eingeschlafen ist. Wir haben ihn dann bettfertig gemacht, und sein Kopf lag noch nicht mal auf dem Kissen, da war er schon wieder eingeschlafen.«

»Wie süß«, sagte Nicole.

»So, wie der kleine Teufel heute herumgerannt ist«, klinkte sich James Bennett ein, als er auf Audrey und Nicole zutrat, »schläft er bestimmt bis morgen früh durch. Es dürfte also ein entspannter Abend für dich werden.« Er nahm Audreys Mantel von dem Ledersessel zu seiner Rechten und half seiner Frau hinein. »Wir müssen jetzt wirklich fahren, Liebling«, raunte er ihr ins Ohr, bevor er ihr einen Kuss auf den Nacken gab.

»Schon gut, schon gut«, beschwichtigte Audrey ihn,

während sie gleichzeitig mit dem Kopf in Richtung der Tür deutete, die neben dem Kamin aus Flussstein an der östlichen Seite des riesigen Wohnzimmers abging. »Geh ruhig in die Küche und bedien dich, wenn du etwas möchtest. Du kennst dich ja aus, oder?«

Nicole nickte.

»Falls Josh aufwacht und noch ein Stück von dem Schokoladenkuchen will, *gib ihm nichts.* Das Letzte, was er braucht, ist ein Zuckerschock mitten in der Nacht.«

»Alles klar«, sagte Nicole und lächelte erneut.

»Kann sein, dass es ziemlich spät wird«, setzte Audrey noch hinzu. »Ich rufe zwischendurch mal an, um mich zu vergewissern, dass alles in Ordnung ist.«

»Viel Spaß heute Abend«, wünschte Nicole den beiden und begleitete sie zur Tür.

Als Audrey die Stufen vor der Haustür hinablief, warf sie Nicole noch einen letzten Blick zu und sagte lautlos: »Langweilig!«

Nachdem sie die Haustür wieder geschlossen hatte, ging Nicole als Erstes nach oben und schlich auf Zehenspitzen in Joshs Zimmer. Der Dreijährige schlief wie ein Engel, ein Kuscheltier mit riesigen Augen und Ohren fest im Arm. Nicole stand lange im Türrahmen und betrachtete ihn. Mit seinen blonden Locken und den rosigen Bäckchen sah er so entzückend aus, dass sie sich am liebsten zu ihm gelegt und mit ihm geknuddelt hätte. Aber sie wollte ihn nicht aufwecken. Also beschränkte sie sich darauf, ihm von der Tür aus eine Kusshand zuzuwerfen, und kehrte dann nach unten zurück.

Sie machte es sich im Wohnzimmer gemütlich und schaute eine alte Komödie im Fernsehen an, bis nach etwa einer Stunde ihr Magen recht eindeutige Geräusche von sich gab. Erst jetzt fiel ihr wieder ein, dass Audrey etwas von einem Schokoladenkuchen erwähnt hatte. Sie sah auf die Uhr. Es war definitiv Zeit für einen kleinen Snack, und ein Stück Schokokuchen wäre genau das Richtige. Nicole verließ das Wohnzimmer und lief noch einmal rasch nach oben, um nach Josh zu sehen. Als sie zurück nach unten kam, durchquerte sie das Wohnzimmer und öffnete die Tür zur Küche.

»Uaah!«, schrie sie und machte einen Satz rückwärts.

»Uaah!«, rief der Mann, der am Küchentisch saß und ein Sandwich aß, eine Millisekunde später. Vor lauter Schreck ließ er sein Sandwich fallen und sprang vom Tisch auf, wobei er sein Glas Milch umwarf. Hinter ihm fiel polternd sein Stuhl zu Boden.

»Wer um alles in der Welt sind Sie?«, fragte Nicole mit pochendem Herzen und zog sich vorsichtshalber noch einen Schritt zurück.

Der Mann betrachtete sie einige Sekunden lang verdattert, als versuche er, sich darüber klarzuwerden, was genau hier eigentlich vor sich ging. »Ich bin Mark«, sagte er schließlich und deutete mit beiden Händen auf sich.

Sie starrten einander eine Zeitlang schweigend an, bis Mark erkennen musste, dass die Frau mit diesem Namen nicht das Geringste anfangen konnte.

»Mark?«, wiederholte er. Er machte aus jedem Satz eine Frage, als wundere er sich, dass Nicole dies alles nicht wusste. »Audreys Cousin aus Texas? Ich bin für ein paar Tage in der Stadt, weil ich ein Vorstellungsgespräch habe? Ich wohne in der Wohnung über der Garage?« Mit dem Daumen deutete er über seine rechte Schulter.

Nicoles Blick wurde nur noch fragender.

»Audrey und James haben Ihnen doch von mir erzählt, oder etwa nicht?«

»Nein.« Sie schüttelte den Kopf.

»Oh!« Jetzt war Mark vollends verwirrt. »Hmm, also, wie gesagt, ich bin Mark, Audreys Cousin. Und Sie sind sicher Nicole, die Babysitterin, stimmt's? Die beiden haben mir schon gesagt, dass Sie heute Abend kommen. Und es tut mir leid, ich wollte Sie wirklich nicht erschrecken – auch wenn Sie es mir ja mit gleicher Münze heimgezahlt haben.« Er legte sich die rechte Hand an die Brust und tippte mit den Fingern ein paarmal auf seine Herzgegend. »Ich habe fast einen Infarkt erlitten.«

Nicoles misstrauischer Blick wurde ein klein wenig sanfter.

»Ich bin heute Morgen hergeflogen. Ich hatte heute Nachmittag ein wichtiges Bewerbungsgespräch«, klärte Mark sie auf.

Er trug einen Anzug, der nagelneu zu sein schien und sehr elegant aussah. Außerdem war er ziemlich attraktiv.

»Ich bin erst vor zehn Minuten zurückgekommen«, fuhr er fort. »Und plötzlich hat mich mein Magen daran erinnert, dass ich den ganzen Tag noch nichts Anständiges gegessen habe.« Er legte den Kopf schief. »Wenn ich nervös bin, kriege ich nichts runter. Also wollte ich mir schnell noch ein Sandwich und ein Glas Milch holen.« Sein Blick ging zu seinem Platz, und er lachte leise. »Wobei Letztere jetzt quer über den Tisch verteilt ist und langsam auf den Boden tropft.«

Er hob den umgefallenen Stuhl auf und hielt dann Ausschau nach etwas, womit er die Milchpfütze aufwischen konnte. Neben einer großen Obstschale auf dem Tresen entdeckte er eine Rolle Küchenkrepp.

»Ich bin, ehrlich gesagt, ein bisschen überrascht, dass Audrey vergessen hat, Ihnen zu sagen, dass ich hier übernachte«, gestand Mark, während er die Milch vom Boden beseitigte.

»Na ja, sie hatten es ziemlich eilig«, räumte Nicole ein. Ihre Körperhaltung hatte sich ein wenig entspannt. »Mrs Bennett hatte mich eigentlich gebeten, schon um acht zu kommen, aber ich konnte nicht vor halb neun und habe mich dann auch noch ein paar Minuten verspätet.«

»Aha, verstehe. Ist Josh noch wach? Ich würde ihm gerne gute Nacht sagen.«

Nicole schüttelte den Kopf. »Nein, er schläft schon tief und fest.«

»Er ist so ein toller Junge«, sagte Mark, als er die durchnässten Papiertücher zusammenknüllte und in den Mülleimer warf.

Nicole beobachtete ihn noch immer aufmerksam. »Sagen Sie mal«, meinte sie schließlich. »Sie kommen mir irgendwie bekannt vor. Kann es sein, dass wir uns schon mal begegnet sind?«

»Nein«, gab Mark zurück. »Ich bin zum allerersten Mal hier in L. A. Wahrscheinlich kennen Sie mich von den Fotos im Wohnzimmer und in James' Büro. Auf zweien bin ich mit drauf. Außerdem haben Audrey und ich dieselben Augen.«

»Die Fotos. Ja, das wird es sein«, meinte Nicole. Eine verschwommene Erinnerung tauchte am äußersten Rand ihres Gedächtnisses auf, nahm aber keine Gestalt an.

Schließlich zerriss das Klingeln eines Handys ihr verlegenes Schweigen.

»Ist das Ihres?«, erkundigte sich Mark.

Nicole nickte.

»Wahrscheinlich will Audrey Ihnen sagen, dass sie vergessen hat, Ihnen von mir zu erzählen.« Er zuckte schmunzelnd mit den Schultern. »Tja. Zu spät.«

Nicole erwiderte sein Lächeln. »Ich geh da mal lieber ran.« Sie verließ die Küche und ging ins Wohnzimmer, wo sie ihr Handy aus der Tasche holte. Der Anruf war tatsächlich von Audrey Bennett.

»Hi, Mrs Bennett. Wie ist das Abendessen?«

»Noch langweiliger, als ich befürchtet hatte. Das wird ein langer Abend. Aber egal. Ich wollte nur schnell fragen, ob soweit alles in Ordnung ist.«

»Ja, alles prima«, war Nicoles Antwort.

»Ist Josh aufgewacht?«

»Nein, nein. Ich habe eben nach ihm geschaut. Der wird sich so schnell nicht rühren, glaube ich.«

»Wunderbar.«

»Ach, übrigens, ich bin gerade Mark begegnet. In der Küche.«

Aus der Leitung kam ein lautes Hintergrundgeräusch.

»Entschuldige, Nicole, was hast du gesagt?«

»Dass ich gerade Mark begegnet bin. Ihrem Cousin aus Texas, der über der Garage wohnt. Ich kam in die Küche, und er saß am Tisch und hat ein Sandwich gegessen. Wir haben uns beide zu Tode erschreckt.« Sie lachte.

Eine Weile herrschte Stille, dann sagte Audrey: »Nicole, wo ist er jetzt? Ist er nach oben in Joshs Zimmer gegangen?«

»Nein, er ist immer noch in der Küche.«

»Okay, Nicole, hör mir gut zu.« Audreys Tonfall war auf einmal ganz ernst, aber zugleich zitterte ihre Stimme ein wenig. »Geh nach oben und hol Josh, so schnell und so leise, wie du kannst, und dann macht, dass ihr aus dem Haus kommt. Ich rufe die Polizei.«

»Was?«

»Nicole. Ich *habe* keinen Cousin, der Mark heißt und aus Texas kommt. Und bei uns wohnt auch niemand in der Wohnung über der Garage. Ihr müsst raus aus dem Haus ... *sofort*. Hast du mich verst–«

KLONK.

»Nicole?«

»*Nicole?*«

Die Leitung war tot.

2

Detective Robert Hunter vom Raub- und Morddezernat des LAPD öffnete die Tür zu seinem kleinen Büro im fünften Stock des berühmten Police Administration Building im Stadtzentrum von Los Angeles und trat ein. Die Wanduhr zeigte sechs Uhr dreiundvierzig an.

Hunter sah sich um. Es war auf den Tag genau zwei Wochen her, seit er das Büro zuletzt betreten hatte. Eigentlich hatte er gehofft, erholt und braungebrannt zurückzukommen; stattdessen war er erschöpft bis auf die Knochen und ziemlich sicher, dass er noch nie so blass ausgesehen hatte wie jetzt.

Es hätte eine Rückkehr aus dem Urlaub sein sollen – sein erster Urlaub seit fast sieben Jahren. Sechzehn Tage zuvor hatten sie ihren letzten Fall abgeschlossen, und danach hatte ihr Captain ihm und seinem Partner befohlen, sich zwei Wochen freizunehmen, um auszuspannen. Hunter hatte sich für Hawaii entschieden – ein Reiseziel, das er schon länger im Auge hatte –, doch am Tag seiner geplanten Abreise hatte Adrian Kennedy, ein alter Freund und Leiter des Nationalen Zentrums für die Analyse von Gewaltverbrechen NCAVC beim FBI, ihn um Hilfe gebeten. Er sollte einen im Zuge eines Doppelmordes festgenommenen Verdächtigen verhören. Hunter hatte es nicht über sich gebracht, nein zu sagen, und so war er statt auf Hawaii in Quantico, Virginia, gelandet. Ursprünglich sollten die Vernehmungen nicht länger als ein paar Tage dauern, doch unversehens war Hunter in einen Fall hineingezogen worden, nach dem in seinem Leben nichts mehr so war wie zuvor.

Es war keine vierundzwanzig Stunden her, dass er und das FBI den Fall zu den Akten gelegt hatten. Danach hatte

Kennedy wieder einmal versucht, das einstige Wunderkind Hunter zu überreden, in sein Team zu wechseln.

Hunter war als einziges Kind armer Eltern in Compton aufgewachsen, einem sozialen Brennpunktbezirk im Süden von Los Angeles. Seine Mutter erlag einem Krebsleiden, als er gerade sieben Jahre alt war. Sein Vater heiratete danach nicht wieder und musste zeitweise in zwei Jobs arbeiten, um seinen Sohn durchzubringen.

Schon früh stellte sich heraus, dass Hunter anders war. Sein Verstand arbeitete schneller als der von Gleichaltrigen. In der Schule war er unterfordert und frustriert. Den Unterrichtsstoff der sechsten Klasse etwa lernte er in weniger als zwei Monaten, und nur um sich nicht noch mehr zu langweilen, eignete er sich in eigenständiger Arbeit auch noch den Stoff der siebten, achten, ja, sogar der neunten Klasse an.

Zu dem Zeitpunkt beschloss sein Schulleiter zu handeln. Er setzte sich mit dem Schulamt in Verbindung, und nach einer Reihe von Tests und Prüfungen erhielt Hunter im Alter von zwölf Jahren ein Stipendium für die Mirman School für Hochbegabte.

Mit vierzehn hatte er sich den kompletten Highschool-Stoff in Englisch, Geschichte, Mathematik, Biologie und Chemie beigebracht. Von vier Highschool-Jahren übersprang er zwei und machte mit fünfzehn einen Einser-Abschluss. Dank Empfehlungen von allen seinen Lehrern wurde Hunter als Juniorstudent an der Stanford University angenommen. Mit neunzehn hatte er bereits ein Psychologie-Diplom – summa cum laude – in der Tasche, und mit dreiundzwanzig wurde ihm die Doktorwürde in Kriminal- und Biopsychologie verliehen. Das war der Moment, in dem Adrian Kennedy zum ersten Mal versuchte, Hunter für das FBI anzuwerben.

Hunters Dissertation mit dem Titel »Psychologische

Deutungsansätze krimineller Verhaltensmuster« hatte zufällig den Weg auf Kennedys Schreibtisch gefunden. Er und der FBI-Direktor waren so beeindruckt, dass sie den Text zur Pflichtlektüre am NCAVC machten. Seitdem hatte Kennedy mehrmals versucht, Hunter für sein Team zu gewinnen. Es wollte ihm einfach nicht in den Kopf, dass Hunter lieber als Detective bei der Polizei arbeitete, als Mitglied der fortschrittlichsten Sondereinheit zur Ergreifung von Serientätern zu werden, die es in den ganzen Vereinigten Staaten, vermutlich sogar auf der ganzen Welt, gab. Doch Hunter hatte nie auch nur einen Funken Interesse an einem Posten beim FBI gezeigt und jedes Angebot, das Kennedy und seine Vorgesetzten ihm unterbreitet hatten, ausgeschlagen.

Hunter saß an seinem Schreibtisch, jedoch ohne seinen Computer einzuschalten. Es kam ihm merkwürdig vor, dass alles noch genauso war wie immer und zugleich vollkommen anders. Genau wie immer, weil in seiner Abwesenheit nichts angerührt worden war. Vollkommen anders, weil etwas fehlte. Oder besser: jemand – der Mann, der seit nunmehr sechs Jahren Hunters Partner war. Detective Carlos Garcia.

Ihr letzter gemeinsamer Fall vor dem Zwangsurlaub hatte sie auf die Fährte eines extrem sadistischen Serienmörders geführt, der seine Morde live im Internet übertrug. Die Ermittlungen hatten ihnen nicht nur mental das Äußerste abverlangt, sondern Hunter beinahe das Leben gekostet und darüber hinaus Garcias Frau in große Gefahr gebracht. Garcia hatte sich geschworen, es nie wieder so weit kommen zu lassen.

Unmittelbar vor ihrem Urlaub hatte er daher seinem Partner offenbart, dass er nicht wisse, ob er nach seiner Auszeit ins Morddezernat I zurückkehren werde. Seine Prioritäten hatten sich geändert. Er musste an seine Familie denken, alles andere kam an zweiter Stelle.

Hunter selbst hatte keine Familie. Er war nicht verheiratet. Hatte keine Kinder. Aber er konnte die Sorgen seines Partners nachempfinden, und er war sicher, dass er die richtige Entscheidung treffen würde. Wie auch immer die am Ende aussah.

Das Morddezernat I des LAPD war eine Elite-Einheit, die sich ausschließlich mit Serienmorden und Tötungsdelikten befasste, die stark im Licht der Öffentlichkeit standen, zeitaufwendige Ermittlungen und spezielles Fachwissen erforderten. Als studierter Kriminologe und Psychologe kam Hunter innerhalb des Dezernats I eine ganz besondere Rolle zu. Alle Morde, bei denen der Täter mit extremer Brutalität und/oder Sadismus vorgegangen war, wurden innerhalb des Dezernats als »ultra violent«, kurz: »UV« eingestuft. Hunter und Garcia bildeten zusammen die UV-Einheit des Dezernats, und Garcia war der beste Freund und Partner, den Hunter sich jemals hätte wünschen können.

Endlich beugte Hunter sich vor, um seinen Rechner einzuschalten, doch noch ehe sein Finger den Knopf berührt hatte, wurde die Tür zum Büro geöffnet, und Garcia kam herein.

»Oh!«, sagte Garcia verblüfft, als er einen Blick auf die Uhr an der Wand warf. »Du bist aber früher dran als sonst, Robert.«

Hunter sah ebenfalls nach der Zeit – sechs Uhr einundfünfzig –, dann zu seinem Partner. Dessen langes braunes Haar war zu einem glatten Pferdeschwanz zurückgebunden, noch feucht von der Dusche. Seine Augen wirkten müde und besorgt.

»Ja, mag sein«, antwortete Hunter.

»Besonders braun bist du ja nicht für jemanden, der gerade von einem Hawaii-Urlaub zurückkommt.« Garcia stutzte, dann sah er Hunter stirnrunzelnd an. »Du *warst* doch im Urlaub, oder?« Hunter war der unverbesserlichste Workaholic, den Garcia je gekannt hatte.

»Wie man's nimmt«, sagte Hunter mit einem unbestimmten Nicken.

»Und das heißt was?«

»Ich habe freigenommen«, erklärte Hunter. »Ich war bloß nicht auf Hawaii.«

»Wo warst du denn dann?«

»Ach, nicht der Rede wert. Ich habe einen alten Bekannten an der Ostküste besucht.«

»Aha.«

Garcia spürte sehr wohl, dass dies nicht die ganze Geschichte war, aber er kannte Hunter gut genug, um zu wissen, dass es sinnlos wäre, ihn zu drängen: Er würde nicht darüber reden, wenn er es nicht wollte.

Garcia ging zu seinem Schreibtisch, setzte sich aber nicht hin. Er schaltete auch seinen Computer nicht ein. Stattdessen öffnete er die oberste Schublade und begann den Inhalt auszuräumen. Er legte alles auf seinen Schreibtisch.

Hunter beobachtete seinen Partner, ohne etwas zu sagen. Schließlich sah Garcia zu ihm hoch und brach das befangene Schweigen, das sich im Raum ausgebreitet hatte. »Tut mir leid, Partner«, sagte er, als er nun auch die zweite Schublade auszuleeren begann.

Hunter nickte einmal kurz.

»Ich habe lange und gründlich über alles nachgedacht, Robert«, vertraute Garcia ihm an. »Die letzten zwei Wochen habe ich praktisch nichts anderes gemacht. Ich habe mir alle Möglichkeiten durch den Kopf gehen lassen, alles gegeneinander abgewogen, und ich weiß, dass ich es von einem rein persönlichen Standpunkt aus vermutlich den Rest meines Lebens bereuen werde. Aber ich weiß auch, dass ich nicht zulassen kann, dass Anna jemals wieder so etwas durchmacht, Robert. Sie ist alles für mich. Wenn ihr wegen meiner Arbeit etwas zustieße, würde ich mir das niemals verzeihen.«

»Das verstehe ich«, gab Hunter zurück. »Und ich mache dir auch keinen Vorwurf daraus. Im Gegenteil. Ich hätte genauso gehandelt.«

Diese von Herzen kommenden Worte entlockten Garcia ein mattes, aber dankbares Lächeln. Hunter bemerkte, wie sehr seinem Partner die Situation an die Nieren ging.

»Du bist mir keine Erklärung schuldig, Carlos. Mir ganz bestimmt nicht.«

»Ich bin dir sogar noch viel mehr schuldig, Robert«, widersprach Garcia. »Ich verdanke dir mein Leben. Ich verdanke dir *Annas* Leben. Allein deinetwegen sind wir beide nicht tot, hast du das etwa schon vergessen?«

Hunter wollte nicht über die Vergangenheit sprechen, also wechselte er lieber das Thema.

»Apropos, wie geht es Anna?«

»Überraschend gut, wenn man bedenkt, was sie erleiden musste«, antwortete Garcia, der mittlerweile beide Schubladen vollständig geleert hatte. »Sie ist für ein paar Tage zu ihren Eltern gefahren.«

»Sie ist eine unglaublich starke Frau«, sagte Hunter. »Körperlich und seelisch.«

»Das ist sie.«

Erneut senkte sich eine befangene Stille über den Raum.

»Und? Was habt ihr jetzt vor?«, fragte Hunter irgendwann.

Garcia hielt inne und sah seinen Partner an. Er wirkte ein bisschen verlegen.

»Wir ziehen nach San Francisco.«

Hunter konnte sein Erstaunen nicht verbergen.

»Ihr wollt weg aus L. A.?«

»Wir sind übereingekommen, dass es so das Beste ist, ja.«

Damit hatte Hunter nicht gerechnet. Er nickte schweigend. »Das Morddezernat von San Francisco kann sich glücklich schätzen, dich zu bekommen.«

Garcias Verlegenheit wurde noch größer. »Ich gehe nicht zum Morddezernat.«

Hunters Erstaunen schlug in Verwirrung um. Schließlich wusste er, wie lange und hart Garcia darum gekämpft hatte, Detective im Morddezernat zu werden.

»Sondern zum Betrugsdezernat«, sagte Garcia endlich. »Das ist in etwa vergleichbar mit unserer White Collar Crime Unit, WCCU.«

Hunter glaubte, sich verhört zu haben.

Die WCCU war die Abteilung für Wirtschaftskriminalität des LAPD, die in schweren Betrugsfällen mit mehreren Verdächtigen oder Opfern ermittelte. Sie war zuständig für Unterschlagung, schweren Diebstahl, Bestechung und Veruntreuung durch städtische Angestellte, Regierungsbeamte und andere Amtspersonen. Innerhalb des LAPD war das WCCU als eine Einheit verschrien, in der man als Detective eher unfreiwillig landete.

Garcia hob in einer Geste der Kapitulation die Hände. »Ich weiß, ich weiß. Das ist ziemlich mies. Aber das ist im Moment die einzige freie Stelle dort. Und Anna freut sich natürlich, dass der neue Job nicht so gefährlich ist. Nach dem, was passiert ist, kann ich ihr das auch kaum verübeln.«

Hunter wollte gerade etwas erwidern, da klingelte das Telefon auf seinem Schreibtisch. Er nahm ab, hörte etwa fünf Sekunden lang zu und legte schließlich den Hörer zurück auf die Gabel, ohne ein Wort gesagt zu haben.

»Ich muss zum Captain«, verkündete er, stand auf und trat von seinem Schreibtisch weg.

Garcia machte dasselbe. Sie standen mitten im Büro und sahen sich lange an. Garcia war derjenige, der den ersten Schritt machte. Er breitete die Arme aus und umarmte Hunter, als wäre dieser sein lange verschollener Bruder.

»Danke, Robert«, sagte er und sah Hunter ins Gesicht. »Für alles.«

»Meld dich mal«, bat Hunter. In seiner Stimme schwang eine kaum hörbare Traurigkeit mit.

»Mache ich.« Als Hunter zur Tür ging, hielt Garcia ihn zurück. »Robert.«

Hunter drehte sich um.

»Pass auf dich auf.«

Hunter nickte und verließ das Büro.

ullstein